un prénom pour la vie

PIERRE LE ROUZIC

un prénom pour la vie

choix, rôle, influence du prénom

AM

ALBIN MICHEL

© Editions Albin Michel, 1978
22, rue Huyghens, 75014 Paris

ISBN 2-226-00633-8

sommaire

préface

Réfléchissez un instant. De tous les mots qui, durant votre vie entière, vont être prononcés à votre sujet et qui vont être lancés vers vous comme un appel ou une prière, un reproche ou un défi, un soufflet ou une caresse, aucun ne reviendra plus souvent sur les lèvres que votre prénom.

Votre nom, c'est votre carte d'identité, votre matricule ; votre prénom, c'est vous, dans l'intimité de la famille, dans la chaleur de la camaraderie, dans les élans de l'amour.

Quel prodigieux condensé de la personnalité que ces deux ou trois syllabes qui seront répétées des centaines de milliers, des millions de fois à partir du premier murmure attendri de la mère penchée sur le berceau de son enfant !

Or, le choix de ce prénom qui va demeurer, au cours de notre existence, notre « indicatif », notre point de repère, nous le laissons au hasard ; n'est-ce pas tout simplement aberrant lorsqu'on songe aux longues recherches et aux coûteuses études de marché nécessaires pour trouver la marque qui lancera un produit nouveau ? Le destin d'un enfant aurait-il moins de valeur que la réussite d'une lessive ?

C'est la raison pour laquelle Pierre Heller a pensé être utile en écrivant un ouvrage sur ces problèmes, qui, à notre connaissance, n'ont jamais encore fait l'objet d'une analyse systématique en dépit de leur incontestable importance psychique et sociale.

Il ne s'agit pas, faut-il le préciser, de sciences occultes ni de divination. La caractérologie s'intéresse aux différents types de caractères, c'est-à-dire aux éléments de la personnalité de chacun d'entre nous, aux manières habituelles de sen-

9

tir et de réagir qui distinguent un individu d'un autre, et ces travaux l'ont conduite à découvrir que des affinités indéniables existent entre ceux qui partagent le même prénom.

Poussant plus avant ces investigations, l'auteur a essayé de dégager les principes qui doivent présider au choix du prénom, les dangers que font courir à l'équilibre psychologique de l'enfant les prénoms insolites, les diminutifs, certains prénoms composés ; il a également pu mettre en relief le rôle prépondérant de la mère dans le choix d'un prénom, et tenté de montrer que chaque prénom possède une sonorité spécifique, et se trouve associé à une couleur (qui n'est pas autre chose qu'une vibration donnée). La connaissance de ces éléments peut nous être d'un grand secours pour percer le mystère des harmonies et des dissonances, des tensions entre parents et enfants, des attirances inexpliquées, et même des incompatibilités entre le caractère et certains aliments, ce qu'il a appelé la caractéro-diététique.

Ce livre n'a pas pour autant la prétention d'énoncer des vérités absolues. Il aura atteint son but s'il vous a donné à réfléchir sur le problème du prénom et de l'importance de son choix.

JEAN BACON

1

introduction

1

L'importance
et le choix du prénom

Un peu d'histoire...

Chez les peuplades primitives, attribuer un prénom à un individu, avait un caractère magique. C'était lui donner un pouvoir, lui transmettre certaines forces. Le prénom, loin d'être courant, était donc réservé à un petit nombre d'initiés.

Les Hébreux, à l'origine, n'avaient qu'un nom, tiré de quelque circonstance particulière à l'enfant qui venait au monde, mais par la suite ils en eurent trois. Chez les Grecs, en revanche, chacun n'avait qu'un nom et le fils faisait suivre ce nom de celui de son père. A Rome, les prénoms, dont l'usage fut général, et qui étaient héréditaires dans les familles, étaient peu variés ; on n'en comptait guère qu'une vingtaine. Avec le triomphe du christianisme, on commence à choisir les prénoms parmi les noms des martyrs. Du Ve au Xe siècle, le nom de baptême était unique et servait à désigner celui qui le portait. Entre le XIe et le XVe siècle s'ajouta un surnom qui, passant de père en fils, devint le nom de famille (le beau, le fort, le grand, le roux, etc.). C'est à partir du XVIe siècle, lorsque naquit l'état civil, que les noms de baptême furent obligatoirement associés au nom de famille qui prit sa forme définitive. Au cours de la période révolutionnaire, les noms de saints furent abandonnés au profit de noms appartenant à l'histoire ancienne, et les Brutus, les Caton, les Scaevola pullulèrent. Puis la nature entière fournit des prénoms : les animaux, les plantes et même les êtres inanimés. Cette pratique fut interdite vers la fin de la Révolution, et l'on en revint aux saints du calendrier.

Aujourd'hui...

Aujourd'hui, c'est le règne de l'anarchie, surtout dans le domaine des prénoms composés : on fabrique à tour de bras n'importe quel agrégat de deux prénoms, sans se soucier de leur compatibilité. Or, il en est des prénoms comme de n'importe quel mot. Plus il est rare, plus son audience est limitée. Alors que tout le monde comprend des mots-forces tels que : boire, manger, dormir, à mesure qu'on utilise un vocabulaire de plus en plus raffiné, on réduit le nombre de personnes capables de l'assimiler, pour ne plus avoir, à la limite, comme auditoire, qu'une poignée de spécialistes. Le mot, à ce stade, a naturellement moins d'impact. Il est, en quelque sorte, affaibli. De la même façon, si je siffle l'air du *Pont de la rivière Kwaï,* j'atteins une majorité de gens. Si je siffle le troisième mouvement du deuxième *Quatuor en fa mineur* de Hindemith, seuls quelques mélomanes avertis reconnaissent le thème.

Le « capital-prénom »

Un prénom représente une réserve d'énergie, et c'est bien compréhensible : la répétition constante de ces syllabes identiques, de cette même « harmonie », finit par entraîner une sorte d'imprégnation. Il agit comme un révélateur qui, parmi les innombrables possibilités que nous portons tous en nous, en fait surgir quelques-unes, et elles seront d'autant plus nombreuses qu'il sera « fort ».

Nous avancerons, au chapitre 3, la théorie suivant laquelle les prénoms possèdent des vibrations secrètes que nous ne percevons pas mais qui n'en existent pas moins, de même que nous ne percevons pas l'appel émis par un sifflet à ultrasons que pourtant le chien entend parfaitement. Si nous admettons l'existence de ces vibrations, qui sont différentes pour chaque prénom, il n'est pas extraordinaire d'imaginer qu'elles puissent faire vibrer une partie de nous-mêmes, déclencher en nous des réactions différentes suivant le prénom que nous portons.

Cela revient à dire que le prénom peut moduler l'individu, agir sur sa personnalité et, dans une certaine mesure, sur son destin. Cela rend plus compréhensible cette chose à première vue incroyable, à savoir que le prénom peut avoir une influence directe sur les gens.

Le choix du prénom

Si le prénom, ainsi que nous allons tenter de le montrer, ne sert pas seulement à désigner un individu mais représente bien davantage sur le plan psychique, s'il peut conditionner l'enfant à qui on l'attribue, il est encore plus impératif de le choisir avec un soin tout particulier. Il est nécessaire, par exemple, d'écarter résolument les prénoms insolites, difficiles à prononcer, ceux qui font, avec le nom de famille, des calembours d'un goût douteux (c'est plus fréquent qu'on ne croit), les prénoms composés « faibles » parce que trop artificiels, et tous ceux qui, par leur singularité ou leur bizarrerie, sont un véritable handicap pour les malheureux qui en sont affublés.

Nous avons le souvenir, entre autres, d'une fillette au prénom peu commun qui fit toute une série de petites maladies parce que, devant les moqueries de ses camarades, elle s'était sentie coupée du monde, et qui ne fut guérie que lorsqu'on réussit à la convaincre que son prénom, en dépit de son originalité, était charmant.

Il faut également se méfier de la mode, et ne pas céder à la tentation de donner à vos enfants des noms de personnalités politiques, de vedettes de cinéma, de music-hall, ou de héros de la télévision. De tels prénoms vieillissent vite, et permettent de « situer », non sans quelque cruauté parfois, l'âge de leur propriétaire.

Evitez aussi les diminutifs qui détruisent le potentiel du véritable prénom et ouvrent la voie à un inquiétant dédoublement de la personnalité. Ce petit Georges est devenu Jojo pour ses parents et pour sa grande sœur, dans la chaleur sécurisante du foyer. Mais le voici qui commence à fréquenter l'école : dans ce monde plus dur, plus froid, légèrement hostile, il sera Georges. Il aura pour ainsi dire deux visages. En classe, c'est Georges qui sera puni. A la maison, c'est Jojo qui pleurera. Vous sentez le danger ?

15

Les « mal-nommés »...

Il y a enfin le problème des prénoms d'origine étrangère. Rien ne vous interdit d'appeler votre enfant Sacha ou Deborah, mais il est préférable qu'il y ait une raison à votre choix, que ce ne soit pas un caprice gratuit, qu'il existe une harmonie naturelle entre le prénom et le nom de famille. Si vous êtes issu d'une lignée russe et que votre patronyme soit Pavloff, vous pouvez sans aucune crainte prénommer votre progéniture Nathalie ou Dimitri, mais croyez-vous que Wladimir Chabidou soit très heureux ?

N'ajoutez pas à la liste déjà longue des garçons et des filles qui ne se sentent pas à l'aise dans leur prénom et n'ont qu'une idée : en changer ! Il est d'ailleurs facile de savoir si un enfant est bien ou mal nommé. Demandez à une personne étrangère à la famille, au cours d'une conversation, de prononcer, sans hausser la voix, le prénom de l'enfant qui joue dans une pièce attenante. S'il réagit à son prénom, il y a des chances pour que ce dernier lui convienne. Mais il se peut au contraire qu'il ne réagisse absolument pas, comme s'il ne l'avait pas entendu : c'est parce qu'il le refuse inconsciemment, et que ce refus a provoqué chez lui une « surdité psychique ». Il ne veut pas entendre prononcer son prénom, donc il ne l'entend pas. Les conséquences peuvent être très graves et nécessiter d'envisager le changement du prénom. Nous en parlerons plus loin, au chapitre 5.

Les trois prénoms

Une fois qu'on s'est entouré de toutes les précautions que nous venons d'énumérer, il faut procéder au choix du prénom, ou plutôt des prénoms, car nous devrions, en principe, en avoir trois. En effet, l'homme étant par définition trinitaire, c'est-à-dire constitué d'un corps, d'une âme et d'un esprit, il devrait recevoir trois prénoms, un physique, un animique et un spirituel. Mais l'un de ces trois prénoms, celui qui correspond à la tendance fondamentale de l'être, doit se trouver privilégié par rapport aux deux autres, et devenir le prénom usuel, le prénom de base. Les deux prénoms subsidiaires peuvent être, sans inconvénient, choisis par le parrain et la marraine, qui se fieront d'une part à leur intuition et à leur goût, d'autre part aux différentes règles énoncées dans cet ouvrage.

Le rôle de la mère

En ce qui concerne le prénom proprement dit, nous pensons que personne n'est mieux à même de le choisir que celle qui va nourrir l'enfant, l'élever, le soigner, l'éduquer, après l'avoir mis au monde : la mère.

Son rôle est primordial. Sans doute sera-t-il opportun qu'elle sollicite l'accord de son mari, mais c'est elle avant tout qui a la responsabilité du choix, et voici l'explication que nous en proposons. Les trois premiers mois de la grossesse représentent la période embryonnaire. Au bout du troisième mois commence la période fœtale, au cours de laquelle se produira un phénomène appelé incarnation animique. Ce qui était jusqu'ici un petit animal va devenir un humain, avec sa destinée, son passé cosmique, ce que les Hindous appellent le Karma. Cette entité, l'âme, s'empare du corps un peu comme le pilote d'une voiture de compétition qu'on est en train de construire vient, quelques jours avant que le véhicule ne sorte de l'atelier, en prendre possession, s'installer dans le « cockpit », essayer la position du volant et du levier de vitesses avant la course. Or, c'est au moment de cette incarnation animique que la mère va commencer à percevoir en elle des vibrations, qui sont celles de l'enfant. Elle ne le sent pas seulement bouger dans son ventre, on peut dire qu'*elle l'entend*. Et nous disons qu'à ce stade il se passe un événement tout à fait extraordinaire : le fœtus, à l'insu de la mère, influence cette dernière, afin qu'il reçoive le prénom le plus en rapport avec sa future personnalité. Par le jeu des vibrations, le prénom est suggéré à la mère. C'est là qu'il faut prendre garde à ce qu'elle ne se laisse pas circonvenir par son entourage, surtout par les grands-parents, qui insistent pour que, suivant la tradition familiale, l'aîné, si c'est un garçon, reçoive le prénom de son aïeul, ou qui veulent appeler le futur bébé comme ce cher oncle tombé au champ d'honneur, ou lui donner le prénom d'un premier enfant mort en bas âge.

L'importance
et le choix
du prénom

La mère seule doit décider, dans le tréfonds de son être. Elle doit se mettre « à l'écoute » de son enfant, surtout lorsqu'elle se repose, entre deux heures et trois heures de l'après-midi. Allongée, seule, dans cette tranquillité méridienne, elle doit prononcer doucement le prénom de l'enfant qu'elle porte, jusqu'au moment où elle en perçoit, en elle, la « résonance », un peu comme quand on fredonne une chanson dans une salle de bains et que tout à coup un des sons, accordé à la résonance de la pièce, s'amplifie. Elle doit expérimenter le ou les prénoms qu'elle a retenus jusqu'à obtenir cet accord fondamental qui, pour elle, est une certitude.

Ainsi sera-t-elle assurée que le prénom choisi ne risquera pas de déséquilibrer l'enfant, de détruire ou de limiter ses possibilités, mais au contraire lui permettra de s'accomplir. C'est en ce sens qu'un prénom est un précieux investissement, un capital, et que l'on peut parler du « capital-prénom ».

Ne l'oubliez jamais !

2

Le mystère
de la fécondation

La genèse...

Nous avons vu pourquoi et comment il convenait de
nommer un enfant et la nécessité de lui attribuer la résonance profonde qui correspond à son caractère. Toutefois, avant d'aller plus loin dans notre étude, il est
nécessaire d'examiner les modalités de formation de cet
enfant, sa genèse propre.

Insistons sur le mot « genèse », qui signifie « naissance ». Il nous rappelle le premier livre de la Bible, où
sont expliqués les modes de création symbolique de notre
Terre. Il nous fait aussi penser au mot « gène », cette
partie d'un chromosome qui, associée à des dizaines de
milliers d'autres, véhicule l'hérédité physique d'un être.

Nous n'avons nullement l'intention d'aborder le problème de la procréation au plan de la physiologie — tout
a été dit là-dessus, ou presque —, mais bien sur le plan
d'une recherche des causes qui déclenchent la conception
d'un enfant.

La procréation

Il faut l'avouer, la procréation semble encore à nos yeux
être livrée au hasard. Il n'y a pas si longtemps, quelques
siècles à peine, on n'établissait aucun rapport entre
l'accouplement d'un homme et d'une femme et la fécondation de cette femme. Aujourd'hui, il en est encore

ainsi dans certaines peuplades primitives qui continuent d'attribuer aux astres, au Soleil et à la Lune en particulier, la cause des grossesses. Rions ! Puis, lorsque nous aurons bien ri, posons-nous la question suivante, en faisant abstraction de notre belle science, toujours définitivement triomphante : « Et s'il y avait du vrai dans cette croyance ? »

Comprenons-nous bien !

Nous ne sommes pas des fanatiques du « bon sauvage » qui saurait tout, et nous ne voulons pas nier le moment crucial que représente l'approche de l'ovule par les spermatozoïdes ! Le mécanisme en est parfaitement connu, en apparence tout au moins. Mais est-on sûr que tout se passe aussi simplement ?

N'existe-t-il pas une fécondation astrale qui se produirait avant la fécondation physique, qui la permettrait et la conditionnerait à la fois ? Or, si l'on affirme que cette fécondation astrale se produit exactement un an, jour pour jour, heure pour heure, avant la naissance physique, on comprend alors à quelle horloge secrète obéit la femme, et qu'il n'y a pas de hasard dans la venue au monde d'un enfant. Examinons bien les conséquences d'un tel postulat, et voyons si cela correspond effectivement à des réalités.

Nous allons prendre un exemple lié à une naissance archétype : celle de Jésus, l'Homme Universel, car, si notre hypothèse est exacte, nous devons en trouver la preuve dans le Nouveau Testament. Donc, si Jésus — mais cela est applicable à chacun d'entre nous — est né le 24 décembre à minuit de l'an 1 de notre ère, il a dû être fécondé astralement le 24 décembre à minuit de l'an —1, c'est-à-dire un an très exactement, avant sa naissance. S'il s'est produit quelque chose en ce 24 décembre de l'an —1, nous devons en trouver une trace. Eh bien, la voici !

Les Rois Mages...

Au moment de l'Epiphanie, c'est-à-dire treize jours après la venue au monde de Jésus, les Rois Mages, partis d'Orient, arrivent à Bethléem pour rendre hommage à celui qu'ils considèrent comme un être d'exception. Ces Rois Mages, d'après la tradition, étaient blanc, jaune et noir : un Perse, un Chinois et un Ethiopien, et venaient donc du fin fond de la Terre, telle qu'on la concevait en ce temps-là. Or, comment peut-on imaginer que ces Rois Mages aient eu le temps de se livrer à des observations astronomiques ou astrologiques (c'était la même chose à l'époque) de l'Etoile, qu'ils aient eu la possibilité d'en tirer les conclusions topographiques nécessaires, qu'ils se soient concertés, qu'ils aient formé une caravane, traversé les déserts, rencontré Hérode, parlementé avec les principaux prêtres et scribes de Jérusalem, fait le voyage à Bethléem, et tout cela en treize jours ! Quand on connaît la manière de vivre des hommes de l'Orient, on sent tout de suite que nous nous heurtons à une impossibilité majeure. Il ne leur a pas fallu deux semaines pour accomplir une telle randonnée, mais bien *un an et deux semaines,* autrement dit, ce que ces Rois Mages, entourés d'astrologues, ont découvert, c'est bien l'Etoile de la fécondation astrale qui s'est manifestée un an avant la naissance physique de Jésus.

Mais en voici davantage.

« Alors, écrit saint Matthieu dans son Évangile, Hérode ayant appelé les Mages en secret, s'enquit exactement auprès d'eux du temps où l'Etoile était apparue. » Réponse vraisemblable des Mages : « Nous l'avons aperçue il y a un an ! » Hérode prend bonne note de la date indiquée, convie les Rois Mages à se rendre à Bethléem, en les priant toutefois de l'informer, à leur retour, de ce qu'ils auront vu et entendu. Ce que les Mages, leur mission accomplie, se gardèrent de faire. Hérode entre alors dans une violente colère, et, nous dit l'évangile de Matthieu : « ... il envoie tuer tous les enfants qui étaient dans Bethléem et dans tout son territoire, depuis l'âge de deux ans et au-dessous, d'après la *date exacte* que les Mages lui avaient fait connaître » (Matthieu, II, 1-18).

Or, cette « date exacte » incitait Hérode à penser que Jésus était âgé de treize à quatorze mois, compte tenu de l'attente des Mages. Ne voulant pas prendre de risques, Hérode ordonne donc le massacre de tous les enfants de moins de deux ans, alors que si la « date exacte » de l'apparition de l'Etoile avait correspondu à celle de la naissance véritable de Jésus, il suffisait de se débarrasser de tous les enfants âgés de moins de six mois, ou, par précaution, de tous les enfants de moins d'un an !

Le mystère
de la
fécondation

La fécondation astrale

Nous insistons sur cette hypothèse de fécondation astrale, car elle est la clef d'une quantité de phénomènes plus ou moins explicables qui vont des naissances prématurées aux grossesses nerveuses, en passant par les fausses couches naturelles. Essayons, grâce à un schéma, de voir plus clair dans cette horloge cosmique, où chaque heure représente un mois, puisque le cycle complet de création sur Terre est de *douze mois* et jamais de neuf. C'est à la même époque, chaque année, que germent les graines, que mûrissent les fruits, que tombent les feuilles, que viennent les frimas...

Nous allons prendre l'exemple d'un cycle de reproduction type, toutes les nuances étant possibles, nous le verrons tout à l'heure.

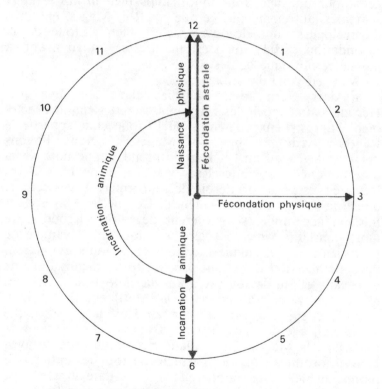

L'horloge cosmique

Notre horloge cosmique comporte donc douze heures, correspondant aux douze mois de l'année.

A zéro heure, ou 12 heures, nous avons à la fois la fécondation astrale et, un an après, la naissance physique, mois pour mois, jour pour jour, heure pour heure. C'est la « programmation ».

A trois heures, ou si vous préférez trois mois après la fécondation astrale, se produit, normalement, la fécondation physique. C'est le commencement de la gestation.

A six heures, c'est-à-dire en réalité au troisième mois de la grossesse, fin de la période embryonnaire, commencement de la période fœtale, mais aussi passage dangereux, car il est en opposition totale avec la date de la fécondation astrale. C'est à partir de cet instant, et pendant les six derniers mois de la gestation, que va se produire l'incarnation animique de l'enfant, que son âme va prendre possession du véhicule que la mère lui a confectionné. Cela peut donc se produire à n'importe quel moment, entre six heures et douze heures sur le cadran de notre horloge cosmique.

C'est pour cela que nous insistons sur le rôle de la mère qui, au cours des six derniers mois de la grossesse, « entend », en quelque sorte, la vibration de l'enfant qu'elle porte et peut donc choisir son prénom en connaissance de cause, même si cette connaissance nous semble inconsciente.

A neuf heures, au sixième mois, donc, autre période dangereuse puisque en opposition avec la date de fécondation physique, l'enfant est viable mais fragile : c'est le fameux septième mois, où se produisent tant de naissances prématurées.

Enfin, à douze heures, nous retrouvons la conjonction fécondation astrale-naissance physique, donc la venue au monde obligatoire de l'enfant.

Les anomalies de la fécondation

Voilà pour le cas le plus normal, le plus équilibré, mais il existe d'autres possibilités qui viennent compliquer le tableau, sans pour cela porter atteinte au postulat de départ.

a. La fécondation physique se produit six mois après la fécondation astrale, donc l'enfant naît au sixième mois de la gestation et nous avons une naissance prématurée.

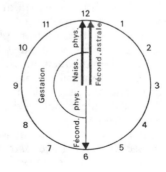

b. La fécondation physique se produit neuf mois après la fécondation astrale, donc l'enfant naît au troisième mois de la grossesse, il y a alors fausse couche naturelle.

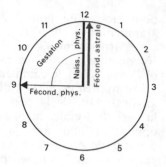

c. La fécondation physique s'opère en même temps que la fécondation astrale : la mère est alors forcée de faire le « tour du cadran » et la durée de la gestation est alors de douze mois, ce qui est exceptionnel, mais peut se produire effectivement.

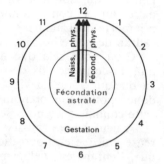

d. Enfin, il existe un dernier cas où la fécondation astrale s'étant réalisée, il n'y a pas, pour différentes raisons, de fécondation physique. Alors le sujet vit son cycle sans en avoir la manifestation physique et cela donne souvent lieu à des troubles psychiques graves, voire à des grossesses nerveuses.

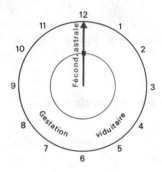

Mais, direz-vous, qu'arrive-t-il s'il n'y a pas de fécondation astrale ? A ce moment-là, il n'y a pas de fécondation possible même si la fécondation physique a lieu : ce qui explique que bien des femmes ne puissent pas avoir d'enfants alors qu'elles sont physiologiquement aptes à la reproduction.

On comprend alors certains échecs de notre médecine moderne qui, une fois de plus, prend l'effet pour la cause. Les Anciens étaient plus avisés, eux, qui priaient et faisaient des pèlerinages !

Et l'on comprend aussi qu'une femme en âge de procréer puisse être fécondée astralement, quelle que soit sa situation sociale, mariée ou non. Cela rendrait compte également de bien des viols, car le mâle perçoit secrètement cet appel de la nature sur le plan de l'inconscient alors que les animaux le ressentent sur le plan physique de leur conscient.

Le cycle mystérieux

Nous n'ignorons pas tout ce que cette théorie peut avoir de choquant dans sa nouveauté, mais une longue expérience de caractérologie nous a appris que bien des déséquilibres mentaux de la femme provenaient de la méconnaissance de ce cycle annuel qui se dissimule sous le cycle apparent des neuf mois.

Nous évoluons là dans un monde crépusculaire qui n'a jamais été exploré ; c'est pourtant ici que se situe l'origine de nombreux traumatismes psychiques affectant aussi bien la mère que l'enfant. Nous ne prétendons pas résoudre ce problème complexe, et nous nous contentons de poser cette étonnante question : « Que se passe-t-il dans les mois qui précèdent la conception ? » Chaque mère porte en elle la réponse. A elle de s'interroger !

Si votre enfant est né à terme, essayez donc de vous souvenir des trois mois qui ont précédé la fécondation physique — ce qui est relativement facile — et vous ferez alors des découvertes qui pourront éclairer pour vous la nature du caractère de votre enfant. L'expérience est passionnante...

Le mystère
de la
fécondation

3

La résonance
des prénoms

Nous avons dit que chaque prénom était porteur d'une vibration. Mais comment expliquer, en langage simple et clair, l'ensemble des problèmes de propagation et de réception des ondes qui fait que notre poste de radio reçoit tel ou tel émetteur lorsqu'on déplace l'aiguille sur le cadran gradué ? On a beau nous parler de kilohertz et de mégacycles, cela ne remplace pas, pour nous, la voix amie, l'indicatif de notre émission favorite, la petite musique qui nous retient et nous fascine.

Or, un prénom est l'indicatif d'un être, sa musique secrète, cette voix qui, au bout du téléphone, suscite tout un monde avec ces seuls mots : « C'est Dominique ». Mais comment rendre compte de ce phénomène ? Chaque prénom serait-il une sorte de signal distinctif, un appel, plus ou moins bien perçu par les différents « récepteurs », ce qui expliquerait que certains prénoms nous « atteignent » plus vivement que d'autres ?

Les vibrations de la vie

Posons en postulat que toute vie est mouvement, donc vibration, et que la vie commence à partir d'un seuil vibratoire au-dessous duquel la matière ne peut plus s'ordonner totalement en fonction d'une mission précise. D'après les nombreuses recherches effectuées jusqu'ici, il apparaît que ce seuil (nous vous demandons d'accepter notre hypothèse de travail) est de 35 000 vibrations par seconde. A l'autre extrémité de l'échelle se situe l'être en fin d'évolution, l'être le plus complet que

26

puissent permettre les lois de la planète sur laquelle nous vivons, qui présente 130 000 vibrations par seconde. C'est dans cet intervalle de 95 000 vibrations par seconde que se trouvent les formes de communication possibles entre vivants.

Prenons un exemple pour nous faire mieux comprendre. A la suite d'une mauvaise angine et de l'ingestion de nombreux médicaments, une jeune femme, dont le taux vibratoire est normalement de 75 000 vibrations par seconde, a vu ce taux descendre à 55 000. Déprimée physiquement et moralement, elle décide d'aller pendant une quinzaine de jours à la montagne pour se remettre sur pied. A son arrivée, elle fait la connaissance d'un jeune homme qui vient de passer deux semaines dans cette station. Alors qu'il n'était qu'à 45 000 vibrations par seconde, au moment où son séjour a commencé, il est à présent, grâce au climat vivifiant, à 55 000 vibrations par seconde lui aussi. Autrement dit, ils se trouvent tous deux exactement sur la même longueur d'ondes : c'est le coup de foudre.

Poursuivons notre histoire. Le jeune homme revient à Paris avec, au cœur, la délicieuse certitude de revoir bientôt celle qui l'a si profondément troublé et qui termine sa cure de repos en altitude. Effectivement, un beau matin, débarque à la gare de Lyon une superbe fille bronzée qui a entièrement récupéré ses 75 000 vibrations, et trouve sur le quai un soupirant légèrement défraîchi, dont le bronzage s'écaille prématurément, et qui est redescendu à 50 000 vibrations par seconde. Alors se termine ce classique roman des neiges, car les 25 000 vibrations par seconde qui maintenant séparent les deux jeunes gens font dire à la belle enfant : « Qu'est-ce qui m'a donc pris de m'amouracher de ce garçon ? »

De la sorte, notre vie affective est en grande partie conditionnée par le taux vibratoire de chacun d'entre nous. Or, nous avons vu que le prénom, dans la plupart des cas, reflète le caractère de l'individu. Il n'est donc pas étonnant qu'il soit normalement associé à un niveau relativement constant de vibrations, que cet « indicatif » soit émis sur une longueur d'ondes fixe, et que les autres prénoms bénéficiant de fréquences voisines soient immédiatement accueillis, un peu comme si les prénoms se « reconnaissaient » entre eux, en dehors de tout souvenir et de toute présence. C'est ainsi que je suis personnellement sensible au prénom d'Anne, sans pouvoir dire pourquoi, ne me rappelant distinctement personne qui l'ait porté. Il « colle » à moi, il vient s'installer en moi, comme une statue dont auraient préexisté la niche et le socle.

En d'autres termes, il semble bien que le prénom ait une vie indépendante de l'être à qui il sera un jour superposé, et qu'il possède une mélodie spécifique capable d'émouvoir.

On trouvera plus loin un tableau des 79 prénoms de base avec leur taux vibratoire approximatif. Il ne faudrait pas en

27

déduire qu'il s'agit d'un jugement qualitatif, que les Charles valent mieux que les Barnabé, et les Catherine que les Françoise. Il n'en est rien, mais il est évident que certains prénoms sont des conducteurs, des lignes de haute tension, si vous préférez, capables de laisser passer du 100 000 volts même s'ils ne sont utilisés qu'à la moitié de leur puissance. Ce n'est pas parce qu'une voiture est équipée d'un compteur gradué jusqu'à 200 km/h que cette voiture roulera toujours à cette vitesse ; il s'agit seulement de potentialité.

Signalons en passant que nos expériences nous ont permis de constater que les vibrations des enfants mongoliens correspondent à une fourchette se situant entre 30 000 et 35 000 vibrations par seconde, soit au-dessous du seuil « conscientiel », et que tout se passe comme si, en fonction de ce niveau insuffisant, une partie de leur être n'arrivait pas à s'incarner, comme s'ils vivaient à côté d'eux-mêmes.

Maladies et vibrations

Au reste, il est possible d'attribuer des niveaux vibratoires aux différentes maladies, ce qui permettrait d'élucider, sous un certain angle, le problème de la contagion. Les maladies semblent effectivement avoir chacune une existence propre et le taux vibratoire de la grippe n'est pas le même que celui de la rougeole ou de la typhoïde. Admettons que la grippe se situe à 55 000 vibrations par seconde. Voici une personne qui en a d'ordinaire 75 000 et qui est descendue à 55 000 vibrations par seconde par suite d'un état passager de fatigue ; si elle se trouve en contact avec une personne grippée, il y aura contamination vibratoire : la grippe va littéralement « sauter » sur elle. Par contre, des gens qui possèdent un taux vibratoire élevé peuvent approcher des malades sans risque ; il s'agit généralement d'hommes et de femmes ayant une vie spirituelle ou professionnelle intense, comme ces missionnaires et ces médecins qui soignent les lépreux et les pestiférés. On a en effet remarqué que ce taux croît avec la capacité de dévouement, la hauteur d'esprit, l'abnégation, tandis qu'il diminue avec l'égoïsme, la peur, la drogue, l'abus de l'alcool et de la sexualité.

Les individus à taux vibratoire exceptionnellement élevé sont capables non seulement de ne pas être contaminés par les malades, mais, par une manière d'osmose, de leur communiquer un supplément de vibrations et ainsi de les aider à se débarrasser de la maladie. C'est le phénomène des guérisseurs qui réussissent, en quelque sorte, à soulever, à maintenir ceux qu'ils soignent hors de la zone du mal.

Mais pour combien de temps ?

En ce sens, la mère agit un peu de la même façon ; au moment de son accouchement et quelque temps après la naissance de son bébé, elle est douée d'un taux vibratoire supérieur d'un tiers à son taux normal, et par ce lien mystérieux et pourtant si solide qui la relie à son enfant, elle lui communique littéralement ses propres vibrations, elle le maintient hors d'atteinte des maladies comme si elle le portait à bout de bras en traversant une rivière. L'amour d'une mère est le remède le plus efficace contre les affections de toutes sortes, c'est la raison pour laquelle il ne faut jamais séparer un nouveau-né de sa mère, au moins pendant toutes les années de la petite enfance. D'ailleurs, cette liaison vibratoire qui attache ces deux êtres, ce véritable cordon ombilical spirituel, n'est jamais complètement rompu, et la mère sera toujours la mère de son enfant, peut-être au-delà même des frontières de la mort.

Une curieuse expérience illustre l'existence de cet invisible lien entre un être vivant et celui dont il est issu. D'un géranium, on coupe une jeune pousse qu'on plante dans un pot voisin. La bouture prend racine, se développe, devient bientôt à son tour un végétal vigoureux. On brûle alors la plante « mère ». Quelques jours plus tard la jeune plante, que rien, en apparence, ne rattache à sa mère, s'étiole, se dessèche et meurt.

La résonance
des prénoms

Le tableau de la page suivante vous propose donc les résonances de nos 79 prénoms-pilotes auxquels sont associés près de 1 200 prénoms satellites qui partagent sensiblement les mêmes caractéristiques. Nous en découvrirons les applications dans nos prochains chapitres.

C'est au travers de cette recherche que nous passerons insensiblement de la résonance, du son, à un autre genre de vibration, la couleur.

LA RÉSONANCE DES PRÉNOMS

N°	Prénoms	Vibrations par seconde	N°	Prénoms	Vibrations par seconde
01	Agnès	88 000	41	Gabriel	93 000
02	Albert	69 000	42	Geneviève	104 000
03	Alfred	77 000	43	Georges	114 000
04	Alphonse	96 000	44	Gérard	92 000
05	André	114 000	45	Guillaume	85 000
06	Andrée	70 000	46	Guy	104 000
07	Anne	100 000	47	Hélène	110 000
08	Antoine	72 000	48	Henri	78 000
09	Antoinette	74 000	49	Henriette	83 000
10	Baptiste	107 000	50	Hugues	60 000
11	Barnabé	48 000	51	Jacqueline	72 000
12	Barthélemy	80 000	52	Jacques	86 000
13	Bernard	73 000	53	Jean	114 000
14	Berthe	75 000	54	Jeanne	90 000
15	Camille (M)	85 000	55	Joseph	110 000
16	Catherine	103 000	56	Léon	62 000
17	Cécile	84 000	57	Louis	97 000
18	Charles	114 000	58	Louise	80 000
19	Christiane	63 000	59	Lucien	91 000
20	Christophe	72 000	60	Madeleine	93 000
21	Claire	100 000	61	Marcel	76 000
22	Claude (M)	79 000	62	Marguerite	102 000
23	Claudine	70 000	63	Marie	120 000
24	Clément	82 000	64	Marthe	108 000
25	Colette	92 000	65	Maurice	83 000
26	Daniel	76 000	66	Michel	114 000
27	Danièle	88 000	67	Paul	104 000
28	Denis	62 000	68	Philippe	80 000
29	Denise	90 000	69	Pierre	114 000
30	Dominique (M)	79 000	70	Raymond	76 000
31	Dominique (F)	93 000	71	Robert	92 000
32	Edmond	64 000	72	Thérèse	64 000
33	Edouard	103 000	73	Thomas	98 000
34	Elisabeth	85 000	74	Victor	95 000
35	Emile	75 000	75	Vincent	100 000
36	Etienne	94 000	76	Virginie	75 000
37	Eugénie	73 000	77	Yves	102 000
38	Félix	58 000	78	Yvette	94 000
39	François	80 000	79	Yvonne	90 000
40	Françoise	74 000			

La couleur
des prénoms

On sait qu'à chacune des couleurs fondamentales de ce qu'on appelle le « spectre » correspond une longueur d'ondes définie, allant de la plus courte pour le violet, à la plus longue pour le rouge. Il existe donc, pour le physicien, une étroite relation entre les sons et les couleurs, les uns et les autres se réduisant à des phénomènes vibratoires.

Ainsi que nous venons de le voir, le prénom n'est autre chose qu'un son ou qu'une série de sons, voyelles et consonnes, dont l'ensemble produit une « mélodie » originale, qui implique nécessairement l'existence de vibrations sonores spécifiques. Il n'est donc pas surprenant que ces vibrations, à leur tour, puissent être associées à des couleurs.

De toutes les couleurs...

Procédons par étapes, et constatons tout d'abord qu'il existe, au plan de la phonétique pure et sans qu'intervienne aucun jugement de valeur, des prénoms à consonance ouverte, donc claire, comme Pierre ou Marie, et d'autres plus sombres, comme Andrée ou Vincent. Jusqu'ici, nous en sommes encore au stade des contrastes simples, du « noir et blanc », pourrait-on dire. Mais voici que nous abordons le stade suivant, la naissance de la couleur, avec l'apparition de ce que les vieux alchimistes appelaient la « queue du paon », les six teintes qui

31

constituent l'arc-en-ciel des Sages : violet, bleu, vert, jaune, orangé, rouge. L'indigo, que l'on a « inventé » pour aboutir au septénaire, n'existe pas au niveau des couleurs primaires ou secondaires. C'est une couleur « fantôme » qui masque la véritable couleur synthétique et initiatique, le blanc !

Ainsi, nos prénoms vont se distribuer entre six vibrations de base. Trois primaires : bleu, jaune, rouge. Trois secondaires : violet, vert, orangé. Bien entendu, cette classification, que vous trouverez dans le tableau ci-contre, n'a pas été réalisée d'une façon arbitraire, mais à la suite de longues et patientes recherches sur les résonances caractérologiques des prénoms.

Ce tableau va nous permettre d'une part d'expliciter les relations psychologiques qui se nouent entre les prénoms, d'autre part d'évaluer l'équilibre des prénoms composés.

Si le prénom Marie est bleu, Michel rouge ou Jean jaune, ce n'est pas par hasard, nous venons de le dire. Le bleu, traditionnellement, est la couleur qui symbolise l'âme, le violet représente le corps, le vert le mental, le jaune l'intelligence, le rouge la passion, l'orangé le sentiment. Il s'agit là de tendances générales dominantes et il ne saurait être question d'affirmer que les Marie sont essentiellement animiques et ignorent tout des problèmes du corps et de l'esprit. La vie physique, psychique et spirituelle d'une personne est infiniment plus complexe, et l'on ne peut sans danger schématiser à l'excès. Toutefois, chaque individu appartient à un type caractérologique défini, flegmatique, passionné, sanguin, nerveux, etc., ce qui permet d'établir une classification rudimentaire utile, car on n'emploie pas les mêmes arguments pour convaincre un colérique et un sentimental.

Le tableau de la page 35 complète le précédent. A la notion de couleur s'ajoute une précision qualitative importante. Retenons par exemple le prénom de Michel qui correspond à la couleur rouge. Nous voyons que nous avons généralement affaire à un être colérique au plan du corps, passionné à celui de l'âme, donc de l'affectivité, et dominateur par l'esprit. Sans doute les Michel n'ont-ils pas tous les mêmes caractères, ne se conduisent-ils pas systématiquement de la même manière, mais tous, en revanche, à la condition d'être bien nommés, possèdent un substratum caractérologique, un support caractériel communs.

Précisons bien notre pensée ! Avant de peindre un tableau, l'artiste se préoccupe de la matière sur laquelle il disposera ses lignes et ses couleurs : papier ou toile, bois ou plâtre, cuivre, etc. Nous ne prétendons pas, dans le cas d'un prénom, établir

32

TABLEAU DES COULEURS DES PRÉNOMS

N°	Prénoms	Couleurs	N°	Prénoms	Couleurs
01	Agnès	vert	41	Gabriel	bleu
02	Albert	bleu	42	Geneviève	rouge
03	Alfred	violet	43	Georges	jaune
04	Alphonse	violet	44	Gérard	orangé
05	André	rouge	45	Guillaume	vert
06	Andrée	orangé	46	Guy	violet
07	Anne	bleu	47	Hélène	jaune
08	Antoine	jaune	48	Henri	violet
09	Antoinette	rouge	49	Henriette	rouge
10	Baptiste	jaune	50	Hugues	violet
11	Barnabé	vert	51	Jacqueline	bleu
12	Barthélemy	bleu	52	Jacques	rouge
13	Bernard	violet	53	Jean	jaune
14	Berthe	orangé	54	Jeanne	jaune
15	Camille (M)	jaune	55	Joseph	rouge
16	Catherine	rouge	56	Léon	vert
17	Cécile	bleu	57	Louis	rouge
18	Charles	rouge	58	Louise	vert
19	Christiane	vert	59	Lucien	orangé
20	Christophe	bleu	60	Madeleine	violet
21	Claire	vert	61	Marcel	orangé
22	Claude (M)	orangé	62	Marguerite	vert
23	Claudine	rouge	63	Marie	bleu
24	Clément	rouge	64	Marthe	bleu
25	Colette	bleu	65	Maurice	violet
26	Daniel	jaune	66	Michel	rouge
27	Danièle	violet	67	Paul	rouge
28	Denis	orangé	68	Philippe	vert
29	Denise	jaune	69	Pierre	jaune
30	Dominique (M)	vert	70	Raymond	bleu
31	Dominique (F)	jaune	71	Robert	rouge
32	Edmond	violet	72	Thérèse	orangé
33	Edouard	rouge	73	Thomas	bleu
34	Elisabeth	orangé	74	Victor	vert
35	Emile	bleu	75	Vincent	rouge
36	Etienne	vert	76	Virginie	violet
37	Eugénie	bleu	77	Yves	orangé
38	Félix	orangé	78	Yvette	bleu
39	François	bleu	79	Yvonne	bleu
40	Françoise	rouge			

La couleur
des prénoms

le caractérogramme d'un individu en ses modalités personnelles, uniques, mais bien de chercher le dénominateur commun à tous ceux qui se prénomment véritablement Michel, et qui partagent entre eux certaines caractéristiques fondamentales : désir de dominer, passions souvent tumultueuses, volonté de briser les résistances éventuelles, explosions de colère qui leur font tout à coup « voir rouge ».

Soulignons que, dans ce tableau, la colonne verticale « corps » se réfère à la sensation, celle qui s'intitule « âme » à l'affectivité, et celle de l'« esprit » à l'intellect. Cette terminologie est assez claire pour éviter toute confusion. Il ne faut pas cependant confondre la passion proprement dite (rouge), qui est un mouvement violent de l'être vers ce qu'il désire, quel que soit l'objet désiré, avec l'amour-passion (orangé) qui ne s'adresse qu'à un seul individu par le truchement, en général, d'une sexualité plus ou moins exprimée, ni avec l'amour pur (bleu), essence profonde du dévouement et du sacrifice total qui va de l'amour de la mère pour son enfant à l'amour pour Dieu, hors du temps et de l'espace.

De même, le mental désigne une activité psychologique de veille alors que l'intelligence est une activité de coordination volontaire. Quant au subconscient, c'est le support nécessaire à l'apparition des faits psychiques, c'est le fondement du « moi ». Il n'est pas néanmoins nécessaire de se cristalliser sur des définitions trop précises, susceptibles de déformer le sens général de cette étude dont l'ambition est de se borner à la découverte des lignes-forces du caractère d'un prénom.

Prénoms simples

Prénoms simples de couleurs primaires : bleu, jaune, rouge. Le prénom Jean, pour prendre un exemple, est jaune. Nous voyons, dans le tableau suivant, que cette couleur correspond sur le plan du corps à la volonté, sur celui de l'âme au rayonnement, et sur celui de l'esprit à l'intelligence. En fonction de ces trois éléments de base, on peut en déduire que les Jean sont d'ordinaire intelligents, avec une autorité (un rayonnement) remarquable, et disposent d'une volonté puissante qui leur permet de réaliser ce qu'ils ont entrepris.

Choisissez maintenant un prénom féminin : Colette. Il s'agit d'un prénom bleu, et nous pouvons donc présager que celles qui sont ainsi nommées auront une spiritualité très forte, une richesse affective qui dépasse l'égocentrisme et atteint l'amour général des êtres, et une grande vitalité, ce qui ne veut pas dire qu'elles soient toujours en bonne santé et en mouvement, mais qu'elles possèdent une forte énergie intérieure, et c'est ce qui compte surtout.

TABLEAU DE CORRESPONDANCE DES COULEURS

Couleur	Corps	Ame	Esprit
Rouge	Colère	Passion	Domination
Orangé	Sentiments	Amour-passion	Séduction
Jaune	Volonté	Rayonnement	Intelligence
Vert	Mental	Intuition	Imagination
Bleu	Vitalité	Amour pur	Spiritualité
Violet	Subconscient	Inconscient	Conscient

Prénoms composés

La couleur
des prénoms

Nous avons évoqué, au début de cet ouvrage, les problèmes suscités par les prénoms composés du genre : Jean-Charles, Louis-Pierre, Marie-Christine, etc. Nous allons y revenir, car la fabrication anarchique de ces appellations « non contrôlées » peut être la source de déséquilibres psychiques plus ou moins intenses.

Mais tout d'abord, expliquons-nous clairement sur ce que nous entendons par prénoms composés et pour cela nous devrons recourir à notre tableau des prénoms et des couleurs de la page 33.

Un prénom simple, nous venons de le voir, est un prénom monochrome, c'est-à-dire ne possédant qu'une seule vibration colorée : soit le bleu, le jaune ou le rouge.

Exemple : Yvette-bleu, Jean-jaune, Charles-rouge. Ce sont les couleurs dites primaires qui s'appliquent à 45 prénoms de base que voici :

Bleu		Jaune		Rouge	
H	F	H	F	H	F
Albert	Anne	Antoine	Denise	André	Antoinette
Barthélemy	Cécile	Baptiste	Dominique	Charles	Catherine
Christophe	Colette	Camille	Hélène	Clément	Claudine
Emile	Eugénie	Daniel	Jeanne	Edouard	Françoise
François	Jacqueline	Georges		Jacques	Geneviève
Gabriel	Marie	Jean		Joseph	Henriette
Raymond	Marthe	Pierre		Louis	
Thomas	Yvette			Michel	
	Yvonne			Paul	
				Robert	
				Vincent	

35

Un prénom composé peut l'être au niveau des couleurs, ou au plan de la phonétique structurelle :

I. — Donc, lorsqu'il y a combinaisons de couleurs « primaires » (bleu-jaune-rouge), nous obtenons des couleurs « secondaires » (violet-vert-orangé). Ainsi, Danièle qui est un prénom violet, est donc composé de bleu et de rouge dans des proportions précises.

Guillaume est vert (bleu + jaune), et Thérèse est orange (jaune + rouge).

Il convient de préciser que les pourcentages de composition colorée de ces prénoms peuvent varier légèrement en fonction des êtres qui les portent.

II. — Au niveau de la construction phonétique, le mode de composition semble aisé, et pourtant il cache bien des pièges. Au début, tout est simple et lumineux, car on ne joue qu'avec les prénoms dits « primaires ».

Exemple : je prends Jean, je lui ajoute Pierre ou Louis, et j'obtiens Jean-Pierre ou Jean-Louis. Cela ne pose pas de problème puisque dans le premier cas nous obtenons : Jean + Pierre = jaune + jaune = jaune et nous avons affaire à un prénom composé de type « primaire ».

Dans le cas de Jean-Louis, nous avons la formule suivante : jaune + rouge = orangé, c'est un prénom composé de type « secondaire ».

Mais les choses commencent à se compliquer lorsque des couleurs simples viennent s'allier à des couleurs complexes.

Exemple : Jean-Dominique donne : jaune + vert = vert, mais un vert pomme plus ou moins classificable et qui affaiblit les caractères des deux prénoms de base.

Il y a plus grave ! Si j'associe le violet au vert comme dans le prénom composé de Danièle-Claire, j'obtiens une teinte sombre indéfinissable, qui n'apportera pas à celle qui le porte un rayonnement psychique très convaincant !

On comprend alors pourquoi la plupart de ces prénoms composés, créés à la « va-vite », perturbent, à un point tel, ceux ou celles qui les portent, que nous assistons très souvent à l'éclatement de ces mélanges de couleurs incompatibles ! Spontanément, le sujet en arrive à privilégier l'un des deux prénoms et à abandonner l'autre. Mais toute séparation laisse des traces et le divorce des prénoms n'est pas une solution pour l'enfant. Il vaudrait mieux, dans cette situation, utiliser les services d'un caractérologue qui, à la limite, changerait le prénom de l'enfant. Mais cela est une autre histoire !

Il est bien entendu que ces règles d'association de prénoms s'appliquent aux prénoms apparentés qui, eux, suivent analogiquement leurs prénoms pilotes. Pour cela, consulter l'Index complet qui se trouve à la fin de l'ouvrage. Mais attention !

VIOLET

Prénom	Bleu	Rouge	Prénom	Bleu	Rouge
Alfred	6/10	4/10	Danièle	2/10	8/10
Alphonse	7/10	3/10	Madeleine	5/10	5/10
Bernard	5/10	5/10	Virginie	8/10	2/10
Edmond	8/10	2/10			
Guy	7/10	3/10			
Henri	1/10	9/10			
Hugues	6/10	4/10			
Maurice	8/10	2/10			

La couleur
des prénoms

VERT

Prénom	Bleu	Jaune	Prénom	Bleu	Jaune
Barnabé	4/10	6/10	Agnès	4/10	6/10
Dominique (M)	8/10	2/10	Christiane	3/10	7/10
Etienne	4/10	6/10	Claire	5/10	5/10
Guillaume	2/10	8/10	Louise	6/10	4/10
Léon	2/10	8/10	Marguerite	6/10	4/10
Philippe	1/10	9/10			
Victor	2/10	8/10			

ORANGÉ

Prénom	Jaune	Rouge	Prénom	Jaune	Rouge
Claude (M)	6/10	4/10	Andrée	8/10	2/10
Denis	3/10	7/10	Berthe	3/10	7/10
Félix	2/10	8/10	Elisabeth	8/10	2/10
Gérard	4/10	6/10	Thérèse	2/10	8/10
Lucien	3/10	7/10			
Marcel	3/10	7/10			
Yves	5/10	5/10			

Nous ne voudrions pas terminer ce chapitre important sans lancer un appel pressant à tous les parents qui, par goût frivole ou pour suivre la mode, veulent se lancer dans l'aventure des prénoms composés. Méfiez-vous !

Vous risquez, sans le savoir, de mettre en présence des corps chimiques — nous allions dire « alchimiques » — dont les réactions peuvent être imprévisibles, voire explosives ! Encore une fois, nous vous supplions de ne pas jouer avec l'avenir de votre enfant pour le simple plaisir d'« épater » la famille ou les amis en dotant votre progéniture d'un prénom « époustouflant »...

N'oubliez pas qu'un prénom c'est pour la vie et qu'on pourrait l'assimiler à un « tatouage » social pratiquement indélébile. Rappelez-vous le nombre de personnages qui, durant toute leur existence, ont souffert de ne pouvoir effacer les inscriptions stupides qu'ils s'étaient fait graver dans la peau ! Choisissez donc un prénom simple et fort, en harmonie avec votre patronyme, un prénom aux couleurs franches, à la sonorité claire. Votre enfant y trouvera un équilibre et une « image de marque » sécurisante et rayonnante.

5

Le changement
de prénom

Le changement de prénom est une affaire très sérieuse, qu'il convient de ne pas traiter à la légère. Et pourtant, une personne sur trente change de prénom dans son existence !

La cause la plus courante est la conviction d'avoir un prénom ridicule. A la vérité, il n'existe pas de prénom ridicule en soi. La mode peut naturellement colorer un prénom d'une nuance désuète, mais combien d'entre eux, qu'on croyait définitivement relégués au magasin des accessoires, ont revu le jour après un certain temps de pénitence ! En réalité, le prénom qu'on dit ridicule est tout simplement, neuf fois sur dix, un prénom qui n'est pas adapté à celui qui le possède, qui « ne colle pas », dont la résonance ne correspond pas à la vibration profonde de l'être. On peut avoir un fort joli prénom et pourtant se sentir aussi mal à l'aise en le portant que dans un vêtement mal coupé.

On songe alors à le changer, en le troquant pour le prénom d'un personnage de roman, d'un acteur favori, d'un ami, sans se soucier des conséquences, qui peuvent être redoutables.

Puisque le prénom, comme nous l'avons vu, est notre indicatif personnel, le résumé de notre « moi », le son par lequel les autres nous appellent et que nous reconnaissons immédiatement, tout changement de prénom implique une rupture avec le passé, un nouveau départ, un recommencement, une orientation différente, l'accès à de nouvelles « fonctions ». Ces quelques lettres formant un mot qui a été répété des milliers de fois à notre intention pour nous faire partager une joie, pour nous rappeler à l'ordre, pour nous convaincre ou nous menacer, ne peuvent pas être brusquement remplacées par d'autres lettres constituant un autre mot sans que cette permutation ait une influence profonde sur le comportement de l'individu.

Des exemples illustres...

Le plus célèbre des changements de prénom, le plus lourd de signification, est sans doute celui du fondateur de l'Eglise, qui s'appelait Simon, fils de Jean, et à qui Jésus, après une solennelle confession de foi, imposa le nom de Céphas, c'est-à-dire Pierre, ajoutant : « Et sur cette pierre je bâtirai mon église », désignant ainsi cet apôtre comme le futur chef de la Chrétienté. Le Christ avait senti le besoin de rebaptiser, en quelque sorte, Simon, afin de lui conférer cette nouvelle autorité, de lui confier cette mission suprême. Remarquons d'ailleurs qu'aucun pape, depuis, ne fut appelé Pierre !

Mais, justement, le pape lui-même, dès son élection par le conclave, change de nom : il prend, en effet, une autre dimension ; l'autorité dont il est tout à coup investi le détache de l'ensemble du clergé, en fait ce personnage exceptionnel qui va devenir le guide spirituel de millions de croyants, dont la fonction va l'emporter sur l'homme. C'est une sorte de nouvelle naissance, comme celle des moines et des religieuses qui, après avoir prononcé leurs vœux, par lesquels ils inaugurent une existence d'humilité entièrement consacrée à Dieu, changent eux aussi de prénom.

Au cours de la dernière guerre, beaucoup de résistants ont dû, en entrant dans la clandestinité, changer leur nom et leur prénom. Il s'agissait uniquement, au départ, d'une mesure de sécurité. Mais un curieux phénomène s'est alors produit : certains de ces patriotes, confrontés à d'énormes risques qui exigeaient sang-froid, dévouement, esprit de décision, ont été, par l'action, révélés à eux-mêmes, et ont acquis une nouvelle personnalité. La guerre terminée, ils ont souvent gardé leur identité de Résistance, mais la vie civile dans laquelle ils se trouvaient replongés ne correspondait plus à ce nom, à ce prénom qu'ils avaient porté dans la lutte et l'aventure : ce décalage a souvent entraîné chez eux des perturbations importantes qui, parfois, ont débouché sur des drames.

Les acteurs, de par leur métier, sont appelés à incarner tour à tour, à la scène ou à l'écran, de multiples personnages, dont ils vivent littéralement, pendant un temps, le destin, les angoisses, les désirs ; ils sont, de ce fait, sujets à une certaine instabilité caractérielle. C'est pourquoi ils ont tendance à modifier inconsidérément leur nom et leur prénom pour des raisons d'euphonie, des impératifs commerciaux, ou encore pour sacrifier à la mode des consonances étrangères. Cette habitude est généralement dangereuse. Elle peut entraîner, ainsi qu'on l'a fréquemment constaté, des dépressions nerveuses, des tentatives de suicide, des troubles psychiques profonds. A l'inverse, lorsque l'artiste est, à l'origine, mal nommé, ou ressent son patronyme et nom de baptême comme un handicap, le changement peut être singulièrement bénéfique ; c'est le cas de Simone Roussel, qui avoue qu'en devenant Michèle Morgan elle a eu la sensation de se transformer, de se libérer de son passé, et de commencer véritablement sa carrière.

La politique elle-même n'échappe pas à cette loi : nous n'en finirions pas d'énumérer tous les changements de prénoms et de noms qui jalonnent la vie de certains grands « ténors » des affaires publiques. Arrêtons-nous simplement sur deux exemples (pris à l'étranger pour ne faire de peine à personne), comme ceux de Staline — Iossif Vissarionovitch Djougatchvili — ou de Lénine — Vladimir Ilitch Oulianov. On comprend facilement ce « transfert » !

Le changement
de prénom

La psychopathologie des prénoms

Il n'est pas étonnant, après tout ce que nous venons de voir, que l'influence puissante du prénom sur la personne qui le porte ait été utilisée en psychothérapie, avec des résultats parfois spectaculaires.

Prenons un exemple : voici un enfant qui présente des signes de déséquilibre caractériel et qui traduit en particulier une irritation anormale lorsqu'il entend prononcer son prénom. Un spécialiste établit son caractérogramme, et l'on découvre que cet enfant, qui appartient à la catégorie des colériques, porte un prénom du type nerveux qui ne lui convient

41

pas. On entreprend alors une étude d'un genre tout à fait iné-
dit : on va rechercher le prénom qui doit le mieux correspondre à sa nature et à ses tendances. Précisons que ce prénom ne
sera pas forcément « colérique » ; on pourra fort bien prendre
un prénom adoucissant, ou au contraire tonique, suivant les
circonstances.

On commencera alors à persuader l'enfant qu'il ne
s'appelle plus Louis, qu'il a été « débaptisé », que le personnage de Louis a disparu, est mort en quelque sorte, et qu'il va
renaître sous un autre aspect, celui d'un garçon qui s'appelle
Jacques. A partir de maintenant, lui dit-on, *tu es Jacques.*

L'effet sur le petit malade est en général remarquable.
C'est une véritable métamorphose. Il découvre une autre façon
de penser, de réagir ; des forces inconnues se réveillent en lui,
et comme le son d'un violon fait entrer en vibration une coupe
de cristal, ce prénom plus solide et plus dur fait vibrer son
caractère, avec lequel il se trouvait en harmonie. *Il est
Jacques.*

Ajoutons qu'on pratique aussi, en psychothérapie, la dicho-
tomie des prénoms composés, en supprimant celui des deux
qui paraît gêner l'intéressé : Jean-Marie devient simplement
Jean.

Toutes ces expériences doivent, bien entendu, être entreprises avec beaucoup de circonspection, en s'appuyant sur les
notions que nous analysons par ailleurs.

Il est à noter que la prudence du psychologue coïncide avec
celle du législateur, pour qui la règle générale est la fixité du
prénom, tel qu'il a été inscrit sur les registres de l'état civil.

Le changement légal

Lorsqu'on sollicite un changement, il faut faire appel à la loi
du 12 novembre 1955, que l'on trouve à l'article 57 du Code
civil et qui stipule que « les prénoms de l'enfant, figurant dans
son acte de naissance peuvent, en cas d'intérêt légitime, être
modifiés par jugement du tribunal de grande instance prononcé à la requête de l'enfant ou, pendant la minorité de
celui-ci, à la requête de son représentant légal ».

Un dossier doit être constitué, présenté par un avocat et
déposé au greffe du tribunal. Il contiendra l'acte de naissance
et l'exposé des motifs établissant quel est l'intérêt légitime de
l'enfant. Autant dire que le simple caprice n'est pas pris en
considération, et qu'il faut une raison valable : crainte de per-
sécution religieuse ou raciale, peur du ridicule, désir d'acquérir
officiellement un prénom déjà porté, etc. On propose d'habitude plusieurs prénoms, dont l'un bénéficie de la préférence du
requérant, les autres étant gardés en réserve. La dépense à
envisager comprend les frais de justice et les honoraires de

l'avocat qui sont évidemment variables selon sa notoriété. Il n'est donc pas possible de donner le coût exact de l'opération. Il existe certains cas spéciaux qui ne nécessitent pas d'action judiciaire. Ainsi en est-il d'une erreur commise par l'administration de la maternité qui peut avoir modifié l'ordre des prénoms ou interverti les prénoms de deux enfants déclarés le même jour. La rectification est alors exécutée par l'officier d'état civil sur ordre du Procureur de la République. D'autre part, au moment de la naturalisation d'un étranger, on est généralement amené à franciser le prénom ou à trouver un équivalent : la décision est prise par décret.

Le changement
de prénom

Le zodiaque
des prénoms

Pourquoi un zodiaque ?

On appelle zodiaque une zone cylindrique de la sphère
céleste dans laquelle le soleil semble se déplacer au cours
d'une année.

Il y a plusieurs millénaires, les Chaldéens divisèrent
cette zone en douze parties égales qu'ils nommèrent
d'après les constellations les plus proches, et qui sont : le
Bélier, le Taureau, les Gémeaux, le Cancer, le Lion, la
Vierge, la Balance, le Scorpion, le Sagittaire, le Capricorne, le Verseau et les Poissons. Chacun de ces signes
est subdivisé en trois décans qui représentent chacun dix
degrés, d'où leur nom.

L'expression « zodiaque des prénoms » peut sembler
étrange et conduire à penser que chaque prénom est semblable à une étoile dans le ciel, et que notre destin
dépend de la position de cette « étoile-prénom » sur la
bande du zodiaque. Rassurez-vous, nous n'allons pas
faire appel à l'astrologie ; la notion de zodiaque appartient au domaine de l'astronomie orthodoxe, la meilleure
preuve étant l'utilisation qu'en fait le très sérieux Bureau
des Longitudes dans sa non moins sérieuse publication
« Connaissance des temps ».

L'astro-caractérologie

Il est reconnu toutefois que les signes du zodiaque correspondent à des caractéristiques définies : les Taureau, qui sont en

44

majorité des sanguins, n'ont pas les mêmes tendances que les Cancer, qui sont plutôt nerveux, etc. (Voir le tableau des correspondances zodiacales.)

Par ailleurs, les études que nous avons faites sur la caractérologie des prénoms nous ont permis de connaître le « profil général » de ces prénoms et, en conséquence, de leur attribuer un signe zodiacal. C'est ainsi que les Jean, qui sont des fonceurs, avides de nouveauté, et prêts à recommencer le monde chaque matin, possèdent un jaillissement d'énergie qui les apparente au Bélier. Les Charles, qui sont des flegmatiques, sont plus proches du Sagittaire, etc. Après avoir trouvé, grâce au tableau des correspondances zodiacales, le signe d'un prénom, il suffira de se reporter au tableau des correspondances caractérologiques, pages 46 et 47, pour connaître les éléments constitutifs de la « personnalité » de ce prénom.

On reparle des prénoms composés !

De toute manière, la fabrication d'un prénom composé ne doit se faire qu'avec une extrême prudence. Nous avons déjà vu, dans le chapitre sur la couleur des prénoms, qu'il fallait scrupuleusement respecter les lois de l'harmonie. Nous allons compléter ces conseils en vous donnant quelques indications supplémentaires inspirées par la caractérologie zodiacale.

Les signes du zodiaque sont associés, trois par trois, aux quatre éléments fondamentaux : la Terre, l'Eau, l'Air et le Feu [1].

Dans la construction d'un prénom composé, il faut veiller à ne pas mélanger le Feu (Bélier, Lion, Sagittaire) à l'Eau (Cancer, Scorpion, Poissons), comme dans le prénom Jean-Louis où Jean est Bélier, et Louis, Cancer. Cela pourrait expliquer que de nombreux Jean-Louis éprouvent des difficultés psychologiques susceptibles de provoquer des perturbations au niveau de l'expression mentale ou verbale : confusion des idées, difficultés de phonation, telles que bégaiement, zézaiement, etc. Tâchez de ne pas mêler non plus des prénoms de signe d'Air (Gémeaux, Balance, Verseau) avec des prénoms rattachés à la Terre (Taureau, Vierge, Capricorne). Par exemple, Marie (Vierge, donc Terre) avec Hélène (Gémeaux, Air). Vous risquez en effet de vous trouver en présence d'un être tiraillé entre une spiritualité impossible à atteindre et une intellectualité isolée du réel, et divisée dans ses objectifs.

Par contre, la Terre (Taureau, Vierge, Capricorne) et l'Eau (Cancer, Scorpion, Poissons) font bon ménage ainsi que l'Air

---

1. Est-il besoin de rappeler que les douze signes zodiacaux se répartissent ainsi : *Feu* : Bélier, Lion, Sagittaire. *Air* : Gémeaux, Balance, Verseau. *Terre* : Taureau, Vierge, Capricorne. *Eau* : Cancer, Scorpion, Poissons.

I. TABLEAU DES CORRESPONDANCES CARACTÉROLOGIQUES

Signe	Prénoms pilotes	Caractérologie du signe	Prénoms du 1er décan	Prénoms du 2e décan	Prénoms du 3e décan
BÉLIER André - 2e Bernard - 1er Christophe - 1er Eugénie - 3e Etienne - 2e	Georges - 3e Jacqueline - 1er Jacques - 3e Jean - 1er Pierre - 2e	Combatif. Exalté. Spontané. Courageux. Ame de pionnier. Conquérant. Aventurier. Excessif. Téméraire.	Agressif. Enthousiaste. Prend des initiatives. Passionné. Novateur. Intelligent.	Entreprenant. Ardent. Impulsif. Ame de chef. Accessible aux coups de foudre successifs.	Viril. Emballé. Dynamique. Porté aux coups de tête. Novateur. Extrémiste.
TAUREAU Geneviève - 2e Gérard - 1er Raymond - 3e Vincent - 2e Yves - 1er		Equilibré. Sensuel. Violent. Entêté. Patient.	Solide. Placide. Tenace. Obstiné. Réaliste. Possessif.	Tranquille. Rancunier. Stable. Jaloux.	Lent. Laborieux. Concret. Voluptueux.
GÉMEAUX Alfred - 3e Andrée - 3e Claude (M) - 1er François - 3e Guy - 1er	Hélène - 2e	Mobile. Jeune. Habile. Rusé. Inquiet. Complexé. Double. Sensible.	Adroit. Instable. Débrouillard. Spirituel. Sceptique. Rapide.	Souple. Ingénieux. Intrigant Intelligent. Curieux.	Subtil. Malin. Agité. Ironique. Combinard.
CANCER Antoinette - 3e Baptiste - 2e Emile - 3e Gabriel - 1er Louis - 1er	Virginie - 2e	Emotif. Influençable. Délicat. Capricieux. Tourné vers le passé. Imaginatif. Lyrique. Enfantin. Peu réaliste.	Sensible. Fantaisiste. Attaché à la maison. Intuitif. Susceptible.	Rêveur. Timide. Replié. Intimiste. Mélancolique. Musicien.	Impressionnable. Maternel. Attaché à la famille. Inspiré. Tendre. Sentimental.
LION Barthélemy - 2e Catherine - 1er Jeanne - 1er Lucien - 3e Philippe - 3e	Yvette - 2e	Volontaire. Consciencieux. Puissant. Autoritaire. Intelligent. Egoïste. Fastueux.	Idéaliste. Dominateur. Sûr de soi. Ambitieux. Orgueilleux.	Fort. Viril. Goût du commandement. Bon. Généreux. Goûts aristocratiques.	Rayonnant. Protecteur. Réalisateur. Prestigieux. Inventeur.
VIERGE Christiane - 3e Denis - 1er Denise - 3e Louise - 1er Marie - 2e	Michel - 3e Victor - 2e	Modeste. Sceptique. Sobre. Réservé en amour. Prudent. Ordonné. Peu démonstratif. Collectionneur.	Réservé. Patient. Scrupuleux. Conservateur. Maniaque.	Simple. Précis. Pratique. Organisé. Observateur. Psychologue.	Effacé. Prévoyant. Régulier. Méthodique. Critique.

II. TABLEAU DES CORRESPONDANCES CARACTÉROLOGIQUES

Signe	Prénoms pilotes	Caractérologie du signe	Prénoms du 1er décan	Prénoms du 2e décan	Prénoms du 3e décan
BALANCE	Agnès - 2e, Claire - 1er, Claudine - 1er, Colette - 2e, Henriette - 3e, Léon - 3e, Madeleine - 1er, Yvonne - 2e	Harmonieux. Sélectif. Doux. Aimable. Artiste. Enclin aux élans du cœur.	Désireux de trouver son équilibre. Nuancé. Conciliant. Sociable. Sensuel.	Equitable. Pacifiste. Hésitant. Bon. Raffiné.	Mesuré. Courtois. Timide. Compréhensif. Aimant le luxe.
SCORPION	Alphonse - 1er, Anne - 3e, Clément 3e, Edouard - 2e	Instinctif. Sexualité exigeante. Violent. Dur. Tourmenté. Secret. Morbide. Autodestructeur.	Passionné. Agressif. Vindicatif. Extrémiste. Parfois brutal.	Révolté. Anxieux. Ayant du flair. Inquisiteur. Combatif.	Indiscipliné. Impérieux. Obsédé. Curieux. Tendance à l'érotisme.
SAGITTAIRE	Cécile - 2e, Charles - 1er, Joseph - 3e, Marcel - 1er, Marthe - 2e, Maurice - 3e, Paul - 1er	Pondéré par instants. Accueillant. Loyal. Moral. Doué pour les études. Passionné. Percutant.	Raisonnable. Confiant. Voyageur-né. Persuasif. Social et syndicaliste.	Apaisant. Seren, par moments. Plus ou moins révolté. Indépendant. Sceptique.	Généreux. Aventureux. Paisible. Droit. Tolérant.
CAPRICORNE	Antoine - 3e, Camille (M) - 3e, Françoise - 1er, Guillaume - 3e, Henri - 2e, Hugues - 1er, Robert - 3e	Sobre. Calme. Persévérant. Réaliste. Politique. Diplomate.	Réfléchi. Prudent. Fidèle. Ambitieux. Objectif. Abstrait.	Concentré. Réservé. Rationnel. Discipliné. Mélancolique.	Renfermé. Froid. Détaché. Rigoureux. Dépouillé.
VERSEAU	Albert - 3e, Berthe - 1er, Danièle - 3e, Dominique (M) - 1er, Edmond - 2e, Elisabeth - 2e, Félix - 2e, Thérèse - 3e, Thomas - 1er	Sensible. Emotif, de caractère parfois hésitant. Vivant dans l'avenir. Fantaisiste. Psychologue.	Idéaliste. Très libre. Progressiste. Amical. Reconnaissant.	Humain. Désintéressé. Réformateur. Indépendant. Progressiste.	Vibrant. Dévoué. Novateur. Chercheur. Révolutionnaire.
POISSONS	Barnabé - 2e, Daniel - 1er, Dominique (F) - 2e, Marguerite - 3e	Emotif. Flou. Indécis. Hypersensible. Dévoué. Intuitif. Etrange.	Impressionnable. Sensuel. Influençable. Ayant des passions cachées. Enclin au sacrifice.	Rêveur. Bon. Mystique. Humain. Visionnaire. Enclin à la fuite.	Hésitant. Riche de compréhension. Poète. Médium. Obscur. Parfois tricheur. Plein de compassion.

(Gémeaux, Balance, Verseau) et le Feu (Bélier, Lion, Sagittaire).

De plus, au sein d'un même signe, les prénoms s'accordent bien, sauf en ce qui concerne le Cancer, signe d'Eau et lunaire. Dans ce cas, il faut éviter d'additionner deux prénoms de ce signe, comme Gabriel-Baptiste ou Louis-Gabriel.

Mais que tout cela ne vous trouble pas !

Si vous n'êtes pas caractérologue, ne vous encombrez pas de trop de considérations techniques et écoutez donc votre oreille ; laissez parler votre cœur...

Une mère ne se trompe pratiquement jamais et si elle sait deviner cette musique de l'amour qui naît en son sein, elle trouvera fort bien le prénom qui synthétisera toutes les aspirations de cette petite âme qui va entreprendre le grand voyage de la vie...

Les correspondances zodiacales

Voici donc un tableau qui parlera mieux à votre esprit. Vous y trouverez les « prénoms pilotes » et, par conséquent, les prénoms qui leur sont associés, classés par familles zodiacales. Le chiffre qui les suit indique le décan auquel ils se rapportent.

Prenons un exemple : Etienne est un prénom qui correspond au Bélier et ceci, faites bien attention, quelle que soit la date de naissance de celui qui le porte ! Cela signifie tout simplement que, dans le domaine de l'astro-caractérologie, les Etienne et les prénoms qui lui sont associés ont généralement un comportement qui est *analogue* à celui des personnes nées sous le signe du Bélier.

D'ailleurs dans la rubrique : « Caractérologie du signe », nous rappelons les grands thèmes de ce type de personnalité : « Combatif, courageux, aventurier, etc. » Puis nous nous apercevons qu'Etienne est suivi du chiffre 2, qui indique qu'il fait partie des prénoms du deuxième décan — et nous lisons dans cette colonne : « Entreprenant, âme de chef, etc. »

Un jeu passionnant

Voilà qui nous semble simple et qui va nous permettre de jouer avec les mille deux cents prénoms que vous propose notre Index.

C'est à dessein que nous utilisons l'expression : « jouer avec les prénoms », car, à la limite, il s'agit d'un véritable jeu de société et la découverte du caractère de ceux qui vous entourent peut vous réserver bien des surprises passionnantes dans le cadre d'une soirée familiale ou d'une réunion avec des amis.

Peu à peu, vous vous habituerez à classer tous ceux et toutes celles qui vous approchent dans des catégories caractérielles précises et vous découvrirez bientôt que ce qui n'était au début qu'un jeu deviendra rapidement un instrument indispensable de connaissance psychologique. Que cela soit au niveau des amitiés, des amours, du couple, des enfants, de la profession ou des affaires, vous vous apercevrez que connaître les grandes lignes du caractère d'une personne que vous devez rencontrer est un atout extraordinaire, et bientôt irremplaçable.

Du zodiaque à la zoo-caractérologie

Décidément, les animaux vont jouer un grand rôle dans cette caractérologie ! Cela est d'autant plus compréhensible que nous appartenons, nous aussi, au règne animal et que le seul élément qui nous en sépare, ou plutôt qui nous permet d'en transcender la nature, est cette fameuse « âme », impalpable et controversée, qui fait de nous des êtres responsables ; responsables d'eux-mêmes, bien sûr, mais responsables aussi de ce monde que la Providence nous a confié. Oui, il existe une « écologie caractérologique » !

Alors nous vous convions à vous refaire une âme d'enfant ou une âme de « primitif », si vous voulez bien accepter ce mot comme un compliment, comme une promotion de l'humain au travers du retour à la nature, au travers des énergies telluriques.

Nous allons donc parler des *totems* !

Les « totems » des prénoms

C'est volontairement que nous utilisons le mot « totem » pour traiter des correspondances existant entre les prénoms, les plantes et les animaux. En effet, l'auteur de ces lignes fait partie de ceux qui croient que tout se tient sur Terre et qu'il n'existe pas de cloisons étanches entre les divers règnes de la Création. Autrement dit, nous ne sommes pas seuls !

De nos jours, les mouvements écologistes commencent à percevoir ces phénomènes d'interrelations qui unissent l'ensemble des êtres vivants, de l'atome à l'étoile, car c'est tout notre univers qui se trouve engagé dans cette aventure existentielle. .

Sans vouloir sombrer dans la manie des parallèles et des rapprochements forcés qui pourraient déboucher sur un certain « magisme », disons que les antiques traditions qui voulaient que chaque être humain ait son

TABLEAU DES CORRESPONDANCES
VÉGÉTALES ET ANIMALES

Prénom	Végétal	Animal	Signe
Albert	Digitale	Hippocampe	Verseau
Alfred	Noisetier	Couleuvre	Gémeaux
Alphonse	Sureau	Pieuvre	Scorpion
André	Amandier	Paon	Bélier
Antoine	Ail	Marabout	Capricorne
Baptiste	Figuier	Jaguar	Cancer
Barnabé	Merisier	Brochet	Poissons
Barthélemy	Peuplier	Saumon	Lion
Bernard	Mûrier	Coucou	Bélier
Camille (M)	Poireau	Antilope	Capricorne
Charles	Saule	Eléphant	Sagittaire
Christophe	Marronnier	Elan	Bélier
Claude (M)	Fusain	Gazelle	Gémeaux
Clément	Eucalyptus	Héron	Scorpion
Daniel	Houx	Cachalot	Poissons
Denis	Verveine	Chauve-souris	Vierge
Dominique (M)	Platane	Mésange	Verseau
Edmond	Jonc	Blaireau	Verseau
Edouard	Maïs	Phoque	Scorpion
Emile	Lilas	Crabe	Cancer
Etienne	Laurier	Vampire	Bélier
Félix	Hêtre	Thon	Verseau
François	Citronnier	Albatros	Gémeaux
Gabriel	Ortie	Cheval	Cancer
Georges	Olivier	Bison	Bélier
Gérard	Chèvrefeuille	Zébu	Taureau
Guillaume	If	Sanglier	Capricorne
Guy	Tremble	Mouette	Gémeaux
Henri	Oranger	Chamois	Capricorne
Hugues	Lierre	Cobra	Capricorne
Jacques	Buis	Cerf	Bélier
Jean	Truffe	Dauphin	Bélier
Joseph	Châtaignier	Tourterelle	Sagittaire
Léon	Pommier	Zibeline	Balance
Louis	Blé	Rossignol	Cancer
Lucien	Pin	Chameau	Lion
Marcel	Frêne	Vison	Sagittaire
Maurice	Bouleau	Vautour	Sagittaire
Michel	Orme	Tigre	Vierge
Paul	Ciguë	Castor	Sagittaire

TABLEAU DES CORRESPONDANCES
VÉGÉTALES ET ANIMALES

Prénom	Végétal	Animal	Signe
Philippe	Acacia	Ibis	Lion
Pierre	Chêne	Bélier	Bélier
Raymond	Chanvre	Bœuf	Taureau
Robert	Noyer	Panthère	Capricorne
Thomas	Genévrier	Python	Verseau
Victor	Chardon	Grillon	Vierge
Vincent	Cyprès	Daim	Taureau
Yves	Eglantier	Coccinelle	Taureau
Agnès	Tabac	Pigeon	Balance
Andrée	Jacinthe	Renard	Gémeaux
Anne	Myrtille	Lynx	Scorpion
Antoinette	Absinthe	Canard	Cancer
Berthe	Vigne vierge	Boa	Verseau
Catherine	Fraisier	Cygne	Lion
Cécile	Carotte	Ecureuil	Sagittaire
Christiane	Gentiane	Crapaud	Vierge
Claire	Cèdre	Hirondelle	Balance
Claudine	Thym	Girafe	Balance
Colette	Lin	Souris	Balance
Danièle	Violette	Rouge-gorge	Verseau
Denise	Charme	Criquet	Vierge
Dominique (F)	Bruyère	Carpe	Poissons
Elisabeth	Laurier-rose	Belette	Verseau
Eugénie	Aubépine	Hippopotame	Bélier
Françoise	Fougère	Sole	Capricorne
Geneviève	Poirier	Léopard	Taureau
Hélène	Orchidée	Cabillaud	Gémeaux
Henriette	Vigne	Renne	Balance
Jacqueline	Rosier	Pie	Bélier
Jeanne	Genêt	Termite	Lion
Louise	Lavande	Kangourou	Vierge
Madeleine	Gui	Coq	Balance
Marguerite	Erable	Truite	Poissons
Marie	Lys	Colombe	Vierge
Marthe	Tulipe	Alouette	Sagittaire
Thérèse	Tilleul	Biche	Verseau
Virginie	Muguet	Lézard	Cancer
Yvette	Cerisier	Cigale	Lion
Yvonne	Valériane	Hérisson	Balance

Le zodiaque
des prénoms

« reflet », son « double » dans le monde végétal ou animal, n'était pas une simple vue de l'esprit. La Bible elle-même déborde de ce genre d'assimilations symboliques, où la femme pure est une colombe, la paix un rameau d'olivier, l'homme rusé un serpent, l'amour une rose, etc.

Bien sûr, le mot « totem » évoque les Indiens d'Amérique — pour ne parler que d'eux — avec leurs surnoms fabuleux qui représentaient une véritable synthèse du prénom et du nom, dont l'un — inconnu — n'appartenait qu'à Dieu, tandis que l'autre se confondait avec l'appellation de la tribu. Qui ne se souvient de « Sitting Bull » (Taureau assis), « Silver Cloud » (Nuage d'argent), ou le fameux « Crazy Horse » (Cheval fou), que l'on a porté jusqu'aux nues ! Il serait facile de sourire de tout cela si l'analyse psychique — telle qu'elle fut surtout pratiquée par le philosophe suisse Carl Gustav Jung — n'avait démontré la persistance des représentations archétypes dans l'inconscient collectif. Ainsi notre « psyché » est donc peuplée d'animaux réels ou mythiques allant du serpent au dragon, en passant par le chat, le sphinx, le vampire ou le phénix, toujours renaissant de ses cendres, comme l'âme elle-même ! Notre inconscient nous propose cette ménagerie par le truchement de rêves, plus ou moins cohérents, que les analystes essayent d'ordonner en des thèmes « signifiants » et se rapportant à des situations conflictuelles précises.

Notre propos, en vous proposant ce tableau des correspondances végétales et animales en fonction des prénoms, est moins ambitieux et ne vise qu'à souligner des rapprochements de caractères assez curieux. C'est ainsi que le prénom de Charles qui est assimilé — analogiquement — à l'*éléphant* pour l'animal et au *saule* pour le végétal, traduit bien l'image de force et de sagesse (éléphant), de réflexion et de mélancolie (saule), qui sont les deux thèmes essentiels de la caractérologie de ce type d'individu. Ne croyez surtout pas qu'il ne s'agisse là que de satisfaire une simple curiosité ! Bien au contraire, nous vous engageons à méditer sur ces correspondances qui recèlent, au secret d'elles-mêmes, des leçons de vie qu'il serait temps de retrouver si l'on veut acquérir cet équilibre que ne saurait connaître l'homme monstrueux de notre époque, au ventre énorme et à la tête minuscule. Ne parlons pas du cœur dont il souhaite le remplacement par une pompe électrique en plastique qui lui assurerait l'éternité insensible des mécanismes asservis !

Nous vous l'affirmons, vous découvrirez beaucoup mieux le caractère de votre petite Danièle et des prénoms apparentés, en apprenant que ses deux « totems » sont la *violette* et le *rouge-gorge* — soit l'humilité et une certaine prétention — qu'au travers de tous les charabias de nos spécialistes dépassés, pour qui la psychologie est avant tout la science de la « non-âme », au mépris de toute étymologie.

Prenez le temps, prenez la peine, de jeter un coup d'œil sur cette liste, en apparence hétéroclite, qui détient pourtant une grande part de la sagesse de la Nature. Cherchez et vous trouverez, au-delà du rapprochement bizarre, amusant, tout un portrait de l'être concerné par tel ou tel prénom.

Sans développer outre mesure la réflexion ou la méditation qui peuvent prendre appui sur ces « totems », nous pouvons vous dire que les Guy, par exemple, sont bien des êtres qui oscillent entre leur arbre, le *tremble*, que le moindre souffle d'air agite, et leur animal, la *mouette*, qui passe sa vie à glisser l'aile sous le vent, infatigable voilier, éternellement à la recherche d'un monde impossible où tout ne serait que luxe, calme et beauté... Quant aux Pierre, ils sont de *chêne* et de *bélier*, « armes » parlantes, qui ressuscitent toute une chevalerie de l'âme... à moins que leur bélier de chêne ne les conduise qu'à enfoncer des portes ouvertes... mais sur Quoi ou sur Qui ?

7

La triangulation
des prénoms

Que cette expression ne vous effraye pas ! Elle ne fait pas appel à des géométries compliquées ! Tout simplement, elle veut rendre manifestes les rapports existant au sein d'une famille, entre le père, la mère et l'enfant, en précisant toutefois que le terme enfant peut recouvrir une pluralité de personnages. L'« enfant », c'est le, ou les, produits issus de ce « plus » ($+$) masculin, et de ce « moins » ($-$) féminin, qui donnent le « neutre » (∞) infantile que la langue anglaise exprime parfaitement. Nous nous apercevons très vite que ce « trois », à l'image des Mousquetaires si chers au cœur d'Alexandre Dumas, est un « quatre » puisqu'en réalité le premier enfant d'un couple est une « famille-enfant »...

Résumons-nous ! Un homme (H) rencontre une femme (F) et en fait son épouse. Le couple (C) est né. Cela donne une première équation : $H + F = C$.

Jusque-là, rien que de très banal !

Puis, l'enfant (E) paraît ! C'est alors que le couple (C) devient famille (F) selon la formule : $H + F = C + E = F$.

On assiste donc à l'absorption du couple (C) par la famille (F), et l'on sait combien il est difficile pour un couple d'avoir une vie indépendante au sein d'une famille où vont jouer mille tensions diverses que nous allons essayer d'exprimer par un schéma.

Ne vous étonnez pas si, parfois, nous nous répétons ; cela sera souvent la caractéristique de cet ouvrage où il faut retrouver le connu, le solide pour tenter un pas complémentaire qui nous déliera des itinéraires anciens.

Nous allons donc procéder avec précaution en faisant intervenir dans ces schémas les notions de caractérologie zodiacale que nous venons d'acquérir.

PREMIÈRE PHASE

Un homme se prénommant *Louis* et de signe caractérologique *Cancer* (cf. tableau page 48) rencontre une femme se prénommant *Yvette* et correspondant au signe *Lion*.

Une tension va s'établir entre ces deux êtres, tension que nous pouvons traduire en pourcentage d'attirance, ce que les classiques appelaient : en terme d'« appétition », ou si vous préférez de désir. Et cela va donner un schéma de rencontre suivant :

LOUIS		RENCONTRE		YVETTE
Cancer	90%		97%	Lion

Première constatation : dans l'exemple que nous avons choisi, la femme, *Yvette,* est plus attirée par l'homme *Louis,* que lui n'est attiré par elle. Différence peu importante (7 %) mais néanmoins sensible.

DEUXIÈME PHASE

Le mariage ayant consacré l'existence de cette rencontre, un troisième terme, ainsi que nous l'avons vu, va venir s'insérer dans ce schéma. C'est la notion de couple qui va construire, et achever la pyramide « micro-sociale ».

Reprenons notre démonstration.

En effet, le mari et la femme, avant même d'avoir ensemble leur premier enfant, engendrent une tierce personne, une entité qui possède un caractère donné, à qui l'on pourrait attribuer un prénom et un signe, le Bélier en l'occurrence. Cette entité est absolument différente de chacun des deux époux, de la même façon qu'un enfant est à la fois différent de son père et de sa mère, et représente un être en soi. Autrement dit, il ne faut pas croire qu'un mari colérique et une femme flegmatique vont produire un couple qui sera colérique si l'époux domine,

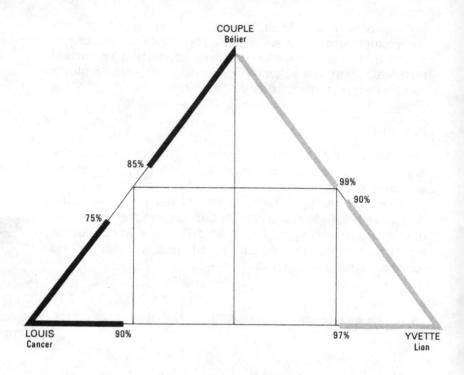

ou flegmatique si c'est l'épouse, ou une sorte de mélange des deux ! A la limite, on pourrait soutenir que la première procréation d'un homme et d'une femme, leur premier « enfant » au sens de créature autonome et nouvelle, cette personne invisible qui s'installe à leur foyer, *c'est le couple.* Ce couple, à son tour, va engendrer le quatrième membre de la famille : l'enfant. Et tout de suite, cet enfant va se trouver en relation, donc en compétition, avec d'une part le père, et d'autre part la mère, et enfin, avec le couple qui préexistait à sa naissance.

En conclusion, nous constatons, à la vue de ce caractéro-graphique, que finalement la femme, *Yvette,* avait beaucoup plus envie de se marier que l'homme, *Louis.* D'ailleurs, la vie en couple ne le fascine pas, 75 %, même si la vie communautaire le conditionne à 85 %. Quant à *Yvette,* elle nage en plein bonheur, son rêve est réalisé, elle vit le couple à 90 % et le couple la conditionne à 99 %. Mais voilà du nouveau !

56

L'enfant fait son entrée, à la fois dans la famille et dans notre schéma. Il se prénomme *Edouard* et nous lui reconnaissons le signe du Scorpion, cela en fonction de son prénom, rappelons-le, et non de sa date de naissance.

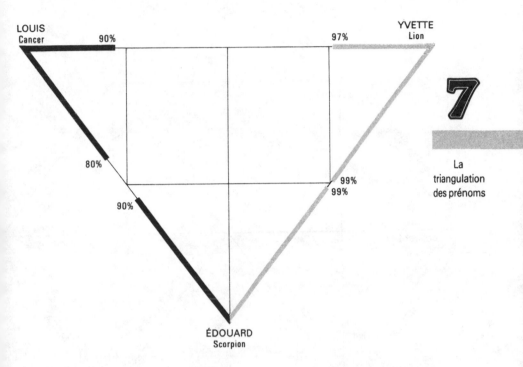

LOUIS
Cancer   90%   97%   YVETTE
                                              Lion

80%

90%   99%
                       99%

ÉDOUARD
Scorpion

7

La
triangulation
des prénoms

Connaissant toutes ces lignes de force, et les différents indices de participation des personnes concernées, on peut alors utilement les conseiller. Dans le cas que nous avons choisi, il sera bon de faire prendre conscience au père de la valeur de cette structure familiale dont il a la responsabilité et de la richesse humaine que représente cet enfant qu'il n'a sans doute pas beaucoup désiré. Ainsi pourront être atténuées les inévitables discordances que la connaissance profonde des prénoms aura permis de révéler. En ce qui concerne l'harmonie propre du couple, l'expérience corrobore curieusement les données du caractéro-graphique. On constate en effet

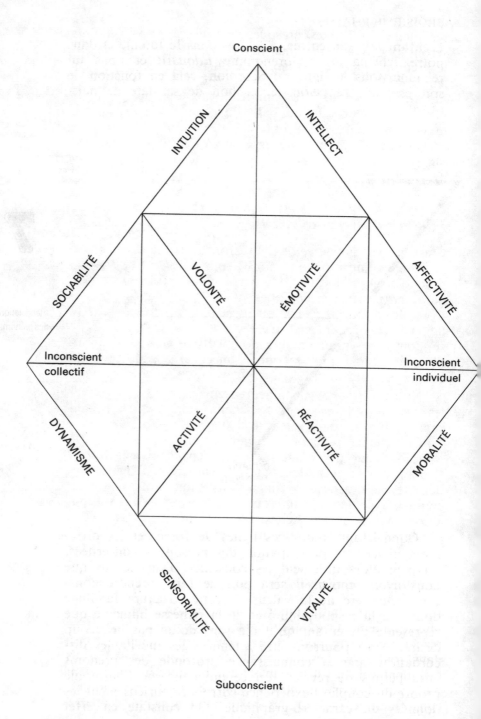

que si le ménage *Louis-Yvette* ne parvient pas à se réaliser pleinement, dans presque tous les cas, les conjoints seront portés à rechercher l'amour d'une personne dont le prénom appartiendra au signe du Bélier, c'est-à-dire de leur couple.

Ajoutons, pour être complets, que si le prénom joue un rôle majeur comme base de calcul, il serait néanmoins nécessaire, pour obtenir des résultats encore plus spectaculaires, de prendre en compte l'équilibre exact des partenaires, en établissant leurs caractérogrammes propres.

Le schéma psycho-structurel

C'est en partant de cette figure constituée par deux pyramides en opposition que nous avons construit ce schéma psycho-structurel (SPS), où viennent s'inscrire les douze paramètres caractérologiques de base qui nous permettront de définir, de la manière la plus précise, la nature de chaque prénom. Et c'est ce schéma qui servira de support à ces pourcentages dont l'étude comparée aboutit à une remarquable connaissance caractérologique du couple et de la famille.

Nous ne pouvons, malheureusement, nous étendre sur les structures internes de ce schéma dont nous constaterons l'efficacité dans le cadre de l'étude des prénoms.

Ce schéma psycho-structurel est en quelque sorte la « radiographie psychique » du sujet en un instant donné. Il manifeste les grandes lignes du caractère d'un prénom dans le cas qui nous occupe. Nous allons donc entrer en contact avec les soixante-dix-neuf schémas de base qui accompagneront les fiches caractérologiques dont nous parlerons au chapitre suivant.

Les quatre-vingts prénoms

En réalité, il existe quatre-vingts prénoms de base, ou plus exactement, quatre-vingts « cases » où viennent se placer, se distribuer tous les prénoms du monde, et ceci dans toutes les langues possibles et imaginables ! Mais comment cela est-il possible ? Eh bien, tout simplement parce qu'il existe quatre-vingts structures élémentaires constituant le tableau des correspondances universelles !

Cela revient à dire que, sur cette Terre, il existe quatre-vingts types de caractères bien définis épuisant toutes les possibilités, non seulement de la caractérologie, mais aussi de la physiognomonie, de la psychologie, de la morphologie, etc. Tout le reste ne représente que des variations, des associations, des combinaisons de ces quatre-vingts types de base dont nous dirons qu'ils sont des « archétypes » !

C'est ainsi que nous avons analysé dans cet ouvrage soixante-dix-neuf archétypes « prénominaux » en les rattachant à des « sonorités pilotes », comme Jean, Madeleine ou Yves.

Mais, direz-vous, pourquoi, tout à coup, passez-vous de quatre-vingts cases à soixante-dix-neuf dans votre système de construction caractérologique ?

Parce que le quatre-vingtième prénom nous est inconnu ! C'est ce que nous appelons le « prénom perdu », comme il existe la fameuse « parole perdue », si chère aux initiations traditionnelles qui en parlent d'autant plus qu'elles ne l'ont pas retrouvée...

Le prénom perdu

Ce « prénom perdu » est celui de l'Homme Universel, de l'Archétype absolu, de cet « Archéomètre » dont parlait saint Yves d'Alveydre... Mais cela nous entraînerait trop loin et nous conduirait à aborder le problème de la « magie », de la nomination des entités, physiques ou psychiques, telle qu'elle a toujours été pratiquée dans toutes les religions du monde où le Verbe est créateur.

Souvenez-vous du début du prologue de l'Evangile de Jean : « Dans le principe était le Verbe, et le Verbe était Dieu, et celui-ci était en Dieu. Toutes choses en lui et pour lui, ont été produites et en dehors de lui rien n'a été produit... » (Jean, I, 1-3.)

En réalité c'est tout le problème des archétypes qui se trouve posé. Existe-t-il des catégories de caractères ? Autrement dit, se peut-il que des individus possèdent en commun suffisamment d'indices caractérologiques semblables, pour que l'on puisse affirmer qu'ils appartiennent à un groupe déterminé, comme lorsqu'on classe en A + ou O, les analyses hématologiques de telle ou telle personne ? Oui, nous le pensons, car chacun de nous a eu l'occasion de procéder — d'une manière plus ou moins consciente — à de semblables classements sur le plan morphologique : « Tiens, il ressemble comme deux gouttes d'eau à Gérard ! » — « Alors, elle, c'est Jacqueline, tout craché ! » — « Vous avez vu ce bonhomme, c'est tout à fait le Président ! »

Cela veut dire quoi ?

Eh bien, tout simplement, qu'il existe des types de caractères, psychiques ou physiques, qui se ramènent à quelques catégories facilement classifiables et qui sont au nombre de 80 — 1 = 79 !

C'est dans ces soixante-dix-neuf cases que nous allons distribuer nos mille deux cents prénoms, en privilégiant néanmoins soixante-dix-neuf prénoms qui seront dits : « pilotes ».

Nous allons voir plus loin comment ces prénoms sont structurés. Cependant, avant toute chose, il faut insister sur le fait que les prénoms apparentés sont analogues au prénom pilote mais qu'ils ne sont pas similaires. Il peut exister des différences de détail, qui ne nuisent pas à l'appréhension du caractère général du prénom étudié, mais qui peuvent néanmoins être perceptibles au niveau de certains paramètres. Certes, Gilbert est apparenté à Gérard, analogue à Gérard, mais s'il fallait dessiner le schéma propre des Gilbert, il pourrait présenter des décalages peu importants, mais existant tout de même.

La
triangulation
des prénoms

Note :

Qu'il nous soit permis, avant d'aborder le chapitre des explications quelque peu techniques, de rappeler comment cet ouvrage a vu le jour. Il est le fruit d'observations caractérologiques ayant porté sur des milliers de cas, tout au long de quarante années consacrées à l'édification d'une théorie du psychisme que nous appelons « psycho-synthèse ». Au départ, l'auteur se basait essentiellement sur la caractérologie dite de l'« Ecole de Groningue », telle qu'elle fut répandue en France par René Le Senne. Mais peu à peu, une vision nouvelle du psychisme devait se dégager et nous mettions au point une méthode inédite d'évaluation des paramètres caractérologiques particulièrement révélatrice des structures de la personnalité. C'est ainsi que nos caractérogrammes, grâce à un procédé qui nous est propre et sur lequel nous demeurerons discrets, peuvent exprimer des pourcentages de tendances dont la précision avoisine les ± 3 %, ce qui est parfaitement suffisant. Au fil des ans s'accumulait, sous forme de schémas psycho-structurels, toute une documentation passionnante et touchant aussi bien au domaine du « normal » que du pathologique. C'est alors que nous nous sommes aperçus, en regroupant les fiches de personnes portant le même prénom, qu'un certain nombres de constantes psychiques se dégageaient et semblaient s'attacher à la sonorité de tel ou tel de ces mots. Les dix dernières années nous permettaient de faire la synthèse de ces recherches et de rédiger cette étude qui, malgré ses imperfections, débouche sur une connaissance assez troublante du pouvoir des prénoms sur la structuration du caractère de l'enfant, nous amenant à souligner la responsabilité des parents dans ce choix qui est fait pour la vie.

La caractérologie
des prénoms

Pour bien comprendre le fonctionnement de notre système de notations caractérologiques, et utiliser avec facilité cet ouvrage, il n'est rien de mieux que de s'intéresser à un cas concret. En l'occurrence, nous choisirons un prénom féminin, celui de *Dominique,* dont voici le schéma psycho-structurel.

Les paramètres caractérologiques

Nous constatons tout d'abord que les douze paramètres constitutifs du schéma psycho-structurel se divisent en deux figures bien distinctes :
    I. La *Croix de Saint-André* qui, au centre, nous propose les quatre pourcentages déterminant le *caractère* global du prénom de Dominique.
    II. Le *Losange* qui précise l'intensité des huit paramètres constituant la *personnalité* du prénom étudié.

LE CARACTÈRE

Volonté — Faculté de se déterminer librement à l'action en pleine connaissance de cause et après réflexion. Conduite dans laquelle le sujet se propose un dessein et engage pour l'accomplir les ressources de son énergie et de son savoir.

Emotivité — Propriété qu'a l'individu de réagir psychiquement et somatiquement à des excitations physiques ou à des manifestations organiques et mentales.

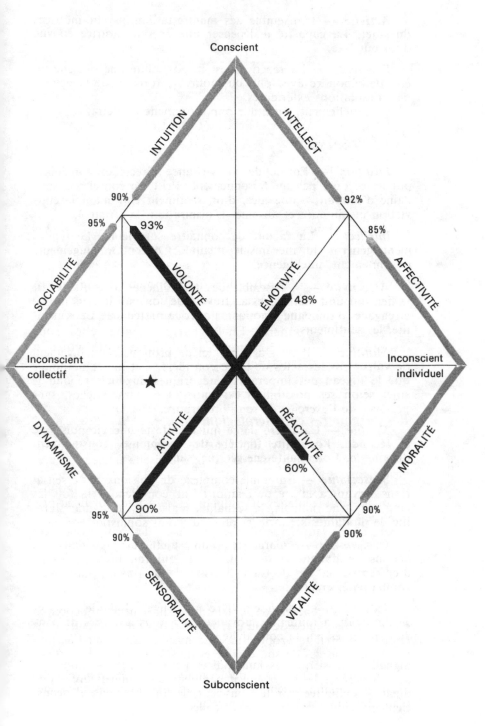

Conscient

INTUITION   INTELLECT

90%   92%

95%   93%   85%

SOCIABILITÉ   VOLONTÉ   ÉMOTIVITÉ   AFFECTIVITÉ

48%

Inconscient   Inconscient
collectif   individuel

★

DYNAMISME   ACTIVITÉ   RÉACTIVITÉ   MORALITÉ

60%

95%   90%   90%

90%   90%

SENSORIALITÉ   VITALITÉ

Subconscient

63

Activité — L'ensemble des manifestations psycho-motrices du sujet. La capacité à dépenser une énergie motrice en vue d'un but fixé.

Réactivité — La réactivité est la possibilité que possède un être de répondre avec plus ou moins de force et de vivacité à des stimulations extérieures.
Eventuellement, l'attitude oppositionnelle de l'être.

LA PERSONNALITÉ

Intuition — Forme de connaissance directe et immédiate qui ne recourt pas au raisonnement. Prise de conscience soudaine d'un fait, d'une idée, d'un sentiment entraînant la conviction instantanée et absolue. L'inspiration, le « flair ».

Intellect — La faculté de connaître supérieure. Le rendement général du mécanisme mental. Conception, jugement, raisonnement, intelligence.

Affectivité — L'ensemble des phénomènes affectifs. C'est le lien qui unit aux autres au travers de son moi le plus intime et engage le dialogue émotionnel avec le partenaire. La sensibilité, les sentiments.

Moralité — Il ne s'agit pas ici de prononcer un jugement de valeur sur les actes de l'être considéré. Cet indice ne donne que le niveau des impératifs catégoriques auxquels répond le sujet selon ses possibilités existentielles et caractérielles, sans préjuger de l'exercice de son libre arbitre.

Vitalité — Caractère de ce qui manifeste une vie puissante et féconde. Possibilité foncière de vie intense, constamment disponible. Potentialité énergétique, santé.

Sensorialité — Ensemble complexe de pulsions et de sensations servant à la vie de relation. Elle comprend à la fois les cinq sens traditionnels, la sexualité, mais aussi tout une pluralité de modalités sensorielles plus ou moins sophistiquées.

Dynamisme — Caractère d'un sujet qui met dans ses actions de l'allant et de l'énergie et qui fait preuve d'esprit d'entreprise et de décision. Puissance de travail, initiatives, combativité, créativité.

Sociabilité — Aptitude à vivre en société. Mode de réaction de l'individu à toutes les croyances et à tous les types de conduite institués par la collectivité.

Signalons aussi que les huit indices périphériques — donc liés au « losange » — se groupent par deux dans une figure « cardinale » délimitée par le Conscient, le Subconscient, l'Inconscient individuel et l'Inconscient collectif.

1. *Conscient* — La faculté de l'être à prendre conscience de sa plus ou moins grande intégration dans le monde de l'individuel et du collectif, compte tenu de son désir de transcendance. Son comportement intuitionnel et réfléchi, son type de conduite raisonnable.

Intellect + Intuition

2. *Inconscient individuel* — Renferme toutes les acquisitions de la vie personnelle : ce que nous oublions, ce que nous refoulons, l'importance des problèmes individuels pour le sujet, son égocentrisme, mais aussi l'approche de la connaissance de l'humanité.

Affectivité + Moralité

3. *Subconscient* — Le réservoir des pulsions plus ou moins maîtrisables du psychisme de l'être. Son instinctivité, sa sensorialité, sa sexualité, ses conduites automatiques, sa vitalité.

Vitalité + Sensorialité

4. *Inconscient collectif* — L'importance des problèmes collectifs pour l'individu. Son sens de la participation à l'action communautaire, son intégration à la vie relationnelle, son allocentrisme, c'est-à-dire sa capacité à se mettre à la place des autres.

Dynamisme + Sociabilité

Enfin, ce schéma comporte une étoile qui indique le centre de gravité du caractère. C'est tout simplement la résultante des quatre tensions caractérielles de la Croix de Saint-André. La connaissance de la situation de ce point est particulièrement intéressante pour le caractérologue qui ainsi peut percevoir immédiatement l'équilibre du caractère ou, au contraire, son « excessivité » — voire son excentricité — selon la position du centre de gravité.

Le prénom Dominique (F) nous apparaît donc comme ayant un centre de gravité situé au-dessous de la ligne de l'Inconscient et à gauche. Ce qui implique une domination, sur le plan vertical, du couple Volonté-Activité (93 %-90 %), et, sur le plan horizontal, du couple Activité-Réactivité (90 %-60 %). Nous avons donc affaire à un caractère très fort, à tendance masculine, assez oppositionnel, décidé, ayant des réactions vives, colériques même, etc.

Puis, sous le schéma, neuf autres indications nous sont données qui compléteront utilement les pourcentages fournis par la figure elle-même. Ce sont :

1. L'*Efficience* du caractère, en abrégé : caractère.

65

2. Le *Rayonnement* de la personnalité considérée, en abrégé : rayonnement.

3. La *Résonance* ou, si vous préférez, la vibration potentielle du prénom.

4. La *Couleur* de ce prénom. Nous en avons traité largement.

5. Les *Dominantes* qui nous ramènent aux pourcentages du schéma.

6. Le *Totem végétal,* nous l'avons indiqué par le simple mot : Végétal.

7. Le *Totem animal* ou la correspondance du prénom avec le caractère de l'animal, indiqué par : Animal.

8. Le *Signe* zodiacal auquel se rattache caractérologiquement le prénom.

9. La *Fête,* ou plutôt la date de célébration du saint concerné pour chaque prénom, que nous retrouvons dans l'Index. Dans le cas que nous avons choisi, celui du prénom Dominique (F) nous avons :

1. *Caractère* . . . . . .   90 %
2. *Rayonnement* . .   94 %
3. *Résonance* . . . . .   93 000 v/s
4. *Couleur* . . . .   Jaune
5. *Dominantes* . . . .   Volonté
                             Sociabilité
                             Dynamisme
                             Intellect
6. *Végétal* . . . .   Bruyère
7. *Animal* . . . .   Carpe
8. *Signe* . . . .   Poissons
9. *Fête* . . . .   8 août (mentionnée ici à titre indicatif ; pour les autres prénoms, consulter l'Index).

Examinons plus en détail ce tableau en « neuf ».

1. *Efficience du caractère*

Elle définit le pourcentage de « rendement » caractérologique de l'individu comme on parle, toute proportion gardée, du « rendement » d'un moteur qui est, faut-il le rappeler, le rapport de l'énergie utilisable à l'énergie totale dépensée. Nous savons très bien que des êtres relativement peu doués obtiennent des résultats remarquables par leur courage et leur persévérance tandis que des

66

« surdoués » se perdent dans les labyrinthes de leurs possibilités.

Ce n'est donc pas la moyenne arithmétique de toutes les potentialités caractérielles que nous donnons, mais bien la notion de capacité de l'individu à « s'assumer », à gérer de la manière la plus efficace le « capital-caractère » dont il dispose.

2. Rayonnement

C'est l'action, l'influence, qui se propagent au départ d'un être, ou, dans le cas d'un prénom, d'une entité caractérologique. Ce pourcentage est d'autant plus intéressant qu'il synthétise, qu'il résume en un seul nombre deux notions essentielles à la compréhension du comportement d'un individu : le rayonnement intérieur (RI) qui exprime la richesse, plus ou moins grande, de son contenu psychique, et le rayonnement extérieur (RE) qui en est la manifestation perceptible. L'un n'allant pas sans l'autre, il est évident qu'un rapport s'établira entre eux : RI/RE, et que ce rapport sera particulièrement révélateur de la structure caractérologique du sujet. On pourrait dire, alors, que le facteur RI représente l'*être* de la personne, et le facteur RE son *paraître*. C'est la synthèse de ces deux termes que nous donnons.

La
caractérologie
des prénoms

3. Résonance

Sur quelle longueur d'ondes dois-je accorder mon « récepteur » pour capter telle ou telle émission ? Nous avons vu que les prénoms se comportaient comme des émetteurs disposant d'une puissance vibratoire évaluable. En aucun cas, il ne s'agit d'un jugement de valeur. C'est une constatation et non une critique, comme il serait stupide de penser qu'un poste radio émettant sur 1 647 mètres diffuse des émissions moins bonnes que celui qui utilise une longueur d'ondes de 1 819 mètres ! L'essentiel, rappelons-le, c'est ce que le sujet fait de la potentialité qui lui est donnée. Il vaut mieux être un « Hugues » qui utilise, par exemple, 58 000 de ses 60 000 v/s, qu'un « Charles » qui ne se sert que de 85 000 v/s alors qu'il peut atteindre 114 000 v/s. Sinon, on en revient au raisonnement enfantin qui pose le choix suivant : « Que préfères-tu : une Rolls-Royce ou un tracteur ? » Il est bien évident qu'un tracteur agricole, sur la

Croisette, à Cannes, risque de détonner quelque peu, mais qu'une Rolls, dans un champ de pommes de terre, tirant la charrue, n'est pas un modèle d'efficacité !

4. *Couleurs*

Nous nous sommes longuement étendus sur l'appartenance de certains groupes de prénoms à des catégories de couleur et à leurs correspondances. Précisons, cependant, que le fait de relier Gérard à l'orangé, par exemple, n'implique nullement que l'orangé est la couleur de prédilection des Gérard et des prénoms apparentés. Il s'agit là d'analogies qui ne sauraient verser dans le fétichisme sous peine de perdre leurs véritables significations psychologiques.

5. *Dominantes*

Parmi les douze paramètres caractérologiques de notre schéma nous en retiendrons un ou plusieurs dont l'intensité nous paraîtra significative des tendances générales de l'être ou, dans le cas qui nous occupe, du prénom. Précisons bien qu'il ne s'agit là que de tendances qui ne sauraient se présenter comme des certitudes. Cependant, à l'usage, vous distinguerez rapidement à quel point ces « panneaux de signalisation » caractérologiques peuvent être « éclairants ».

6. *Végétal*

Nos tableaux se rapportant au zodiaque des prénoms et aux correspondances végétales et animales sont suffisamment explicites pour que nous ne reprenions pas ici notre théorie des « totems ». Que ces indications soient pour vous et pour votre entourage l'occasion de méditer, non seulement sur le caractère des êtres, mais aussi sur celui des choses. Dans cette introduction, relativement courte, nous ne pouvons aborder tous les problèmes se rattachant à la caractérologie et, faute de place, nous sommes dans l'obligation de renoncer à traiter de la caractérodiététique qui vise à nourrir les êtres non plus en fonction de leur gourmandise ou de leurs appétits mais bien en fonction du caractère de la personne concernée — enfant ou adulte — et du caractère des aliments proposés. Nous en reparlerons dans un autre ouvrage !

7. *Animal*

Que notre misérable monde prendrait un autre visage si les parents possédaient la sagesse, ou la connaissance, leur permettant de situer la vie de leur enfant dans le cadre merveilleux et universel de la Création ! Au lieu de cet égoïsme frénétique qui caractérise notre humanité actuelle, nous retrouverions un parfum de paradis terrestre ; là où les fleurs et les animaux parlaient. Mais ils parlent ! C'est nous qui ne savons plus les entendre depuis que l'homme orgueilleux a cru qu'il était le Roi de la Création alors qu'il n'est même pas maître de lui-même ! Profitez de cette notion de « totems » pour relier votre enfant à l'ensemble du créé. L'écologie ne consiste pas seulement à défendre un certain ordre de choses en refusant un camp militaire pour ne pas que les tanks détruisent les arbres ! Ce devrait être, avant tout, une tentative de réunir la pierre, l'arbre, l'animal, et l'homme en une cinquième essence qui est la Nature tout simplement. Mais le mot religion, à bien comprendre, ne veut-il pas dire relier ?

8. *Signe*

Nous avons hésité un instant avant de nous lancer dans des explications zodiacales de peur de donner l'impression que nous voulions faire de l'astrologie de circonstance. Ce qu'il faut regretter par-dessus tout, c'est que justement cette astrologie — qui se veut divinatoire — ait perdu le contact avec la caractérologie car il est incontestable que les grandes divisions zodiacales — ce que nous appelons les signes — recèlent en leurs structures, en leurs symboles, en leurs graphismes, des vérités psychiques d'une grande importance. Le zodiaque, du Bélier des premiers matins du monde aux Poissons marquant la rencontre apocalyptique de deux cycles cosmiques, raconte aussi la genèse d'un enfant en son cycle annuel et nous donne, à voix basse, le secret de la Vie et de l'Amour, qui, comme le dit Dante, « ... meut le Soleil et les autres étoiles ! »

9. *Fête*

Que le mot est joli et que la chose est donc oubliée en notre siècle de précipitation et de confusion ! Ne manquez pas de célébrer la fête de votre enfant, de ceux que vous aimez. Il faut que ce petit, que cette petite, comprennent toute l'importance de leur prénom. C'est une manière charmante de dépoussiérer chaque année la statue du vieux saint Jacques, de la bonne Marie, qui ont donné à ces prénoms une saveur de vécu et de présent absolu que nos enfants perçoivent infiniment mieux que nous.

Très sincèrement, nous pensons, maintenant, que nous avons cheminé assez longtemps ensemble pour que vous puissiez, à votre tour, explorer tout seuls le monde merveilleux des prénoms, cette forêt magique où, sur le tronc de chaque arbre, toutes les mamans, tous les amoureux du monde, et, finalement, tous les hommes et toutes les femmes qui ont vécu sur cette Terre ont gravé un prénom pour la vie...

2

les prénoms pilotes

Rappelons que nous désignons ainsi les soixante-dix-neuf prénoms qui sont en quelque sorte les « chefs de famille » des mille deux cents autres figurant à l'Index. Il n'était, malheureusement, pas possible d'établir autant de « caractérogrammes » qu'il existait de prénoms. Cet ouvrage aurait atteint des dimensions exorbitantes, près de cinq mille pages ! Nous avons donc regroupé tous les prénoms dont le schéma présentait des analogies frappantes avec l'une des soixante-dix-neuf structures caractérologiques de base.

C'est ainsi que certains « prénoms pilotes », comme Alfred, par exemple, ne rassemblent autour d'eux que quatre ou cinq « associés » — Aubert, Gall, Norbert et Rogatien — tandis que Marie — championne toutes catégories — accueille en son sein près de cinquante prénoms féminins. Lorsque nous disons que Norbert — pour revenir à l'exemple donné — fait partie de la « famille Alfred », cela ne signifie nullement qu'ils sont *semblables,* mais bien *analogues.* Autrement dit, Norbert n'est pas absolument égal à Alfred, de même qu'une feuille de chêne ne saurait être la reproduction exacte d'une autre feuille de chêne, cependant qu'elles participent toutes deux de la même espèce et sont immédiatement reconnues comme partageant les caractéristiques de tous les feuillages des arbres appartenant au genre « cupulifère ». C'est pourquoi nous désignerons sous l'appellation de « prénoms associés » ou « prénoms aux caractéristiques analogues » tous ceux qui, possédant des caractères analogues à l'un des soixante-dix-neuf prénoms pilotes, viendront se grouper, selon leurs affinités, autour de chacun d'eux. Mais dites-vous bien que ces « prénoms associés » ne sont pas des parents pauvres qu'un riche cousin hébergerait sous son toit ! Les différences — en principe et en fait — sont infimes et ne sauraient dénaturer le portrait psychologique s'appliquant à chacun d'eux.

Vous allez pouvoir en faire l'expérience sans oublier, toutefois, qu'une personne sur quatre peut être une « malnommée » et ne pas se reconnaître dans le profil caractérologique que l'on donne d'elle !

Alors commencera le jeu passionnant consistant à rechercher le prénom qui correspond véritablement à votre tempérament.

Un jeu fort utile, croyez-nous !

AGNÈS

Personnalité : *Celle qui survole.*

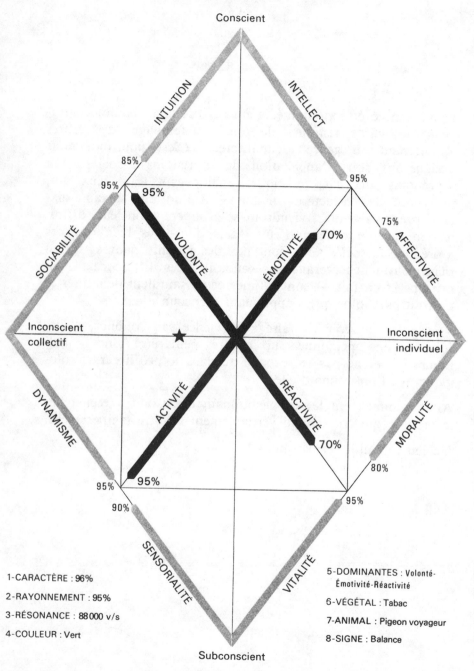

Conscient

INTUITION

INTELLECT

85%

95%

95%

SOCIABILITÉ

VOLONTÉ

ÉMOTIVITÉ

70%

95%

75%

AFFECTIVITÉ

Inconscient collectif

★

Inconscient individuel

DYNAMISME

ACTIVITÉ

RÉACTIVITÉ

MORALITÉ

70%

95%

95%

80%

90%

95%

SENSORIALITÉ

VITALITÉ

Subconscient

1-CARACTÈRE : 96%

2-RAYONNEMENT : 95%

3-RÉSONANCE : 88 000 v/s

4-COULEUR : Vert

5-DOMINANTES : Volonté-Émotivité-Réactivité

6-VÉGÉTAL : Tabac

7-ANIMAL : Pigeon voyageur

8-SIGNE : Balance

Agnès

et prénoms aux caractéristiques analogues

Agnès	**Constance**	**Karen**	**Odile**
Aimée	**Edwige**	**Karine**	**Philippine**
Anastasie	**Gillette**	**Léocadie**	**Servane**
Aymée	**Iris**	**Magali**	**Sylvie**
Césarine			

□ **Type caractérologique**

Ces personnes, dotées d'une belle émotivité, sont généralement de type colérique. Leurs réactions sont rapides. D'une mobilité capricieuse, elles ne tiennent pas en place, il faut des ailes pour les suivre. Elles ont le sentiment d'avoir quelque chose à dire en ce monde, et elles le disent bien haut. Faut-il s'étonner, après cela, que ces porteuses de messages aient, pour animal totem, le *pigeon voyageur ?*

□ **Psychisme**

Elles ne sont pas d'ailleurs de tout repos, les chères petites ! Elles passent constamment par des hauts et des bas. Elles vont de la plus folle excitation à des dépressions spectaculaires, mais cela ne dure pas, elles enfourchent bientôt un autre « dada » et tout est reparti. Elles sont accapareuses. Il faut sans cesse s'occuper d'elles, sinon ce sont elles qui s'occupent de vous... et c'est pire ! Ce sont finalement des introverties, leur petit monde intérieur compte plus pour elles que ce qui se passe dans la rue. Elles ont néanmoins une personnalité débordante, et donnent l'impression d'avoir une grande confiance en soi, mais ce n'est souvent qu'une apparence.

□ **Volonté**

Cet aspect déconcertant de leur personnage, excessif même, se retrouve au niveau de la volonté qui est à éclipses et qui devient souvent de l'entêtement.

□ **Emotivité**

Elle est forte, trop forte bien souvent, et il faut tout faire pour essayer de calmer ces « petits monstres » qui arrivent très rapidement à un auto-énervement des plus fâcheux.

□ **Réactivité**

Elle est à la hauteur, souvent exagérée, de leur émotivité. C'est le règne des coups de tête, des susceptibilités fracassantes, des départs sur les « chapeaux de roues »...

□ Activité

Elle peut être « délirante », elle aussi, comme elle peut n'être qu'un « bluff » destiné à masquer les désirs de fuite. Bien contrôler l'emploi du temps de ces sujets mais sans leur donner l'impression qu'on les espionne.

□ Intuition

Douées d'une intuition étonnante, d'un pouvoir de séduction remarquable, inquiétantes par leur mobilité, fugaces comme la fumée du *tabac*, leur végétal totem... Comme elles sont insaisissables, ces chères petites ! Elles varient suivant le temps qu'il fait, leur état physique, leur vie sentimentale. La superstition n'en est pas absente.

□ Intelligence

Leur intelligence est explosive, leur dynamisme prodigieux. Ayant une tournure d'esprit synthétique, elles survolent tout, comprennent tout, mais trébuchent parfois sur un de ces petits détails qu'elles n'aiment pas, et qu'elles balaient volontiers d'un geste large de la main. La mémoire est moyenne, mais la curiosité dévorante. Dès leur jeunesse, il faudra les calmer et les discipliner.

□ Affectivité

Elle est en dents de scie. Un jour c'est le grand amour florentin, le lendemain c'est le désespoir slave. Elles sont souvent boudeuses et jouent volontiers de leurs sentiments pour « faire marcher » leur entourage. Que les parents prennent garde à ne pas donner dans le panneau ! Elles adorent s'entourer d'amis, mais elles en changent souvent. Elles aiment la contradiction, la cultivent même. Elles sont désespérées par les échecs, mais rapidement elles repartent pour courir vers une autre chimère.

□ Moralité

Elle est plutôt bonne mais on a l'impression qu'elle est souvent en pointillés et que les principes affichés ne se retrouvent pas toujours dans l'action entreprise. Un certain sens de l'opportunisme moral qui débouche, cela arrive, sur des aventures fracassantes qui perturbent passablement les malheureux partenaires, parents ou époux !

□ Vitalité

Bonne en général, mais souvent compromise par des imprudences qui engendrent des accidents. Attention à la conduite des voitures ! La plupart d'entre elles dorment insuffisamment, s'agitent, prennent des excitants de toutes sortes. Il leur faut, au contraire, un régime équilibrant et calmant. Se méfier des fractures des jambes et surveiller les reins.

□ Sensorialité

Là encore, des coups de tête, des emballements, de brusques décisions parfois suivies de refoulements. Il y a souvent trop de décalage entre la vie fantasque qu'elles connaissent et l'inertie de ceux qui les entourent. Il faut donc, dès leur jeune âge, les sécuriser, leur donner, grâce à une attitude ferme, le goût de la discipline et la stabilité dont elles ont besoin.

□ Dynamisme

Il est difficile de dire si elles sont douées pour les études. Quand la matière enseignée leur plaît, le résultat est spectaculaire. Dans le cas contraire, elles sont prêtes à brûler leurs livres... et leurs professeurs avec ! Comme elles ont une imagination fertile et une intelligence alerte, elles s'adaptent à tout, mais leurs études doivent être attentivement suivies par les parents afin de ne pas devenir anarchiques. D'autre part, le choix d'une profession doit être contrôlé, car il faut éviter qu'elles ne se lancent dans une activité professionnelle monotone. Elles peuvent être excellentes dans tout ce qui bouge, change, vit. On les voit très bien hôtesses de l'air, représentantes, journalistes. Elles sont également très attirées par les professions de luxe. Par contre, elles fuient tout ce qui risque de les enchaîner.

□ Sociabilité

Passionnantes, séduisantes, délicieuses, d'une sociabilité démonstrative, mais combien déroutantes, elles rêvent d'une maison pleine de copains, à la condition de changer de maison tous les six mois et de copains tous les huit jours ! Leur volonté est forte lorsqu'elles sont poussées par un désir violent, et très faible au temps des basses eaux. Leur moralité varie au gré des circonstances. Il est bien difficile de résister à ces petites diablesses qui bousculent tout sur leur passage et ne réussissent finalement que par on ne sait quel miracle.

□ Conclusion

En fonction de tout cela, on comprendra facilement que ces « pigeons voyageurs » ont une vie quelque peu bousculée et une existence familiale souvent pleines de « cactus ». Mais avec elles, on ne s'ennuie pas et dans le triste monde où nous vivons, ces gentilles petites sorcières au caractère sautillant sont autant de feux follets pleins de charme...

ALBERT

Personnalité : *Celui qui vit dans deux mondes.*

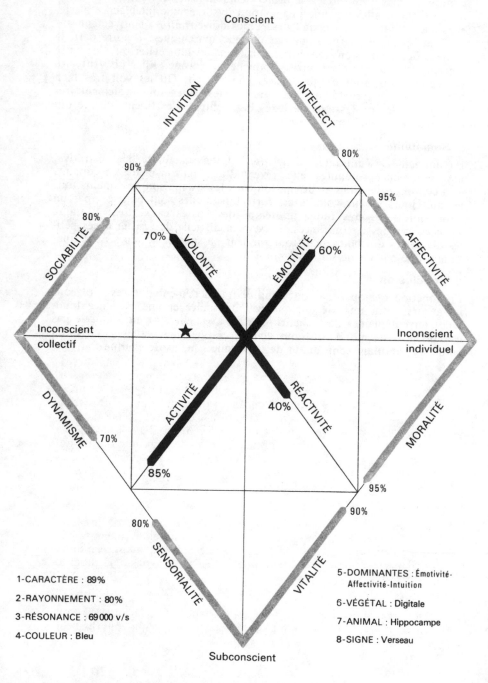

Conscient

INTUITION

INTELLECT

80%

90%

95%

80%

SOCIABILITÉ

AFFECTIVITÉ

70% VOLONTÉ

ÉMOTIVITÉ 60%

Inconscient collectif

Inconscient individuel

ACTIVITÉ

RÉACTIVITÉ

DYNAMISME

40%

MORALITÉ

70%

85%

95%

90%

80%

SENSORIALITÉ

VITALITÉ

Subconscient

1-CARACTÈRE : 89%

2-RAYONNEMENT : 80%

3-RÉSONANCE : 69 000 v/s

4-COULEUR : Bleu

5-DOMINANTES : Émotivité-Affectivité-Intuition

6-VÉGÉTAL : Digitale

7-ANIMAL : Hippocampe

8-SIGNE : Verseau

Albert

et prénoms aux caractéristiques analogues

Albert   **Albin**   **Eugène**   **Maël**   **Valentin**

□ Type caractérologique

Les porteurs de ce type de prénom sont à la fois nerveux et sentimentaux, et nous retrouvons cette dualité à chaque instant dans leur comportement. Leur émotivité est moyenne, leur activité plutôt calme, leurs réactions un peu plus vives. L'ensemble de ces traits leur donne une certaine stabilité, bien qu'ils aient besoin d'être stimulés. Ce sont des nerveux amortis. Psychiquement, ils ressemblent à l'*hippocampe*, leur animal totem : celui-ci paraît dormir entre deux eaux, et tout à coup, il se détend bizarrement. Les parents devront chercher à bien comprendre ces enfants assez difficiles à saisir, tantôt tendres, tantôt secrets.

□ Psychisme

Ils sont affectueux mais avec de brusques changements d'humeur. Ils sont possessifs sans le montrer. Leur intuition peut se révéler stupéfiante. Ces enfants sentent les situations bien au-delà des faits et des mots. Leur sexualité s'exerce elle aussi sur deux plans : une sentimentalité qui les amène à idéaliser les êtres et leur procure de cruelles déceptions, et parallèlement, une sensibilité parfois nettement agressive qui les met dans des situations délicates. Leurs croyances ne sont pas très tranchées et leur foi est quelque peu fluctuante. Il en est de même de leurs amitiés, il n'est pas toujours très facile de les suivre dans le dédale de leurs sentiments souvent contradictoires. Il y a chez eux une inertie qui frise le refus et peut même aller jusqu'à une légère tendance au masochisme contre laquelle il faudra lutter très tôt.

□ Volonté

Si nous consultons le schéma psycho-structurel de ce type de prénom, nous constatons que le pourcentage de volonté est relativement faible. Cela ne veut pas dire que le sujet manque de volonté, mais cela souligne cette indécision dans le comportement, que nous avons déjà décelée.

□ Emotivité

Nous avons vu que cette émotivité était moyenne. Or, là aussi, il faut bien s'entendre car c'est une émotivité d'« émergence » qui souvent peut se faire attendre, et parfois surprendre.

79

□ Réactivité

Ils semblent dormir au fond de leur « rivière » intérieure — car ils sont introvertis, ne l'oublions pas — et cependant ils perçoivent tout avec une acuité dont il convient de tenir compte.

□ Activité

Quand nous disons que leur activité est calme, cela ne veut nullement signifier qu'il s'agit là d'une activité mineure, mais bien qu'ils accumulent de fortes potentialités avant de déclencher l'action.

□ Intuition

Ils s'en servent ! Beaucoup plus pour se protéger et éviter les à-coups que pour développer leur dynamisme. Dans la vie ils ont tendance à user beaucoup de cette dualité qui les habite et qui leur permet de choisir la solution la plus confortable.

□ Intelligence

Là aussi nous retrouvons cette nervosité qui fait que ces sujets réagissent parfois brutalement... Bien se le rappeler ! Leur curiosité est étrangement sélective. Ils se passionnent pour des petits riens et passent à côté de très grandes choses, sans même leur jeter un regard.

□ Affectivité

Ce sont effectivement des introvertis. Leur petit monde intérieur représente plus pour eux que tout ce qui peut arriver en dehors de leur sphère mentale. Ils sont influençables à certains moments et entêtés à d'autres. Très subjectifs, ils n'ont pas tellement confiance en eux. Ils seraient même timides. Les éducateurs devront donc suivre de très près ces enfants assez déconcertants.

□ Moralité

Leur moralité est excellente et cependant, lors des premiers contacts, on a l'impression qu'ils savent s'adapter aux événements en fonction des circonstances et que, par conséquent, ils « lâchent du lest » quand il le faut. Ce n'est pas si simple... et leur système de valeurs est parfois confus.

□ Vitalité

Leur vitalité est bonne, mais ils se fatiguent assez rapidement. Leur régime alimentaire n'est pas équilibré. Ils ont tendance à abuser des excitants. Il leur faudrait beaucoup de sommeil et une vie calme alors que, très souvent, ils mènent une existence agitée. Qu'ils se méfient des maladies infectieuses ! Leurs yeux et les bronches doivent être surveillés tout particulièrement.

□ Sensorialité

C'est leur jardin secret et chez eux la sexualité est presque toujours soumise à l'affectivité. Ils semblent mettre longtemps à déclarer leur flamme et puis, tout à coup, tout va très vite... Ne pas violer leur petit monde intérieur...

Dynamisme

Leur dynamisme est loin d'être convaincant et il faudra solliciter fréquemment l'enthousiasme de ces enfants ou de ces adolescents. Leurs études sont à l'image d'eux-mêmes ; de longues vagues sur un océan à la puissance secrète et redoutable, mais qui les portent sains et saufs jusqu'à la terre ferme. Excellents techniciens, spécialisés dans l'électricité ou l'électronique, remarquables ingénieurs de l'aéronautique, ce sont des chercheurs organisés qui savent diriger plusieurs travaux en même temps. Très bons représentants de commerce, ils savent mener des affaires avec beaucoup de diplomatie, s'adaptant à tout avec rapidité.

Sociabilité

Leur sociabilité est excellente, mais ils ne sont pas toujours d'humeur égale et il ne faut pas les priver de leurs petites habitudes. Leur ténacité est moyenne et ils ont tendance à se laisser porter par les événements. Il ne faudra pas laisser les petits Albert et les prénoms associés tomber dans le piège d'une vie facile grâce à leur ingéniosité et à leur sens de l'intrigue. La chance est bonne, la réussite moyenne. Comme ils oscillent en permanence entre deux mondes, cela leur donne un charme assez mystérieux, mais en revanche ne favorise pas une réussite précoce.

Conclusion

Il ne faut surtout pas se laisser déconcerter par la conduite de ces êtres qui, plus d'une fois, vous surprendront par leur rapidité d'action, alors que vous les avez jugés incapables de prendre une situation en main. Enfin, si vous les trouvez « empoisonnants » à certains moments, n'oubliez pas que leur végétal totem est la *digitale* !

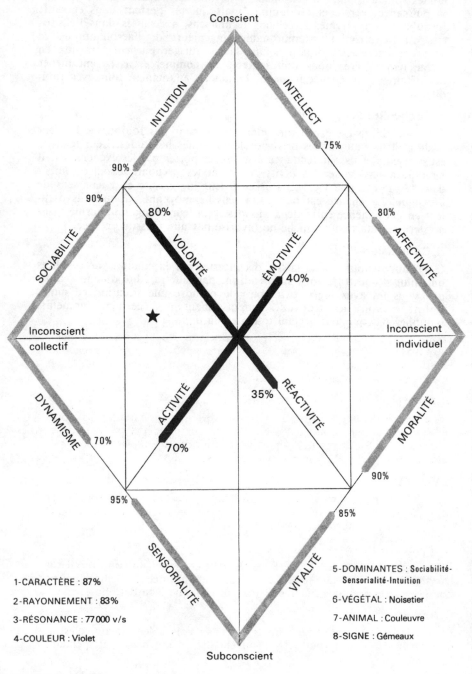

ALFRED

Personnalité : *L'homme qui dort au soleil.*

Conscient

INTUITION

INTELLECT

75%

90%

90%

80%

VOLONTÉ

ÉMOTIVITÉ

80%

AFFECTIVITÉ

SOCIABILITÉ

40%

★

Inconscient
collectif

Inconscient
individuel

DYNAMISME

ACTIVITÉ

RÉACTIVITÉ

35%

MORALITÉ

70%

70%

90%

95%

85%

SENSORIALITÉ

VITALITÉ

1-CARACTÈRE : 87%

2-RAYONNEMENT : 83%

3-RÉSONANCE : 77 000 v/s

4-COULEUR : Violet

5-DOMINANTES : Sociabilité-
Sensorialité-Intuition

6-VÉGÉTAL : Noisetier

7-ANIMAL : Couleuvre

8-SIGNE : Gémeaux

Subconscient

Alfred

et prénoms aux caractéristiques analogues

Alfred   Aubert   Gall   Norbert   Rogatien

□ Type caractérologique

Lorsqu'on sait que leur animal totem est la *couleuvre* et que leur formule caractérologique comporte une activité divisée, on conçoit sans peine qu'ils ne soient pas habituellement des foudres de guerre. Sont-ils sentimentaux, sont-ils flegmatiques ? On hésite toujours à leur égard. En fait, ils sont l'un et l'autre. Doués d'une discrète émotivité, pleins de courtoisie et de délicatesse, ils ont en même temps des réactions amorties, et ne sont pas persuadés que le travail, ce soit la liberté !

□ Psychisme

Ce sont des introvertis. Ils ont une vie intérieure intense, ce qui paraît évident lorsqu'on connaît leur émotivité et leur vive imagination. Ils sont assez influençables et, chose curieuse, ils font dans la vie exactement le contraire de ce qu'ils disent. Ils se prétendent casaniers, voire bourgeois, et vous les verrez effectuer de longs voyages, parfois même s'expatrier. Ils savent être objectifs, sont capables de grands dévouements raisonnés. Leur confiance en eux est moins assurée : il n'est pas rare qu'ils soient quelque peu craintifs.

□ Volonté

Ce serait plutôt une volonté de « protection » qu'une volonté de « progression » ! Elle est d'ailleurs « bifide » et leur permet d'avoir de belles — mais relativement rares — réactions ! Ils sont « souples » comme le *noisetier*, leur végétal totem.

□ Emotivité

Nous en avons déjà parlé. Elle est très liée à cette affectivité forte et ce décalage va les gêner au point de provoquer des réactions de timidité que l'on prendra parfois pour de la paresse.

□ Réactivité

Elle est encore plus faible que l'émotivité et en jetant un coup d'œil sur le schéma, on constate que cette réactivité ajoutée à l'émotivité ne donne que des résultats médiocres, ce qui explique bien des choses...

□ Activité

En général, ils aiment beaucoup les études, mais à leur façon, c'est-à-dire d'une manière décontractée. Souvent ils « décrochent » et, pendant

83

que le professeur poursuit son cours d'algèbre, ils descendent l'Amazone ou traversent le Sahara ! Il faut suivre attentivement les études de ces enfants et ne pas s'en remettre aux seules notes du carnet. Assurez-vous qu'ils assimilent véritablement l'enseignement qu'on leur prodigue, et ne vous fiez pas trop aux bons résultats des examens, qui sont à porter au crédit de leur débrouillardise (surtout à l'oral) plutôt que de leurs connaissances. Au point de vue profession, ils sont très attirés par la littérature. Ce sont des journalistes de talent, mais ils excellent également en mathématiques et on peut les retrouver dans l'enseignement, qui les intéresse à bien des titres, dont les vacances ! Ce sont de bons gestionnaires, d'excellents caissiers. D'une manière générale, tout ce qui touche aux finances leur plaît.

□ Intuition

Ils sont prodigieusement intuitifs, avec leur caractère double, fait à la fois d'immobilisme et de souplesse. Ils arrivent à saisir l'aspect dualiste des choses avec facilité et ne s'étonnent de rien, sauf dans les cas les plus sombres où le pessimisme, qui existe toujours à l'état latent chez eux, prend le dessus. Ils possèdent un pouvoir de séduction très subtil et très efficace, ils plaisent beaucoup aux femmes.

□ Intelligence

Ils sont d'ordinaire très intelligents. Une intelligence synthétique qui leur permet de juger une situation d'un seul coup d'œil. La mémoire est remarquable et la curiosité toujours en éveil. Malheureusement, il leur est assez difficile de passer de la conception à la réalisation. Ce ne sont pas à proprement parler des rêveurs, ils ont d'excellentes idées, le plus souvent très pratiques, mais voilà, ils ont besoin de quelqu'un pour les concrétiser.

□ Affectivité

Cette timidité va d'ailleurs les gêner sur le plan affectif. Ils ont souvent du mal à exprimer leurs sentiments les plus sincères, car ils ne manquent pas de profondeur, mais cette dernière est masquée, la plupart du temps, par la discrétion qui leur est habituelle. A la longue, pourtant, la première impression s'efface ; on découvre alors des hommes pleins de finesse et de compréhension. Il faudra que les parents évitent de bloquer ces enfants et leur donnent la plus grande liberté possible d'expression.

□ Moralité

Elle est bonne tout en dépendant cependant des circonstances. Leurs croyances sont plus intellectuelles, plus mentales qu'animiques. Ils aiment d'ailleurs tout ce qui touche aux religions et même aux sciences occultes. Là encore se manifeste ce caractère qui les pousse d'une part vers ce que l'on voit, d'autre part vers ce que l'on devine. Ils ont un sens moyen de l'amitié, étant très indépendants et supportant mal les contraintes sociales. Toutefois, quand ils ont choisi un confident, ils lui sont assez fidèles.

□ Vitalité

Leur santé, dans l'ensemble, est satisfaisante, mais il faut se méfier du surmenage intellectuel qui, lui, est réel, tandis que la fatigue physique dont ils se plaignent souvent serait plutôt due à leur légère paresse naturelle. Points faibles : l'appareil digestif et la circulation, mais la vitalité est bonne. Prenez garde néanmoins à ce qu'une forme de lymphatisme ne s'installe chez ces jeunes et surveillez-les pour qu'ils n'abusent pas de la sieste ou de la grasse matinée.

□ Sensorialité

Elle est forte mais souvent dépendante de leur sentimentalité. Ils sont susceptibles d'être choqués par certaines réalités un peu brutales. Habituellement, ils ne demandent pas d'explications, mais suivent en silence. Aussi faudra-t-il les informer le plus tôt possible de tous les grands problèmes de la vie.

□ Dynamisme

Leur première réaction est de s'opposer, de refuser leur accord ; mais il s'agit plutôt d'une attitude que d'une conviction. Une certaine sagesse mêlée d'inertie les pousse à renoncer bien vite à des discussions qui n'aboutissent à rien. Ils sont sensibles aux échecs car secrètement orgueilleux, et auraient tendance à refouler leurs sentiments. Il ne faudra pas laisser ces adolescents ruminer des pensées mélancoliques.

□ Sociabilité

Sans être d'une très grande sociabilité, ils acceptent volontiers de recevoir et d'être reçus, à condition de ne pas jouer les premiers rôles et de ne pas être forcés de faire leur « numéro ». Ils préfèrent les conversations individuelles dans un coin du salon aux discours, un verre à la main. Leur volonté est bonne dans le principe, sinon dans la réalisation. Ils aiment leur famille si elle n'est pas trop tyrannique. Leur chance est moyenne ainsi que leur réussite, sauf exception, bien entendu. Ils mènent bien leur petite barque, même s'ils aspirent à passer la barre à quelqu'un d'autre pour prendre un bain de soleil sur le pont !

□ Conclusion

N'hésitez pas à réveiller parfois la « couleuvre » qui dort... et si vous êtes les parents de ces enfants attachants mais un peu apathiques, veillez sur leur développement, et ne vous laissez pas endormir par leur indolence philosophique.

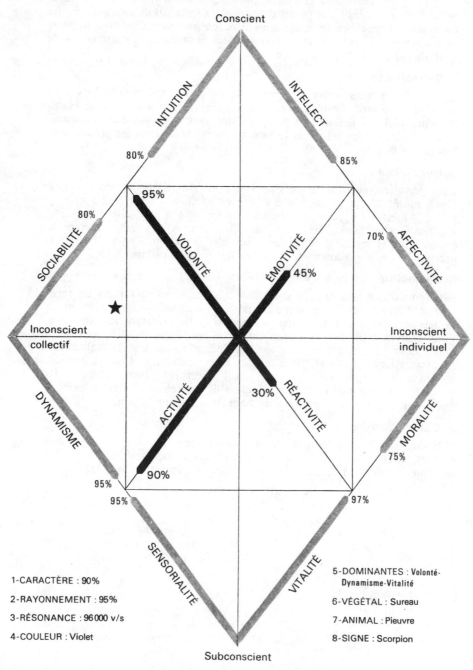

ALPHONSE

Personnalité : *Celui qui prend.*

Conscient

INTUITION

INTELLECT

80%

85%

95%

80%

VOLONTÉ

ÉMOTIVITÉ

SOCIABILITÉ

70%

AFFECTIVITÉ

45%

Inconscient
collectif

Inconscient
individuel

30%

RÉACTIVITÉ

DYNAMISME

ACTIVITÉ

MORALITÉ

90%

75%

95%

95%

97%

SENSORIALITÉ

VITALITÉ

1-CARACTÈRE : 90%

2-RAYONNEMENT : 95%

3-RÉSONANCE : 96 000 v/s

4-COULEUR : Violet

5-DOMINANTES : Volonté-
Dynamisme-Vitalité

6-VÉGÉTAL : Sureau

7-ANIMAL : Pieuvre

8-SIGNE : Scorpion

Subconscient

Alphonse

et prénoms aux caractéristiques analogues

Adalbert	**Andéol**	**Bérenger**	**Hégésippe**
Alphonse	**Arnaud**	**Désiré**	**Hugo**
Alphonsin			

□ Type caractérologique

Ce sont des gens efficaces et réfléchis. Ils ont une assez forte émotivité, mise au service d'une remarquable activité, mais leurs réactions sont secondaires, c'est-à-dire qu'ils savent dominer leur tendance « explosive ». Ils sont même capables d'élaborer des plans avec une patience quelque peu machiavélique. Ce sont des passionnés qui peuvent maîtriser leurs passions. Comme la *pieuvre,* leur animal totem, ils sont accrocheurs, tenaces. Ils organisent à merveille leurs affaires et leur existence. Leur vie a souvent deux faces : l'une publique, très féconde, l'autre discrète, voire secrète, ce qui complique singulièrement les choses.

□ Psychisme

Ils sont accapareurs. S'ils sont dans les affaires, ils veulent s'étendre à tout prix, au risque d'en faire trop. Ils sont très introvertis : ils ne révèlent qu'une infime partie de ce qu'ils pensent, et les motifs de leurs actions sont presque toujours cachés. Ils ont une grande mémoire, une curiosité parfois indiscrète. Ils sont peu influençables. Ils manquent d'objectivité et ont une confiance en soi qui frise l'orgueil.

□ Volonté

Forte ! Avec eux, il faut que ça plie... même sans dire pourquoi ! Dès leur jeune âge, ils seront tyranniques dans leurs jeux et les parents n'échapperont que difficilement à ces petits bandits. Quant aux grands-parents, ils ont un rôle d'otages tout désigné...

□ Emotivité

Elle est bonne et, avec l'activité, se trouve à la base de ce cocktail relativement explosif que représente ce type de caractère. Il ne faudra pas laisser ce genre d'enfant développer excessivement son émotivité, sous peine d'en faire un agressif impénitent.

□ Réactivité

Curieusement, elle ne semble pas être des plus importantes. Elle est cachée, volontairement dissimulée et l'on a parfois l'impression qu'ils font leurs coups « en dessous »... Des contestataires-nés ; souvent même ils recherchent la bagarre. Des patrons difficiles. Si quelque chose ne va pas, ils accusent les autres ; « on intrigue contre eux, on leur tend des pièges, on sape leur autorité »...

□ Activité

Ils ont besoin d'agir pour se rassurer et même cette activité peut prendre des allures de drogue ! Il leur faut l'action pour l'action. Le choix d'une profession se fera assez tôt, ces enfants ayant habituellement une idée précise de leur futur travail. Ils savent être disciplinés, ont de la conscience professionnelle, s'adaptent bien et vite, et possèdent une fécondité mentale qui fait d'eux des inventeurs, des chercheurs, des ingénieurs, des techniciens de valeur, surtout dans le domaine de la recherche atomique ou de la prospection pétrolière. Ils aiment s'occuper des affaires publiques. Ce sont d'excellents parlementaires, des maires et des conseillers généraux actifs. Ils pourraient aussi faire partie de services de renseignements ou de la police.

□ Intuition

Intuition vive, séduction indubitable, avec on ne sait quoi de trouble, mais imagination constructive. D'ailleurs il faudrait plutôt parler de flair que d'intuition car, chez eux, tout sert à réussir, à dominer.

□ Intelligence

Leur intelligence est pratique, ordonnée. Ils peuvent sembler moins brillants que d'autres au premier abord ; on aurait tort, toutefois, de sous-estimer le retentissement de leurs réactions qui, tout en étant discrètes, demeurent redoutables. En d'autres termes, pour ces êtres assez vindicatifs, la vengeance est vraiment un plat qui se mange froid.

□ Affectivité

Il n'est pas facile de savoir s'ils vous aiment ou s'ils ne vous aiment pas, car leur comportement est souvent dicté par leur désir d'efficacité. En revanche, lorsqu'ils veulent s'exprimer, donner libre cours à leurs opinions, ils éprouvent beaucoup de difficultés. Il faudra très tôt habituer ces enfants à voir clair, à réagir vite et franchement. Rappelez-vous qu'ils sont possessifs et risquent d'« embobiner » leurs parents si ces derniers n'y prennent garde.

□ Moralité

Elle est des plus moyennes, car ils sont tellement pragmatiques ; ils ont un tel esprit pratique, efficace, qu'il faut bien que leur morale sache, de temps en temps, être « compréhensive ». Qu'en est-il de leurs croyances ? Elles demeurent obscures. Que croient-ils exactement ? Quelle importance attachent-ils à la religion ? Quelle idée se font-ils de la vie, de leur destin ! Mystère. Une amitié difficile. Difficile à donner et difficile à recevoir. Dans leurs relations avec leurs amis, comme avec leurs proches, au-dehors comme dans leur propre foyer, ils sont volontiers tyranniques.

□ Vitalité

Leur santé est bonne, leur résistance à toute épreuve, bien qu'il leur faille surveiller leurs intestins, leur appareil génital, et éviter les excitants de toute nature. Point faible : les yeux qui pourraient leur causer des migraines. Leur végétal totem n'est-il pas le *sureau*. Mais quelle vitalité, grand Dieu !

□ Sensorialité

Forte et compliquée. Ils se font de la sensualité une idée bien particulière qui ne convient pas à tout le monde. Il sera bon d'être très explicite sur ce point, avec ces enfants. Leur sentimentalité est d'ailleurs très dépendante de leurs besoins physiques et procède souvent de désirs tyranniques qu'ils feront tout pour satisfaire. Attention aux excès de table... et leurs suites !

□ Dynamisme

Nous avons vu qu'ils étaient accrocheurs. Ils manifestent cette qualité au cours de leurs études et ils feront des pieds et des mains pour arriver à leurs fins, même si cela leur demande du temps. Et si nous voulions abuser d'une comparaison avec leur animal totem, la pieuvre, nous dirions qu'ils ont le « bras long » et que, dans le domaine des affaires, ils savent s'en servir...

□ Sociabilité

Leur sociabilité est positive avec une tendance utilitariste, c'est-à-dire qu'ils aiment bien recevoir des gens servant leur carrière ou fortifiant leur position sociale. Leur volonté est, nous l'avons vu, forte, et ils poursuivent le but qu'ils se sont assigné avec une vigueur et une férocité qui parfois laissent planer quelque doute sur la moralité de l'opération. Mais, de toute manière, ils sont efficaces et pour eux, c'est le principal. Ils ont de la chance et leur réussite est souvent durable, à condition qu'ils n'en fassent pas trop, car il faut toujours leur rappeler que le gouffre n'est jamais loin du sommet.

□ Conclusion

Des hommes très percutants dont la personnalité colle bien avec celle de la pieuvre. Ils sont d'autant plus « attachants » que leurs ventouses sont increvables ! Des associés efficaces mais difficiles. Des maris jaloux à la fidélité parfois suspecte. Mais cela dans le pire des cas... bien sûr !

ANDRÉ

Personnalité : *Celui qui règne sur la terre.*

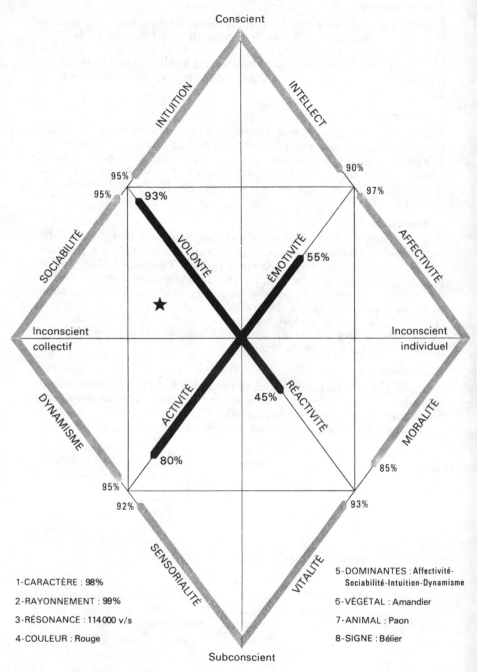

Conscient

INTUITION

INTELLECT

95%
95%
93%
90%
97%

VOLONTÉ
ÉMOTIVITÉ
55%

SOCIABILITÉ
AFFECTIVITÉ

★

Inconscient
collectif

Inconscient
individuel

ACTIVITÉ
RÉACTIVITÉ
45%

DYNAMISME
MORALITÉ

80%
85%

95%
92%
93%

SENSORIALITÉ
VITALITÉ

Subconscient

1-CARACTÈRE : 98%

2-RAYONNEMENT : 99%

3-RÉSONANCE : 114 000 v/s

4-COULEUR : Rouge

5-DOMINANTES : Affectivité-
Sociabilité-Intuition-Dynamisme

6-VÉGÉTAL : Amandier

7-ANIMAL : Paon

8-SIGNE : Bélier

André

et prénoms aux caractéristiques analogues

Albéric	Celse	Cyrus	Druon
André	Cyr	Donald	Théodore

□ Type caractérologique

Ce sont des colériques, pas toujours faciles à manier en raison de leur forte émotivité. Leur activité est moyenne et on les croit un peu paresseux alors qu'en réalité, ils attendent le moment d'agir. Aussi bien leur réussite, une fois amorcée, est excellente et rapide. Ils sont aventureux, indépendants, orgueilleux, comme leur animal totem, le *paon,* susceptibles et même « râleurs ». Leur arbre totem est l'*amandier* et, pour les atteindre vraiment, il faut briser la coque sous laquelle se cache le fruit savoureux. Ce sont des enfants à bien tenir en main si l'on veut qu'ils se réalisent totalement.

□ Psychisme

Il faut noter qu'ils possèdent à la fois une forte vie intérieure et une existence extérieure très riche. Ce sont des hommes d'action et de réflexion. C'est donc un prénom très complet. Naturellement peu influençables, ils sont néanmoins impressionnables et pour les maintenir dans les limites d'une action donnée, pour ne pas les laisser « déraper », il est nécessaire d'avoir sur eux une réelle emprise et de se faire respecter.

□ Volonté

Ils ont de la volonté quand ils le veulent, mais cette volonté est un peu capricieuse et peut tourner à l'entêtement. Il faudra donc surveiller le comportement de ces enfants et ne pas les laisser installer leur petit état au sein de la famille.

□ Emotivité

Nous avons vu qu'elle était assez forte, mais, malgré tout, elle n'est jamais tyrannique et alimente constamment leur désir de paraître. Cela pourra les amener aussi bien à être clown qu'homme politique !

□ Réactivité

Très objectifs, ils savent reconnaître leurs fautes. Ils possèdent d'ailleurs un sens aigu de la justice et lorsqu'ils ont commis une erreur, ils ne sont nullement choqués si une punition, même corporelle, vient les frapper. Ils sont observateurs, pleins de confiance en eux, quelquefois à

91

l'excès. La timidité ne les étouffe pas. Ils cherchent la bagarre, mais sainement, pour le plaisir de se battre.

□ Activité

Ils ne font vraiment bien que ce qu'ils aiment et ils n'aiment vraiment que ce qui leur plaît. Attitude assez dangereuse, qui risquerait d'engendrer bien des problèmes si elle n'était résolue vigoureusement. Ils doivent être éduqués dans une ambiance de discipline stricte, car ils ont tendance à être distraits, chahuteurs, à se disperser. L'école buissonnière les passionne... Ils sont attirés par les études techniques, par les sciences, et ils peuvent devenir des industriels, des ingénieurs, des militaires éminents, des chimistes, des agriculteurs, des vétérinaires. Ils possèdent une très bonne conscience professionnelle et s'adaptent rapidement.

□ Intuition

Intuitifs, ils ont des antennes terriblement efficaces, et portent sur autrui des jugements fulgurants. Ils possèdent en outre un charme auquel il n'est pas facile de résister. Mais attention ! Leur côté « m'as-tu-vu » peut les amener, pour se rendre intéressants, à jouer les pythonisses. Un certain sens du bluff...

□ Intelligence

Ils sont remarquablement intelligents et, chose curieuse, cette intelligence est à la fois analytique et synthétique, c'est-à-dire qu'ils se penchent sur le détail d'une opération et en voient en même temps le déroulement général sans aucun effort, ce qui est précieux. Ils ont une belle mémoire, mais essentiellement affective : ils se rappellent ce qui les frappe. Leur mémoire « mécanique » est plus faible. D'une vive curiosité, ils sont prêts à tenter toutes les expériences : aussi faudra-t-il, très jeunes, leur apprendre la prudence, sans toutefois étouffer l'élan qui les anime.

□ Affectivité

Affectueux, ils désirent qu'on les aime et qu'on le leur dise. Ils n'essaient pas de freiner leur élans affectifs puisque ce sont des passionnés, mais ils font preuve d'une grande indépendance et, très tôt, ils veulent « vivre leur vie ». Quand ils sont tyranniques, c'est par amour. Aussi, les parents et les éducateurs devront-ils, sans jamais décevoir leur sentimentalité, leur apprendre à se maîtriser.

□ Moralité

Elle est bonne à condition toutefois que l'enfant soit bien élevé, car ils ont un côté un peu sauvage, avec une légère tendance à la fugue. Ce sont ordinairement des êtres bien équilibrés, et le problème de la foi ne se pose pas dramatiquement pour eux. Ils font la part des choses et jugent très bien de ce qui appartient à l'existence matérielle et de ce qui doit être réservé à la vie spirituelle.

□ Vitalité

Remarquable vitalité, excellente résistance, mais ils ont besoin de sommeil. On doit surveiller la manière dont ils mangent, la mastication en

92

particulier, car ils risquent d'avoir des problèmes d'assimilation et leur point faible, c'est la bouche et les dents.

□ Sensorialité

Généralement, ils sont très tôt sensibles à la séduction de « l'éternel féminin ». Précoces, ils demandent à être informés le plus complètement possible des problèmes de la vie et ont horreur qu'on leur raconte des histoires de bonne femme.

□ Dynamisme

Susceptibles, mais beaux joueurs, ils surmontent aisément les échecs qu'ils essuient. Leur diplomatie est assez rudimentaire, ils sont tout d'une pièce, et ont leur « têtes ». Si un professeur leur déplaît, ils auront des problèmes de scolarité. Ils aiment d'ailleurs l'opposition, c'est la raison pour laquelle il ne faut pas laisser ces enfants s'installer dans une attitude de contestation à l'égard des structures familiales ou scolaires, mais au contraire les tenir d'une main ferme.

□ Sociabilité

Très sensibles, ils n'aiment pas être seuls. Ils raffolent des promenades à la campagne, des pique-niques, des surprises-parties. Ce sont des hôtes fort agréables, sachant recevoir simplement. Un très grand sens de l'amitié, aussi bien envers les hommes que les femmes. Ils ont besoin d'être entourés, mais pour commander. Ils aiment les mouvements de jeunesse, les camps de vacances, le scoutisme. Ce qu'il faut éviter à tout prix, c'est de traiter ces enfants en fils unique ou en objet fragile.

□ Conclusion

Très soutenus par la chance, ils n'y font même pas attention. On a l'impression que tout leur est dû. Ils foncent, ils passent, ils réussissent comme par miracle. Et c'est l'essentiel. Après cela, bien sûr, ils font la roue... comme leur « paon totem ».

ANDRÉE

Personnalité : *Le parfum de la terre.*

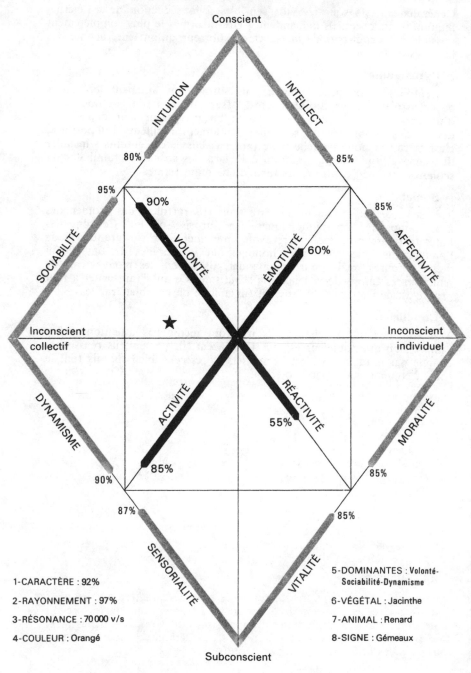

Conscient

INTUITION 80%

INTELLECT 85%

95%

90%

VOLONTÉ

ÉMOTIVITÉ 60%

85%

SOCIABILITÉ

AFFECTIVITÉ

Inconscient collectif

★

Inconscient individuel

DYNAMISME

ACTIVITÉ

RÉACTIVITÉ

55%

MORALITÉ

90%

85%

85%

87%

85%

SENSORIALITÉ

VITALITÉ

1-CARACTÈRE : 92%

2-RAYONNEMENT : 97%

3-RÉSONANCE : 70000 v/s

4-COULEUR : Orangé

5-DOMINANTES : Volonté-Sociabilité-Dynamisme

6-VÉGÉTAL : Jacinthe

7-ANIMAL : Renard

8-SIGNE : Gémeaux

Subconscient

Andrée

et prénoms aux caractéristiques analogues

Amandine	Fleur	Lucette	Pétronille
Andréa	Flora	Nora	Rébecca
Andrée	Flore	Patricia	Stéphanie
Aure	Luce		

□ Type caractérologique

Des êtres passionnants, mais complexes, d'une très grande émotivité, terriblement actifs, aux réactions soudaines et imprévisibles. Ce sont des personnages excessifs, à manier avec précaution ! Leur animal totem est le *renard* ; comme lui, elles sont méfiantes et astucieuses. Leur méfiance, toutefois, se transforme vite en ironie, car elles sont friandes de moqueries et de canulars, vous en ferez l'expérience !

□ Psychisme

Très extraverties, elles font tout pour se faire remarquer. Elles s'habillent de tissus bariolés, de vêtements de coupe étrange et, très jeunes, on les verra se déguiser à propos de tout et de rien. Elles sont agréables à vivre, curieuses, douées d'une mémoire d'éléphant, ou de renard si vous préférez. Peu influençables, elles se tirent de toutes les situations avec une souplesse parfois inquiétante. Très possessives, elles ont besoin de leur public pour se sentir à l'aise.

□ Volonté

Très belle volonté qui peut, à certains moments, s'allier à une certaine ruse pour vous mettre dans des situations inextricables. Ne vous laissez pas « entortiller » par ces enfants et amenez-les à se conduire selon des principes clairs et nets.

□ Emotivité

Très émotives, elles sont toujours « sur l'œil » ! Rien ne leur échappe et elles se servent de tout pour vous échapper. Des femmes exquises, mais qui dans le mariage ne seront pas forcément de tout repos...

□ Réactivité

A ce niveau, on conçoit très bien que ce type de caractère ait des réactions fort vives et souvent déconcertantes. Efforcez-vous de les prévoir et ne donnez pas à ces enfants l'impression que vous êtes dépassés et que vous ne savez plus quoi faire ! Ne vous démontez jamais et tenez-vous-en à des principes simples et définitifs.

□ Activité

L'activité est parfois confuse. En apparence tout au moins, car, en réalité, elles savent très bien brouiller les pistes et protéger leur petit monde à elles. Les études sont honnêtes, sans plus. Elles aiment les langues vivantes, les sciences, et peuvent devenir ainsi d'excellentes traductrices, des hôtesses de l'air, des chargées de relations publiques. Elles peuvent entrer dans le commerce, dans la diplomatie, et même se transformer en comédiennes et en chanteuses de talent.

□ Intuition

Car sous cet aspect théâtral et divertissant se dissimule un être qui n'est pas toujours bien dans sa peau, qui se cherche, qui craint de montrer à son entourage un visage tragique et de perdre ainsi son pouvoir d'enchantement — un peu comme un clown qui redoute de trahir son émotion. Leur intuition est forte et leur séduction puissante bien que légèrement artificielle.

□ Intelligence

L'intelligence est très vive, primesautière, un peu futile. Une intelligence analytique qui fouille sans pitié le moindre détail et surtout les petits côtés des gens et des situations pour une « mise en boîte » magistrale. Leur mémoire étonnante leur permet, dans leur jeunesse, de faire croire qu'elles ont compris leurs leçons en ne faisant que répéter le cours qu'elles ont suivi quelques jours avant ou en se servant d'une lecture hâtive qu'elles auront faite à la sauvette.

□ Affectivité

Elles se jettent au cou de tous ceux qui les entourent, mais, sous cette apparente désinvolture, se cache un être plus secret qui ne se livre que difficilement. Les parents, les éducateurs devront essayer de fixer des limites à ce débordement joyeux en tentant de faire coïncider les deux personnalités si différentes des petites Andrée et des prénoms ayant les mêmes caractéristiques : d'une part, un être assez sérieux qu'il faut essayer de deviner et, d'autre part, cette éternelle gamine pleine de joie de vivre et d'idées farfelues.

□ Moralité

Elle est bonne mais à éclipses. Quand le train-train de la vie semble les endormir quelque peu, tout va bien. Puis sur un coup de tête, ou pour se rendre intéressantes, elles feront n'importe quoi. Attendez-vous à pas mal de « n'importe quoi » ! Elles sont assez perturbées sur le plan de la foi. L'amitié est quelque peu superficielle, très oppositionnelle. Elles craignent néanmoins l'échec, et le refoulement des sentiments n'est pas rare chez elles, car, contrairement à ce qu'on pense, elles ont la susceptibilité de leur fleur totem : la *jacinthe*.

□ Vitalité

Leur santé est à double face. Lorsqu'elles sont gaies, la santé va bien ; si elles sombrent dans la morosité, tout se détraque. Quand nous disons que tout va mal, en réalité c'est un peu moins bien, car elles ont beaucoup de vitalité. Elles ont du courage. Une force d'autoguérison peu commune, mais il faut qu'elles surveillent leur système respiratoire qui peut leur causer des ennuis. Elles sont généralement bien bâties, sportives, et elles sont capables de surmonter facilement toutes les difficultés que leur vie « double » peut mettre sur leur chemin.

□ Sensorialité

Leur sentimentalité est complexe. Elles désirent être aimées pour elles-mêmes, mais, comme elles ne savent pas exactement qui elles sont, elles font souvent les frais de cette contradiction, et leur sexualité s'en ressent. Elles s'en veulent de céder à des hommes qui ne sont pas leur idéal, et elles s'en veulent aussi de laisser fuir cet homme idéal qui, lui, ne sait pas que sous l'accoutrement du clown se cache la princesse lointaine.

□ Dynamisme

Il est, vous le pensez bien, à la dimension de leur « excessivité ». Comme ce dynamisme est plus important que l'activité, on découvre très vite que leur personnage tourne souvent à vide et qu'elles se donnent en spectacle pour le simple plaisir d'exister aux yeux des autres.

□ Sociabilité

Elles sont sociables. D'une manière générale, elles ont besoin, nous l'avons vu, d'un public, et elles feront tout pour le trouver. De toute façon elles sauront, dans un salon, se montrer à la hauteur de leur réputation. La volonté est forte, la moralité est solide, elles ont une bonne chance qu'elles risquent de gâcher en n'y croyant pas assez. En tout cas, ce sont des êtres extraordinairement vivants dont la complexité attire et dont l'affectivité un peu délirante n'est pas faite pour déplaire.

□ Conclusion

Si vous êtes mariés avec ce genre de petit lutin malicieux, vous avez dû passer des moments délicieux et d'autres, surtout en société, où vous auriez donné des millions pour vous trouver ailleurs... Quant aux parents... nous ne leur donnons qu'un seul conseil : « Cramponnez-vous ! » Mais n'accusez pas trop tôt votre petit « renard » d'avoir la rage !

ANNE

Personnalité : *Celle qui regarde, qui découvre le monde.*

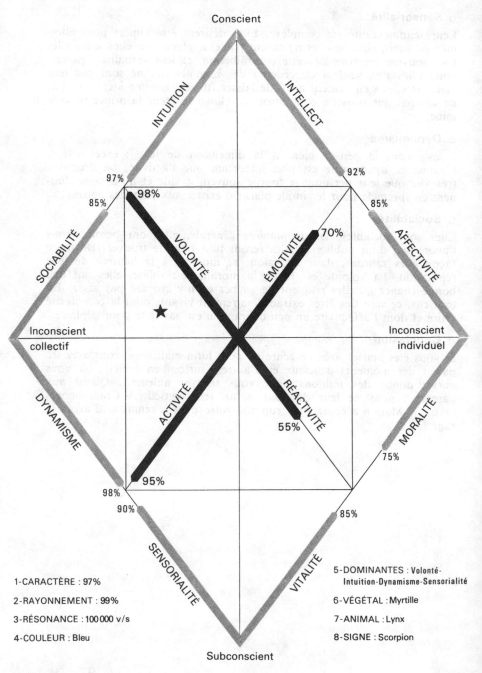

Conscient

INTUITION INTELLECT

97%

98% 92%

85% 85%

70%

VOLONTÉ ÉMOTIVITÉ AFFECTIVITÉ

SOCIABILITÉ

Inconscient collectif   Inconscient individuel

ACTIVITÉ RÉACTIVITÉ

DYNAMISME MORALITÉ

55%

75%

95%

98%

90% 85%

SENSORIALITÉ VITALITÉ

Subconscient

1-CARACTÈRE : 97%

2-RAYONNEMENT : 99%

3-RÉSONANCE : 100 000 v/s

4-COULEUR : Bleu

5-DOMINANTES : Volonté-Intuition-Dynamisme-Sensorialité

6-VÉGÉTAL : Myrtille

7-ANIMAL : Lynx

8-SIGNE : Scorpion

Anne

et prénoms aux caractéristiques analogues

Alberta	*Anne*	Emilie	Rosy
Alberte	Annette	Emilienne	Solange
Albertina	Annick	Erwan	Tania
Albertine	Annie	Estelle	Tatiana
Anita	Anouchka	Gwendoline	Tatienne
Anna	Anouck	Hélyette	Xavière
Annabella	Aude	Joëlle	
Annabelle	Corinne	Priscilla	

□ Type caractérologique

Il suffit d'accrocher le regard d'une enfant portant l'un de ces prénoms, de contempler ses yeux pleins de la vie de tout l'univers pour comprendre ce que pouvait être le regard de la première femme, notre mère Eve ! En elle se retrouve la passion des premiers matins du monde. Très émotive, très active, réagissant rapidement, la petite Anne (et les prénoms associés) est la curiosité même. Effrontée comme il n'est pas possible, véritable garçon manqué, elle observe, elle juge comme son animal totem le *lynx*. Son insolence est parfois irritante mais sa gaieté est si contagieuse qu'on la suivrait jusqu'au bout de la terre. Plus grande, elle donnera l'impression de posséder un savoir caché, de tenir en main le livre de la vie.

□ Psychisme

Elle est légèrement introvertie, c'est-à-dire qu'elle peut se replier sur elle-même. Peu influençable, possédant une incroyable mémoire, elle est à l'affût de tout et se mêle de tout. Dès la plus tendre enfance, il faut lui faire comprendre où commence et où finit son royaume, ce royaume secret dont elle est à la fois reine et papesse. Ce qui correspond bien à la discrétion de la *myrtille,* son végétal totem.

□ Volonté

Forte ! Presque trop forte ! A ce niveau cela frise la provocation « volontariste ». Elle est subjective, tout passe par le filtre de sa vision personnelle. Elle est avide, elle veut tout et tout de suite. Elle ignore la timidité et c'est peu dire qu'elle a confiance en elle, car elle ne croit qu'en elle ! Mais quel charme ! Quelle adorable « enquiquineuse »...

□ Emotivité

Nous dirons : heureusement qu'elle est très présente ! Jetons, en effet, un regard sur le schéma psycho-structurel et nous découvrirons vite que s'il n'y avait pas cette importante émotivité et une bonne réactivité pour compenser la volonté et l'activité tyranniques, un déséquilibre certain se produirait.

□ Réactivité

Ce n'est pas que cette réactivité soit particulièrement envahissante, mais, associée à l'émotivité, elle marque bien ce type de caractère d'une opposition formelle à tout ce qui est « bourgeois », trop facilement accepté sur le plan social... Leur parfum préféré à ces chères petites : Mai 68... C'est le type même de la contestataire brûlante et diabolique. Vindicative, orgueilleuse, fière, mordante, violente parfois. Nullement abattue par les échecs, puisque seuls les autres en sont responsables, jamais désespérée, elle triomphe tôt ou tard.

□ Activité

C'est une activité dévorante ou plutôt dévoreuse puisqu'on a l'impression que ce remue-ménage perpétuel est plus fatigant, plus accablant pour les autres que pour le sujet. Très tôt sa scolarité posera des problèmes. Disons gentiment que ses études sont souvent cahotiques. Elle aime étudier, mais c'est le genre de fille qui se plaint de tous les professeurs, surtout s'ils sont du sexe féminin. Elle n'aime pas beaucoup les études classiques et préfère le concret, le technique. Son rêve : être artiste ! Artiste peintre, chanteuse, comédienne, sculpteur, tout lui est possible... C'est du moins ce qu'elle croit...

□ Intuition

Ce n'est plus de l'intuition qu'elle possède, c'est presque de la voyance. Elle pressent, elle devine, elle vous enveloppe de sa séduction de ravissante sorcière et vous cédez, heureux et vaincu. Les hommes en feront très tôt l'expérience ! Malgré cela, ou à cause de cela, elle mérite d'être écoutée. Simplement, il faut éviter à tout prix qu'elle ne se prenne trop au sérieux et que son intuition ne débouche sur un culte de la personnalité divinatoire !

□ Intelligence

Son intelligence est très analytique. Elle promène sur toutes choses un œil de lynx ; cet animal totem lui convient fort bien et correspond à son agressivité clairvoyante car, ne vous faites pas d'illusions, elle ne vous fera aucun cadeau, elle ne laissera rien passer et, par un sens inné de l'intrigue, elle ira jusqu'à mettre en conflit sa famille entière.

□ Affectivité

Elle est insatiablement possessive. Elle n'aime que ce qui lui appartient et tout refus de se plier à ses fantaisies est un crime. Elle veut qu'on l'aime, il lui faut des sujets, c'est la petite reine et si, par malheur, les parents tombent dans le panneau de ses bouderies et de ses colères, ils sont perdus. Il faut savoir lui résister et, plus encore, savoir comment lui résister. Son point faible : l'orgueil.

□ Moralité

Elle est moyenne. Ce n'est d'ailleurs pas de l'immoralité ou de l'amoralité mais bien le sentiment curieux — et que les autres ont du mal à partager — qu'elle est au-dessus des lois et des coutumes. Demandez-lui si elle est une extra-terrestre ou une sorcière ! Elle vous répondra que oui... Nous avons utilisé le mot, amical, de sorcière. Elle l'est ! On ne sait plus quelles sont ses croyances. Elle se fabrique des religions, lance des sorts... Au Moyen Age, elle aurait concocté des poisons ou fait de l'or...

□ Vitalité

Moins importante qu'on aurait pu le supposer. D'une santé apparente excellente. La réalité est plus nuancée. Elle a les os relativement délicats et présente une certaine fragilité intestinale. Les régimes amaigrissants sont à déconseiller, et la tendance à se coucher tard à combattre. Attention aux accidents de voiture. Les yeux sont à surveiller, surtout pendant l'enfance. Il est intéressant de constater que la santé des autres les intéresse souvent plus que la leur. Leur rêve, à défaut de devenir docteur en médecine elles-mêmes, serait d'épouser un médecin. Pour lui expliquer comment soigner ses patients !

□ Sensorialité

Quel mot étrange pour ce genre de femme ! La sensorialité, la sexualité c'est tout et rien... C'est tout quand on aime, ce n'est rien quand on n'aime pas. De toute manière, c'est blanc ou noir, ce n'est pas indifférent et c'est passionnant puisqu'on passionne les autres. En effet, très vite, elle commencera à vivre une vie qui risque d'être agitée sur le plan sentimental. Mères poules préparez-vous à courir derrière votre petit canard...

□ Dynamisme

Voilà la soute à poudre de ce sujet ! Ici sa passion se déchaîne. Tous ceux qui ne pensent pas comme elle sont des diminués ou des lâches, et malheur à ceux qui se montrent incapables de suivre son train d'enfer ! Elle aime la médecine, surtout les médecines parallèles, les professions para-médicales. C'est aussi une scientifique, elle ferait un excellent ingénieur. Elle sait commander, on lui obéit. Elle est courageuse et assez disciplinée. C'est une sportive et, pourquoi pas, une femme politique de grande efficacité. On la voit très bien député, capable de se débrouiller merveilleusement dans toutes les circonstances.

□ Sociabilité

Elle est sociable, quand elle en a envie. Elle accueille ceux qui lui plaisent et jette plus ou moins les autres à la porte. Il serait bon qu'elle choisisse un mari du genre « flegmatique » : habituellement elle en collectionne plusieurs...
Si vous la traitez en « copine », si, refusant ses pièges, vous réclamez son amitié, alors tout change ! Si vous entrez dans sa bande, vous aurez la plus fidèle amie que vous puissiez imaginer, mais surtout, ne lui faites pas la cour pour rien !

□ Conclusion

Aucune conclusion n'est imaginable en ce qui la concerne ! Tout recommence à chaque instant et ni le mariage, ni la maturité ne sont une fin pour elle. Elle est increvable, et toujours recommencée...

ANTOINE

Personnalité : *Celui qui attend.*

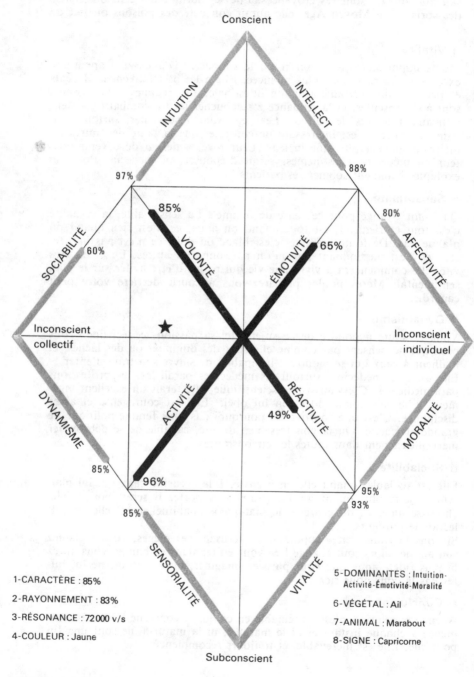

1-CARACTÈRE : 85%

2-RAYONNEMENT : 83%

3-RÉSONANCE : 72000 v/s

4-COULEUR : Jaune

5-DOMINANTES : Intuition-
Activité-Émotivité-Moralité

6-VÉGÉTAL : Ail

7-ANIMAL : Marabout

8-SIGNE : Capricorne

Antoine

et prénoms aux caractéristiques analogues

Abel	Antoine	Célestin	Oscar
Amédée	Aristide	Fulbert	Tino
Anthony	Céleste		

□ Type caractérologique

Il y a en effet chez eux une manière d'observer les autres, de regarder le monde, qui s'apparente assez bien à la sage immobilité du *marabout* qui est leur animal totem. Ils ont une forte émotivité, une grande activité, mais des réactions assez secondaires, ce qui fait qu'ils ne se lancent dans l'aventure qu'après avoir mûrement réfléchi. Ils ont un peu l'esprit d'escalier et attendent souvent que les événements se dessinent d'une manière précise pour y adhérer pleinement.

□ Psychisme

Ce sont des introvertis, c'est-à-dire que leur vie intérieure est plus importante pour eux que ce qui se passe au-dehors. Les parents devront essayer d'empêcher ces enfants de trop se replier dans leur coquille, et de trop réfléchir avant d'agir. Nous ne voulons pas dire par là qu'il faille les jeter à corps perdu dans l'action, mais il serait regrettable qu'ils finissent par sombrer dans l'impuissance du « J'y-va-t'y, j'y-va-t'y-pas ». Ils sont objectifs, capables de dévouement bien qu'ils manquent de confiance en eux. Il leur arrive, dans certains cas, d'être franchement timides.

□ Volonté

Chez eux, elle est volontiers secrète. Ils ne sont pas du genre coup de poing sur la table. Ils ne savent pas toujours ce qu'ils veulent ou, tout au moins, ils l'expliquent assez mal. Mais quand ils sont partis, on ne les arrête plus.

□ Emotivité

C'est cette maudite émotivité qui leur cause bien des tourments ! Alors qu'ils ont attendu longtemps pour se décider, voilà qu'ils s'énervent tout à coup et font le contraire de ce qu'ils avaient décidé... Ils sont comme leur végétal totem, l'*ail,* dont la senteur ne fait que se développer avec le temps !

□ Réactivité

Elle est moyenne, ce qui leur permet, en un premier temps, de prendre une certaine distance vis-à-vis de l'événement, quitte à plonger ensuite

103

bêtement dans le bassin que l'on vient de vider de son eau ! Leur amitié est fidèle et sûre. Ils ont d'ailleurs besoin de cette amitié pour agir et, chaque fois qu'ils le peuvent, ils adoptent une profession où ils sont entourés d'amis. Très sensibles à l'échec, ils ont une propension au refoulement sentimental.

□ Activité

Elle est excellente. Ils sont attirés par les études philosophiques. Ils aiment tout ce qui touche à la psychologie, aux professions médicales ou para-médicales. Ce sont des écrivains qui peuvent devenir célèbres, mais aussi des musiciens, des artistes ayant un excellent contact avec le public. Sur un autre plan, ils peuvent être des agriculteurs aux idées modernes et hardies. Ils sont réalistes et font, le cas échéant, des ingénieurs et des financiers compétents, des électroniciens remarquables. Il faut, dès que cela est possible, se mettre bien d'accord avec ces enfants sur leur direction professionnelle future. Cela les aidera à se stabiliser.

□ Intuition

Ils sont très intuitifs, trop intuitifs même, car ils accordent parfois une importance excessive à ce qu'ils croient être leur voix intérieure. Ils sont séduisants, et leur imagination est intéressante, mais ils ont parfois du mal à rendre perceptible cette petite voix qui les agite et les trouble.

□ Intelligence

Leur intelligence est profonde, du genre synthétique, c'est-à-dire qu'ils négligent les détails pour ne voir que les grandes lignes. Ils ont de la mémoire, et de la curiosité. Mais attention, ne leur demandez pas de faire plusieurs choses à la fois si vous voulez qu'ils gardent leur équilibre !

□ Affectivité

Ils sont sensibles à tout ce qui les déconcerte et il n'est pas rare de les voir ruminer longtemps leurs déceptions. Il faudra surveiller ces jeunes, et ne pas les laisser se bloquer. Ils sont assez possessifs, plus par désir de se protéger que par volonté de posséder. Ils ont une âme de propriétaire et aiment acheter du terrain sur lequel ils bâtiront une maison solide où ils pourront se réfugier, loin du monde, s'il leur en vient l'envie.

□ Moralité

Un sens de la moralité particulièrement rigoureux. Ne pas respecter une certaine loi morale ajoute à leur complexe, accroît leur timidité. Alors, est-ce de la vertu ou de la crainte ? Question ! Il y a chez eux une tendance à la superstition qui empiète sur leur foi. Néanmoins ils gardent au fond d'eux-mêmes un grand mysticisme qui, d'ordinaire, dépasse largement le cadre d'une religion officielle. Autrement dit, ils se fabriquent un peu leur propre religion.

□ Vitalité

Très résistants à la fatigue, ils sont dotés d'une vitalité remarquable. Ils ont cependant besoin de sommeil et de grand air. Leurs points faibles :

les reins et les yeux qui pourraient leur causer de fréquents maux de tête.

□ Sensorialité

Sujet délicat dont ils n'aiment pas débattre. Une certaine pudeur — ou un certain complexe d'infériorité — les amène à traiter ce genre de problème à la troisième personne. Leur sensualité demande à être bien comprise, et s'ils sont quelquefois agressifs, c'est beaucoup plus par timidité que par un désir véritablement brutal de conquête. En réalité, ce sont des sentimentaux qui s'ignorent et que l'on ignore aussi. C'est bien là leur drame...

□ Dynamisme

Leur dynamisme est donc nettement inférieur en pourcentage à leur activité ; à ce propos nous vous conseillons de vous reporter le plus souvent possible au schéma psycho-structurel qui accompagne chaque analyse de prénom. Le sujet est par conséquent plus actif que dynamique et il faudra « pousser » les êtres qui portent ce type de prénom pour les arracher à leur immobilité de marabout.

□ Sociabilité

Ils ne sont pas d'une sociabilité à toute épreuve. En réalité, ils préfèrent un petit cercle d'amis au va-et-vient des connaissances plus ou moins intéressantes. Ils aiment avoir des conversations profondes avec peu de personnes. Rappelons que leur volonté est forte, ainsi que leur moralité, et qu'ils ont une certaine rigueur de comportement qui les protégera de bien des dangers en leur évitant de céder à des tentations destructrices. Leur chance est excellente et ils savent s'en servir avec beaucoup d'astuce et aussi de gentillesse. Normalement ils doivent réussir. Ils ont la patience pour cela.

□ Conclusion

Soyons donc, nous aussi, aussi patients à l'égard de ces Antoine et des prénoms possédant le même caractère, qu'ils le sont envers eux-mêmes. Il ne faut pas les bousculer, tout en demeurant fermes. Ne pas les condamner, tout en les corrigeant. Ne pas les oublier, tout en les attendant.

ANTOINETTE

Personnalité : *Celle qui écoute.*

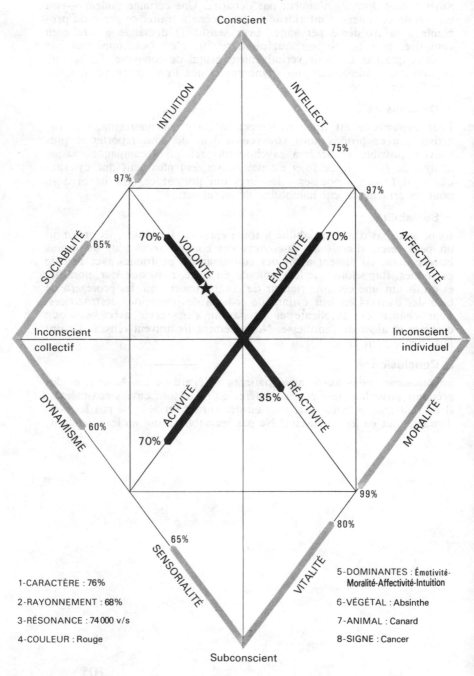

Conscient

INTUITION — INTELLECT

75%

97%   97%

70% VOLONTÉ   ÉMOTIVITÉ 70%

SOCIABILITÉ   65%   AFFECTIVITÉ

Inconscient collectif   Inconscient individuel

ACTIVITÉ   RÉACTIVITÉ

35%

70%

DYNAMISME   60%   MORALITÉ

99%

80%

65%

SENSORIALITÉ   VITALITÉ

Subconscient

1-CARACTÈRE : 76%

2-RAYONNEMENT : 68%

3-RÉSONANCE : 74 000 v/s

4-COULEUR : Rouge

5-DOMINANTES : Émotivité-Moralité-Affectivité-Intuition

6-VÉGÉTAL : Absinthe

7-ANIMAL : Canard

8-SIGNE : Cancer

Antoinette

et prénoms aux caractéristiques analogues

Antoinette   **Arlette**   **Josette**   **Nadette**

□ Type caractérologique

Comme le *canard,* leur animal totem, parfaitement à l'aise sur l'eau, mais embarrassé dès qu'il est sur la terre ferme, ces « prénoms-caractères » s'épanouissent dans un milieu chaleureux et affectueux, mais acceptent mal les difficiles conditions de l'existence quotidienne. Aussi faut-il, dès leur plus jeune âge, faire comprendre à ces émotives, dont l'activité est cependant freinée par des réactions tant soit peu affaiblies, qu'elles doivent parvenir à maintenir l'équilibre entre ces deux polarités.

□ Psychisme

Elles ont tendance à fuir les responsabilités en cherchant l'oubli soit dans l'euphorie d'une vie insouciante, soit dans des songeries interminables. Leur mémoire est assez déficiente, ce qui n'est pas pour nous surprendre, car elles refusent certains souvenirs et certaines réalités. Très introverties, elles s'organisent un petit monde de rêve où l'âme est plus importante que le cœur. Elles sont très influençables et manquent souvent de confiance en elles.

□ Volonté

Pour bien essayer de comprendre le psychisme de ces êtres évanescents, il faut se reporter au schéma psycho-structurel, car il est important de constater que chez elles, la volonté, l'émotion et l'activité sont sur le même niveau alors que la réactivité n'en est qu'à la moitié.

□ Emotivité

Mais cette émotivité qui est égale à la volonté n'arrange rien. Cela veut dire que la part du rêve sera considérable dans le schéma de vie de ces personnes, jeunes ou non. Comme leur animal totem, le *canard sauvage,* le moindre bruit les fait s'envoler vers les mirages des ailleurs.

□ Réactivité

Comme leur réactivité est faible, on en conclut que ce sont des êtres secrets qui ne partagent que très difficilement — pour ne pas dire jamais — les joies et les délices de leur jardin intérieur, ce « pays du dauphin vert » où poussent des fleurs merveilleuses, ou volettent des papillons aux couleurs inconnues. C'est l'île heureuse aux flots légers... Mais derrière tout cela il y a toujours une certaine amertume de vivre qui provient de leur végétal totem l'*absinthe.*

□ Activité

Et vous voudriez demander à ces « filles-fleurs » d'abandonner Cythère pour faire la vaisselle, torcher les enfants, repriser les chaussettes de leur mari ! Mais c'est vous qui rêvez... Si on leur laissait la possibilité de choisir le mode d'études qu'elles préfèrent, elles s'accorderaient toutes à déclarer que le seul ouvrage de classe qui existe pour elles est le « livre de la nature » avec le chant des oiseaux, le bruissement des insectes, les senteurs de la forêt et la splendeur du crépuscule. Malheureusement, il faut travailler ! Alors on le fait sans grande conviction. On pourra devenir conservateur de musée, documentaliste, chartiste, bibliothécaire, laborantine, tous métiers où l'on ne voit pas trop de monde. Jadis elles auraient fait de délicieuses princesses aux longues traînes, aux chagrins inépuisables. Aujourd'hui il ne leur reste plus que le mariage !

□ Intuition

Leur intuition est extraordinaire. Ce n'est même pas de l'intuition, c'est presque un rêve prémonitoire permanent ! D'ailleurs, effectivement, elles rêvent beaucoup et savent très bien interpréter leurs songes. Mais attention aux dépressions psychiques et surtout méfiez-vous de toute analyse freudienne qui déchirerait ces âmes douloureuses et fragiles.

□ Intelligence

Elles sont d'une intelligence vive mais discrète, une intelligence synthétique qui leur permet de très bien percevoir les moyens de réussir, de se faire entendre et de vivre vraiment leur vie, mais qui est entravée par une certaine timidité. Il faudra leur faire comprendre très tôt que la vie de tous les jours n'est pas une aventure effrayante et qu'un petit canard sur la terre n'est pas forcément un animal perdu.

□ Affectivité

Elles voudraient tout l'amour du monde pour se sécuriser, mais cet amour leur paraît si matériel, si brutalement agressif qu'elles le repoussent. Difficiles à aimer, elles se réfugient derrière un faux cynisme dont elles croient faire un bouclier, mais qui ne trompe personne. Là encore, elles dépassent la mesure et volent tellement haut que personne ne peut rejoindre leur chimère...

□ Moralité

Disons tout de suite que le mot « morale » ne représente pratiquement rien pour elles. Non qu'elles manquent de rigueur dans leur comportement, mais tout simplement parce que, pour elles, la morale est liée à l'action. Comme elles n'agissent que le moins possible, il est facile de deviner qu'elles refusent toute responsabilité et tout engagement éthique.

□ Vitalité

Une santé floue, des maladies que l'on pourrait croire imaginaires, et qu'il ne faut pas pour autant laisser se développer, car elles pourraient entraîner un déséquilibre nerveux. Un sérieux régime diététique est indispensable, du repos après les repas, du sommeil, du calme et des sports légers. De la marche en particulier, par tous les temps. Dès la plus tendre enfance, il sera bon de leur donner ces sages habitudes.

□ Sensorialité

Elle est faible et représente cette partie de leur subconscient qui leur fait horreur. Leur sensualité est aussi compliquée que vous pouvez l'imaginer. Sexualité terriblement psychique où tous les êtres sont des ombres qui passent. Pour les parents, et les éducateurs, une nécessité : donner à ce cœur et à ces sens un peu de stabilité. Ce n'est pas toujours facile !

□ Dynamisme

Il est encore plus faible que la faible activité à laquelle il est lié. Etre dynamique, c'est se projeter à l'extérieur pour entraîner en se décidant. Mais pourquoi sortir de la petite maison de poupée, où les nains malicieux passent leur vie à vous raconter des histoires féeriques, où le prince et la princesse, heureux, font des enfants en s'embrassant sur le front ?

□ Sociabilité

D'une sociabilité charmante, quelque peu désuète, il faut les pousser, dès leur adolescence, à se distraire, à sortir, à fréquenter des amis. La moralité est excellente, mais la chance réelle est souvent gâchée par un certain désir de s'effacer, désir qu'il ne faut pas laisser s'enraciner et qui serait dangereux pour l'équilibre de ces touchantes créatures.

□ Conclusion

Finalement nous avons affaire à des êtres très attachants et que nous pourrions qualifier d'écologiques tant ils sont attirés par la nature. Mais voilà, il faut avoir une belle santé pour aller rechercher dans l'eau ces petits canards sauvages qui ne cessent de fuir, en imagination, vers des pays de soleil, aux voluptés subtiles...

BAPTISTE

Personnalité : *Celui qui porte le monde.*

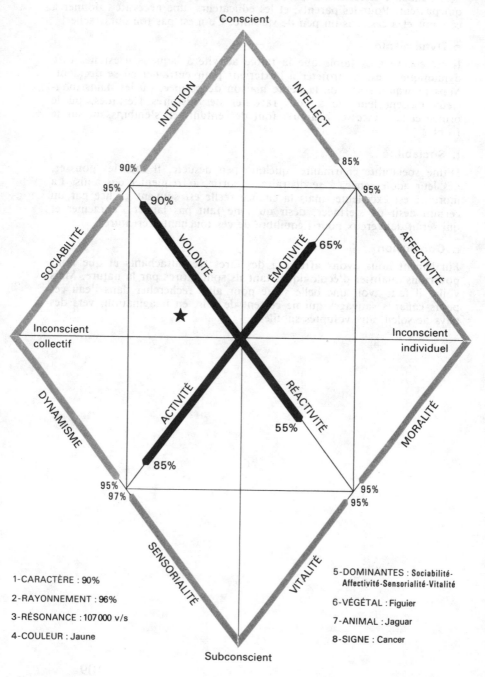

Conscient

INTUITION

INTELLECT

90%
95%
90%

85%
95%

SOCIABILITÉ

VOLONTÉ

ÉMOTIVITÉ
65%

AFFECTIVITÉ

Inconscient
collectif

★

Inconscient
individuel

DYNAMISME

ACTIVITÉ

RÉACTIVITÉ
55%

MORALITÉ

85%

95%
97%

95%
95%

SENSORIALITÉ

VITALITÉ

Subconscient

1-CARACTÈRE : 90%

2-RAYONNEMENT : 96%

3-RÉSONANCE : 107 000 v/s

4-COULEUR : Jaune

5-DOMINANTES : Sociabilité-
Affectivité-Sensorialité-Vitalité

6-VÉGÉTAL : Figuier

7-ANIMAL : Jaguar

8-SIGNE : Cancer

Baptiste

et prénoms aux caractéristiques analogues

Anatole	Corneille	Gaud	Mathieu
Archibald	Donatien	Hyacinthe	Matthias
Baptiste	Ernest	Lénaïc	Matthieu
Baptistin	Fidèle	Mathias	Zéphyrin

□ Type caractérologique

Cela peut sembler prétentieux, mais ces prénoms-caractères représentent symboliquement la connaissance de certains secrets du monde et leur végétal totem est le *figuier,* arbre qui, de tout temps, a été, dans les Ecritures, l'emblème du savoir et de la découverte. Ce sont des nerveux, émotifs, d'une grande rapidité de réactions, mais dont l'activité est moyenne. Cette rapidité de réactions permet de les comparer au *jaguar,* leur animal totem. Ils ont une personnalité assez mystérieuse. On a du mal à les définir, à cause justement de leur dualité, qui les fait apparaître tantôt sous l'aspect du sage sous son figuier, tantôt sous celui du jaguar bondissant.

□ Psychisme

Curieusement, ils sont à la fois introvertis et extravertis. Ils sont donc très maîtres de leur vie intérieure qui est riche et ordonnée, mais ils savent aussi s'extérioriser, communiquer. Ils possèdent une large ouverture sur le monde et sont portés à se mêler des affaires des autres, non par une curiosité malsaine, mais par un désir sincère de les aider, ce qui n'est pas toujours bien compris. Ils sont peu influençables.

□ Volonté

Leur volonté est excellente mais confine parfois à l'obstination. Ils en deviennent quelquefois tyranniques et il ne faut pas, justement, que ces enfants prennent leurs désirs pour des réalités.

□ Emotivité

Elle est très forte et alliée à une réactivité importante. Cela risque de provoquer des explosions sauvages qui peuvent se produire aussi bien dans le milieu familial que dans les ambiances scolaires ou professionnelles. Ils ont un grand sens de l'amitié, avec cette nuance qu'ils ont très rapidement envie de transformer leurs amis en disciples, ce qui n'est pas sans compliquer les situations.

111

□ Réactivité

Ce n'est pas le sens de l'opposition qui domine chez eux, mais celui de la remise en question, ce qui n'est pas pareil. Ils ne veulent pas détruire systématiquement, ils veulent construire mais de préférence sur des terrains vierges. Les échecs les atteignent dans la mesure où cela déclenche chez eux des réactions de colère.

□ Activité

Elle n'est pas aussi importante qu'on pourrait l'imaginer et ces êtres ont envie — et intérêt — à prendre leurs distances à l'égard des choses et souvent à se retirer pour méditer. Ce ne sont pas des élèves ni des étudiants très faciles, car justement ce désir de remise en question les amène à douter parfois de l'autorité enseignante, et pourtant, par la suite, ils deviendront de remarquables professeurs, ayant un sens de la pédagogie très poussé. Ce sont essentiellement des concepteurs. Ils laissent les autres réaliser ; en revanche, ils savent très bien juger de la valeur de ces réalisations. Ils peuvent être aussi des hommes politiques redoutés et ils sont passionnés par les problèmes du psychisme. Donc on les voit bien psychologues, psychiatres, etc. Ils s'adaptent facilement aux circonstances dans la mesure où ils ont les leviers de commande en main.

□ Intuition

Chez eux, ce n'est pas le mot intuition qu'il faudra utiliser, mais bien celui de vision. Il semble que se présentent devant leurs yeux de véritables clichés qui leur permettent d'agir avec une précision et une efficacité remarquables. Sans doute faut-il nuancer ce jugement et préciser que tous les Baptiste ne se promènent pas dans le désert vêtus de peaux de bêtes en mangeant des sauterelles ! Leur séduction, bien que forte, a une certaine rudesse, et leur imagination est au service d'une intelligence assez rusée.

□ Intelligence

Une intelligence ouverte, analytique, c'est-à-dire qu'ils perçoivent tous les détails d'une opération donnée. Ils ont une mémoire affective extrêmement vive, autrement dit, ils se rappellent fort bien les situations animiques, mais leur mémoire formelle est beaucoup moins importante. Leur curiosité est très grande. Ils veulent tout connaître et à tout prix. Il ne faudra pas laisser ces enfants mourir d'inanition intellectuelle. On leur donnera des livres, on les laissera regarder la télévision et avoir des conversations, même ardues, avec les adultes.

□ Affectivité

Ils sont très sensibles à tous les événements affectifs, qu'ils soient positifs ou négatifs. C'est ainsi qu'on les voit se passionner pour un parti politique, pour une religion, et défendre tous ceux qui sont injustement attaqués. Ils sont très possessifs, mais plutôt par désir de se rapprocher de ceux qu'ils défendent que par instinct de propriété.

□ Moralité

En général, ils sont d'une bonne moralité et très souvent ils sont aussi moralisateurs et interventionnistes au niveau du comportement de ceux qui les entourent avec une légère tendance au « faites ce que je dis, ne faites pas ce que je fais » ! De quelles natures sont leurs croyances ? Elles sont extrêmes ! Dans certains cas, ils peuvent atteindre au mysticisme le plus total, dans d'autres, un matérialisme dialectique peut les entraîner vers l'athéisme le plus complet.

□ Vitalité

Ils ont une vitalité presque sauvage et ne craignent pas le surmenage intellectuel. On a quelquefois la sensation qu'ils ont trouvé un autre mode de se nourrir que les aliments tels que nous les connaissons. Leur résistance est étonnante, même lorsqu'ils sont très jeunes et il ne faudra pas que ces enfants en abusent. Attention aux accidents qui pourraient intéresser plus particulièrement le système osseux ! Points faibles : l'appareil respiratoire, la circulation sanguine.

□ Sensorialité

Elle est très exigeante et leur posera des problèmes toute leur vie ! Et pour eux, la vie dans ce domaine, commence tôt ! Leur sexualité est puissante, mais ils savent la dominer lorsque pour des raisons morales, religieuses, politiques, ils mettent toute leur énergie au service d'une cause. A ce propos, il ne faudra pas laisser ces jeunes dans l'ignorance des problèmes de la sensualité ; ils ont besoin d'avoir une image très claire, très nette des choses.

□ Dynamisme

Nettement excessif par rapport à l'activité. D'où l'impression, souvent, qu'ils en « rajoutent » et en font un peu trop... Là encore nous les trouvons doubles, car ils sont à la fois objectifs et subjectifs. Ils sont objectifs dans leur approche des êtres, et subjectifs lorsqu'il s'agit de les juger. Ils manient volontiers l'anathème et ils lancent non moins volontiers l'excommunication. Ils ont une confiance en eux qui dépasse leur propre personnalité et qui donne à ceux qui les entourent l'impression qu'ils ont une mission à accomplir.

□ Sociabilité

Leur sociabilité est un peu tumultueuse, car lorsqu'ils ont envie de dire quelque chose à quelqu'un ils ne vont pas par quatre chemins et, plus d'une fois, leurs interlocuteurs risquent d'avoir des surprises. Disons qu'ils manquent un peu de diplomatie ! Comme leur volonté et leur moralité sont d'une grande rigueur, on imagine que, dans le monde des affaires, leur réussite n'est pas toujours facile, mais ils ont de la chance, ils savent ce qu'ils veulent, ils font tout ce qu'il faut sur le plan des efforts et de la conduite pour réussir... et ils réussissent.

□ Conclusion

Des personnages passionnants et qu'il faudra suivre attentivement au moment de leur adolescence. Mais les suivre à la trace... c'est une autre affaire. Courez donc après un jaguar !

BARNABÉ

Personnalité : *Celui qui mord.*

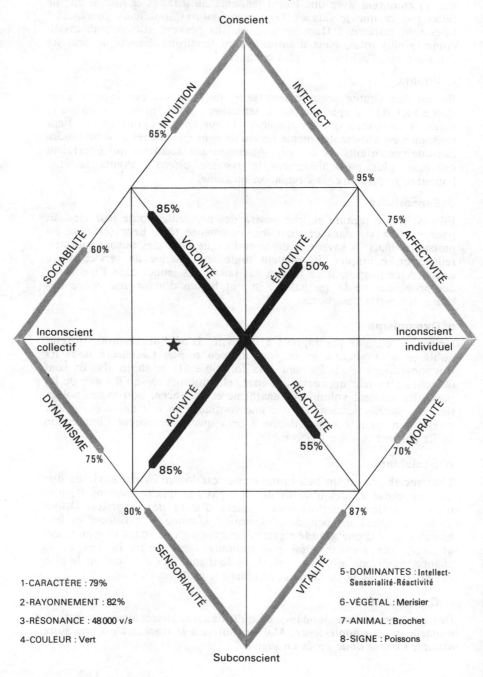

Conscient

INTUITION 65%

INTELLECT 95%

75% AFFECTIVITÉ

VOLONTÉ 85%

SOCIABILITÉ 60%

ÉMOTIVITÉ 50%

Inconscient collectif

Inconscient individuel

DYNAMISME 75%

ACTIVITÉ 85%

RÉACTIVITÉ 55%

MORALITÉ 70%

90%

87%

SENSORIALITÉ

VITALITÉ

Subconscient

1-CARACTÈRE : 79%

2-RAYONNEMENT : 82%

3-RÉSONANCE : 48 000 v/s

4-COULEUR : Vert

5-DOMINANTES : Intellect-Sensorialité-Réactivité

6-VÉGÉTAL : Merisier

7-ANIMAL : Brochet

8-SIGNE : Poissons

Barnabé

et prénoms aux caractéristiques analogues

Barnabé	**Galmier**	**Humbert**	**Sylvain**
Benjamin	**Guerric**	**Narcisse**	**Teddy**
Candide	**Herbert**	**Onésime**	**Thaddée**
Clodomir			

□ Type caractérologique

Dans l'absolu, ces types de caractère sont des sanguins. Dotés d'une émotivité moyenne et d'une bonne activité, ils sont également capables de réactions rapides, foudroyantes même. On dirait qu'il y a deux êtres en eux : l'un qui est raisonnablement actif, l'autre qui se retourne d'un coup de rein et mord comme le *brochet,* son animal totem.

□ Psychisme

Ce sont des introvertis, c'est-à-dire qu'il y a chez eux prédominance de la vie intérieure sur le désir de contact avec le monde extérieur. Ils sont peu expansifs, assez influençables et, d'une manière générale, susceptibles et vindicatifs. Dès leur enfance il faudra leur faire comprendre ce que représente l'« autre », quelles sont les contraintes sociales et les limites nécessaires de la liberté individuelle au-delà desquelles on empiète sur la liberté d'autrui.

□ Volonté

Cette volonté est bonne mais à éclipses. Et lorsque nous disons qu'elle est bonne, il faudrait bien nous entendre, car la bonté de caractère n'est pas aveuglante chez ces types d'individus. Bien des réactions, en effet, laissent penser qu'ils ont un côté « fauve » parfois inquiétant.

□ Emotivité

Elle est moyenne, nous l'avons vu, et cela leur permet de la contrôler assez facilement. On a donc l'impression que leurs humeurs quelque peu bousculantes seraient assez calculées ! Que les parents et les éducateurs ne se laissent pas impressionner et qu'ils soient fermes et décidés.

□ Réactivité

Elle pose des problèmes ! Ils sont en effet changeants et fantasques, ont la hantise de la trahison et de l'infidélité, sont bouleversés par les échecs, et ont une propension à se croire persécutés. Manquant d'objectivité, ce sont souvent des opposants systématiques qu'il n'est pas facile de diriger. Mais leur confiance en eux n'est généralement qu'une façade. Ils changent vite d'opinions et sont en réalité de grands timides.

□ Activité

Elle est synchronisée avec la volonté et dépend d'elle. On aura donc des périodes déconcertantes d'«eaux mortes », puis des campagnes de « chasse » où tous les coups seront permis. C'est qu'avec ce type de caractère le choix d'une carrière est véritablement décisif. S'ils ne sont pas aiguillés sur la bonne voie, ou si l'ambiance de leur profession les heurte, les déséquilibre, alors c'est la porte ouverte à toutes sortes de troubles psychosomatiques. Ce choix est tellement important qu'il ne saurait être question de donner des conseils généraux et qu'il faut laisser aux parents et aux orienteurs la responsabilité d'indiquer précisément ces directions professionnelles.

□ Intuition

Leur intuition est moyenne. Ils préfèrent la discussion logique et les décisions rationnelles à tout ce qui pourrait ressembler à une inspiration non contrôlée. Leur séduction est remarquable, un peu inquiétante peut-être par sa mobilité agressive. Leur imagination, dans certains cas, est débordante.

□ Intelligence

Leur intelligence est analytique, ce qui leur permet d'entrer dans le moindre détail, de décomposer chaque action en ses éléments les plus simples. Ce sont souvent des « coupeurs de cheveux en quatre ». Leur mémoire est redoutable et leur curiosité très vive.

□ Affectivité

Leur affectivité est assez compliquée. Avec eux on ne sait jamais comment les choses vont se terminer. Aussi faudra-t-il donner à ces enfants une discipline de vie qui leur créera des garde-fous psychiques destinés à les protéger au moment de l'adolescence. Il n'est pas bon non plus de les laisser vivre en « dents de scie » avec de continuelles sautes d'humeur. Si l'écart entre ces hauts et ces bas était exagéré, il y aurait lieu d'examiner ce problème de très près avec l'aide d'un psychologue.

□ Moralité

En jetant un coup d'œil sur le schéma psycho-structurel qui accompagne cette étude caractérologique, on s'aperçoit que le pourcentage de moralité est assez quelconque. Il ne s'agit pas là d'un jugement sur la valeur éthique de l'individu mais bien d'une indication sur l'importance que le sujet attache à ce genre de problème. Disons, qu'en ce cas, cette préoccupation n'est pas essentielle. Leurs croyances sont peu orthodoxes. Ils sont volontiers soit contestataires, soit progressistes, mais toujours excessifs.

□ Vitalité

Trop liée à leur psychisme pour être de tout repos, leur santé ressemble un peu à une montagne russe et il faudra la contrôler dès la plus tendre enfance. Ils auront toujours un grand besoin de sommeil, de vie calme et surtout pas d'excitants ! Le système neuro-endocrinien est relativement fragile. Surveiller la gorge et l'ensemble de l'appareil respiratoire. Tendance au surmenage.

116

□ Sensorialité

Chez eux, le mot sensorialité revêt une réalité pluriforme. Se posent à eux des problèmes de gourmandise et même d'avidité. Ils sont très possessifs et leur matérialisme les conduit souvent à développer des tendances accapareuses qu'il faudra surveiller chez les jeunes. Leur sexualité est compliquée. Des refoulements sentimentaux s'ajoutent parfois à des complexes de culpabilité, du moins dans les cas extrêmes. Toutes les nuances existent, mais on peut dire que ces « prénoms-caractères » ne sont pas simples sur le plan de la sexualité. Ils sont un peu « tordus », comme le *merisier,* leur végétal totem !

□ Dynamisme

Nous touchons ici à un point délicat de la personnalité étudiée. En effet, nous retrouvons, là encore, cet aspect double que nous avions jugé assez déconcertant. Le dynamisme est relativement faible par rapport à l'activité. Or, il ne faudrait pas croire qu'ils se laissent vivre. En réalité, ils sont capables d'efforts d'une prodigieuse intensité lorsque leur combativité se déclenche, et il faut toujours manifester à leur égard une grande vigilance en même temps qu'une grande compréhension.

□ Sociabilité

Il est facile d'admettre, après cela, que leur sociabilité est capricieuse. Certains jours ils ont envie d'être seuls, d'autres jours, ils recevraient le monde entier. Leur volonté et leur moralité dépendent beaucoup des circonstances. Leur chance est bonne, mais ils la gâchent souvent par des coups de tête qui remettent tout en question. On peut dire d'une manière générale que c'est un prénom qui n'est pas toujours facile à porter et cela est valable aussi bien pour les Barnabé que pour les autres prénoms possédant les mêmes caractéristiques.

□ Conclusion

Si vous aimez la pêche sportive, alors consacrez-vous à ce genre de « fauve » mais rappelez-vous que si la chair du brochet est délicieuse, il est parfois dangereux de l'approcher de trop près et que même dans votre assiette il se défend encore... avec ses arêtes !

BARTHÉLEMY

Personnalité : *L'homme du feu.*

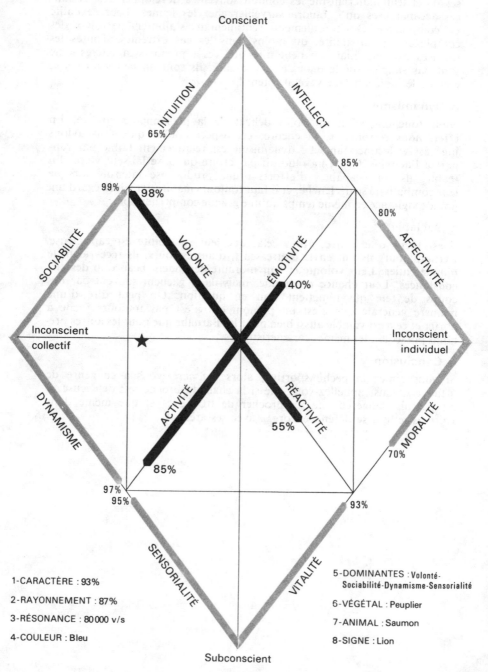

Conscient

INTUITION 65%

INTELLECT 85%

99% 98%

80%

SOCIABILITÉ

VOLONTÉ

ÉMOTIVITÉ 40%

AFFECTIVITÉ

Inconscient collectif

Inconscient individuel

DYNAMISME

ACTIVITÉ 85%

RÉACTIVITÉ 55%

MORALITÉ 70%

97%
95%

93%

SENSORIALITÉ

VITALITÉ

Subconscient

1-CARACTÈRE : 93%

2-RAYONNEMENT : 87%

3-RÉSONANCE : 80 000 v/s

4-COULEUR : Bleu

5-DOMINANTES : Volonté-
Sociabilité-Dynamisme-Sensorialité

6-VÉGÉTAL : Peuplier

7-ANIMAL : Saumon

8-SIGNE : Lion

Barthélemy

et prénoms aux caractéristiques analogues

Aimable	Aubry	Colas	Octave
Alix	*Barthélemy*	Dorian	Octavien
Amable	Bartholomé	Epiphane	
Anselme	Baudoin	Joël	

□ Type caractérologique

C'est le type d'hommes qui résiste à tout, qui, contre vents et marées, remontera à sa source, tel le *saumon,* son animal totem. Quand ils veulent quelque chose, ils l'obtiennent, parfois en utilisant la force. Ils ont des colères rares et violentes. Leur émotivité et leur activité sont moyennes, mais leurs réactions rapides. Ce sont des coléiques nerveux, pas toujours faciles à éduquer. Dès l'enfance, ils posent des problèmes à leurs parents. Il faut bien comprendre qu'ils ont besoin de discipline et qu'on ne doit pas se laisser dominer par eux.

□ Psychisme

Ce sont des extravertis : il faut qu'ils sortent d'eux-mêmes, qu'ils entrent en contact avec les réalités de la vie, qu'ils aient devant eux des interlocuteurs. Ils ont tendance à dire « non » tout de suite, et, comme ils ne sont guère influençables, il n'est pas commode de les faire changer d'avis. Ils sont subjectifs et possessifs, ramènent tout à leur personne, ont de violents partis pris, et une confiance en eux presque insolente. Ils ne détestent pas dramatiser, aussi bien faut-il éviter de se laisser prendre à leur jeu. En fin de compte, ils ressemblent beaucoup à leur arbre totem, l'orgueilleux *peuplier,* bravant la tempête mais, qui, sur le point d'être fracassé, s'incline, dans l'attente de jours meilleurs.

□ Volonté

Cette volonté très forte est à la fois un moteur et un frein. Un moteur car au moment d'une compétition, réelle ou imaginaire, ces hommes sont prêts à prendre des risques énormes pour réussir, et un frein parce que l'orgueil, le complexe de supériorité que cette volonté provoque, risquent de bloquer l'action du sujet.

□ Emotivité

C'est avant tout une émotivité de circonstance dont les pourcentages peuvent varier considérablement d'une heure à l'autre, d'un événement à l'autre. C'est plus l'instrument, le support, d'une certaine violence intérieure que la coloration émotive d'une vision du monde.

119

□ Réactivité

Elle est importante mais, comme chez tous les colériques-nerveux, elle est sujette à des variations considérables. Encore une fois, ne laissez pas les enfants et adolescents correspondant à ce type de personnalité « répondre » ni s'engager sur la voie de la contestation systématique.

□ Activité

C'est une activité en dents de scie qui les éloigne des emplois sédentaires et monotones. On peut distinguer facilement, en filigrane, un profil d'aventurier dans ce personnage. Leurs études sont souvent orageuses et les parents auront intérêt à surveiller les livrets de notes et à rester en contact avec les professeurs. Ce genre de caractère est attiré, très tôt, par la politique et le syndicalisme. Il faut les orienter, si possible, vers un enseignement où une part de travaux manuels vient s'ajouter aux études de fond. Mais attention à leur relative instabilité ! Sur le plan de la profession, ils font de bons ingénieurs, mais de chantier, car ils ont besoin du contact avec les ouvriers et du grand air. Ce sont aussi des journalistes, des reporters prêts à partir aux quatre coins du monde, des techniciens vivant outre-mer, des représentants, surtout attirés par les pays chauds, des militaires de choc, des policiers, bref des hommes d'action qui, disciplinés et formés, arrivent à des résultats remarquables.

□ Intuition

Ils ne se servent pas beaucoup de leur intuition. Ils n'ont pas le temps, ils foncent, quitte à s'apercevoir qu'ils se sont lourdement trompés. Mais, là encore, leur orgueil n'accepte pas facilement cet échec. Leur amitié est profonde, envahissante même, comme sont envahissants les petits copains qu'ils amènent à la maison et qui s'installent avec une audace que ces jeunes ne font qu'encourager.

□ Intelligence

Ils ont une intelligence rapide, large, synthétique. D'un seul coup d'œil ils voient immédiatement les décisions à prendre et la façon de procéder. Ils ont une mémoire d'éléphant, une grande curiosité et sont passionnés par tous les problèmes qui se posent à eux.

□ Affectivité

De caractère tyrannique, ils veulent être aimés, plus qu'ils ne peuvent aimer, malgré beaucoup de tendresse cachée. Ce ne sont pas des enfants très démonstratifs et s'ils ont besoin de la compréhension attentive de leurs parents, il est toutefois nécessaire de les traiter avec une certaine rigueur. S'ils font une colère, ne les ratez pas, sinon votre famille va devenir un petit enfer. D'ailleurs ils acceptent bien les punitions, quand elles sont justes et appliquées sur-le-champ.

□ Moralité

Ils ont la moralité de la vie qu'ils mènent. Cela semble une formule assez gratuite, et pourtant c'est ainsi ! Tout dépend de leur environnement et sans nullement se laisser influencer par les autres, ils adapteront leur conduite à la nature des événements qu'ils vivront. Leurs croyances sont assez peu convaincantes et sujettes à caution. La puberté balaiera,

120

chez eux, bien des aspirations à la spiritualité. Ils sont très oppositionnels, voire révoltés. Ce sont des entraîneurs, des contestataires, des
hommes de barricade, qu'il faut savoir maîtriser sans les brimer.

□ Vitalité

Elle est excellente. Ils disposent d'une grande vitalité mais ils ont un
mauvais régime général. Ils mangent à des heures irrégulières, manquent
de sommeil, se livrent à des abus de boisson et auraient tendance,
même très jeunes, à abuser des excitants. Surtout ne pas négliger le
sport qui est un bon moyen de les équilibrer et de les libérer. Fragiles
de la tête, il faudra leur conseiller la prudence, qu'ils n'ont pas naturellement, leur dynamisme explosif les amenant à être victimes d'accidents
répétés.

□ Sensorialité

Elle s'exerce sur tous les plans et souvent avec une fureur de vivre qui
peut paraître inquiétante. Ils font effectivement penser à ces saumons
qui luttent à mort pour retrouver leur source de vie. Leur sexualité est
exigeante et précoce. Ils ne brilleront pas spécialement par leur sentimentalité et, très souvent, leur vie sexuelle prendra des allures de
safari : il leur faut un beau tableau de chasse. Attention au vagabondage affectif qui prédispose ces jeunes à la fugue.

□ Dynamisme

A quoi bon reparler de dynamisme, puisque nous n'avons fait que traiter ce sujet ! Cependant il convient d'observer — en consultant le
schéma psycho-structurel qui accompagne cette étude — que ce dynamisme est plus important que l'activité qui l'accompagne d'où un décalage entre le « paraître » et l'« être » qui font les aventuriers...

□ Sociabilité

Passionnante et redoutable. Une sociabilité hors des sentiers battus ! Ils
aiment l'étrange et s'enflamment pour tout ce qui est loin de la vie quotidienne. Ils ont la volonté de leurs désirs. Ils font tout pour gagner
lorsqu'ils sont mis en compétition avec un rival. Leurs chances sont très
bonnes s'ils s'en servent intelligemment, et leur réussite est excellente
bien qu'un peu tardive. Il leur faut un certain temps pour laisser passer
les folies du printemps et les chaleurs de l'été...

□ Conclusion

Il convient d'avoir avec ces prénoms-caractères toute la patience dont ils
ne disposent pas et toute la fermeté intelligente qu'ils ont tant de mal à
accepter. Et puis, il ne faut pas avoir peur de les mettre en face de
leurs responsabilités en leur faisant comprendre à quel point ils s'éloignent d'eux-mêmes, de leur mission, de leur source en agissant sous le
coup de leur violence interne... Pas facile !

BERNARD

Personnalité : *Celui qui annonce le printemps.*

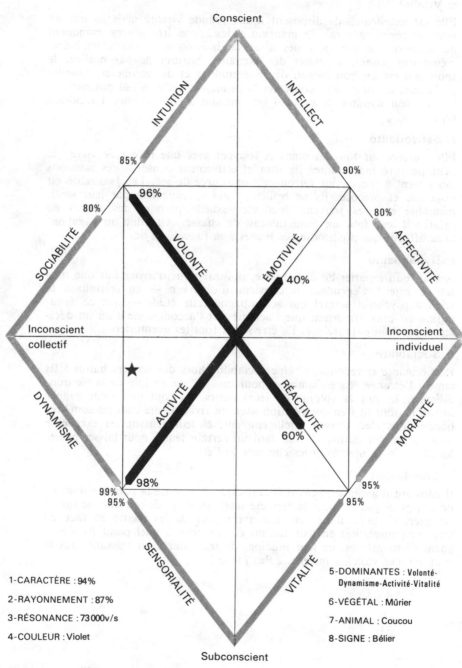

Conscient

INTUITION

INTELLECT

85%

96%

90%

80%

VOLONTÉ

ÉMOTIVITÉ

SOCIABILITÉ

AFFECTIVITÉ

80%

40%

Inconscient
collectif

Inconscient
individuel

★

DYNAMISME

ACTIVITÉ

RÉACTIVITÉ

MORALITÉ

98%

60%

99%
95%

95%
95%

SENSORIALITÉ

VITALITÉ

Subconscient

1-CARACTÈRE : 94%

2-RAYONNEMENT : 87%

3-RÉSONANCE : 73 000 v/s

4-COULEUR : Violet

5-DOMINANTES : Volonté-
Dynamisme-Activité-Vitalité

6-VÉGÉTAL : Mûrier

7-ANIMAL : Coucou

8-SIGNE : Bélier

Bernard

et prénoms aux caractéristiques analogues

Aleyde	**Emeric**	**Josué**	**Thibaud**
Babylas	**Grégoire**	**Kurt**	**Thibaut**
Bernard	**Grégory**	**Moïse**	**Thiébaud**
Bernardin	**Horace**	**Quasimodo**	**Vassili**
Boris			

□ Type caractérologique

Ce sont des sanguins, d'émotivité moyenne, de belle activité, aux réactions rapides. Des caractères assez secs, tranchants même et que, dès l'enfance, il faudrait essayer d'assouplir, sans les affadir. Ils s'expriment dans un style souvent coupant qui déconcerte ou qui irrite. Ils ne cherchent d'ailleurs pas à plaire et seraient plutôt vindicatifs. Ils ont d'excellents principes qu'ils sont prêts à inculquer aux autres, au besoin à la baguette. Leur devise pourrait être « une main de béton dans un gant d'acier ». Malgré cet aspect un peu rugueux, ils ont le *coucou* comme animal totem ! Quel symbole un peu envahissant ! Leur végétal totem étant le *mûrier,* arbre d'une grande efficacité. Demandez aux vers à soie !

□ Psychisme

Ils sont extravertis, c'est-à-dire qu'ils considèrent la vie d'autrui comme un sujet essentiel de recherches. Ce sont habituellement des chefs qui ne pensent qu'à diriger fermement leurs semblables. Peu influençables, ils ne cèdent qu'à des arguments massifs et répétés. Soyez donc sur le qui-vive pour que ces enfants ne deviennent pas plus tard des petits dictateurs.

□ Volonté

Habituellement très forte, pour ne pas dire tyrannique. Il faut souligner cependant que cette volonté puissante s'applique aussi bien au sujet lui-même qu'à ceux qui l'entourent. Mais une volonté brisante, sans un minimum de diplomatie... cela provoque bien des drames, des discussions... et même des démissions !

□ Emotivité

Pour être moyenne elle n'en existe pas moins et, ajoutée à la réactivité, elle sait donner quand il le faut une teinte de passion aux discours cinglants que savent prononcer ces êtres aux propos détonnants.

□ Réactivité

Elle est forte et il ne faut pas compter sur eux pour noyer le poisson. Ils auraient plutôt tendance à mettre les pieds dans le plat avec fureur s'il le faut. Ils sont objectifs, prêts à tout sacrifier à un idéal, même leur prochain ! Entiers, ils ne supportent pas les tièdes, non plus que la contradiction. Avec eux, nous avons affaire à un type caractériel très tranché qui n'hésite pas, le cas échéant, à « faire son nid » dans les entreprises des autres, comme le coucou !

□ Activité

Elle est intense et s'applique volontiers à un esprit communautaire très poussé. Ils ont le sens de l'équipe. D'autant plus que c'est *leur* équipe. Des bûcheurs ! Quelle que soit la branche envisagée, ils foncent. Seul le résultat compte. Ils seront donc indifféremment, techniciens, littéraires, scientifiques, etc. Leur vrai problème est de se réaliser et d'accomplir leur mission. Ils peuvent être de grands commis de l'Etat, des religieux, à l'orthodoxie farouche, des parlementaires intransigeants et, d'une manière générale, des gens d'une dimension quelquefois encombrante.

□ Intuition

Ils sont intuitifs, mais non d'une façon constante. Ils résolvent parfois immédiatement des problèmes d'une extraordinaire complexité. Disons qu'ils sont souvent inspirés. Leur charme est un peu rude. Ils pratiquent une séduction « à la hussarde », mais, dans la plupart des cas, on peut compter sur eux.

□ Intelligence

Chez eux, l'intelligence est analytique. Ils entrent dans le détail et cherchent « la petite bête » mais cela pour le meilleur de la cause car ce sont des constructeurs-nés. Etant mentalement très charpentés, ils ont une mémoire redoutable, une curiosité infatigable et une vigilance constamment en éveil. Leur formule favorite est : « Vous parlez trop de vos droits et pas assez de vos devoirs ».

□ Affectivité

Pour eux, l'amour ne peut être que « rigueur ». Ils sont exigeants. Ce sont des hommes de devoir. Possessifs pour mieux donner et se donner. Ce ne sont pas des enfants faciles à diriger. Une sainte horreur de l'injustice les amène à pratiquer une affectivité égalitaire. Ils ne veulent pas être les « chouchoux » de leurs parents, mais ils ne veulent pas non plus que leurs frères ou leurs sœurs soient préférés à eux. Ils demandent à être compris, non bichonnés.

□ Moralité

Elle adhère exactement à l'idéal ou à la cause adoptée par eux. Mais dans tous les cas elle se manifestera par des décisions tranchées « ça se fait » ou « ça ne se fait pas ». La rigueur du comportement fait aussi partie de leur système philosophique. Par là, il se trouve qu'ils sont les maîtres d'eux-mêmes. Ils peuvent devenir des saints ou des démons, il n'y a pas de milieu. Un certain fanatisme dans la foi ou une exagération dans l'athéisme. Ce sont des réformateurs, voire des révolutionnaires.

□ **Vitalité**

Elle est excellente, aussi en abusent-ils fréquemment. Ils négligent trop leur santé. Cela ne compte pas pour eux et, même s'ils ne se sentent pas bien, ils vont jusqu'au bout sans se plaindre. Souvent, leur régime alimentaire est mauvais et ils manquent de vitamines. Ce point est à surveiller chez les enfants. Toute leur vie, ils auront besoin de grand air et, en raison de l'impétuosité de leur caractère, seront sujets à des accidents.

□ **Sensorialité**

D'après ce que nous avons déjà entr'aperçu de leur personnalité, il est facile d'imaginer que leur sensorialité est de haut niveau. Mais ils ne veulent pas s'en encombrer et pour qualifier leur sexualité, nous ne pouvons mieux faire que de reprendre la formule que nous avons utilisée en parlant d'une séduction « à la hussarde » !

□ **Dynamisme**

Ce sont, habituellement, de vraies bombes ambulantes, et le problème n'est pas de savoir s'ils vont exploser, mais *quand* ils vont exploser. Il ne faut pas oublier que ce sont les annonciateurs d'un monde nouveau, d'une société nouvelle, et à ce titre, ils méritent toute notre attention et notre intérêt.

□ **Sociabilité**

Elle est faible chez eux, car ils n'aiment pas perdre leur temps avec des gens qui n'ont rien à faire ou rien à dire. Néanmoins, la politesse les amène à se plier à certaines règles mondaines, mais ce n'est pas de bon cœur. Leur amitié est farouche, exigeante, tyrannique, fidèle et sûre, mais non de tout repos. Ils font de l'opposition constructive. Les échecs sont pour eux tonifiants. Enfin, disons qu'ils sont souvent déconcertés par la souplesse serpentine de la psychologie féminine.

□ **Conclusion**

Certes, ils ne sont pas faciles à vivre mais il est d'autant plus difficile de les ignorer qu'ils n'ont nullement l'intention de vous oublier ! Avec eux, on ne s'ennuie pas.

Leur chance ? Ils n'en parlent pas, ils la bousculent ou l'ignorent et ils réussissent à la force du poignet. Ce sont habituellement des hommes qui vont jusqu'au bout de leurs idées, des créateurs, des annonceurs d'ères nouvelles. Ceux qui appellent l'éternel printemps !

BERTHE

Personnalité : *Celle qui entoure.*

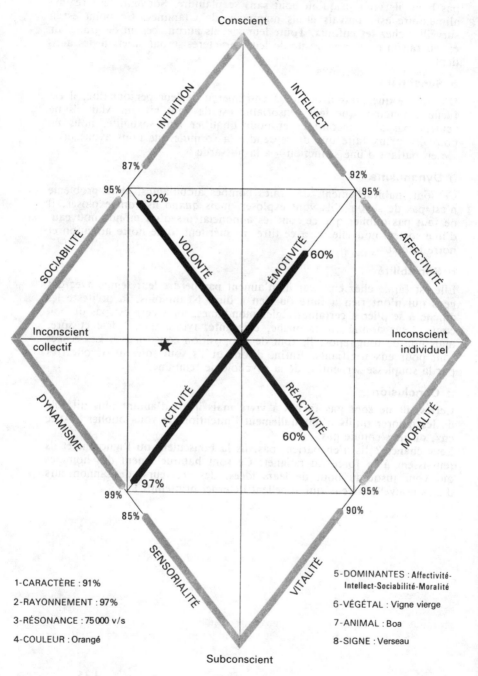

Conscient

INTUITION INTELLECT

87% 92%

95% 95%

92% VOLONTÉ ÉMOTIVITÉ 60%

SOCIABILITÉ AFFECTIVITÉ

Inconscient collectif ★ Inconscient individuel

DYNAMISME ACTIVITÉ RÉACTIVITÉ MORALITÉ

60%

99% 97% 95%

85% 90%

SENSORIALITÉ VITALITÉ

Subconscient

1-CARACTÈRE : 91%

2-RAYONNEMENT : 97%

3-RÉSONANCE : 75 000 v/s

4-COULEUR : Orangé

5-DOMINANTES : Affectivité-Intellect-Sociabilité-Moralité

6-VÉGÉTAL : Vigne vierge

7-ANIMAL : Boa

8-SIGNE : Verseau

Berthe

et prénoms aux caractéristiques analogues

Alba	Bastienne	Clotilde	Mélanie
Albane	Bertha	Colomba	Muguette
Albe	*Berthe*	Colombe	Oriane
Arméla	Berthilde	Ernestine	Stéphane
Aurélia	Bertille	Gérardine	Toinon
Aurélie	Bertrande	Lucile	

□ Type caractérologique

Elles ont pour animal totem le *boa*. Lorsque le boa veut s'emparer d'une proie, il commence, vous le savez, par l'envelopper de ses anneaux avant de l'avaler toute crue. Les Berthe et prénoms associés agissent un peu de la même manière. Leur affection, très attachante, arrive à envelopper l'objet de leur désir d'un tel réseau de lianes, que celui-ci en est pratiquement paralysé. Leur végétal totem est la *vigne vierge*. Ce type de caractère possède une grande émotivité, et une grande activité. Conclusion : elles ne tiennent pas en place ! Heureusement que leurs réactions sont un peu moins virulentes, ce qui leur donne le temps de réfléchir avant d'exploser. Elles sont extraordinairement vivantes, ne dédaignent pas l'intrigue, et présentent toujours deux visages : tantôt elles sont *vigne,* avec toute l'exubérance d'un vin nouveau, tantôt c'est la *vierge* qui triomphe avec son visage hiératique et lointain.

□ Psychisme

Elles sont extraverties, c'est-à-dire qu'il leur faut une large ouverture sur le monde. Elles ont besoin de leur public pour faire leur numéro car elles sont assez comédiennes et, notamment, elles se servent de l'instabilité de leur santé pour se rendre intéressantes, mais cela est fait avec beaucoup de charme et d'astuce. Elles sont très peu influençables.

□ Volonté

Un coup d'œil sur le schéma psycho-structurel de ces prénoms vous montre la remarquable puissance de cette volonté soutenue par une forte activité. Bien canaliser les efforts volontaires chez ces jeunes pour éviter toute dispersion.

□ Emotivité

Très importante. Elle est le détonateur de ce psychisme à la potentialité redoutable. Mais cette forte émotivité amènera le sujet à prendre des décisions sur des coups de tête et surtout le conduira à ne pas contrôler parfaitement ses confidences. Que de gaffes en perspective !

127

□ Réactivité

Très envahissante, elle aussi ! De même intensité que l'émotivité, elle sera créatrice de bien des situations tendues et compliquées. Les personnes de ce caractère ne sont pas objectives pour un sou... Elles ont leur façon à elles de voir les choses, et on perdra son temps à essayer de les convaincre de changer d'optique. Très possessives, elles ont : « leur » mari, « leur » appartement, « leur » vie, etc. Confiantes en elles-mêmes, elles passent au milieu de la société comme des ouragans, turbulentes et passionnées. Dès l'enfance, il faudra essayer d'endiguer ce cours d'eau tumultueux.

□ Activité

Elle est envahissante ! Elles veulent s'occuper de tout, se mêler de tout. Elles savent et vous expliquent, avec beaucoup de gentillesse et même d'humour, que vous n'avez rien compris et que vous n'êtes bons à rien ! Leurs études sont généralement excellentes. Elles savent assez tôt ce qu'elles ont l'intention de faire, car ce sont de petites personnes décidées et leur orientation professionnelle est relativement facile. Nous disons « relativement », parce qu'elles auraient tendance à choisir des professions doubles, ou même à avoir deux professions à la fois. On les trouvera dans le costume d'une infirmière dévouée et habile, mais aussi sous l'aspect d'une comédienne fantaisiste et pleine d'humour. Parfois les deux coexistent et nous avons alors une enseignante de valeur qui, le soir venu, jouera dans un orchestre, etc. A moins qu'elles ne deviennent des espionnes au grand cœur !

□ Intuition

D'une intuition remarquable, elles ont un flair extraordinaire. Elles voient le dessous des choses, devinent, jugent les êtres, conseillent les uns, bousculent les autres. Leur séduction est grande. Elles sont souvent très drôles, savent merveilleusement raconter les histoires.

□ Intelligence

Leur intelligence est vive et synthétique, c'est-à-dire qu'elles saisissent très rapidement toutes les données d'un problème, en survolant les détails. Leur mémoire est excellente, surtout leur mémoire affective. Elles se rappellent très bien tout ce qu'on leur a dit, tout ce qu'on leur a fait et comme elles sont assez rancunières, il n'est pas recommandé de blesser leur susceptibilité. Elles sont d'une curiosité insatiable et adorent les petits potins, quitte à les rapporter par le téléphone qui est leur instrument préféré...

□ Affectivité

Nous avons vu qu'elles étaient possessives, mais elles possèdent pour mieux aimer ; les parents devront faire attention à ne pas se laisser « avaler » par ces enfants à l'appétit dévorant et à l'esprit d'une rapidité prodigieuse. Très souvent, elles préfèrent aimer plutôt que d'être aimées et, si leur amour est parfois étouffant, il n'en est pas moins réel.

□ Moralité

Elles possèdent une irrésistible moralité verbale qu'elles essayeront d'imposer à leur entourage. Comme leur conduite est fort convenable, on les écoute et on les suit. De gré ou de force !

Elles ont le sens de l'amitié. Elles s'adaptent avec une facilité étonnante à tous les types d'amis qu'elles peuvent avoir et elles connaissent l'art de leur faire raconter leur vie ; elles seront alors des confidentes attentives et dévouées, traitant les problèmes les plus intimes avec sensibilité et délicatesse.

Leurs croyances, habituellement, sont assez classiques et toute innovation en matière de foi les surprend, et même les heurte.

□ **Vitalité**

Elles ont une résistance étonnante, une vitalité très forte et, en même temps, elles sont parfois accablées de mille petits maux dont la cause n'est pas toujours déterminée, et qui sont souvent d'origine psychique. Leur système circulatoire est à surveiller. Il risque de leur provoquer des maux de tête fréquents. Il faut obliger ces jeunes à faire du sport, à se promener, en un mot à vivre le plus possible au grand air et à ne pas trop « s'écouter », comme on dit. Leur point faible : les intestins.

□ **Sensorialité**

N'oubliez pas que leur animal totem est le boa dit « constrictor ». Leur sensorialité, et plus spécialement leur sexualité, est placée sous le signe de la possession. Mais entendons-nous bien, ce sont elles qui vous entourent de leurs anneaux... y compris celui du mariage. Là encore, il faudra, avec discrétion, se reporter à notre comparaison symbolique de tout à l'heure, lorsque nous disions qu'elles étaient analogues à la vigne vierge. C'est donc une sensualité à deux faces qu'elles manifesteront, et cela pourra créer quelques malentendus.

□ **Dynamisme**

Ce qu'on fait de mieux dans le genre ! Elles seront du style, tout respect gardé, de « Ote-toi de là, que je m'y mette », ou « Si tu n'es pas capable de le faire, dis-le tout de suite ». Quand on est de bonne humeur, c'est charmant !

Leur personnage amusant cache souvent un autre personnage plus profond et plus refoulé, sentimentalement parlant, qui a du mal à se manifester, à se faire prendre au sérieux. Il faudra donc, dès leur plus tendre jeunesse, les amener à s'exprimer affectueusement d'une manière très détendue.

□ **Sociabilité**

Il est évident, après ce que nous venons de voir, que ces « prénoms-caractères » sont sociables, agressivement sociables, dirons-nous, puisqu'il leur faut beaucoup de monde à leur portée. Leur volonté est forte, plus qu'il n'y paraît, et quand elles ont quelque chose dans la tête, il est assez difficile de leur faire changer d'avis. Leur moralité est apparemment excellente.

Elles ont de la chance, mais c'est davantage par leur présence, par leur magnétisme qu'elles réussissent, sinon par un certain sens de l'intrigue...

□ **Conclusion**

Tous les explorateurs africains vous expliqueront que le boa se laissant tomber sur ses proies des branches d'un arbre, on ne le voit pas venir. On est « bouclé » avant de s'en apercevoir... Mais pour y échapper, c'est une autre histoire...

CAMILLE (M)

Personnalité : *L'homme inquiet.*

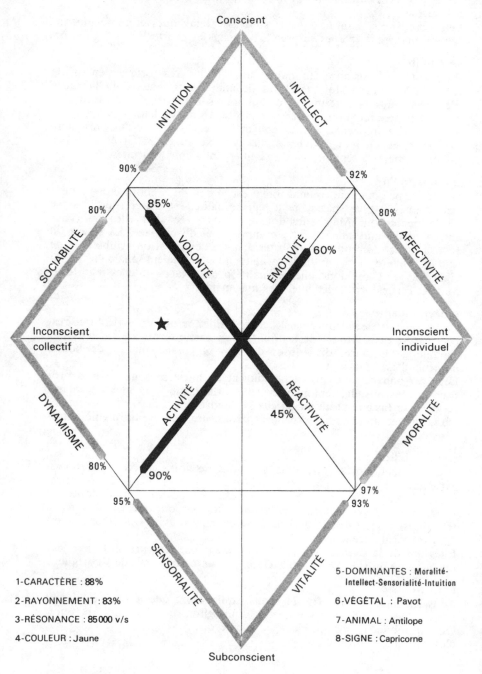

1-CARACTÈRE : 88%

2-RAYONNEMENT : 83%

3-RÉSONANCE : 85000 v/s

4-COULEUR : Jaune

5-DOMINANTES : Moralité-Intellect-Sensorialité-Intuition

6-VÉGÉTAL : Pavot

7-ANIMAL : Antilope

8-SIGNE : Capricorne

Camille

et prénoms aux caractéristiques analogues

Amaury	Blaise	Eusèbe	Loup
Antonin	*Camille (M)*	Ferdinand	Martin
Armand	Colin	Fulgence	Olivier
Bénédict			

□ Type caractérologique

Ce sont des inquiets ! Il ne faut pas exagérer l'importance de cette inquiétude, mais elle conditionne néanmoins la forme de caractère de ces personnes. Ils allient en effet à une grande émotivité, une bonne activité et des réactions moyennes. Leur animal totem est l'*antilope,* qui est toujours tendue, craintive, prête à fuir. Mais les Camille ont malgré tout les pieds sur terre, même si ce sont des pieds fragiles. Chose curieuse, il arrive souvent que ceux qui portent des prénoms mixtes, pouvant être aussi bien masculins que féminins, aient donc dans leur formule caractérologique une pointe d'inquiétude qui apparaît ici claire- ment. Cela est également valable pour les prénoms qui leur sont associés et qui partagent cette indécision de tempérament.

□ Psychisme

Ce sont des introvertis, c'est-à-dire qu'ils ont une prédisposition à se replier sur eux-mêmes et à juger le monde d'après le reflet qu'ils en per- çoivent intérieurement. Là encore, il faudra chercher à ce que ces enfants soient plus en contact avec les réalités de la vie et les affrontent sans crainte. Ils ont une mémoire affective développée. Ils se rappellent plus les situations que les faits eux-mêmes. Leur curiosité est grande, trop grande parfois et elle risque de les mettre dans des situations déli- cates. Ils manquent un peu d'objectivité. Leur confiance en eux n'est pas très forte et risque de se transformer, si l'on n'y prête pas atten- tion, dès leur jeunesse, en une timidité redoutable.

□ Volonté

Elle est très moyenne et, à regarder le schéma psycho-structurel, on comprend l'origine de cette inquiétude en constatant que l'activité du sujet est supérieure à sa volonté. D'où ce sentiment de déséquilibre et de fuite dans l'action.

□ Emotivité

Elle est bien trop importante pour un homme. Il faudra donc, dès leur enfance, bien leur faire comprendre que l'action n'est pas déclenchée par les événements, sauf cas spéciaux, mais par la volonté. Donc ce n'est pas l'émotivité qui doit commander chez un homme, mais bien la notion de décision motivée.

□ Réactivité

Elle est très en retrait de l'émotivité et là encore ce décalage est source d'inconfort. On retrouve ici une attitude typique du comportement de l'antilope qui bondit au moindre bruit et réfléchit après, en s'arrêtant, pour essayer de juger la situation. Un sens certain de l'opposition, une grande sensibilité aux échecs qui leur donne envie de fuir, d'où l'importance des interventions des parents et des éducateurs en cette matière, afin que l'enfant ne souffre pas de cette sensation paralysante d'insuccès répétés.

□ Activité

Très efficace mais aussi très contraignante puisqu'elle est, répétons-le, beaucoup plus sous l'influence de l'émotivité que de la volonté. Ces hommes sont très attirés par des professions qui concilient à la fois l'intellectuel et le manuel. Vous devrez donc faire attention lorsque viendra le moment du choix, car avec eux nous nous trouverons probablement en présence d'un carrefour. Il faudra se décider entre la voie de droite qui pourrait les conduire vers les professions d'avocat, de journaliste, d'enseignant, et celle de gauche, qui les mènerait à des professions comme celles d'éleveur, de commerçant, d'artisan. Il conviendra de les discipliner très tôt si l'on veut que leur conscience professionnelle soit à la hauteur de leurs dons.

□ Intuition

Leur intuition est vive, la moindre chose les met en alerte. C'est une véritable prescience qui leur rend beaucoup de services. Bien qu'apparemment un peu instables, ils sont doués d'un remarquable pouvoir de séduction et d'une imagination qu'il leur faudra dominer sans tarder.

□ Intelligence

Intelligence rapide, très analytique, méticuleuse. D'autre part, leur grande émotivité crée parfois des interférences qui gênent leur pensée profonde et leur fait éprouver quelques difficultés à s'exprimer. Il faudra, chez les jeunes, bien surveiller l'élocution, veiller à ce qu'ils ne bafouillent pas, leur apprendre au contraire à mettre de l'ordre et de la pondération dans leurs idées comme dans leurs paroles.

□ Affectivité

Ils ont souvent peur qu'une affection trop poussée ne les réduise à l'esclavage. Ils sont indépendants et ce n'est pas en accablant ces enfants de « mamours » et d'embrassades qu'on les séduira. Ils verraient là plutôt une manifestation de propriétaire, et ils s'enfuiraient.

□ Moralité

Ce type de prénoms conduit habituellement ceux qui les portent vers des réactions morales de forte intensité. Ils n'aiment pas les situations ambiguës ou douteuses, et souvent leur moralité est plus une crainte qu'une profonde décision éthique. Mais seul le résultat compte ! Ils exigent aussi une totale franchise en ce qui concerne leur foi. Ils ne croient vraiment que lorsqu'ils comprennent ce qu'on attend d'eux et ce qu'on leur propose ; ce n'est pas toujours aisé.

□ Vitalité

En principe, ils ont une excellente santé, mais ils sont tenus d'éviter tout surmenage intellectuel. Par contre, leur résistance à la fatigue est bonne. Il convient qu'ils aient beaucoup de sommeil, une vie calme, un régime équilibré, et qu'ils se méfient surtout des excitants. Nous insistons sur cette recommandation qui est primordiale. Ils sont assez sensibles aux maladies virales et leur point faible, c'est le système nerveux.

□ Sensorialité

Cette forte sensorialité les amène à apprécier ce qu'il est convenu d'appeler les « bonnes choses » de la vie. Peut-être cela les rassure-t-il ? Ce sont des passionnés et fréquemment chez eux la sensualité est plus forte que la sentimentalité. Ils chercheraient même à se dépouiller de cette dernière pour ne pas se sentir moralement engagés à l'égard du partenaire. Donc ne racontez pas d'histoires à dormir debout à des enfants qui ont besoin d'une explication claire et loyale.

□ Dynamisme

Là aussi, nette différence entre l'activité et le dynamisme. Il semble que le « paraître » de l'individu dépasse, parfois, son « être ». Autrement dit, et pour parler un langage familier, ils se « courent après ». Une amitié solide, peu d'amis, mais qu'ils aiment mettre à l'épreuve pour s'assurer de leur droiture et de leur disponibilité. Il faudra expliquer à ces enfants que la première qualité d'une amitié, c'est de ne pas être tyrannique.

□ Sociabilité

Très sociables mais assez instables. Tantôt ils aiment recevoir, tantôt ils voudraient vivre seuls, au milieu du Pacifique. Leur volonté est bonne, quoique parfois à éclipses. Ils aiment la vie familiale à condition qu'elle ne soit pas despotique. Ils ont de la chance, mais ils s'en servent habituellement assez mal et leur réussite est souvent le fait d'un hasard heureux. Tout leur problème sera alors de conserver soigneusement ce don de la providence et de ne pas gâcher leur capital chance.

□ Conclusion

Comme il est très difficile d'empêcher notre antilope de prendre le large, apprenons-lui au moins l'art de réfléchir rapidement tout en courant très vite. Plus on rapprochera le niveau de la volonté de celui de l'activité, plus on équilibrera ces êtres nerveux. Enfin, dernier détail, plein de poésie, leur végétal totem est le *pavot* dont les vertus sont nombreuses et qui, en particulier, est un calmant efficace !

CATHERINE

Personnalité : *Le secret du sang.*

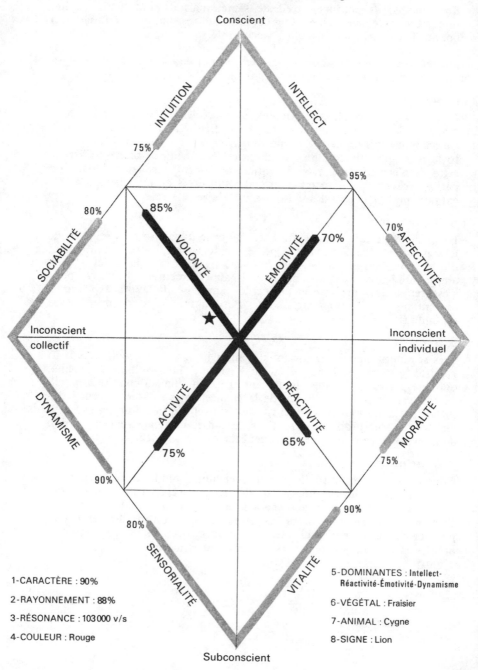

Conscient

INTUITION
INTELLECT
75%
95%
80%
85%
VOLONTÉ
ÉMOTIVITÉ
70%
70% AFFECTIVITÉ
SOCIABILITÉ
Inconscient collectif
Inconscient individuel
ACTIVITÉ
RÉACTIVITÉ
DYNAMISME
MORALITÉ
75%
65%
90%
75%
80%
90%
SENSORIALITÉ
VITALITÉ

Subconscient

1-CARACTÈRE : 90%

2-RAYONNEMENT : 88%

3-RÉSONANCE : 103 000 v/s

4-COULEUR : Rouge

5-DOMINANTES : Intellect-Réactivité-Émotivité-Dynamisme

6-VÉGÉTAL : Fraisier

7-ANIMAL : Cygne

8-SIGNE : Lion

Catherine

et prénoms aux caractéristiques analogues

Audrey	Edouardine	Katy	Perrette
Béryl	Erika	Katty	Perrine
Carine	Fausta	Ketty	Régina
Cathel	Gervaise	Manuelle	Régine
Catherine	Jackie	Nadia	Reine
Cora	Josiane	Nadine	Sergine
Coralie	Katel	Paquita	Simone
Coraline	Katia	Pauline	Urielle

□ Type caractérologique

Ce sont des nerveuses colériques, d'une grande émotivité. Et comme elles ont des réactions rapides, elles perdent assez facilement leur sang-froid. Leur activité est plus faible, ce qui les amène souvent à confondre action et agitation. Comme elles sont susceptibles, un peu hautaines, on imagine qu'elles sont prétentieuses. Ce n'est pas tout à fait exact. Certes, comme le *cygne,* leur animal totem, elles peuvent paraître altières et dédaigneuses, mais en réalité, elles sont anxieuses, tourmentées. Il faut donc éviter à ces enfants les crises d'énervement où elles parlent à tort et à travers, leur donner beaucoup de calme, de discipline, une existence bien régulière.

□ Psychisme

Elles sont intelligentes, le savent et le font sentir aux autres. Attention, veillez à ce qu'elles ne se prennent pas pour des génies ! Leur mémoire, du type analytique, ne laisse rien passer, elles ont volontiers la dent dure, elles sont curieuses, peu influençables, assez introverties, avec une nette tendance à tout ramener à elles-mêmes. Ajoutons qu'elles sont subjectives, souvent de mauvaise foi, mais qu'elles comprennent vite. En résumé, elles ont un caractère plutôt difficile, brouillon, et plein de vie.

□ Volonté

Elle est relativement bonne mais elle ne va pas jusqu'au bout des choses. Alors on voit les personnes possédant ce type de caractère prendre des allures de grandes dames blessées, et se retirer de l'action d'un air dégoûté, quitte à fomenter une petite révolution pour cela ! En réalité, elles se sont « dégonflées » au sens propre du terme et elles se drapent dans leur baudruche vide comme en un manteau royal !

135

□ Emotivité

Elle est bien trop présente pour leur laisser le temps de réfléchir. Aussi les traits mordants, voire blessants, fusent très vite de ces·lèvres charmantes, et il ne faut pas laisser ces enfants « répondre » insolemment aux grandes personnes. Bien les tenir en main.

□ Réactivité

Quand on dit d'un cheval « qu'il est près du sang », cela veut dire qu'il a des réactions fortes, une grande nervosité, une émotivité envahissante. C'est le cas de ces « prénoms-caractères » dont les colères déconcertent et choquent car à chaque fois qu'elles éclatent, c'est dans le but, plus ou moins avoué, de blesser et de détruire.

□ Activité

Elle est plutôt mince, mais elle fait illusion car leur dynamisme est tel qu'à les voir agir on a l'impression qu'elles sont indispensables. Or, il y a dans cette action un peu de « bluff » qui est bien indiqué (*cf.* schéma psycho-structurel) dans la formule activité/dynamisme. Elles manquent de continuité dans l'effort, courent volontiers deux lièvres à la fois. Les voyages leur donnent l'impression d'agir. Ce sont d'excellentes journalistes, de bonnes commerçantes, des publicitaires, des politiciennes. Elles ont d'ailleurs un sens inné de l'intrigue et une grande facilité d'adaptation. Elles peuvent être aussi, dans certains cas, voyantes ou astrologues.

□ Intuition

Cette intuition est d'autant plus moyenne qu'elle est littéralement dévorée par l'aspect intellectuel de leur personnage qui, assez souvent, est « rampant » à l'image de leur végétal totem : le *fraisier*.

□ Intelligence

C'est ici le domaine absolu de la « gamberge » et ces femmes n'arrêtent pas de calculer et de combiner à longueur de journée. Elles se croient, habituellement, très intelligentes et prennent facilement les autres pour des imbéciles. La vie a beau leur réserver bien des déboires, elles ne se remettent jamais en question et sont toujours très contentes d'elles-mêmes.

□ Affectivité

Comme elles sont possessives et même tyranniques, leurs parents sont obligés d'être fermes et de refuser de discuter avec elles. Elles se fient aveuglément à leur intelligence qui n'est pas toujours aussi efficace qu'elles l'imaginent, surtout lorsqu'il s'agit de juger les autres. C'est en réalité une affectivité très nerveuse, très impulsive et, disons-le, très égoïste.

□ Moralité

Elle dépend des circonstances et des événements, d'où la nécessité d'inculquer d'excellents principes à ces jeunes pour lutter contre leur prétention à dominer tout leur entourage. Elles réagissent bien aux échecs en mettant la faute sur le dos des autres. Croyances hésitantes.

Un jour c'est presque tout, le lendemain c'est presque rien. Elles rendent volontiers le ciel responsable de leur malheur, qui leur paraît une atteinte à leurs pouvoirs. Finalement, elles ont une grande méfiance à l'égard d'autrui.

□ Vitalité

Bonne vitalité, mais santé incertaine, trop soumise au psychisme. Besoin de détente, de repos, de beaucoup de sommeil. Le régime doit être équilibré car le système nerveux est fragile. Les Catherine et les prénoms possédant les mêmes caractéristiques ont une propension à abuser d'excitants ou de calmants. Elles se fatiguent et se surmènent vite.

□ Sensorialité

Elle est moyenne et a d'autant plus de mal à s'exprimer que le sujet a pris l'habitude de vivre avec un masque d'indifférence, voisin du mépris, et il lui est difficile de s'en séparer. D'où une série de malentendus souvent cruels.
La sexualité est capricieuse. Le futur partenaire est à ce point idéalisé qu'il est peu vraisemblable qu'elle puisse un jour le rencontrer. Il est en conséquence impératif de leur apprendre, dès leur plus jeune âge, que la vie et le rêve sont deux choses différentes.

□ Dynamisme

Il confine à l'agressivité d'autant plus — nous l'avons vu — que l'activité n'a pas la même ampleur. Elles ont de la chance et en abusent. Elles ont d'ailleurs tendance à abuser de pas mal de choses et de pas mal de gens. Leur réussite est précoce, mais prend parfois des allures de parties de chasse où elles se conduisent comme des hommes. En résumé, ce sont des êtres qui ont besoin de réussite pour exister. Elles sont riches de possibilités, mais manquent d'humanité. Il faudra leur apprendre très tôt ce qu'est l'Autre, comment le respecter, comment l'aimer.

□ Sociabilité

Pourquoi voulez-vous, au sein de ce psychisme compliqué et un peu « truqué », que la sociabilité soit pleinement satisfaisante ? Elles arrivent à se perdre dans leurs complications et rares sont ceux qui peuvent leur offrir un fil d'Ariane. Très sensibles par à-coups, aimant à être entourées, elles savent mêler l'agréable à l'utile. Leur salon est souvent la suite de leur bureau. Elles sont volontaires quand il le faut, mais passent aussi une partie de leur vie à rêver qu'elles agissent.

□ Conclusion

Ces personnes — et surtout les jeunes — devraient méditer sur le symbolisme du cygne, dont la grâce, la beauté incontestable, ne font que masquer une sécheresse de cœur et un manque de compréhension d'autrui contre lesquels il est toujours possible de lutter. Mais comme elle sera longue, cette lutte contre le mythe de Léda !...

CÉCILE

Personnalité : *Celle qui amasse.*

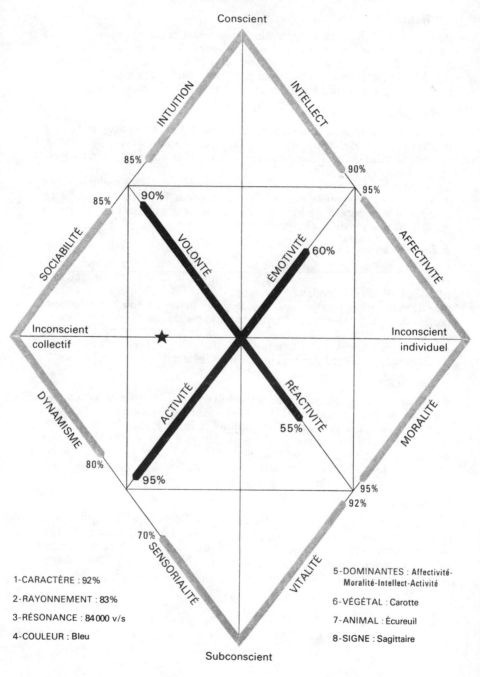

Conscient

INTUITION — INTELLECT

85%
90%
95%
85%

SOCIABILITÉ

90% — VOLONTÉ — ÉMOTIVITÉ — 60%

AFFECTIVITÉ

Inconscient collectif

★

Inconscient individuel

DYNAMISME

ACTIVITÉ — RÉACTIVITÉ — 55%

MORALITÉ

80%
95%
95%
92%

70%

SENSORIALITÉ — VITALITÉ

Subconscient

1-CARACTÈRE : 92%

2-RAYONNEMENT : 83%

3-RÉSONANCE : 84 000 v/s

4-COULEUR : Bleu

5-DOMINANTES : Affectivité-
Moralité-Intellect-Activité

6-VÉGÉTAL : Carotte

7-ANIMAL : Écureuil

8-SIGNE : Sagittaire

Cécile

et prénoms aux caractéristiques analogues

Alix	Doria	Jacinthe	Paola
Apolline	Eliette	Josseline	Rosette
Arielle	Ellénita	Lia	Rosita
Bluette	Elyette	Liane	Salomé
Cécile	Hedwige	Maëlle	Sandie
Célia	Hortense	Noémie	Sandy
Dora			

□ Type caractérologique

Elles possèdent une très forte émotivité qui, ajoutée à une non moins forte activité et à des réactions rapides, fait d'elles des êtres dynamiques et même parfois colériques. On comprend assez bien leur caractère quand on se reporte à leur animal totem, l'*écureuil,* qui traverse en courant les buissons, ramasse les noisettes et les met de côté pour l'hiver. Comme lui, ces sujets, qui ont besoin de sécurité, font leurs petites provisions à l'avance et, à force de patience et de temps, finissent par atteindre le but que très jeunes, elles se sont fixé.

□ Psychisme

Ce sont des introverties, c'est-à-dire que, tel l'écureuil, elles se replient vers leur nid lorsque le danger se présente, non sans avoir violemment protesté. Elles sont peu influençables. Mais il ne faudrait pas croire qu'elles se réfugient dans leur « home » pour fuir le monde, pour se cacher. Non, elles y trouveront le confort dont elles ont besoin, et aussi la possibilité de mettre au point un nouveau plan d'action.

□ Volonté

Elle est d'autant plus présente qu'elle soutient fort efficacement une belle activité. Mais il est curieux de constater que cette volonté qui est excellente — se reporter au schéma psycho-structurel qui accompagne cette étude — s'apparente assez bien au végétal totem des Cécile et des prénoms partageant les mêmes caractéristiques, à savoir la *carotte.* Cette plante est en effet le symbole de la volonté secrète d'accumuler des réserves dans la terre en n'offrant à la vue que des feuilles relativement discrètes.

□ Emotivité

Importante, mais elle n'est pas gênante, car, loin de conduire à des coups de tête fâcheux, elle colore leur personnalité d'une sensibilité fort

139

séduisante et d'un goût de l'aventure intéressant. Ne pas bloquer les jeunes psychismes en voulant empêcher les épanchements affectifs.

□ Réactivité

Possédant un sens développé de l'opposition, elles ne sont pas toujours faciles à convaincre ; sensibles à l'échec, elles « piquent » souvent une colère, mais repartent aussitôt vers leur but.

Comme elles sont plutôt objectives, elles sont capables de se donner à une cause lorsqu'elles la jugent valable. Par contre n'étant guère possessives, elles surprennent par un détachement qui ne semble pas toujours correspondre à leur caractère. Leur confiance en elles est très moyenne et il leur arrive d'être timides.

□ Activité

Elles ne peuvent vivre sans agir selon un plan mûrement établi. Cette activité est d'ailleurs généreuse et lorsque notre petit écureuil aura terminé sa récolte, il ira volontiers donner un coup de main — ou un coup de patte — à ceux qui en ont besoin. Elles ont une remarquable conscience professionnelle et très tôt chercheront à déterminer quelle pourra être leur profession future ; en fonction de ce choix, elles se lanceront dans les études avec beaucoup de courage et même d'obstination pour arriver, envers et contre tout. Elles aiment plutôt les professions difficiles, ont un certain goût du danger, et on les verra par exemple, aviatrices ou parachutistes. Tous les métiers où il faut payer de sa personne, risquer quelque chose, se remettre en question, leur conviennent, car elles ne se déterminent vraiment qu'à travers l'action.

□ Intuition

Leur intuition est grande et leur sert prodigieusement dans la vie. Elles sentent venir les événements et il leur arrive d'avoir des illuminations stupéfiantes dont elles ne savent pas toujours se servir.

□ Intelligence

Leur intelligence est vive. Elles ont un sens critique développé et les traits qu'elles lancent sont acérés mais sans méchanceté véritable. Cette intelligence est analytique et elles ont un coup d'œil redoutable pour distinguer tout ce qui ne se voit pas et pour juger les êtres. Elles ont une mémoire étonnante, mais une curiosité moyenne.

□ Affectivité

Elles sont affectueuses, mais assez secrètement, et n'aiment pas généralement les grandes déclarations de tendresse. Il faudra donc savoir aimer et comprendre ces jeunes, les aider à s'exprimer sur le plan des sentiments sans mettre de conditions à cette approche.

□ Moralité

Cette moralité ne pose pas de problème particulier et c'est tout naturellement qu'elles se conduisent avec une correction qui prend très souvent l'aspect d'une fidélité rigoureuse.

En matière de foi, elles voudraient croire, mais elles se méfient des choses trop simples. Pour elles la religion est une affaire mystérieuse, et elles s'étonneront toujours de la foi du charbonnier.

◻ Vitalité

Elles sont d'une grande vitalité, résistent à la fatigue. Mais il faudra se méfier chez les jeunes du surmenage intellectuel. En raison d'une certaine impétuosité de leur caractère, elles risquent des accidents qui pourraient affecter principalement leur système osseux. Attention aux fractures. Elles sont également sensibles à toutes les affections microbiennes. C'est le foie qui est leur point faible.

◻ Sensorialité

Des plus raisonnables. On a parfois l'impression que leur profession dévore leur vie privée et qu'ainsi elles s'éloignent des désirs intempestifs et perturbants. Leur sexualité est bien polarisée, parfois un peu compliquée par certains refoulements dus à la famille, à l'éducation. Leur sensualité ne s'exprimera vraiment que dans le cadre d'une vie sentimentale riche de confiance, car elles craignent beaucoup d'être trahies.

◻ Dynamisme

Un peu en retrait par rapport à leur activité, d'où une certaine timidité assez surprenante parfois et qui surgit au moment où on ne l'attendait pas. Un sens solide de l'amitié. Elles recherchent des amis sincères, ont une grande mémoire affective qui leur permet de se rappeler tout ce qu'on a pu leur dire ou leur faire. Elles sont assez vindicatives lorsqu'on s'est moqué d'elles.

◻ Sociabilité

Elles sont relativement sociables, c'est-à-dire qu'il ne faut pas empiéter sur leur petit royaume et venir les surprendre à n'importe quel moment. Leur chance est bonne et elles réussissent grâce à leur obstination et au choix qu'elles ont su faire d'une profession qui les valorise. Invitez-les à dîner mais sans arrière-pensée, car elles ont un flair terrible pour découvrir les pièges qu'un homme peut tendre. En dehors de cela, d'excellentes camarades.

◻ Conclusion

Ne leur demandez pas plus qu'elles ne peuvent donner et n'oubliez jamais qu'elles ne sauraient sacrifier leur profession à un semi-esclavage domestique. Faites-leur confiance et proposez-leur un nid bien confortable... pour l'hiver !

CHARLES

Personnalité : *Celui qui passe, celui qui écrase.*

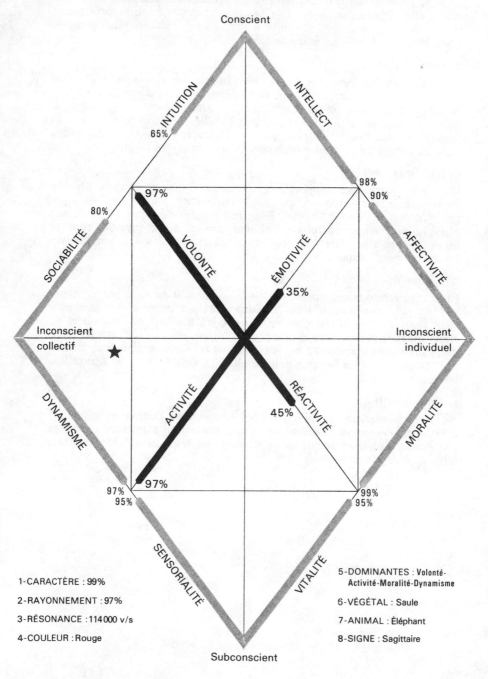

Conscient

INTUITION 65%

INTELLECT

97%

98%
90%

80%

SOCIABILITÉ

VOLONTÉ

ÉMOTIVITÉ

AFFECTIVITÉ

35%

Inconscient collectif

★

Inconscient individuel

DYNAMISME

ACTIVITÉ

RÉACTIVITÉ

MORALITÉ

45%

97%
95%

97%

99%
95%

SENSORIALITÉ

VITALITÉ

1-CARACTÈRE : 99%

2-RAYONNEMENT : 97%

3-RÉSONANCE : 114000 v/s

4-COULEUR : Rouge

5-DOMINANTES : Volonté-Activité-Moralité-Dynamisme

6-VÉGÉTAL : Saule

7-ANIMAL : Éléphant

8-SIGNE : Sagittaire

Subconscient

Charles

et prénoms aux caractéristiques analogues

Amos	Charlemagne	Igor	Nicolas
Balthazar	*Charles*	Ivan	Roch
Carl	Charley	James	Venceslas
Carlos	Charly	Joséphin	Vivian
Carol	Chrétien	Nérée	Vivien

□ Type caractérologique

Lorsqu'ils se mettent en marche, rien ne les arrête. Ils ressemblent en cela à leur animal totem, l'*éléphant* qui avance à travers la brousse, droit devant lui, écrasant tout sur son passage, indifférent aux cris de peur ou de haine qui l'accompagnent. Leur émotivité est assez faible, leur activité prodigieuse et leurs réactions maîtrisées. Ces flegmatiques donnent d'ailleurs bizarrement l'impression d'être immobiles, alors qu'ils laissent tout le monde sur place.

□ Psychisme

Ces « prénoms-caractères » ne sauraient vivre sans s'être fixé un but précis, que ce soit sur le plan matériel, spirituel, philanthropique, etc. A la limite, ils préfèrent se tromper en avançant que d'avoir raison en reculant. Ils ont horreur de la faiblesse des autres, et il est inutile de chercher à les apitoyer. Ils ont une âme de chef et ne s'embarrassent pas de considérations humanitaires. Ils considèrent davantage les fonctions que les hommes qui les assument. On aura intérêt à leur faire comprendre, dès leur jeune âge, que le monde, c'est « les autres plus eux » et non pas « eux plus les autres ». Tout en étant subjectifs, et centrés sur leur propre personne, ils sont capables de tout donner à une cause. Leur confiance en soi est totale et ils ne se définissent véritablement que par l'action.

□ Volonté

Elle est écrasante. Très tôt les parents feront l'expérience de cette volonté implacable qui pousse ce type de caractère à traverser la jungle de la vie en écrasant tout sur son passage. Savoir résister sur quelques points précis n'est pas une entreprise facile...

□ Emotivité

Dominée, entourée de garde-fous, elle reste à sa place. Disponible, cependant, lorsque son maître a besoin d'elle pour colorer un discours, humaniser un ordre, manifester une compréhension.

143

□ Réactivité

Elle est moyenne et cache en réalité une grande maîtrise. On refuse de laisser paraître ses sentiments pour ne pas donner prise à l'ennemi. D'ailleurs il est difficile d'être leur ami. Pour eux, chacun n'a qu'un ami véritable : soi-même. Tout homme est un peu comme un soleil solitaire, dont dépendent les planètes pour leur chaleur et leur vie. L'amitié avec eux ne saurait être qu'une manière de dépendance. Par contre, ils ont besoin d'ennemis ; l'action implique l'opposition. Les échecs ne les touchent que très peu, dans la mesure même où un échec ne le devient vraiment que si on l'accepte.

□ Activité

Ce n'est plus une activité, c'est un véritable raz de marée qui submerge non seulement les collaborateurs, mais aussi la famille ! Comment imaginer que ces êtres entiers dès leur jeunesse, ne se lancent pas à corps perdu dans la bataille de la vie qui commence par la conquête des diplômes ? Car la seule manière pour eux de se protéger de la bêtise des autres est de se cuirasser de parchemins. Que deviendront-ils plus tard ? Presque toujours des chefs, qu'ils soient dans le commerce ou dans l'industrie ; des militaires, des juges, tous ceux qui, d'une manière ou d'une autre, enseignent à l'humanité, parfois rudement, qu'il n'existe qu'une voie royale, le combat. Ils peuvent être aussi des religieux de choc, peut-être machiavéliques, mais toujours efficaces.

□ Intuition

Leur intelligence est habituellement si complexe en ses deux mouvements synthétiques et analytiques que les Charles et les prénoms associés peuvent très bien se passer d'intuition. Ils la remplacent par cette prodigieuse action qui balaie tout et justifie tout à leurs yeux. Leur séduction est à l'emporte-pièce : « Ou ça marche, ou ça ne marche pas ».

□ Intelligence

Ils sont intelligents, sans que cela saute aux yeux, car ils ne sont pas communicatifs et ne cherchent pas à briller. Leur intelligence est à la fois synthétique et analytique, ce qui est assez rare. Ils distinguent en même temps les grandes lignes d'une action et les détails qui la conditionnent. Cette intelligence à double tranchant n'apparaît d'ailleurs dans son éclat, souvent caustique, que lorsqu'ils se laissent deviner pendant un court instant. Leurs plus complètes réussites sont celles qui se voient le moins.

□ Affectivité

Ils font preuve de beaucoup de retenue dans l'expression de leurs sentiments, même s'ils ont une sensibilité intérieure réelle. Autrement dit, ce sont des introvertis. Mais ils ne livrent d'eux que ce qu'ils veulent bien laisser paraître, d'où une certaine immobilité sentimentale, souvent déconcertante, pour ne pas dire pétrifiante.

□ Moralité

C'est avant tout une morale d'action. Elle peut sembler excessive et cependant ils l'appliquent, avec la même rigueur, aussi bien à eux-mêmes qu'aux autres. Le mot « combine » les met hors d'eux et ils ont un côté Cyrano de Bergerac qui apparaît très tôt. Ce sont des enfants qu'il convient de traiter en hommes dès que leur sens des responsabilités commence à se développer.

□ Vitalité

Bien qu'ils aient, comme tout un chacun, des points faibles : les os, le foie et qu'ils soient généralement sobres, ils mènent la vie dure à leur santé. Il faut que ça suive, et jusqu'au bout ! Ils ont d'ailleurs souvent l'orgueil de disparaître avant la fin, lorsqu'ils ont mené à bien leur tâche. Comme les éléphants qui, dit-on, connaissent à l'avance le moment de leur mort, et vont se réfugier dans un mystérieux endroit pour l'y attendre.

□ Sensorialité

Curieusement cette sensorialité est importante malgré l'aspect un peu froid du personnage. Elle s'exercera aussi bien au niveau de la sexualité que de la gourmandise ou du confort. Ce qu'il faut souligner — et ceci explique beaucoup de choses — c'est qu'ils ne seront jamais esclaves de leurs sens. Ils prennent et laissent quand cela leur plaît ! Leur sexualité est forte, à la fois secrète, directe, mais néanmoins dominée. Ils ont souvent un aspect de moine guerrier, qui surprend, surtout en ce domaine.

□ Dynamisme

Pour comprendre leur dynamisme il suffit de consulter le schéma psycho-structurel qui accompagne cette étude. Nous voyons que leur activité et leur dynamisme sont au même niveau, le plus haut, qui est en même temps celui de la volonté. D'où un équilibre et une efficacité dans l'action qui dépassent singulièrement la dimension des autres hommes.

□ Sociabilité

Leur sociabilité dépend des circonstances. Personnellement, ils ne tiennent pas à s'entourer d'une foule inutile. Leur volonté est inflexible. Leur moralité au service de leur action. Leur chance paraît incroyable, mais, en réalité, elle s'appelle travail. Et puis, il y a au fond d'eux-mêmes cette mélancolie un peu désabusée qui leur vient de leur végétal totem : le *saule*.

□ Conclusion

Que de qualités ! me direz-vous. Quelle race de « supermen » ! Voire ! Tout n'est pas forcément rose dans ces caractères et il faut une belle dose de courage, et parfois d'abnégation, pour accepter de se laisser monter sur les pieds par ces « éléphants » venus d'un autre monde...

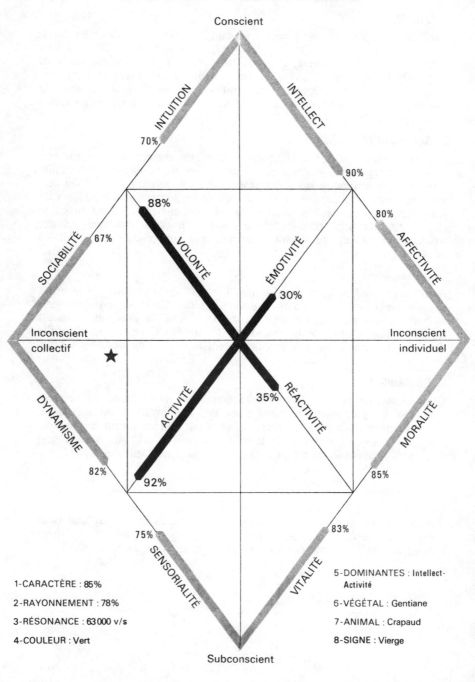

CHRISTIANE

Personnalité : *La femme aux secrets.*

Conscient

INTUITION — 70%

INTELLECT — 90%

88%

SOCIABILITÉ — 67%

AFFECTIVITÉ — 80%

VOLONTÉ

ÉMOTIVITÉ — 30%

Inconscient collectif ★

Inconscient individuel

ACTIVITÉ

RÉACTIVITÉ — 35%

DYNAMISME — 82%

MORALITÉ — 85%

92%

75%

83%

SENSORIALITÉ

VITALITÉ

Subconscient

1-CARACTÈRE : 85%
2-RAYONNEMENT : 78%
3-RÉSONANCE : 63 000 v/s
4-COULEUR : Vert

5-DOMINANTES : Intellect-Activité
6-VÉGÉTAL : Gentiane
7-ANIMAL : Crapaud
8-SIGNE : Vierge

Christiane

et prénoms aux caractéristiques analogues

Augusta	*Christiane*	Flavie	Murielle
Bérénice	Christilla	Flavienne	Victoire
Candida	Christina	Guillaumette	Victoria
Candide	Christine	Guillemette	Victorine
Christel	Domitille	Laurie	
Christelle	Flavia	Muriel	

□ **Type caractérologique**

Elles sont flegmatiques. Cela ne veut pas dire qu'elles soient inactives, loin de là ; mais leur émotivité est amortie et les réactions un peu décalées. On pourrait dire familièrement qu'elles possèdent « l'esprit de l'escalier ». Elles ne se précipitent pas pour agir, mais elles agissent avec beaucoup de sérieux. Elles ne s'affolent pas, et c'est une qualité remarquable chez une femme ! Elles ont les pieds sur terre et ne passent pas leur vie à rêver, même si, le matin, elles ont du mal à démarrer. Donc, ne bousculez pas ce type d'enfants, réveillez-les une demi-heure plus tôt, c'est tout !

□ **Psychisme**

Légèrement introverties, elles ne livrent pas facilement le secret de leur âme. On ne sait pas toujours ce qu'elles pensent et leur silence pourrait faire croire à une bouderie alors qu'elles observent et écoutent. Elles sont souvent très objectives et ne cherchent pas à accaparer tout ce qui les approche ; au contraire, elles donnent, mais à condition que cela fasse partie de leur plan de vie. Elles semblent timides parce qu'elles sont réservées et risquent de donner l'impression de manquer de confiance en elles parce qu'elles pensent avant d'agir.

□ **Volonté**

Elle est excellente avec toutefois une petite réserve. Il semblerait que ces femmes n'aillent pas toujours au bout de leurs décisions volontaires et que lorsque leur travail est « embrayé » elles regardent un peu tourner la machine et se laissent conduire par elle...

□ **Emotivité**

Cette émotivité, nettement au-dessous de la moyenne, va évidemment donner un aspect réfléchi, voire timide, à ces sujets qui ont besoin de temps pour penser et se décider. Il faudra donc les « activer » sans les bousculer, car elles sont susceptibles et repliées sur elles-mêmes.

□ **Réactivité**

Ce type de caractère assez neutre ne peut donc avoir qu'une réactivité assez faible correspondant à peu près à l'émotivité. Les Christiane et

147

prénoms apparentés ne se servent pas tellement de leur chance pour la simple raison qu'elles n'en ont pas besoin. Leur sens de la méthode et de la précision les amène à jouer sûrement. Une réussite satisfaisante plutôt que brillante les attend presque toujours mais assez tardivement. En résumé, nous pouvons dire que si elles n'ont pas la fantaisie débridée de certaines « fofolles », on trouve chez elles des qualités de sérieux alliées à un charme durable qui font d'elles très souvent de « grandes bonnes femmes ».

□ Activité

Ici, l'activité est un peu supérieure à la volonté, ce qui indique que ces « prénoms-caractères » se réfugient plutôt dans l'action et, parfois, se laissent « dévorer » par leur profession. Elles sont généralement passionnées par leurs études, qu'il s'agisse d'études classiques, de finances, de diplomatie ou de technique. Elles seront chercheurs, ingénieurs, électroniciennes ou enseignantes remarquables. La conscience professionnelle est très forte, la fécondité mentale est puissante, l'attention redoutable. Bien surveiller l'orientation professionnelle de ces enfants qui ont besoin pour se décider d'être très documentées. Ne leur imposez jamais un choix, discutez-en longuement avec elles.

□ Intuition

Elle est contrôlée. Elles ne vivent pas d'inspirations fulgurantes et ne se jettent pas à l'eau n'importe comment. Elles organisent leur action minutieusement, ce qui les entraîne parfois à ne pas agir, car elles ont peur d'entreprendre à contretemps. Là encore, il faudrait amener les enfants à réaliser leurs projets au risque de se tromper. Bien leur expliquer que la vie est aussi un jeu...

□ Intelligence

Elles sont très intelligentes et, souvent, elles disposent d'un mode de pensée assez masculin. Sur le plan du travail, elles s'intègrent bien à une équipe où les hommes sont en majorité. Elles possèdent une intelligence analytique qui cherche patiemment le détail. Beaucoup de mémoire. La parole est précise, un peu lente parfois, et la curiosité saine et efficace.

□ Affectivité

Ce ne sont pas des petites filles qui se jettent dans vos bras à chaque instant pour vous dire : « Tu m'aimes, dis ? » Il faut leur faire comprendre toute l'affection que vous leur portez sans pour cela vous livrer à de grandes démonstrations qui risqueraient de les perturber. Plus tard, leur mari devra adopter la même attitude et ne pas les bousculer sur le plan affectif. Dans ce domaine, il faut bien se faire comprendre d'elles, car les malentendus s'effacent difficilement et elles ont du mal à pardonner. Une pointe d'amertume dans leur sentimentalité qui provient peut-être de leur végétal totem : la *gentiane*.

□ Moralité

Une certaine moralité de convention que certains appelleraient « bourgeoise ». Elles ne veulent pas choquer même si, parfois, l'envie les prend de ruer dans les brancards. Une certaine façade ! En matière de religion, ce ne sont pas des fanatiques. Leurs croyances sont raisonnables et souvent froides. Avec elles, on est loin du miracle et plus proche du pari de Pascal.

□ **Vitalité**

Elle est relativement moyenne et leur enfance exigera une surveillance attentive mais sans leur donner l'impression d'être surveillées. Elles sont prédisposées à être lymphatiques. Elles ont besoin de mener une vie sobre et d'être le plus souvent possible au grand air, de faire de la marche et du sport. Le ski leur est recommandé. Elles sont très sensibles à toutes les maladies virales, à l'hépatite en particulier. Attention à la décalcification, donc aux os et aux dents. Besoin de beaucoup de sommeil. Forte tendance au surmenage. Signalons enfin qu'elles sont de celles « qui ne s'écoutent pas », ce qui provoque bien des déboires.

□ **Sensorialité**

Un chapitre délicat à aborder et qui a le don de les hérisser. « De quoi se mêle-t-on ? Ça ne regarde que moi ! » Quant à leur sexualité proprement dite, c'est le côté secret de leur petit monde ! Pour en parler à mots couverts, disons que toute la vie, elles seront comparées à leur plante totem, la *gentiane* qui, extérieurement, est amère et qui est pleine d'appétits au-dedans... Mais, attention aux refoulements.

□ **Dynamisme**

Notre schéma nous apprend que leur dynamisme est nettement inférieur à leur activité et qu'il leur faut donc un certain temps pour se faire apprécier à leur juste valeur. Dès la première enfance, apprenez-leur à sortir de leur coquille, amenez-les à s'exprimer. Le grand danger serait de se contenter du comportement pondéré de ces enfants. Il faut au contraire leur donner confiance, combiner la discipline et la fantaisie.
Le sens de l'amitié est vif, aussi bien envers les amies que les amis. Elles sont peu nombreuses les femmes avec qui un homme peut être camarade de métier ou de sport ; ces personnes sont de celles-là. Elles sont coopératives dans le travail, solides devant l'échec, redonnant confiance d'un mot, tenaces, fidèles...

□ **Sociabilité**

Elles sont sociables, mais sans plus. Recevoir pour recevoir ne les amuse pas et elles préfèrent des amis triés sur le volet au tohu-bohu des « parties ». Elles aiment tout ce qui est organisé et même un peu solennel. Elles détestent les irruptions forcenées des copains qui vous font « une bonne surprise ». Il faut leur apprendre à recevoir d'une manière plus détendue.
Le respect de la famille et des conventions joue beaucoup et elles seront des mères rigoureuses mais justes. D'un grand courage, elles savent dans certains cas devenir de remarquables chefs de famille.

□ **Conclusion**

Des femmes solides qui n'ont que faire des mouvements de libération féminine mais qui ont besoin, toutefois, d'avoir auprès d'elles des parents ou un mari solides qui les fortifient dans leur désir d'avoir un foyer stable et organisé où l'on s'occupera d'elles sans les tyranniser... Sont-elles un peu sorcières, comme le laisserait supposer leur animal totem, le *crapaud,* dont le regard et l'immobilité fascinent ? Qui le sait ?

CHRISTOPHE

Personnalité : *Celui qui porte la vie, qui conduit la vie.*

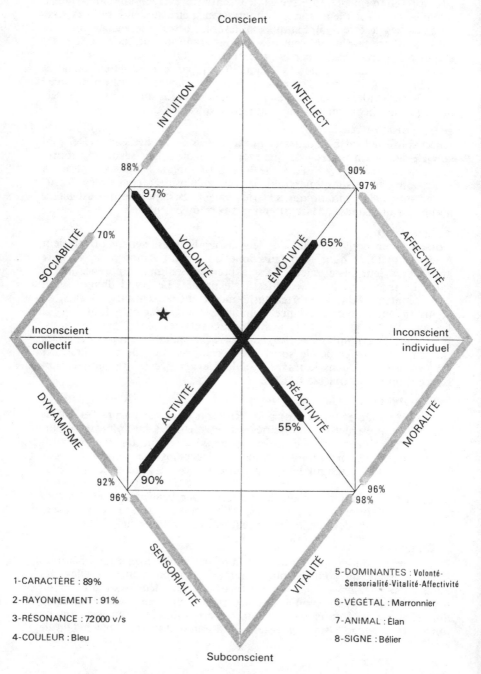

Conscient

INTUITION — INTELLECT

88% 90%
97% 97%

SOCIABILITÉ 70%

VOLONTÉ — ÉMOTIVITÉ 65%

AFFECTIVITÉ

Inconscient collectif ⭐ Inconscient individuel

DYNAMISME

ACTIVITÉ — RÉACTIVITÉ 55%

MORALITÉ

92% 96%
96% 98%
90%

SENSORIALITÉ — VITALITÉ

Subconscient

1-CARACTÈRE : 89%

2-RAYONNEMENT : 91%

3-RÉSONANCE : 72 000 v/s

4-COULEUR : Bleu

5-DOMINANTES : Volonté-Sensorialité-Vitalité-Affectivité

6-VÉGÉTAL : Marronnier

7-ANIMAL : Élan

8-SIGNE : Bélier

Christophe

et prénoms aux caractéristiques analogues

Anaïs	Casimir	Hervé	Salomon
Anicet	*Christophe*	Nestor	Sébastien
Apollinaire	Fortunat	Renan	Xavier
Apollos	Ghislain	Ronan	

□ Type caractérologique

Ils sont passionnés par tout ce qui est vie. Ils sont d'une grande émotivité, et tout les intéresse. Ce sont des chercheurs qui passent leur existence à essayer de comprendre le « pourquoi » des choses. Très actifs, il faut toujours leur donner l'occasion de se réaliser, d'utiliser l'élan qui est en eux. Ils pourraient d'ailleurs, au propre et au figuré, avoir comme animal totem, le grand *élan,* ce roi des immenses territoires du Nord. Leur passion débouche justement sur une certaine froideur, due à des réactions secondaires qui, heureusement, tempèrent et disciplinent leur côté explosif. On ne saurait mieux les définir que par ces paroles que Romain Rolland mettait dans la bouche de son héros, Jean-Christophe, qui, à sa dernière heure, murmurait : « Un jour, je reviendrai pour d'autres combats. »

□ Psychisme

Ce sont des extravertis, très ouverts sur le monde et en même temps capables de réfléchir quand il le faut. Très peu influençables, ce n'est pas en les menaçant qu'on les fera agir, mais par le libre jeu de l'émulation. Ils ont une âme de premier de la classe. Il faut savoir les encourager. Nous avons vu que ce sont des émotifs qui ont besoin de compréhension et d'amour, même s'ils ne sont pas d'un abord très facile, comme le fruit du *marronnier,* leur végétal totem à la capsule hérissée de piquants !

□ Volonté

Cette volonté est, avant tout, liée au désir d'être premier. « Si je ne suis pas celui que l'on admire, que l'on envie, que l'on jalouse, à quoi bon vouloir ? » Cette volonté a besoin d'un public, est dépendante de ce public, et s'effondre, souvent, avec la disparition de ce public...

□ Emotivité

Elle est presque trop forte et orientée vers le sujet lui-même. « Je suis concerné, on me regarde, il faut que je triomphe... » Ils réussissent à être objectifs, mais avec beaucoup de difficultés. Certains ramènent tout à eux, mais d'une manière générale, ils sont assez altruistes. Incitez

151

donc ces enfants à être généreux, très tôt ! Leur confiance en soi est bonne, bien qu'ils aient des timidités soudaines qui surprennent.

□ Réactivité

Il s'agit presque de susceptibilité. Habituellement, ils n'ont pas un sens aigu de l'opposition et on peut arriver facilement à les raisonner. Par contre, ils ressentent assez durement les échecs et les ruminent long-temps. Ne les laissez pas se fixer sur une défaite. Profitez de leur élan de vivre et remettez-les vite sur rails en leur proposant, non pas un but nouveau, mais une nouvelle vision de ce qu'ils poursuivent avec tant de patience.

□ Activité

Elle ne suit pas tout à fait la volonté qui l'accompagne et qui, normale-ment, devrait la dominer. Pourquoi ? Paresse, hésitation ? Très attirés par les professions médicales ou para-médicales, ils font d'éminents gynécologues et savent très bien accepter la discipline qu'exigent des métiers comme ceux de chirurgiens, d'explorateurs, d'enseignants, de chercheurs, etc. Ils font aussi d'excellents militaires. Ils ont beaucoup de conscience professionnelle. Ils s'adaptent avec une certaine lenteur. Très stables. Sens artistique moyen, imaginatifs, doués d'une bonne atten-tion.

□ Intuition

Ils possèdent beaucoup d'intuition et leur flair est étonnant. Soyez francs avec eux. Ils ont de l'autorité, et si leur séduction est quelque peu discrète, elle est efficace, avec toutefois des à-coups. Mais toujours ils font intervenir leur psychologie spontanée qui chez eux est une arme redoutable.

□ Intelligence

Très sûre, très souple. Mémoire vigoureuse du genre synthétique qui retient tout et qui classe tout. Ce sont des enfants qu'il faut intellectuel-lement « suralimenter ». Ils comprennent à 5 ans ce que d'autres ne sai-sissent qu'à 7 ou 8 ans. Il convient de leur parler clairement et nette-ment. Ils ont besoin d'une grande rectitude. Leur curiosité est intense et même parfois brutale.

□ Affectivité

Ils sont passionnés et donc possessifs sur le plan de l'affection. Leurs amours et leurs haines sont lentes à venir, mais toujours durables. Ils sont jaloux. Cette jalousie devra être combattue dès le plus jeune âge, car plus tard elle risque de prendre les allures d'une revendication ou même d'une explosion anarchique et provocatrice.

□ Moralité

Cette moralité se situe au même niveau que la volonté et que l'affecti-vité. Cela veut dire que le sujet peut être maître de lui-même et qu'il possède un grand sens du devoir et de la famille. Ils feront de très bons pères, fermes et affectueux.
Ils aiment croire en quelque chose ou en quelqu'un. Ne les décevez pas, ne les déséquilibrez pas en niant toute foi, en vous moquant de tout.

Respectez leurs croyances, même et surtout si elles ne sont pas les vôtres. Ils ont un grand sens de l'amitié et choisissent fort bien leurs amis. Ils sont généralement très fidèles.

□ Vitalité

Leur vitalité est remarquable ; donc santé excellente, mais prendre garde aux coups de froid. Le foie est sensible, les excès alimentaires, et en particulier ceux dus à l'alcool, sont à proscrire. La résistance à la fatigue est bonne, mais pour combattre la tendance au surmenage intellectuel, il faudra de longues marches, des sports sans brutalité, beaucoup de sommeil et un régime équilibré. Se méfier du tabagisme.

□ Sensorialité

Cette sensorialité est très présente et leur posera des problèmes tout au long de leur vie. Ce sont des passionnés et à l'image de leur animal totem, le *« grand élan »*, ils sont prêts à se battre à mort pour leur suprématie sexuelle. Là aussi, ils veulent être les premiers. Ils sont précoces et, chez eux, le sentiment protecteur se développe en même temps que le désir d'agression lorsque survient la puberté. Ils sont très paternels et cherchent à protéger, à rassurer les autres. Plus tard, ils seront attirés par les « femmes-enfants ».

□ Dynamisme

C'est par le travail et la chance réunis qu'ils obtiennent la réussite. Vie bien remplie, faite de recherches intelligemment menées. Ce sont des porte-flambeau de cette humanité qu'ils aiment tant.
Le problème du choix joue un grand rôle chez eux et ils ne doivent pas se tromper de direction car ils auraient du mal plus tard à se réorienter. Ils pourraient être comparés à ces marronniers dont les fruits sont d'une fermeté et d'une beauté saisissante et qui ne se révèlent que dans un choc. Il ne faut jamais contrarier leur vocation car ils y réfléchissent depuis leur plus jeune âge.

□ Sociabilité

Elle est moyenne. Ils ont d'autres choses à faire que de passer leur temps avec leurs contemporains pour le plaisir de parler. Il ne faut jamais qu'ils aient à choisir entre leur devoir et leur passe-temps. Priorité à leur mission.

□ Conclusion

Ce sont des voyageurs. Ils ont besoin d'arpenter le monde pour en saisir l'existence, pour en comprendre la vie. Ne soyez pas choqués par les questions inlassables que posent ces êtres ouverts à tout ce qui existe. Ils veulent comprendre et pour cela ils vivent... pleinement... presque sauvagement !

CLAIRE

Personnalité : *Celle qui tranche, qui décide.*

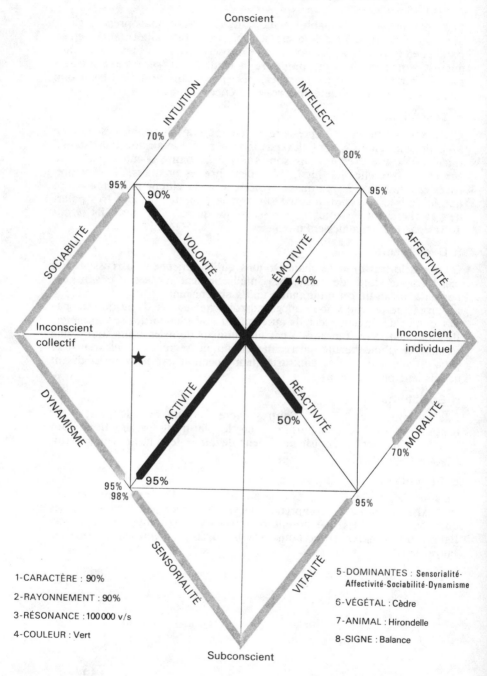

Conscient

INTUITION 70%

INTELLECT 80%

95%   90%   95%

SOCIABILITÉ

VOLONTÉ   ÉMOTIVITÉ

AFFECTIVITÉ

40%

Inconscient collectif

Inconscient individuel

DYNAMISME

ACTIVITÉ   RÉACTIVITÉ

MORALITÉ

50%

70%

95%   95%
98%

95%

SENSORIALITÉ   VITALITÉ

Subconscient

1-CARACTÈRE : 90%

2-RAYONNEMENT : 90%

3-RÉSONANCE : 100 000 v/s

4-COULEUR : Vert

5-DOMINANTES : Sensorialité-Affectivité-Sociabilité-Dynamisme

6-VÉGÉTAL : Cèdre

7-ANIMAL : Hirondelle

8-SIGNE : Balance

Claire

et prénoms aux caractéristiques analogues

Augustine	**Clarence**	**Karina**	**Léonie**
Benjamine	**Clarisse**	**Laure**	**Philiberte**
Claire	**Etiennette**	**Laurence**	**Sophie**
Clairette	**Hectorine**	**Laurentine**	
Clara	**Justine**	**Léone**	

□ Type caractérologique

Dès leur plus jeune âge, ce sont des personnages étonnants. Ces passionnées imposent un rythme extraordinaire à leur famille. D'une grande activité, elles évoluent avec un sang-froid admirable au milieu d'un petit monde qu'elles mènent à la baguette. Elles savent être à la fois ardentes et flegmatiques et ce qui dominera toujours chez elles, c'est leur possibilité de résoudre un problème en quelques instants. Il faut donc faire bien attention à ce que ces enfants ne soient pas brimées par des décisions arbitraires provenant de parents ou d'éducateurs bloqués. Elles sont pleines de débrouillardise, ne tiennent jamais en place et comme leur animal totem, l'*hirondelle,* elles ont la bougeotte, adorent le soleil et ne reculent devant aucun voyage.

□ Psychisme

Ce sont des extraverties, c'est-à-dire que chez elles tout doit être dit et vécu. Elles ne vivent pas dans l'ombre, ont besoin de se définir et pratiquent volontiers une sorte de « strip-tease » mental assez surprenant. Ecoutez-les attentivement, ces enfants, car rien ne les blesse autant qu'un aveu inachevé ou une confidence refusée.

□ Volonté

Est-ce de la volonté ou bien de l'ambition ? Est-ce qu'elles veulent pour vouloir ou bien par désir de paraître, de s'affirmer au-delà de l'obstacle ou de l'opposition ? En réalité ce sont elles qui décident au gré de leur fantaisie... ou de leur intérêt !

□ Emotivité

C'est une émotivité subtile qui en arrive à être de commande. Autrement dit, elles sont parfaitement capables de jouer l'émotion en se convainquant elles-mêmes à l'aide de confidences émouvantes et plus ou moins imaginaires. De la duplicité ? Non, un jeu !

155

□ Réactivité

Elles sont réactives. Elles n'acceptent pas que les choses se fassent sans elles et qu'elles n'aient pas un rôle prépondérant, sinon définitif, dans la comédie de la vie.

Elles ont un sens très vif de l'amitié, elles aiment se sentir entourées d'une bande joyeuse et brillante d'amis. Les échecs ne les affectent guère. Le refoulement est rare chez elles, leur existence étant une sorte d'auto-analyse continuelle qui se traduit par une autosatisfaction définitive.

Mais attention, ne vous laissez pas dévorer par elles. Ecoutez-les, certes, mais ne vous mettez pas à jouer les magnétophones et donc à enregistrer ces « paroles d'évangile ». Sachez discipliner ce flot de paroles en les précipitant dans l'action. Une enfant de ce type, inactive, c'est une grenade dégoupillée !

□ Activité

On ne peut pas dire qu'elles soient très passionnées par les études. Elles vivent de coups de tête et n'apprennent vraiment qu'en feuilletant le livre du monde, c'est-à-dire en voyageant. Il est facile de comprendre qu'elles ne chercheront avant tout qu'à se déplacer. Ce seront des reporters remarquables, d'excellentes attachées de relations publiques, et dans tous les cas de ferventes voyageuses. Leur conscience professionnelle est assez relative et dépend de l'intérêt qu'elles portent à ce qu'elles font. Elles sont toujours prêtes à partir et à s'expatrier.

□ Intuition

Elles ne sont pas très intuitives et se fient beaucoup plus à leur réflexion qu'à leur inspiration. Leur séduction est grande car elles apportent la gaieté dans l'action, et l'action dans l'amour !

□ Intelligence

Elles ont une intelligence globale, des gestes précis, un esprit rapide. Habiles de leurs mains, elles savent tout faire, du moins elles le disent. Cette intelligence est synthétique et ce sont des femmes d'affaires de premier ordre.

□ Affectivité

Ce type caractérologique veut être aimé. Elle vous demandera dix fois par jour si elle est bien votre enfant préférée, et comme vous lui répondrez affirmativement, elle se précipitera vers ses frères et sœurs pour leur expliquer, abondamment, qu'elle est bien votre enfant préférée. Autrement dit, elles savent semer la pagaille avec un art consommé ! Est-il besoin d'ajouter après cela qu'elles ont un caractère enjoué et un esprit sautillant ?

□ Moralité

Où commence-t-elle cette moralité et où finit-elle ? Dieu seul le sait ! A les entendre, elles seraient capables des plus grands héroïsmes, des renonciations totales et des retraites définitives ! A les voir, rieuses, on les trouve plus compréhensives, plus charitables aux faiblesses d'autrui et plus sensibles à leurs propres erreurs. D'adorables pécheresses sur la voie de la rédemption !

156

En matière de foi, elles sont très éclectiques. Elles adoptent souvent la religion la plus à la mode, car elles aiment être dans le vent.

□ Vitalité

Elles ont la vitalité et la résistance nécessaires à l'accomplissement de leur vie agitée. Elles sont gourmandes et cela leur joue de mauvais tours, en particulier leur poids risque de leur causer bien des soucis. Très jeunes, il faut surveiller leur régime, car elles sont guettées par la cellulite. Ce sont des enfants qui ont besoin de beaucoup de sommeil, mais qui ont horreur de se coucher tôt.

□ Sensorialité

Ah ! la belle sensorialité que voilà ! Examinez donc le carrefour que dessine notre schéma psycho-structurel et où l'on voit l'activité, le dynamisme et la sensorialité se rencontrer au plus haut niveau et se conjuguer avec une fureur de vivre et d'aimer dont il est peu d'exemples !
Toute leur vie, elles auront tendance à se jeter à la tête des gens qu'elles aiment et, il faut bien le dire, elles aiment facilement. Elles jouissent d'un grand cœur et il suffit d'avoir envie d'être consolé pour intéresser immédiatement ces ravissantes consolatrices, mais n'oubliez jamais qu'elles ont des instincts d'hirondelle, même si elles possèdent la secrète sagesse des *cèdres* du Liban si chers à Salomon ! C'est évidemment leur végétal totem.

□ Dynamisme

Donc, au travers de nos paramètres caractérologiques précédents, il se dessine un dynamisme plein de potentialité et de tumulte. Il soutient merveilleusement son activité comme il est soutenu lui-même par une étonnante sensorialité. Quel programme !

□ Sociabilité

Elles sont infiniment sociables et aiment recevoir à leur table. Elles raffolent des surprises, et les vacances sont pour elles l'occasion de mener une existence échevelée. Elles ont de la volonté quand elles le veulent. Leur moralité est bonne mais inégale. Elles aiment beaucoup la famille ; ce sont des mères un peu fantaisistes mais pleines d'amour pour leurs enfants. Quant à leur rôle d'épouses, elles le conçoivent d'une manière un peu farfelue et il faudra à leur mari une bonne dose de philosophie pour apprécier pleinement l'amour primesautier de ces femmes au grand cœur.

□ Conclusion

Une conclusion discrète, car nous avons tout dit, ou tout au moins beaucoup laissé entendre... Un dernier coup de chapeau. Elles ont de la chance et elles s'en servent. Elles sentent d'où vient le vent. Elles sont dans le coup. Elles réussissent par leur snobisme et leur entregent. Elles sont brillantes. Ce sont de délicieux petits démons que les anges aiment épouser. Les malheureux !...

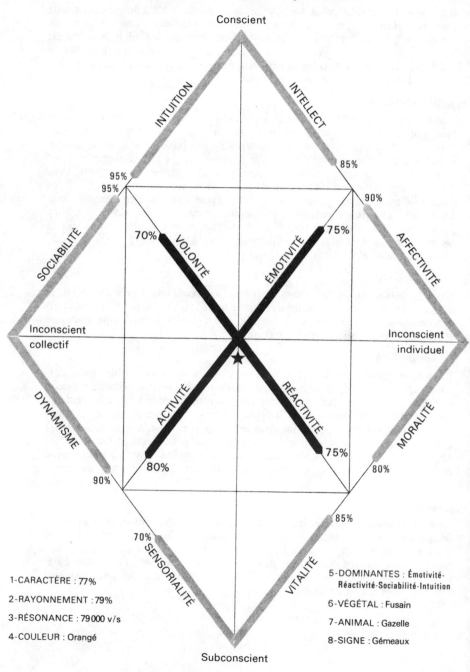

CLAUDE (M)

Personnalité : *L'homme qui bondit.*

Conscient

INTUITION

INTELLECT

85%

95%
95%

90%

SOCIABILITÉ

70% VOLONTÉ

ÉMOTIVITÉ 75%

AFFECTIVITÉ

Inconscient
collectif

Inconscient
individuel

DYNAMISME

ACTIVITÉ

RÉACTIVITÉ

MORALITÉ

90%

80%

75%

80%

85%

70%

SENSORIALITÉ

VITALITÉ

Subconscient

1-CARACTÈRE : 77%

2-RAYONNEMENT : 79%

3-RÉSONANCE : 79 000 v/s

4-COULEUR : Orangé

5-DOMINANTES : Émotivité-
Réactivité-Sociabilité-Intuition

6-VÉGÉTAL : Fusain

7-ANIMAL : Gazelle

8-SIGNE : Gémeaux

Claude

et prénoms aux caractéristiques analogues

Bertin	*Claude (M)*	Elphège	Jude
Bertrand	Claudius	Ferréol	Pascal
Bienvenue (M)	Clovis	Hermann	Urbain
Brieux	Conrad	Innocent	

□ Type caractérologique

Les prénoms de ce type sont axés sur celui de Claude qui lui-même est un prénom double, ou androgyne, c'est-à-dire qu'il peut être masculin ou féminin, sans modification d'orthographe, ce qui pose déjà certains problèmes caractérologiques. Mais comme c'est le prénom des hommes qui nous intéresse, disons que celui-ci peut se diviser en deux : les êtres qui s'attachent à l'endroit où ils vivent, et qui sont en quelque sorte « domestiqués », qui ont le *fusain* comme végétal totem, tandis que les autres sont plus audacieux, avec un léger excédent de féminité dans leur personnalité, et correspondent à la *gazelle,* leur animal totem. Il est important pour les parents de reconnaître très tôt le type auquel leur enfant appartient.

□ Psychisme

Ils sont à la fois introvertis, c'est-à-dire qu'en certains cas ils refusent le contact avec la vie et se replient sur eux-mêmes, et à la fois légèrement exhibitionnistes, aimant se donner en spectacle. Ils racontent sur leur personne toutes sortes d'histoires dont la plupart sont inventées, ils sont profondément sensibles à cette dualité qui les habite. Les parents, sachant cela, devront éviter toute allusion à ces changements de personnalité de façon à ne pas accentuer cette séparation caractérielle. Il leur faudra admettre, une bonne fois, que leur enfant est un aigle à deux têtes.

□ Volonté

La volonté est relativement faible et si vous consultez le schéma psycho-structurel, vous découvrirez que c'est le paramètre caractérologique de base ayant le plus faible pourcentage, ce qui ne manque pas d'être quelque peu inquiétant.

□ Emotivité

Elle est plus forte que la volonté et presque égale à l'activité, ce qui laisse supposer que la vie de ces êtres sera de nature nerveuse et artistique. Grande sensibilité mais aussi psychisme en dents de scie avec des « hauts » délirants et des « bas » effondrés...

□ Réactivité

Nettement excessive et se situant au niveau de l'émotivité. Ils ont surtout tendance à croire ce qu'ils voient et ce qu'ils comprennent, mais cela ne les empêche pas d'avoir l'esprit large. Leurs amitiés sont nombreuses et risquent parfois d'être ambiguës. Il y aurait intérêt, pour leur assurer un bon équilibre, à ce que ces enfants aient une vie au grand air, virile et saine. Nous avons dit qu'ils étaient susceptibles, ajoutons qu'ils sont très sensibles à l'échec.

□ Activité

Quoique moyenne, cette activité entraînera plus souvent la décision que la volonté même. Autrement dit, cette activité dépendra des circonstances et déjouera toutes prévisions. Le temps des études est davantage une découverte du monde et de ses problèmes qu'une recherche de connaissances livresques. Pour eux, les vivants qui passent dans la rue sont plus passionnants que les ombres qu'évoquent les livres. Ils ont du mal à concentrer leur attention et il faudra que les parents surveillent leurs études de près, en collaboration étroite avec un psychologue. Ils sont attirés par tout ce qui touche au luxe, à la fantaisie. Leur imagination créatrice les conduira assez souvent à se lancer dans la couture, dans le music-hall, dans la danse où ils sont remarquables. Ce sont d'excellents musiciens et aussi des chanteurs de talent. Leur orientation professionnelle n'est pas facile car ils se déterminent en fonction des événements et, plus rarement, selon une vocation qu'ils auraient eue dès leur jeunesse. Mais il ne faut pas avoir d'inquiétude pour eux car ils se débrouillent au-delà de toute espérance.

□ Intuition

Ils ont une intuition plutôt féminine, et ils en sont conscients. Ils sont susceptibles mais manient l'ironie d'une manière assez blessante pour les autres. Ils possèdent des dons remarquables. Ils s'adaptent facilement. Mais cette intuition est, elle aussi, un peu encombrante, et il ne faudrait pas qu'ils se laissent entraîner vers des expériences divinatoires et occultes sans issue.

□ Intelligence

Dans tous les cas l'intelligence est souple et rapide, analytique. Leur activité est bonne et surtout leurs réactions sont remarquables. Les enfants portant ce prénom ont souvent l'habitude de répliquer. Il faut les remettre aussitôt à leur place, sous peine de les voir devenir d'une insolence insupportable. Leur mémoire est excellente et leur curiosité n'est jamais satisfaite.

□ Affectivité

Ils sont orgueilleux et ressentent intensément les comparaisons défavorables à leur égard que leurs parents pourraient faire avec leurs frère et sœur. Plutôt que d'être aimés inconditionnellement, ils demandent à être compris, ils veulent s'expliquer. Ce n'est pas une des moindres contradictions de leur caractère que ce mélange d'indépendance farouche et de ce besoin du refuge que représente la famille et surtout la mère. C'est toujours le côté double de leur personnalité : la niche et la liberté. Si les choses vont mal, si l'âme est blessée, alors c'est l'appel à la famille, à la tendresse. Mais voici que reviennent les beaux jours, alors, sans un au revoir, ils reprennent la route.

□ Moralité

Elle est moyenne. Là encore, c'est une moralité de circonstance car il ne faut pas chercher chez eux le recours à des principes établis. Par contre, ils réagissent assez bien à un « dressage » moral, c'est-à-dire que, tout enfant, il convient de créer chez eux des automatismes de réactions à certaines situations données. En effet, ils ont parfois tendance à s'affoler, à perdre la tête et s'ils ont l'habitude d'obéir à un schéma de comportement précis, ils se laisseront guider par leurs réactions conditionnées.

□ Vitalité

Leur santé est un peu boiteuse. Elle est bonne en réalité. Ils ont beaucoup de vitalité, mais ils se servent un peu de leurs indispositions pour se créer un personnage, pour se valoriser à leurs propres yeux et aux yeux des autres. Il faut donc les équilibrer à tout prix par une stricte discipline de vie. Du sport et un régime diététique qui les calme et les fortifie. Leurs points faibles : poumons, cœur et nerfs. Attention à la gourmandise de ces jeunes pour qui les sucreries sont un calmant nerveux, du moins le croient-ils !

□ Sensorialité

Elle est un peu hésitante. Dans le principe, ils n'ont pas de besoins immédiats et violents. C'est au fil des événements que se dessinent leurs désirs. Ce sont avant tout des hommes de rencontres ; attentifs à la vie, curieux et prêts à beaucoup d'expériences. Ils possèdent une sexualité qui dépend de leur état d'âme et de l'environnement. Les prénoms androgynes posent souvent des problèmes difficiles à résoudre en cette matière, mais ces problèmes existent aussi — à des degrés différents peut-être pour les prénoms ayant des caractéristiques semblables.

□ Dynamisme

Ils sont rapides comme leur animal totem, la gazelle, mais leur dynamisme, tout en étant important, n'en est pas moins superficiel. Ils s'enthousiasment rapidement, ils bâtissent des châteaux en Espagne avec une vitesse prodigieuse puis, tout à coup, se désintéressent d'un projet qui était toute leur vie un quart d'heure plus tôt et les voici se lançant dans une nouvelle aventure avec la même fougue un peu brouillonne.

□ Sociabilité

Ce sont des enfants très séduisants pour leurs parents et surtout pour leur mère qui ne devra pas se laisser accaparer par son fils. Ils sont sociables, mais d'une sociabilité hétéroclite. Il faut essayer de les fixer dès leur plus jeune âge et ne pas les laisser faire leur « numéro », car ils ont souvent un côté « cabot ». D'une moralité de circonstance, d'une volonté à éclipses, il faut les endiguer et ne pas les laisser abuser de leur chance qui est grande, et compromettre aussi leur réussite qui est généralement très belle.

□ Conclusion

Un prénom à la fois passionnant et difficile à porter, mais riche de possibilités. On ne s'ennuie pas avec eux, même s'ils vous inquiètent parfois. Mais courir après une gazelle n'est pas toujours de tout repos...

CLAUDINE

Personnalité : *La femme de feu.*

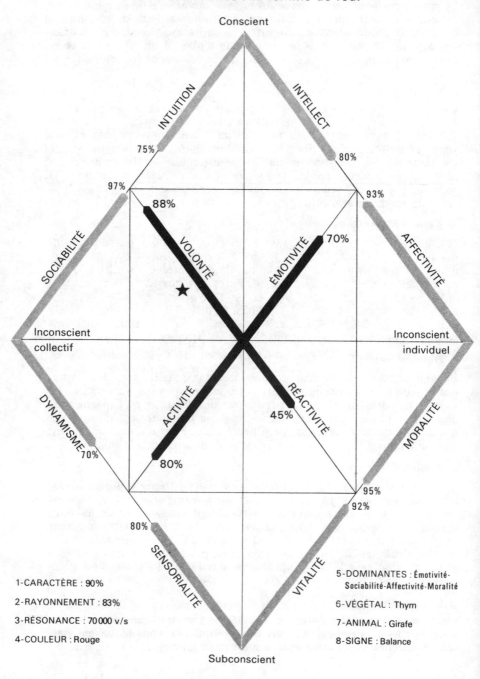

1-CARACTÈRE : 90%

2-RAYONNEMENT : 83%

3-RÉSONANCE : 70 000 v/s

4-COULEUR : Rouge

5-DOMINANTES : Émotivité-
Sociabilité-Affectivité-Moralité

6-VÉGÉTAL : Thym

7-ANIMAL : Girafe

8-SIGNE : Balance

Claudine

et prénoms aux caractéristiques analogues

Alèthe	Fanny	Josèphe	Prisca
Alette	Géronima	Nella	Roberte
Aliette	Gwladys	Nelly	Robertine
Arabelle	Hermine	Paula	Sabrina
Charlotte	Herminie	Paule	Toussainte
Claudine	Jacquette	Paulette	Violaine
Daria	Jacquotte	Peggy	Violette

□ **Type caractérologique**

Ce sont habituellement des sentimentales, d'une forte émotivité, d'une activité très moyenne, aux réactions assez lentes. Elles seraient donc plutôt sentimentales, flegmatiques, correspondant fort bien à leur animal totem, la *girafe,* que l'on imagine aisément, un peu dégingandée, haute et souple sous l'intense soleil de l'équateur. Il y a quelque chose de très adolescent chez ces personnes qui sont agréables à vivre, peu contrariantes, et s'adaptent avec facilité à toutes les situations.

□ **Psychisme**

Elles sont extraverties. Il leur faut beaucoup de monde autour d'elles. Elles sont changeantes, moins par instabilité que par désir de nouveauté, car elles ne rejettent pas les anciens amis pour autant. Assez influençables, elles aiment la vie facile, aussi faut-il leur inculquer, très jeunes, des principes rigoureux. C'est d'ailleurs cette influençabilité qui fait que constamment elles se demandent si elles aiment ou si elles n'aiment pas, si elles ont bien fait de faire ceci ou cela car la moindre critique, la plus petite remarque les déconcertent et les troublent.

□ **Volonté**

La volonté est bonne et cependant elles donnent l'impression de ne pas aller toujours jusqu'au bout de leurs actes. Donc, ne laissez pas ces enfants renoncer rapidement à leurs projets. Exigez d'elles que toute action commencée soit totalement accomplie.

□ **Emotivité**

C'est le point faible de ces caractères séduisants, mais versatiles. Elles s'énervent très rapidement et si cette émotivité n'est pas canalisée et dirigée vers l'action, elles chercheront vite dans leur entourage, une occasion de s'amuser. Elles ont justement un très grand sens de l'amitié. Une amitié souvent tendre, qui peut créer quelques perturbations dans leur vie sentimentale, car elles auront du mal à séparer cette notion d'amitié de celle de sexualité.

163

□ Réactivité

Une réactivité très moyenne associée à une émotivité très forte, voilà de quoi compliquer ce tableau caractérologique. En effet, ces prénoms types sont porteurs d'une ambiguïté fondamentale, car, comme la girafe, elles sont lentes et solennelles extérieurement et bondissantes intérieurement. Curieux problème... Il y a chez elles une certaine indolence philosophique qui les amène à regarder les êtres et les choses avec un flegme plein de tendresse. Elles ont confiance en elles car elles sont sûres de leur charme, mais elles savent aussi s'enthousiasmer et se donner à une cause qu'elles estiment valable.

□ Activité

Elle est honorable mais toujours à la limite du « décrochage ». Il ne faut pas trop les pousser, ces chères enfants, pour renoncer à un projet et faire du vagabondage intellectuel ou tout simplement l'école buissonnière. Au moment de la puberté, leurs études risquent d'être perturbées. Là encore il faudra les surveiller pour que la coquetterie ne devienne pas chez elles une des matières de leur programme scolaire. Il sera nécessaire de bien leur faire comprendre l'importance de ces études. Leur orientation professionnelle risque d'être assez délicate ; elles sont attirées vers tous les métiers de luxe, de beauté, comme esthéticienne, coiffeuse, vendeuse dans la haute couture, etc., mais elles ont, par contre, tendance à changer assez souvent de métier et à manifester une certaine instabilité. Plus la profession qu'elles choisiront sera spécialisée et technique, plus elles auront de chance de s'y maintenir.

□ Intuition

Elles ne se servent pas tellement de leur intuition, ni même de leur imagination. Elles sont un peu statiques de ce côté-là et se contentent tel le *thym,* leur végétal totem, de répandre le parfum de leur présence sans chercher tellement à briller, même si elles aiment la vie brillante.

□ Intelligence

Leur intelligence est bonne, et du genre analytique, c'est-à-dire qu'elles cherchent le détail. Elles ont une excellente mémoire, mais une curiosité assez calme. D'une manière générale, elles ne sont pas tellement préoccupées par les problèmes intellectuels. De plus, elles ont une excellente opinion d'elles-mêmes et auraient parfois la tentation de prendre les autres pour des « attardés » !

□ Affectivité

Elles sont très affectueuses et ont besoin de se sentir aimées ; c'est à cela qu'elles jugent de la valeur de leur existence. Elles peuvent avoir de graves problèmes lorsqu'elles se croient délaissées. Il faudra, dès leur enfance, les entourer évidemment de tendresse, mais aussi leur apprendre à se suffire à elles-mêmes et à ne pas dépendre systématiquement de l'attention que les autres peuvent leur porter.

□ Moralité

Elle est excellente et plutôt secrète. Nous voulons dire par là que leur conduite assez décontractée laisserait supposer qu'elles font assez bon marché de leurs principes et puis, tout à coup, alors que l'on s'imagine que tout va très bien se passer, patatras, elles se bloquent, prennent un air pincé et s'éloignent apparemment calmes et solennelles !

Et leurs croyances ! De ce côté-là elles ne sont pas très fixées, et pour elles la religion est davantage l'expression d'un sentiment que d'une foi qui déboucherait sur des principes de vie.

□ Vitalité

La santé est bonne, mais il ne faut pas que leur adolescence soit troublée par des fatigues extra-scolaires. En effet, elles sont fort attirées par les bals et autres surprises-parties et passeraient volontiers une nuit à danser quitte à se plaindre de maux divers, le lendemain matin. Donc, là encore, de la discipline. Il peut leur arriver de faire de petites fièvres sans gravité, mais leur point le plus sensible c'est incontestablement l'appareil respiratoire, les poumons en particulier. Bien surveiller leur calcification au cours de l'enfance. Pas de tabac !

□ Sensorialité

C'est une sensorialité assez difficile à définir. Comme pour tout problème qui se pose à elles, on se demande toujours si elles veulent ou si elles ne veulent pas ! Et dans ce domaine, elles cèdent moins au désir qu'aux circonstances et moins aux circonstances qu'à la crainte de paraître stupides en prenant la fuite devant une situation délicate ou dangereuse.

Compliquées ? Non ! Elles ont parfois du mal à établir une frontière précise entre leur sentimentalité et leur sensualité. De toute manière elles possèdent beaucoup de sex-appeal et sont très attirantes. Il faudra bien expliquer à ces adolescentes jusqu'où elles peuvent aller pour ne pas aller trop loin.

□ Dynamisme

Ce n'est pas la joie ! Très en dessous du niveau d'activité, ce dynamisme, des plus moyens, donne l'impression que ces charmantes enfants se moquent éperdument du travail qu'elles sont obligées de faire. La réalité est plus complexe : finalement, elles le font bien ce travail, mais plus par conscience professionnelle que par enthousiasme. Il faudra développer ce dynamisme chez les jeunes par une utilisation astucieuse de la compétition et de l'amour-propre.

□ Sociabilité

On pourrait presque dire que leur sociabilité est tyrannique, tant elles ont besoin de se trouver dans une ambiance qui les sorte d'elles-mêmes, qui les porte. Le problème des vacances est essentiel pour elles. Leur volonté qui n'est pas un « roc » évolue avec les circonstances et dépend des êtres avec qui elles vivent. Leur chance est excellente et la réussite peut leur venir d'un seul coup grâce à une rencontre qui se termine souvent par un mariage.

□ Conclusion

On pourrait ainsi les définir : une jolie gazelle dans une peau de girafe. Donc, ne vous laissez pas prendre à ces fausses flegmatiques dont la lenteur apparente rassure et qui risquent de vous procurer bien des surprises. Ne pas trop leur laisser la bride sur le cou... Il est si long ! Et elles ont tellement tendance à se le monter !

CLÉMENT

Personnalité : *Celui qui crie.*

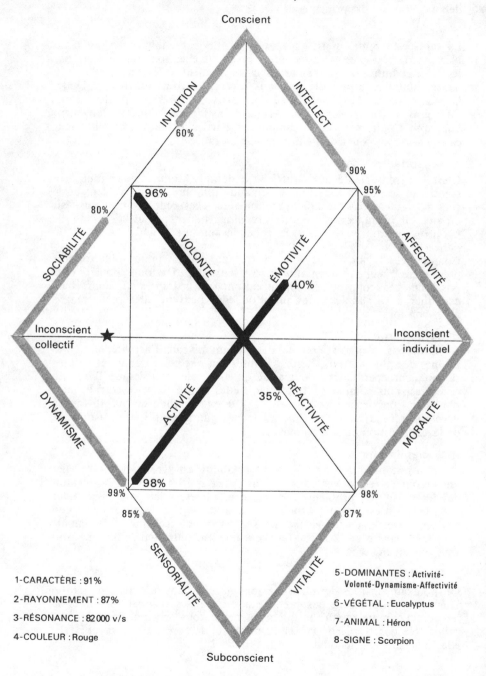

Conscient

INTUITION 60%

INTELLECT 90%

95%

96%

80%

SOCIABILITÉ

VOLONTÉ

ÉMOTIVITÉ 40%

AFFECTIVITÉ

Inconscient collectif ★

Inconscient individuel

DYNAMISME

ACTIVITÉ

RÉACTIVITÉ 35%

MORALITÉ

98%

99%

85%

98%

87%

SENSORIALITÉ

VITALITÉ

Subconscient

1-CARACTÈRE : 91%

2-RAYONNEMENT : 87%

3-RÉSONANCE : 82 000 v/s

4-COULEUR : Rouge

5-DOMINANTES : Activité-
Volonté-Dynamisme-Affectivité

6-VÉGÉTAL : Eucalyptus

7-ANIMAL : Héron

8-SIGNE : Scorpion

Clément

et prénoms aux caractéristiques analogues

Arcadius	Domnin	Julien	Maur
Arcady	Gaspard	Ludwig	Toussaint
Clément	Jules	Manoël	Uriel
Damase			

□ **Type caractérologique**

Ils ne se laissent pas faire. Ils auraient même une âme de chevalier, prêt à défendre la veuve et l'orphelin, et ils crient ! Ils crient leur indignation, leur amour, leur douleur ; ils crient pour alerter l'opinion, pour protester contre une injustice. Bien équilibrés de caractère, ils ont une émotivité et une activité moyennes. Leurs réactions sont pesées, ce n'est donc pas par emportement qu'ils agissent ainsi, mais par conviction profonde. Ils ont d'ailleurs une personnalité faite pour affronter la vie et lutter jusqu'au bout. Ce sont des personnes réfléchies et qui font réfléchir. En cela, ils ressemblent à leur animal totem : le *héron*.

□ **Psychisme**

Ils ont incontestablement un côté Don Quichotte et se lancent souvent à corps perdu dans des aventures où ils n'ont à récolter que de mauvais coups, mais ils y vont gaiement ! Ils sont à la fois introvertis et extravertis, c'est-à-dire qu'ils sont prêts à voler au secours d'une Dulcinée, à se mêler à toutes les bagarres, à les susciter même, puis, tout à coup, la mission salvatrice accomplie, ils peuvent regagner leur ermitage où ils méditeront sur la condition humaine. D'un abord assez fermé, ils sont finalement influençables quand on sait les prendre par leur côté légèrement orgueilleux. Vous obtiendrez beaucoup de ces enfants en les mettant en compétition avec leurs petits camarades. Ils sont subjectifs, ils ne voient qu'au travers de leur optique très particulière et ils sont à la fois des foudres de guerre et des timides. Ils n'ont pas une notion très claire de la psychologie féminine.

□ **Volonté**

Elle est très forte, très efficace et pourtant embarrassante à la fois. C'est, en effet, une volonté « à la carte » qui ne surgit qu'à certains moments. Mais ces moments d'irruption comptent dans leur vie... et aussi dans celle de leurs parents ou éducateurs !

167

□ **Emotivité**

Une émotivité presque au-dessous de la moyenne et qui correspond assez bien avec la réactivité très calme. Mais alors comment expliquer leur côté Don Quichotte ? Tout simplement par leur sens aigu de la justice. Ce sont vraiment des Chevaliers...

□ **Réactivité**

Là encore le paradoxe de l'émotivité restreinte se maintient chez ces combattants de l'impossible. Comment, avec si peu de réactivité, vont-ils monter à l'assaut de la citadelle ? Comment concilier cette morale souvent fanatique avec ces réactions en apparence discrètes ? Il faut en chercher la révélation dans l'aspect missionné de leur personnage. Ils sont à la fois les Cavaliers de l'Apocalypse et le Prophète à la peau de mouton mangeur de sauterelles. Ils ont une malédiction à lancer et ils la lancent... Tout le reste est littérature !

□ **Activité**

Quelle activité, Seigneur ! Et si nous employons à dessein le mot « Seigneur » c'est que ces « Templiers » sont prêts à se fabriquer une croisade pour partir plus sûrement guerroyer en Terre Sainte.
Le rêve de ces pourfendeurs d'infidèles est évidemment de faire des études juridiques, de devenir avocats, juges, parlementaires, publicistes, toutes professions où l'on peut crier son indignation, clamer sa colère, réclamer des têtes ! Le syndicalisme ne leur déplaît pas non plus et il leur arrive de devenir passablement machiavéliques. Ces enfants manifestent très tôt un sens aigu des intrigues familiales et scolaires et il conviendra de ne pas les laisser jouer avec l'équilibre du milieu dans lequel ils vivent. Il faudra également savoir les remettre vigoureusement en place.

□ **Intuition**

Trop souvent, ils font fi de leur intuition et ne croient qu'à leur raison, alors qu'en réalité, ils ne suivent que leur imagination. Donc, n'ayez pas peur de leur expliquer savamment les raisons de votre conviction profonde. Ils demandent à être convaincus... scientifiquement.

□ **Intelligence**

Leur esprit est mûr très tôt. Ce sont habituellement des enfants raisonnables, possédant une intelligence synthétique très poussée, c'est-à-dire qu'en survolant les détails, ils déterminent rapidement les grandes lignes de force d'une situation donnée. Ils ont un excellent jugement, une solide mémoire et une vive curiosité.

□ **Affectivité**

Leur affectivité est assez difficile à saisir, car ils sont susceptibles, frondeurs, batailleurs, imaginatifs, mais ils veulent qu'on les aime et sont prêts à pleurer de tendresse à la première occasion. Ne décevez pas ces petits et ne vous moquez pas de ces Don Quichotte en herbe, simplement apprenez-leur ce que sont les moulins à vent, et expliquez-leur que malgré tout, dans la vie, il existe parfois des combats inutiles...

◻ Moralité

Jetez donc un coup d'œil sur le schéma psycho-structurel qui accompagne cette étude et vous comprendrez bien des choses ! Cette moralité tyrannique et parfois aveugle va tout compliquer car c'est au nom de cette éthique plus ou moins bien dessinée que ces moines-guerriers vont entamer leur croisade.

Que dire de leur foi ? Eh bien, tout simplement qu'elle est à la hauteur de leur imagination. On se demande parfois s'ils sont tout à fait incarnés et puis, surprise, on s'aperçoit qu'ils ne sont pas dupes de leur personnage apocalyptique. Leur sens de l'amitié est aussi torturé et ils passeront leur vie à chercher des amis véritables.

◻ Vitalité

Assez fantasque, leur santé ! Elle suit la ligne brisée des coups de tête et des petites dépressions qui sont leur lot. Pour les jeunes, il faut savoir leur assurer une vie saine sans excitation inutile, avec beaucoup de sport pour les calmer et suffisamment de sommeil. Leurs lectures seront à contrôler, car il ne faut pas qu'ils s'occupent de politique avant l'âge de pouvoir en faire. Points faibles : la gorge, les poumons et les reins.

◻ Sensorialité

Comment voulez-vous définir la sensorialité d'un être qui poursuit constamment sa « queste du Graal » ? Ils ne la concevront qu'au travers de leurs rêves... Elle est liée à la recherche de leur idéal, elle en suivra les chemins hasardeux. Ces chemins les conduisent souvent dans des pays tropicaux correspondant bien à leur végétal totem : l'*eucalyptus*. D'ailleurs, les croisades se font toujours dans les pays chauds... C'est connu !

◻ Dynamisme

Ce dynamisme est encore supérieur à l'activité pourtant grande de ce type de caractère ! Cela peut être assez dangereux si leur côté explosif est mis au service d'une idéologie fumeuse qui pourrait bien faire d'eux des personnages « téléguidés » particulièrement redoutables.

◻ Sociabilité

D'une sociabilité délicate à manier, d'une volonté de circonstance, d'une moralité de fanatique, ces prénoms-types, dans les cas extrêmes, risquent de devenir des agitateurs ou des illuminés, alors qu'à tout prix ils doivent garder les pieds sur terre. Il faut leur apprendre à ouvrir les yeux sur ce monde où tout n'est pas noir, heureusement.

◻ Conclusion

Oui, bien sûr, il faut les laisser crier leur enthousiasme et leurs convictions à ces hommes pleins d'idéaux pas toujours bien définis ! Mais c'est là où les parents et les éducateurs auront leur mot à dire ! Les croisades c'est bien joli, mais l'histoire a le souvenir de cette « croisade des enfants » qui vit périr des centaines de milliers de pauvres gosses qui avaient confondu foi et fanatisme !

COLETTE

Personnalité : *Celle qui représente l'équilibre.*

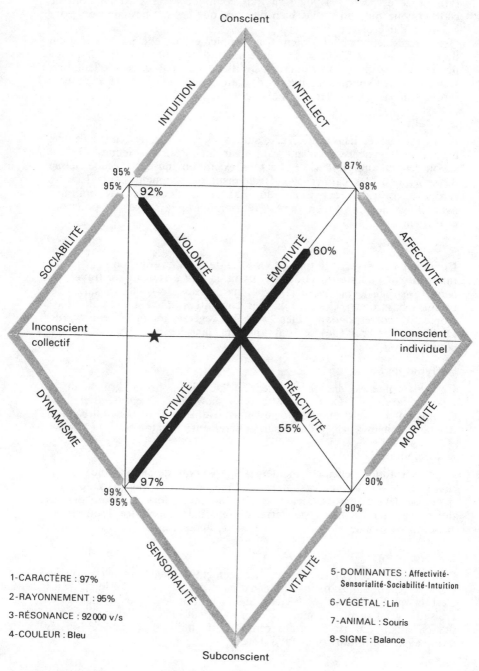

Conscient

INTUITION

INTELLECT

95%
95% 92%

87%
98%

SOCIABILITÉ

VOLONTÉ

ÉMOTIVITÉ 60%

AFFECTIVITÉ

Inconscient
collectif

Inconscient
individuel

DYNAMISME

ACTIVITÉ

RÉACTIVITÉ

MORALITÉ

55%

97%
99%
95%

90%
90%

SENSORIALITÉ

VITALITÉ

Subconscient

1-CARACTÈRE : 97%

2-RAYONNEMENT : 95%

3-RÉSONANCE : 92000 v/s

4-COULEUR : Bleu

5-DOMINANTES : Affectivité-
Sensorialité-Sociabilité-Intuition

6-VÉGÉTAL : Lin

7-ANIMAL : Souris

8-SIGNE : Balance

Colette

et prénoms aux caractéristiques analogues

Adélaïde	Doris	Ida	Rénata
Ariane	Edith	Lara	Sandra
Bernadette	Gabrielle	Lydiane	Sandrine
Clémentine	Gaby	Lydie	Tiphaine
Coletta	Ghislaine	Pervenche	Viridiana
Colette	Héloïse	Raymonde	

□ **Type caractérologique**

Ce sont des colériques, secrètes, d'une forte émotivité et d'une grande activité. Elles possèdent en plus de remarquables réactions. Cela en fait des femmes passionnantes, aux impulsions rapides, souvent déconcertantes, mais qui ont en elles un équilibre de caractère leur permettant de porter un jugement sûr. Elles sont discrètes mais efficaces, et quand elles ont quelque chose dans la tête, elles travaillent en silence et réussissent à grignoter toute résistance comme la petite *souris,* qui est leur animal totem.

□ **Psychisme**

Il faut se méfier des souris lorsqu'elles deviennent enragées. De même ces femmes ont parfois de ces rages rentrées qui les font blêmir en une seconde. Dès leur plus tendre enfance, il faudra les habituer à se dominer, à ne pas céder à leur esprit critique, à avoir des opinions nuancées sur les êtres et sur les choses et à ne pas « exécuter » le prochain d'un mot incisif, voire cruel. Elles sont peu influençables, mais très subjectives. Elles voient tout au travers de leur optique particulière. Intérieurement elles ont une grande confiance en elles sans toujours la manifester.

□ **Volonté**

Une volonté et une persévérance à toute épreuve. Soulignons que cette volonté s'appuie sur une activité dévorante, des réactions percutantes, une émotivité assez bien dissimulée mais qui éclate parfois en des explosions assez inattendues. La violence de certains de leurs propos peut surprendre, puis tout rentre dans l'ordre mais pour combien de temps !

□ **Emotivité**

Elle est forte mais, à ce degré, elle est indispensable pour que ces types de caractères ne se laissent pas subjuguer par le « couple » volonté-activité qui risquerait de faire d'elles des robots dévorés par le travail. Autrement dit, des « stakhanovistes » ! Elles possèdent un grand sens de l'amitié, même avec les hommes. Très jeunes, elles ont besoin d'avoir beaucoup de petits copains autour d'elles. Veillez toutefois à ce que cet envahissement ne nuise pas à leurs études.

□ Réactivité

Elles ne sont pas faciles à manier et possèdent une mémoire affective redoutable. Lorsqu'elles ont quelqu'un dans le « collimateur », pour parler familièrement, elles attendent des mois, voire des années, pour lui régler son compte mais, faites-leur confiance, elles iront jusqu'au bout...

Elles ont donc un sens aigu de l'opposition et s'obstinent lorsqu'elles se sont fait une certaine idée d'un personnage. Elles changent pourtant assez facilement d'opinion lorsqu'on leur explique clairement les choses. Elles sont sensibles aux échecs qui les irritent beaucoup plus qu'ils ne les abattent.

□ Activité

Elles ne peuvent pas rester en place. Il leur faut de grandes entreprises ! Leur rêve : bâtir, restaurer, fouiner chez les brocanteurs. Saines et coûteuses passions !...

Leur amour des études est assez moyen, il faut l'avouer, mais elles réussissent quand même, car elles sont débrouillardes. Leur imagination fertile leur suggère mille solutions ; ajoutez à cela leur charme naturel et leur mémoire exceptionnelle, vous comprendrez alors qu'elles puissent se tirer de bien des difficultés. Tout naturellement nous verrons les Colette et prénoms associés, être hôtesses de l'air, relations publiques, mannequins, antiquaires et, d'une manière générale, dans les métiers qui touchent à la mode, à la couture, au luxe, à la décoration et où il faut avoir du jugement et du goût. Elles s'adaptent à toutes les situations et savent très bien convaincre la clientèle.

□ Intuition

Leur intuition est stupéfiante, elles évaluent les gens avec une rapidité et une justesse incroyables. Leur séduction, aussi bien physique que mentale, est grande ; ne laissez pas ces enfants abuser de leur charme mais fiez-vous à leur psychologie spontanée qui est remarquable.

□ Intelligence

Très belle intelligence, souple, ironique, à tendance analytique, c'est-à-dire qu'elles distinguent le moindre détail d'une situation donnée ou d'un événement vécu. Elles sont maniaques dans leur ménage et ont l'art de découvrir la moindre trace de poussière. Elles aiment le confort, tout ce qui est beau. Elles sont dotées d'une grande mémoire mais d'une curiosité moyenne.

□ Affectivité

Quand elles le veulent, elles s'entendent merveilleusement bien à créer une ambiance détendue, à mettre les gens en contact les uns avec les autres, à débrouiller une situation délicate. A d'autres moments, elles font le contraire avec la même habileté. Elles sont affectueuses sans être démonstratives. Elles sont très possessives, même jeunes, et il ne faut pas que les parents se laissent dévorer par ces enfants à la fois délicieuses et redoutables.

□ Moralité

Le fond de moralité est excellent, et ce type de caractère possède en soi des trésors de fidélité et de dévouement. Mais il y a l'aspect explosif et passionné de ces femmes qui les amène, souvent, à sortir du cadre de leur existence, pour vivre une aventure illuminante qui les bouleverse mais aussi leur laissera des souvenirs riches et apaisés lorsque le temps aura ramené toutes choses à leurs vraies dimensions.

Leur attitude à l'égard de la foi est simple : elles sont volontiers croyantes, à condition qu'on ne les force pas dans leurs convictions.

◻ **Vitalité**

La vitalité est très bonne et leur permettra de faire face à des problèmes de santé qui ne devraient pas se présenter si ce type de caractère ne péchait par une espèce d'insouciance en cette matière. Leur point faible : les reins. Aussi devront-elles avoir un régime alimentaire équilibré. Elles sont également sensibles des poumons et ont parfois de violents maux de tête. Elles ont une santé qui, pour être bonne, n'exige pas moins une surveillance constante. Elles sont sujettes aux refroidissements et supportent mal le manque de sommeil. Attention au surmenage.

◻ **Sensorialité**

Elle est forte et exigeante. Elles veulent vivre d'une manière intense et pour cela sont prêtes à commettre un certain nombre d'imprudences. Elles sont très féminines et tôt polarisées. Elles sont coquettes, sensuelles, mais avec discrétion. Ce sont des femmes habituellement très attirantes, dont le sex-appeal fait souvent des ravages. Il n'est pas bon que ces enfants deviennent de petites femmes à l'âge où il convient de jouer au ballon et à la marelle car, en se servant ainsi de leur coquetterie, elles fausseraient leurs visions des êtres, des hommes en particulier.

◻ **Dynamisme**

Il est naturel que ce dynamisme nous apparaisse dans sa plénitude. Pour elles, pas d'action sans un engagement total de tout leur être. Il n'y a pas de tâches humbles ou ennuyeuses lorsque l'on se propose un but valable. Ce sont des natures généreuses et vous ne ferez jamais appel en vain à ces femmes, ou à ces jeunes filles, dont le sourire laisse croire que tout est facile pour elles, et qui ne se plaignent que rarement et avec discrétion.

◻ **Sociabilité**

On devine, d'après ce tableau caractérologique, que ce sont des êtres essentiellement sociables. Elles adorent recevoir, à condition de le faire selon leurs principes, c'est-à-dire avec un certain apparat et un luxe indéniable. Elles s'habillent remarquablement bien et sont de très bon conseil pour l'installation d'un appartement. Elles ont de la chance, mais c'est beaucoup plus par leur séduction et par leur courage qu'elles réussissent dans la vie. Ce sont des épouses très représentatives et qui savent toujours garder leur équilibre quelles que soient les circonstances dans lesquelles elles se trouvent.

◻ **Conclusion**

Ce sont des risque-tout à l'image de leur animal totem, la *souris* qui, contrairement à ce que l'on pense, n'est pas du tout la bestiole terrorisée que nous présentent les fables, mais bien un animal prodigieusement « culotté » qui vous mangerait presque le fromage dans votre assiette ! Des êtres passionnants au psychisme très riche.

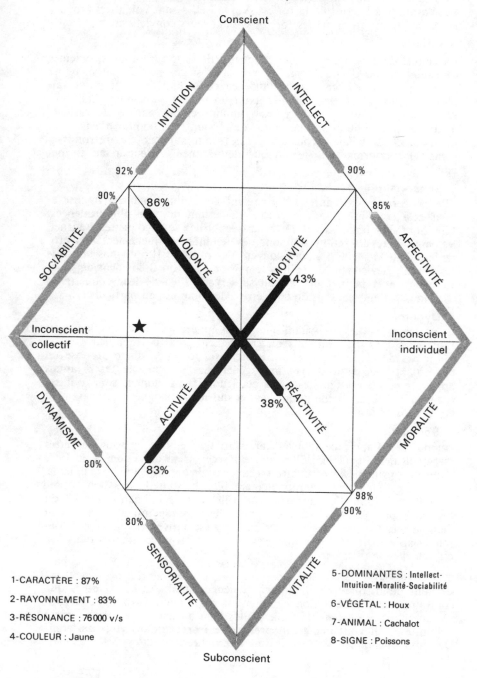

DANIEL

Personnalité : *Celui qui sourit.*

Conscient

INTUITION INTELLECT

92% 90%

90% 85%

SOCIABILITÉ VOLONTÉ ÉMOTIVITÉ AFFECTIVITÉ

86% 43%

Inconscient collectif ★ Inconscient individuel

ACTIVITÉ RÉACTIVITÉ

38%

DYNAMISME MORALITÉ

80% 98%

83% 90%

80%

SENSORIALITÉ VITALITÉ

Subconscient

1-CARACTÈRE : 87%

2-RAYONNEMENT : 83%

3-RÉSONANCE : 76 000 v/s

4-COULEUR : Jaune

5-DOMINANTES : Intellect-Intuition-Moralité-Sociabilité

6-VÉGÉTAL : Houx

7-ANIMAL : Cachalot

8-SIGNE : Poissons

Daniel

et prénoms aux caractéristiques analogues

Alin	Axel	Evariste	Ignace	Lionel
Auban	*Daniel*	Fabien	Lambert	Mathurin

□ Type caractérologique

Un caractère tranquille, presque flegmatique. L'émotivité, l'activité, les réactions, tout est moyen chez ces personnages qui, en principe, ne s'énervent jamais. Ils n'aiment pas être bousculés. Ils sont efficaces, sans précipitation, et ont horreur des gens qui font la mouche du coche. Affectueux, fidèles, ils ne perdent pas leur sang-froid même quand les choses vont mal, mais ils sont assez difficiles à saisir. Même lorsqu'ils vivent un drame intérieur, ils savent garder le sourire. Ils ne veulent pas ennuyer les autres avec le récit de leurs malheurs car, effectivement, il leur arrive souvent de petits ennuis, qui, à la fin, glissent sur eux sans les atteindre vraiment.

□ Psychisme

Là encore, nous avons affaire à un psychisme de bonne compagnie. Entendez par là que ce type de caractère ne cherche pas à briller à tout prix. Un regard sur le schéma psycho-structurel nous apprendra que ce psychisme est équilibré, que la volonté et l'activité sont sensiblement du même niveau, et en face d'eux, une émotivité et une réactivité bien sages.

□ Volonté

Cette volonté est fort convenable mais sujette à des fléchissements difficilement prévisibles. A certains moments, une affaire bien engagée semble se diluer dans l'atmosphère. Pourquoi ? On ne le saura jamais ! A toute demande d'explication, ils répondront par un petit sourire... Et tel leur animal totem, le *cachalot,* ils replongeront dans leurs profondeurs personnelles.

□ Emotivité

Ce sont des introvertis, c'est-à-dire qu'ils donnent plus d'importance à leur petit monde intérieur qu'à celui qui les entoure. Cela ne va pas sans inconvénients car leur émotivité discrète va se réfugier, parfois, dans une timidité que la valeur de ces hommes ne justifie nullement.

□ Réactivité

« Ne nous fâchons pas », semblent dire les visages de ces êtres qui sont pour la conciliation. Dès leur enfance, on pourra utiliser avec eux des

175

arguments capables de les convaincre d'agir alors que la brusquerie les bloquera pour longtemps. Avec un très grand sens de l'Autre, jaloux en amitié, ils aiment que leurs amis, hommes ou femmes, leur soient fidèles et présents, à tel point qu'on en arrive à se demander s'ils ne préfèrent pas l'amitié à l'amour.

Sociables, ils retombent toujours sur leurs pieds, au propre et au figuré, et leur caractère peut paraître mobile et changeant à un observateur attentif. Ils sont très sensibles aux échecs.

□ Activité

Leur activité est quelque peu dispersée et ils ont tendance à courir deux lièvres à la fois. On a l'impression qu'une seule entreprise les intimide et que le fait de diversifier leur activité les rassure, les sécurise. Chose curieuse, ils pratiquent volontiers des études doubles, par exemple la littérature et la musique, les sciences et la comédie. Ils sont spécialement attirés par les professions libérales, qui leur laissent du temps pour lire et écrire, et, comme ils sont artistes, on trouvera chez eux des médecins-peintres, des avocats-poètes, des chanteurs, des musiciens, des écrivains. En fait, ils possèdent une forte imagination créatrice et s'adaptent à tous les métiers.

□ Intuition

Elle est excellente cette intuition ! D'ailleurs, ils sont à l'écoute d'eux-mêmes ! Souvent, dans leur conversation, reviendront des phrases comme « J'ai l'impression que... » ou « Mon flair me dit que... » Ecoutez-les et ne cherchez pas à les convaincre à tout prix de faire autre chose !

□ Intelligence

Elle est profonde et très analytique. Ils vont jusqu'au bout des choses, dans les moindres détails. Ils jugent bien les êtres. Altruistes, ils ressemblent à leur végétal totem le *houx,* qui, été comme hiver, est semblable à lui-même et qui va jusqu'à nous offrir ses fruits rouges, si flatteurs à l'œil, au cœur de la mauvaise saison. Ils ont une grande intuition, une grande séduction et, qualité précieuse, savent être patients et fidèles en amour. Attention toutefois à ne pas laisser ces enfants s'endormir dans un petit monde trop protégé.

□ Affectivité

Ils sont très fortement imaginatifs et se font volontiers du « cinéma ». Ils rêvent un peu leur amour et ont du mal à le transposer dans le cadre de la vie de chaque jour. D'ailleurs, ils ne savent pas très bien eux-mêmes où ils en sont. Ils flottent entre deux eaux et manquent parfois d'agressivité. Ils ont d'ailleurs du mal à communiquer cette affectivité. Tout jeunes, ils seront embarrassés par les grandes démonstrations sentimentales et les « bisous » interminables. Adultes, ils auront horreur des « Dis-moi que tu m'aimes » à répétition. Sachez-le !

□ Moralité

D'une manière générale, la moralité de ce type de caractère est remarquable. Ils n'aiment pas vivre en marge des lois. Ils sont fidèles et attentifs à la vie d'une famille qu'ils respectent même s'ils donnent, à certaines occasions, l'impression de vouloir garder leurs distances. Ils souffrent beaucoup du manque de rigueur de comportement des autres et surtout de leur infidélité.

□ Vitalité

Bonne vitalité, mais un peu ralentie. Cela veut dire qu'ils récupèrent assez lentement et se remettent d'un malaise moins vite qu'ils ne le souhaiteraient. Leur santé est moyenne. Les petits maux dont ils sont susceptibles de souffrir, sont dus, neuf fois sur dix, à un mode de vie défectueux. Il leur faut une alimentation équilibrée, du sport, et surtout de l'eau : hydrothérapie, natation, bains de mer. Surveillez la bouche, les dents et la paresse intestinale.

□ Sensorialité

A vrai dire c'est un sujet délicat à aborder, car eux-mêmes répugnent à en parler. D'autant plus que c'est une matière à problèmes. Il existe chez eux un tiraillement sensible entre la sentimentalité assez difficile à exprimer et la sexualité dont la « présence » les inquiète parfois. Il faut que ces hommes, même jeunes, aient le courage de bien s'expliquer avec leur partenaire.

□ Dynamisme

Il est évidemment moyen ! Légèrement inférieur à l'activité, il ne permet pas de jouer les capitaines d'industrie ou les aventuriers, mais peut, en revanche, soutenir cette même activité d'une manière durable si le sujet veut bien s'abstenir de changer de but sans raison.

□ Sociabilité

Forte et même parfois tyrannique. Ils ont besoin de sortir, de se faire voir... D'une sensibilité exquise, toujours parfaitement habillés, sensibles dès leur enfance à leur tenue vestimentaire, ils aiment recevoir avec un certain cérémonial et resteront toute leur vie passablement snobs. La volonté est moyenne, la moralité bonne, un peu bourgeoise. Ce n'est pas grâce à leur chance qu'ils réussissent vraiment mais par les talents qu'ils possèdent et qui sont le plus souvent remarquables. En résumé, ce sont des êtres pleins de séduction, un peu lunaires, quelquefois ondoyants comme l'eau. Ce sont des enfants qu'il faut savoir limiter pour qu'ils ne se perdent pas dans ce monde trop riche qui est le leur.

□ Conclusion

Quels êtres charmants ! Les parents et éducateurs ne doivent pas cependant se fier trop à cette tranquillité souriante car ils appartiennent à ce type de plante « caractérologique », le houx, dont les feuilles persistantes et vernissées laissent glisser l'eau sans la retenir jamais et qui, également, sont munies de pointes acérées au contact douloureux...

DANIÈLE

Personnalité : *Celle qui s'interroge.*

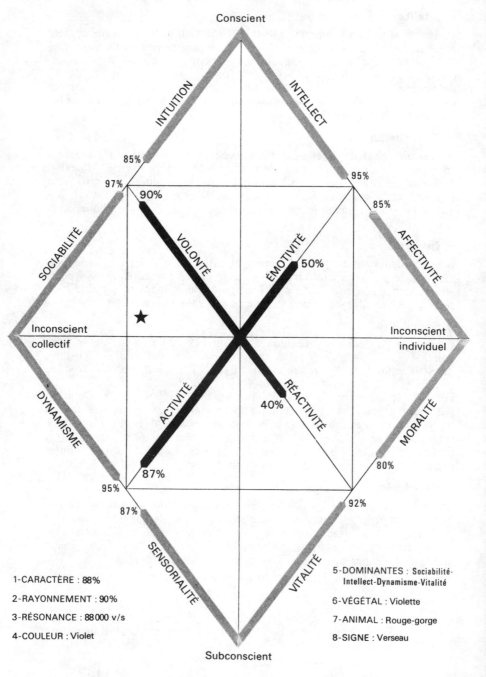

Conscient

INTUITION

INTELLECT

85%

95%

97%

90%

85%

SOCIABILITÉ

VOLONTÉ

ÉMOTIVITÉ

50%

AFFECTIVITÉ

Inconscient collectif

Inconscient individuel

ACTIVITÉ

RÉACTIVITÉ

40%

DYNAMISME

87%

80%

95%

MORALITÉ

92%

87%

SENSORIALITÉ

VITALITÉ

Subconscient

1-CARACTÈRE : 88%

2-RAYONNEMENT : 90%

3-RÉSONANCE : 88 000 v/s

4-COULEUR : Violet

5-DOMINANTES : Sociabilité-Intellect-Dynamisme-Vitalité

6-VÉGÉTAL : Violette

7-ANIMAL : Rouge-gorge

8-SIGNE : Verseau

Danièle

et prénoms aux caractéristiques analogues

Alfréda	Bérengère	Danielle	Dany
Amélie	*Danièle*	Danitza	Guyonne

□ Type caractérologique

Ce sont des sentimentales, d'une émotivité moyenne, d'une activité assez calme, avec des réactions équilibrées. Discrètes, un peu effacées en apparence, mais délicatement présentes néanmoins, elles sont semblables à la *violette,* leur végétal totem. Elles n'en finissent pas de se poser des questions sur ce qu'elles viennent faire en ce bas monde, sur la nature véritable de leur double visage fait de réserve et en même temps d'envie de paraître. Il y a donc, chez elles, deux types de caractères assez opposés et faciles à déterminer puisque l'autre volet de leur personnalité correspond au *rouge-gorge,* leur animal totem, qui symbolise le désir de se faire remarquer.

□ Psychisme

Le fait de se chercher les conduit souvent à se replier sur elles-mêmes, à l'intérieur de leur univers personnel où elles risquent de perdre le contact avec les autres. Dès leur plus jeune âge, il faut qu'elles comprennent la dualité de leur caractère. Elles manquent parfois de confiance en soi, mais les premiers succès sentimentaux ou professionnels les rassureront vite. Elles jouent souvent avec adresse de leur timidité.

□ Volonté

Nous vous proposons de vous reporter au schéma psycho-structurel qui souligne bien la primauté de cette volonté sur les autres indices caractérologiques. Cette volonté est belle et leur servira à étayer leur succès sur les bases d'une conscience professionnelle remarquable.

□ Emotivité

Elle est « astucieusement » moyenne. Nous disons « astucieusement », car ce type de caractère sait parfaitement jusqu'où il est possible d'aller trop loin. Et, sagement, elles savent s'arrêter et ne pas dépasser la limite permise. Cela ne calme nullement leur envie de faire un certain « cirque », mais les empêche de heurter trop de personnes.

□ Réactivité

Cette réactivité secondaire les sert, car elle les amène à créer autour d'elles un halo d'humilité tranquille qui leur permet de mettre au point des petites combinaisons socio-professionnelles fort efficaces. Chez elles,

179

on ne peut pas parler d'opposition proprement dite mais bien d'inertie calculée ce qui, sur le moment, leur procure une liberté d'action fort utile.

□ **Activité**

A les regarder vivre on a l'impression qu'elles aiment mieux faire travailler les autres que travailler elles-mêmes. Elles savent d'ailleurs très bien inverser les rôles ! Bonnes élèves qui ne se font remarquer ni par leurs résultats trop brillants ni par leur conduite trop bruyante. Elles vont leur petit bonhomme de chemin sans grandes ambitions avouées mais sachant malgré tout où mettre les pieds. Elles aiment le sport et sont normalement d'excellentes nageuses. Tout ce qui concerne l'électronique, la radio et la télévision leur est favorable et elles réussissent par leur présence, leur gentillesse, leur politesse. Les relations publiques aussi leur conviennent. Elles peuvent également être pédiatres ou s'occuper de jardins d'enfants, car elles aiment beaucoup les petits, et cela dès leur plus jeune âge. Enfin, n'oubliez pas, messieurs, qu'elles risquent de vous avoir à l'usure sur le plan professionnel, et que nombre d'entre elles ont réussi à se faire épouser par leur patron !

□ **Intuition**

Bonne intuition doublée d'une psychologie spontanée de grande classe. Elles « pigent » vite et, très rapidement, elles savent quelle stratégie employer. Elles jouent de la « femme-enfant » avec grand art et il faudra parfois, la quarantaine passée, les empêcher de se mettre des nœuds dans les cheveux et de manger des sucettes.

□ **Intelligence**

C'est une intelligence qui sait se faire attentive et patiente, qui ne cherche pas à briller pour le simple plaisir d'étonner ou de séduire. D'une grande efficacité, cette intelligence est très synthétique, ce qui leur permet d'éviter bien des erreurs de conduite en voyant assez clairement les tenants et les aboutissants d'une situation donnée. Très jeunes elles manifesteront d'ailleurs cette faculté et les parents en feront rapidement l'expérience.

□ **Affectivité**

Elles sont intelligemment possessives et savent asservir les êtres sans les enchaîner trop visiblement, donc sans les effrayer. Elles sont affectueuses avec une pointe de fausse innocence qui réussit fort bien auprès des hommes. Beaucoup d'intuition se mêle avec bonheur à leur sentimentalité pour en faire des personnes attachantes à bien des titres. Leurs croyances sont rassurantes. Leur foi est généralement un peu bourgeoise, mais lorsqu'elles sont sceptiques, elles ne le montrent pas trop. Elles ne veulent pas déprécier, comme on dit maintenant, leur « image de marque ». Ce sont d'excellentes amies, pour les femmes comme pour les hommes ; c'est assez rare, il faut le souligner !

□ **Moralité**

Leur moralité est moyenne et assez secrète. Elles sont capables de garder un visage adolescent et tranquille alors qu'elles viennent d'accomplir des actions plus ou moins reluisantes. Elles savent jouer, dans ce cas, un jeu double avec beaucoup d'audace et sans que leur entourage ne s'en aperçoive ! Parents, soyez vigilants...

□ Vitalité

La vitalité est très bonne et leur permet de « tenir le coup » très longtemps. Mais attention à l'abus de remontants ou d'excitants. Elles ont souvent tendance à grossir, même lorsqu'elles sont jeunes. Il faut toutefois qu'elles se méfient des régimes amaigrissants trop efficaces et trop rapides, car leur équilibre métabolique, un peu fragile, pourrait en souffrir dangereusement. On leur conseillera du calme et du sommeil. A surveiller : la circulation et les genoux. Donc attention aux sports d'hiver.

□ Sensorialité

Elle est forte et complexe. Dans cette sensorialité se mêlent, à la fois, des notions d'intérêt, d'indécision, de crainte, de sexualité et de masochisme, difficiles à cerner ! Cette sexualité débouche difficilement sur la maternité et ces jeunes femmes risquent de connaître d'étonnants problèmes à ce niveau.

□ Dynamisme

Nous avons déjà remarqué que chez ces prénoms-caractères on distinguait une certaine forme de « bluff ». Le mot est peut-être fort mais il est difficile de qualifier autrement le décalage existant entre le pourcentage d'activité et celui de dynamisme. Incontestablement ce dernier domine, ce qui prouve que l'être parle plus qu'il n'agit...

□ Sociabilité

Remarquable sociabilité qui fait d'elles des êtres de contact. Toujours prêtes à rendre service, même si elles le font avec un certain esprit de retour...
Ce sont de délicieuses maîtresses de maison. Elles reçoivent avec beaucoup de grâce et, avec elles, les conversations sont toujours passionnantes et pleines de gaieté. Si certains trouvent qu'elles manquent un peu de personnalité, c'est tout simplement parce qu'elles savent rester à leur place et qu'elles sont attentives à ne jamais supplanter leurs convives. Ce sont des êtres vraiment délicieux, d'autant plus qu'elles ont de la chance et qu'elles connaissent la réussite, tout en sachant se faire pardonner leur succès. Avouez qu'à notre époque, c'est un rêve !

□ Conclusion

Mais alors comment se fait-il que ces adorables créatures s'interrogent et manifestent au sein même de leur réussite une certaine inquiétude, voire même un manque de confiance en soi ? Peut-être sont-elles plus ou moins conscientes du décalage existant entre leurs mérites personnels et leur succès ! Allez savoir... Toujours est-il que souvent elles disparaissent de la scène publique comme dans une trappe !

DENIS

Personnalité : *Celui qui cache le feu.*

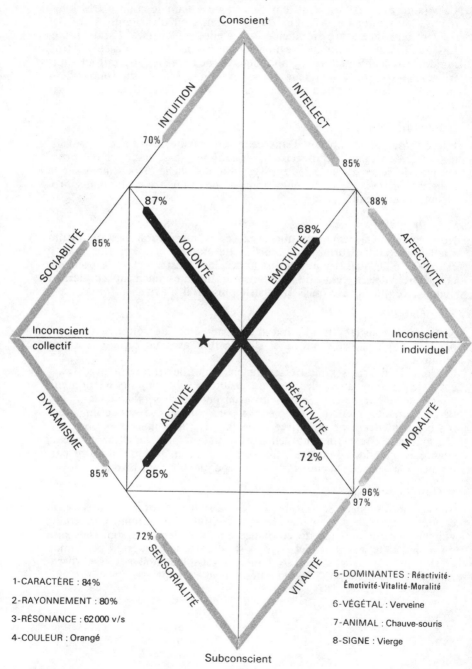

1-CARACTÈRE : 84%

2-RAYONNEMENT : 80%

3-RÉSONANCE : 62 000 v/s

4-COULEUR : Orangé

5-DOMINANTES : Réactivité-Émotivité-Vitalité-Moralité

6-VÉGÉTAL : Verveine

7-ANIMAL : Chauve-souris

8-SIGNE : Vierge

Denis

et prénoms aux caractéristiques analogues

Amance	Foy	Muguet	Stéphane
Delphin	Honorat	Nikita	Stéphen
Denis	Honoré	Raoul	
Firmin	Honorin	Séverin	

□ Type caractérologique

Ce sont souvent des personnages un peu mystérieux, ou plutôt que l'on a du mal à comprendre. Ils ont une forte émotivité, une activité moyenne et une rapidité de réaction très étonnante. Il se trouve donc que leurs qualités d'imagination et d'adaptation sont plus importantes que leur pouvoir de réalisation ; il s'ensuit un déphasage qui peut faire d'eux des êtres assez sombres, qui semblent craindre que la lumière ne les gêne dans leur action. Ils ont comme animal totem ces singulières *chauves-souris* qui ne retrouvent leur véritable activité que lorsque la nuit est venue et qui utilisent des moyens étranges pour se diriger.

□ Psychisme

Ce sont des introvertis, c'est-à-dire que chez eux la vie intérieure prime la participation à toute vie extérieure. Le caractère est souvent taciturne, au point qu'on peut les croire fâchés, alors qu'ils se sont simplement retirés en eux-mêmes pour faire le point de la situation et prendre des décisions. Ils sont peu influençables. Ce sont des êtres à problèmes à qui, pour donner confiance, il convient de ne pas poser de problèmes, ni de questions !

□ Volonté

C'est une volonté qui hésite entre l'envie qu'elle a d'être dominatrice et la crainte qu'elle a de n'être pas à la hauteur de ses ambitions. Cette volonté est plus ou moins dévorée par l'émotivité, bien trop forte, qui suscite des inquiétudes et provoque des blocages.

□ Emotivité

C'est un peu le talon d'Achille de ce type de caractère car, associée à une redoutable réactivité, elle va provoquer chez ces hommes des complexes psychiques redoutables. Ils montrent une certaine méfiance envers l'amitié. C'est pour eux une décision grave que de se donner à un être qu'il s'agisse d'amitié ou d'amour. Ils ne connaissent d'ailleurs pas très bien la psychologie féminine et ont rarement des amies du sexe faible. Ils possèdent la discrétion hésitante de leur végétal totem : la *verveine...*

□ Réactivité

Elle est très importante. Disons-le franchement, elle est même excessive ! On a l'impression que ces réactions, parfois violentes, ne servent qu'à masquer un profond désarroi devant les provocations de la vie sociale et affective. Ils sont oppositionnels, ne disent pas facilement, oui. Ils souffrent beaucoup des échecs et de tout ce qui peut blesser leur susceptibilité. Le refoulement sentimental dont ils peuvent être victimes est susceptible de provoquer une soudaine agressivité.

□ Activité

Cette activité est très ouverte, dans la mesure même où ces êtres ont besoin d'agir — avec des fortunes diverses — pour se définir pleinement. Ce sont habituellement des élèves disciplinés, capables d'un grand travail personnel. En dehors des cours, ils étudieront seuls, tard dans la nuit. Même dans le cadre de leur profession, ils auront tendance à rechercher des solutions à des problèmes que d'autres négligeraient totalement. Ce sont des chercheurs, des techniciens, des ingénieurs. Très souvent, ils travaillent au « radar », comme on dit, et arrivent à faire des découvertes stupéfiantes avec très peu de moyens matériels. Ce sont aussi d'excellents médecins, des enseignants au caractère un peu difficile : on les trouve également dans la police. Ils s'adaptent avec une certaine lenteur, mais ils ont une grande capacité de travail.

□ Intuition

Le mot les gêne : l'intuition, pour eux, c'est céder à un appel incontrôlable de son inconscient. Or, ils préfèrent utiliser un système rationnel de connaissance pour arriver à leurs fins. Leur séduction est positive, mais à terme, car il faut les comprendre, les aimer, et ce n'est pas toujours facile. Leur imagination est bonne, sans plus.

□ Intelligence

Leur intelligence est puissante, synthétique, mais déconcertante : il y a certaines choses très simples qu'ils assimilent difficilement et des situations compliquées qui sont pour eux d'une parfaite limpidité. Leur mémoire est très ordonnée et d'une capacité remarquable. Leur curiosité vive, mais toujours motivée.

□ Affectivité

Ils sont possessifs. Ils ont besoin de se sécuriser en s'affirmant propriétaires, aussi bien sur le plan des sentiments que sur le plan matériel. Il faudra suivre avec attention leur développement psychologique, afin qu'ils ne se bloquent pas, qu'ils ne se renferment pas sur eux-mêmes. Il faut qu'ils puissent s'exprimer en toute liberté, et ne pas craindre de lancer une idée ou une opinion. Ne les laissez pas commencer une phrase par la formule : « Je vais sans doute dire une bêtise... »

□ Moralité

Il est assez difficile pour eux de séparer la moralité d'un certain sens de la religiosité. Ils possèdent un indice d'autoculpabilité important qui les conduit, naturellement, à faire un complexe d'autodestruction. Parents, éducateurs, soyez très attentifs aux problèmes que vous posent ces enfants et ne développez pas chez eux des réflexes de repliement. Que la sanction soit intelligente et formulée avec fermeté mais amour ! Leurs croyances sont fragiles lorsqu'elles existent. Il se peut qu'ils se réfugient dans un scepticisme qui les rassure.

□ **Vitalité**

Leur santé est excellente. La vitalité remarquable. Ils résistent très bien à la fatigue et sont capables de travailler longtemps la nuit, mais attention au surmenage ; il leur faudra notamment une alimentation bien équilibrée, prise à heures fixes. Tendance aux accidents affectant tout particulièrement le système osseux. Point faible : l'estomac.

□ **Sensorialité**

Pour eux, les mots sensorialité, sensualité, sexualité dissimulent des rivalités agressives dont l'intégration au psychisme de l'individu pose des problèmes redoutables. Et d'ailleurs avec qui parler de tout cela ? Les parents : gênant ! Les camarades : dérisoire... C'est ici que le tableau se complique. Leur sensualité est en effet souvent freinée par des refoulements d'origine familiale ou religieuse. Là encore, il faut éviter que l'adolescent ne s'assombrisse, ne provoque un rejet, pour se refermer sur un monde intérieur sans ouvertures valables.

□ **Dynamisme**

Très équilibré. Il est égal en intensité à l'activité et représente un élément sûr de leur psychisme et de leur caractère. Ils savent être objectifs, mais ils manquent quelquefois de confiance en eux, jusqu'à être timides. Dans certains cas ils sont courageux, et ils s'attaquent à des problèmes complexes avec une foi extraordinaire, tandis qu'à d'autres moments, ils perdent les étriers devant une difficulté relativement mineure.

□ **Sociabilité**

Un peu floue ! Elle fait partie de leurs grandes hésitations et de leurs inquiétudes. Leur sociabilité n'est pas en effet évidente. Aux réceptions organisées, ils préfèrent un coin tranquille en compagnie d'un petit groupe d'amis. La volonté et la moralité sont habituellement fortes, tyranniques même dans certains cas. Leur chance est moyenne et leur réussite tient essentiellement à l'obstination qu'ils mettent à réaliser ce qu'ils se sont imposé de faire. Lorsqu'ils rencontrent des obstacles majeurs ou des trahisons, ils sont capables d'entrer dans de redoutables colères.

□ **Conclusion**

Certes, ils cachent quelque chose ces êtres passablement déconcertants. Et il existe vraiment, ce feu qui les éclaire et les brûle à la fois ! Heureux celui, ou celle qui saura leur rendre perceptible cette mission qu'ils portent en eux ! Hélas, ils sont les seuls à en avoir conscience, mais heureusement nous pouvons, nous, leur donner cette confiance dont ils ont tant besoin.

DENISE

Personnalité : *Celle qui assimile.*

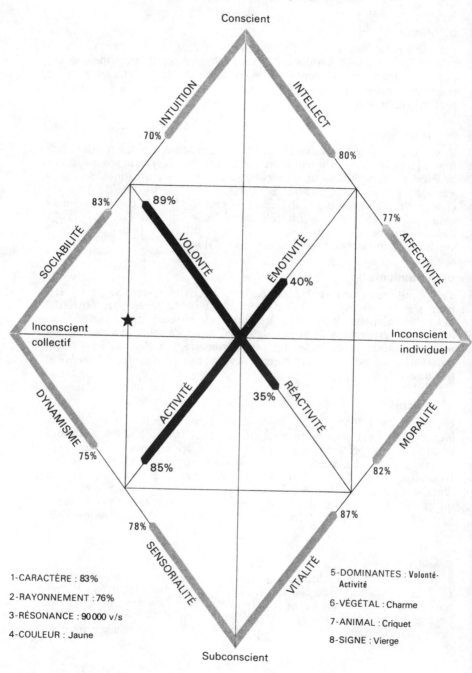

1-CARACTÈRE : 83%

2-RAYONNEMENT : 76%

3-RÉSONANCE : 90 000 v/s

4-COULEUR : Jaune

5-DOMINANTES : Volonté-Activité

6-VÉGÉTAL : Charme

7-ANIMAL : Criquet

8-SIGNE : Vierge

Denise

et prénoms aux caractéristiques analogues

Armance	Bénédicte	Ginette	Perpétue
Armande	*Denise*	Hyacinthe	Pulchérie
Armandine	Eusébie	Mathurine	
Aubane	Gina	Perlette	

□ Type caractérologique

Ce sont des flegmatiques. Cela ne veut pas dire qu'elles ne soient pas actives, mais bien qu'elles possèdent une émotivité et des réactions moyennes, elles sont patientes, organisées et arrivent à leurs fins avec une efficacité remarquable. Elles grignotent tout comme le *criquet,* leur animal totem. Elles ne se montrent vraiment que lorsque le besoin s'en fait sentir, mais toujours elles sont là, présentes dans les coulisses de la vie, attendant l'heure propice avec la patience de leur végétal totem : le *chanvre...*

□ Psychisme

Elles ont parfois tendance à être assez acides dans leurs propos. Disons qu'elles manient la « vacherie » avec beaucoup de précision. A la longue, leur caractère arrive à s'aigrir lorsque les échecs s'accumulent. Il faudra très jeunes essayer de leur donner une vision plus large des choses. Elles sont peu influençables et, lorsqu'elles ont une idée dans la tête, on a souvent du mal à leur faire changer d'attitude. Très subjectives, elles ne voient que par elles. Captatives, avec beaucoup d'astuce, ayant une grande confiance en soi, elles sont à la fois remarquables et discrètes.

□ Volonté

Elle est presque parfaite et pourtant — notre schéma le montre — il lui manque un petit « quelque chose » qui se traduit par un certain relâchement de l'effort en cours de réalisation. Leur volonté dépend souvent des circonstances et il ne faut pas qu'elles prennent l'habitude d'attendre le dernier moment pour se décider.

□ Emotivité

Elles sont introverties et donc ne manifestent que le moins possible leur émotivité, attentives qu'elles sont aux mouvements et aux sensations de leur petit monde intérieur. Peu d'amis, mais sûrs, et surtout des amis utiles et efficaces. Elles possèdent un grand sens de la camaraderie surtout dans la profession qu'elles ont choisie.

187

□ **Réactivité**

Cette réactivité est, elle aussi, mesurée, maîtrisée. Mais voilà, nous avons vu que ce type de caractère ne résistait que difficilement à l'envie de lancer un trait acéré à destination de leurs « bonnes petites copines » ou, ce qui est nettement plus gênant, en direction de leur mari qui, parfois, joue les « cibles » en public ! Vous êtes prévenus...

□ **Activité**

Elle est intéressante, cette activité, mais elle n'est pas assez soutenue par le dynamisme. Nous le verrons tout à l'heure ! Heureusement qu'il existe chez elles une persévérance qui vient compléter, à la longue, les hésitations du départ. Elles sont assez disciplinées et organisées. Elles font donc habituellement des élèves valables, moins brillantes qu'appliquées. Les sciences exactes ne les rebutent pas, et elles poursuivront volontiers des études arides et d'un caractère assez masculin. Elles peuvent être secrétaires de direction, comptables, vendeuses et elles excellent dans tout ce qui comporte une part de jugement. Très observatrices, ce sont des surveillantes rigoureuses, voire inflexibles. Elles font de bonnes femmes d'affaires, assez dures lorsqu'il s'agit de finances. De toute manière, il y a chez elles une obstination, parfois acharnée, qui les amène à la réussite.

□ **Intuition**

L'intuition est moyenne, et elles l'utilisent peu, car elles préfèrent procéder logiquement. Leur séduction est un peu à retardement. Il faut un certain temps pour commencer à les connaître et à les apprécier.

□ **Intelligence**

Ce sont des réfléchies, mais, au-delà d'une certaine vitesse de pensée, elles se bloquent, car leur intelligence est très analytique et, parfois, elles se perdent dans les détails, ne pouvant pas suivre les lignes générales de force d'un événement ou d'une situation. Leur mémoire est redoutable et leur curiosité très vive.

□ **Affectivité**

Elles ne laissent pas paraître facilement leurs sentiments. On les croit froides alors qu'elles sont secrètes. Elles mènent leur petite vie au sein de leur famille plus qu'elles ne s'y intègrent. Il est donc nécessaire d'apprendre à ces jeunes filles à s'ouvrir plus affectueusement aux autres.

□ **Moralité**

Honnête, pourrions-nous dire ! Mais c'est plus une moralité instinctive qu'une attitude sociale. Autrement dit, à certains moments, il leur paraît que certains principes peuvent être allégrement transgressés. Oh ! ce n'est pas bien grave, mais il ne faudrait pas laisser ces jeunes filles s'installer dans un laxisme de circonstance que notre société n'accepte que trop facilement ! Leurs croyances sont assez conventionnelles. Elles suivent le mouvement et, là encore, se servent d'une certaine « façade » religieuse pour assurer leur tranquillité.

□ **Vitalité**

Au départ cette vitalité est excellente. Raison de plus pour se méfier de
l'abus des médicaments. Elles sont prudentes, organisées et savent
ménager leur vitalité ; leur santé est donc bonne dans l'ensemble. Toutefois, comme elles ne laissent pas d'être de temps à autre légèrement
anxieuses et que d'autre part elles mangent vite, il faudra surveiller
l'estomac. Le grand air leur est bénéfique, le yoga et la marche leur
sont recommandés.

□ **Sensorialité**

On ne peut dire qu'elles soient étouffées par leur sensorialité. Cependant ne vous y fiez pas trop. Il y a chez elles un côté « volcan
endormi » qui pourrait bien vous réserver des secousses imprévues. Elles
parlent peu de leur vie sentimentale et ce sujet ne les met pas toujours à
l'aise. Il ne faudrait pas que des blocages se produisent au moment de
la puberté. A surveiller très tôt.

□ **Dynamisme**

Ce dynamisme, en retrait par rapport à l'activité, va poser quelques
problèmes. En effet, à partir du moment où, pour réussir, elles ne peuvent compter que sur leur propre énergie et leur sens de l'entreprise, on
voit mal comment elles pourront obtenir des résultats brillants si elles
ne font pas preuve de dynamisme. Avis aux parents qui devront relan-
cer l'enthousiasme de ces jeunes filles comme on remonte régulièrement
une pendule...

□ **Sociabilité**

Une sociabilité un peu en pointillé qui dépendra des humeurs, souvent
changeantes, du sujet. « Donna è mobile », comme on chante à
l'Opéra ! On ne sait pas toujours ce qu'elles pensent. Derrière leur sourire un peu pointu se cache souvent un entêtement qui inquiète d'autant
plus qu'il n'est pas clairement formulé. Elles ne sont sociables qu'en
fonction du but précis qu'elles poursuivent. Leur volonté est ferme,
mais leur moralité obéit à des principes assez pragmatiques. Leur
chance est moyenne et elles n'y croient pas trop. C'est par leurs seuls
efforts qu'elles parviennent à leur but, ce qui satisfait leur orgueil. Ces
petites sont des enfants qu'il serait néfaste d'encourager à faire des
réflexions corrosives destinées à amuser parents et amis. Cela ne pourrait qu'aggraver la sécheresse naturelle de leur caractère. Il faut au contraire les humaniser et les ouvrir à la vie.

□ **Conclusion**

On pourrait dire d'elles que ce sont des femmes de « fond » comme on
dit un coureur de « fond » ! Elles démarrent assez lentement dans la
vie, puis elles prennent leur vitesse de croisière et peuvent ainsi aller très
loin. Des valeurs sûres et, si nous ne risquions de manquer de galanterie, nous dirions : un placement de père de famille.

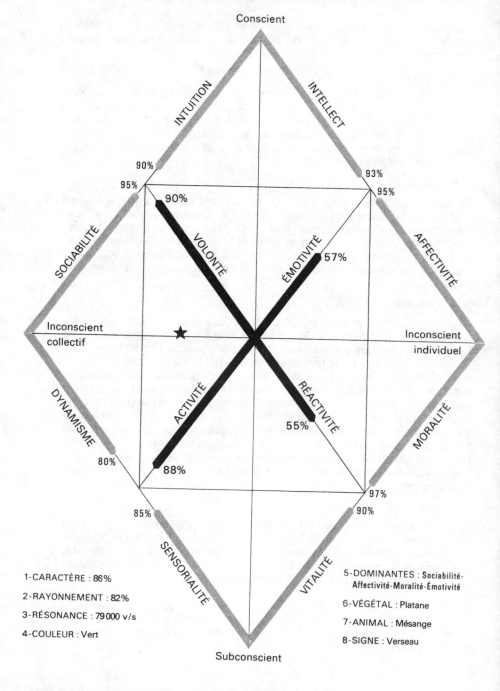

DOMINIQUE (M)

Personnalité : *Celui qui vient.*

Conscient

INTUITION

INTELLECT

90%
95%
90%

93%
95%

SOCIABILITÉ

VOLONTÉ

ÉMOTIVITÉ 57%

AFFECTIVITÉ

Inconscient
collectif

★

Inconscient
individuel

DYNAMISME

ACTIVITÉ

RÉACTIVITÉ

55%

MORALITÉ

80%
88%

97%
90%

85%

SENSORIALITÉ

VITALITÉ

Subconscient

1-CARACTÈRE : 86%

2-RAYONNEMENT : 82%

3-RÉSONANCE : 79000 v/s

4-COULEUR : Vert

5-DOMINANTES : Sociabilité-
Affectivité-Moralité-Émotivité

6-VÉGÉTAL : Platane

7-ANIMAL : Mésange

8-SIGNE : Verseau

Dominique

et prénoms aux caractéristiques analogues

Abraham	Edme	Laurent	Silvère
Anastase	Gildas	Malachie	Silvestre
Clair	Hilaire	Odilon	
Dominique (M)	Hilarion	Séraphin	

□ Type caractérologique

Nous avons affaire à un caractère double, parce que Dominique, qui est le « prénom-pilote », est mixte, à la fois masculin et féminin, et qu'il se révèle sous deux aspects totalement différents. Mais il est bien entendu que ce type de caractère s'applique aussi aux prénoms associés. En effet, ils disposent d'une forte émotivité, d'une activité moyenne et de réactions importantes, mais il se trouve qu'ils peuvent nous apparaître sous l'aspect d'un personnage relativement immobile et flegmatique, c'est celui qui a pour végétal totem, le *platane*. D'autre part, il y a l'aspect plus dynamique correspondant à la *mésange,* son animal totem, qui, au dire des alchimistes du Moyen Age, annonçait l'arrivée du paon, c'est-à-dire de la résurrection. Les Dominique viennent donc nous apporter un message d'espoir.

□ Psychisme

Ce sont des extravertis qui ont besoin de communiquer, car ils ont quelque chose à dire. Ils possèdent une large ouverture sur le monde extérieur et cherchent à faire bénéficier de leurs connaissances et de leurs convictions le plus grand nombre possible de gens. Mais cette ouverture sur le monde présente quelques inconvénients car ce pluralisme amène ces types de caractères à trop prendre l'avis des autres, et à ne plus savoir, parfois, où ils en sont.

□ Volonté

Cette volonté trouve le moyen d'être forte et, malgré tout, relativement indécise. Tout simplement parce qu'elle a en face d'elle une coalition émotivité-réactivité particulièrement élevée. Alors, nous assistons à une lutte entre les deux camps qui se solde parfois par des hésitations, parfois par des coups de tête.

□ Emotivité

Dans l'absolu, elle n'est pas des plus importantes et d'autres prénoms en possèdent de bien plus fortes mais ici, elle est soutenue par une réactivité de même niveau, ce qui crée un mélange relativement instable, voire détonant !

191

□ **Réactivité**

Il se trouve qu'en étudiant les deux paramètres caractérologiques précédents, nous avons fait le portrait de cette réactivité intense mais pas assez supportée par l'activité, ce qui amène ces types de caractère à une certaine instabilité psychique. Ils sont plutôt objectifs et on peut aborder avec eux des sujets délicats, brûlants même, sans crainte de les voir tomber dans le fanatisme ou l'ironie. Ils sont assez captatifs, c'est-à-dire qu'ils cherchent inconsciemment à s'entourer de personnes sur lesquelles ils ont une influence réelle. Leur confiance en eux est très moyenne et souvent ils se sentent « mal dans leur peau ».

□ **Activité**

Elle est intéressante mais pas tout à fait suffisante pour permettre de contrôler totalement l'aspect hyper-sensible du caractère. Ce n'est pas le mot études qu'il faudrait utiliser pour eux, mais bien celui de connaissances et, dans certains cas, de réminiscences, car on n'a pas l'impression qu'ils apprennent mais bien qu'ils se souviennent. Ils sont à l'aise dans quantité de domaines qui apparaîtraient mystérieux ou confus à ceux qui n'ont pas le même mode de perception qu'eux, et très souvent leurs études seront doubles, comme leur caractère. Ils auront une attirance réelle pour des professions que d'aucuns pourraient trouver étranges : écrivains de science-fiction, archéologues, enseignants aux théories peu orthodoxes, etc. Comme ils ont beaucoup de présence et même de magnétisme, ils font d'excellents reporters, hommes de radio et de télévision. Ils sont attirés par tout ce qui a un rapport avec les ondes ; ils seront d'habiles radiologistes ou des aviateurs. De toute manière il faut qu'ils vivent d'une façon insolite s'ils veulent réaliser leurs rêves les plus profonds.

□ **Intuition**

Leur intuition est forte, presque féminine à certains moments. Comme leur séduction, leur imagination est très vive. Il ne faut pas laisser les petits Dominique, et les prénoms associés, rêver leur vie au lieu de la vivre.

□ **Intelligence**

Ils ont une intelligence très synthétique, survolent les problèmes en percevant immédiatement les lignes directrices principales. Ils n'entrent pas dans les détails, ce qui peut provoquer certaines difficultés. Il faudra que les parents de ces jeunes gens leur imposent une discipline mentale propre à les amener à s'occuper du particulier, même s'ils ne veulent voir que le général. Ils ont beaucoup de mémoire.

□ **Affectivité**

Ils sont très affectueux, et leur sensualité est spontanée. Ils ne se contentent pas de vagues approbations ou de promesses lointaines. Ils ont besoin qu'on les aime et qu'on le leur dise. Il ne faut pas que les parents sous-estiment les possibilités sentimentales de leurs enfants, car ceux-ci, très tôt, chercheraient ailleurs la tendresse qu'ils n'ont pas chez eux.

□ **Moralité**

On pourrait presque dire qu'ils vivent une moralité de groupe tant ils ont besoin de partager leur sens des responsabilité avec d'autres êtres ayant les mêmes croyances et les mêmes principes qu'eux. Mais leur rigueur personnelle est suffisante pour qu'ils sachent, en principe, s'éloigner de compagnons au comportement douteux. Habituellement, ils sont assez mystiques et ont besoin de croire en une chose qui dépasse la simple existence quotidienne. Ils sont prêts à entreprendre de véritables pèlerinages, au propre et au figuré, pour découvrir leur vérité intellectuelle ou spirituelle.

□ Vitalité

Possédant une vitalité intéressante, ils la compromettent par leur psycho-somatisme un peu négatif. Ils se « fabriquent » parfois certains malaises. Ils ont une santé souvent instable, surtout en ce qui concerne l'ossification. Il sera indispensable de surveiller de très près ces enfants qui pourraient faire de la décalcification à l'occasion de fractures. Il faudrait, pour qu'ils se portent bien, qu'ils suivent un régime adapté à leur tempérament, mais ils sont plutôt négligents dans ce domaine. Surveiller les intestins, et attention à l'appendicite.

□ Sensorialité

Ce sont des êtres qui ont un tel besoin de communication que toute leur sensorialité est axée sur la participation. Ils aiment bien manger, mais en compagnie de nombreux amis. Ils n'auraient pas l'idée d'aller seuls au spectacle. Leur sexualité est fréquemment compliquée car leur formule caractérologique comporte un pourcentage de féminité légèrement au-dessus de la moyenne. Il ne faut donc pas que ces enfants soient élevés dans du coton, le problème des parents sera de les viriliser le plus tôt possible, et de tout faire pour qu'il n'y ait pas de blocage au niveau de la sensualité et de la sentimentalité.

□ Dynamisme

Là encore, nous retrouvons ce besoin de réaliser, collectivement, communautairement, une entreprise de valeur. Très sensibles à l'amitié, ils peuvent d'ailleurs donner beaucoup plus qu'ils ne recevront jamais, et cette amitié, chose rare, s'étend aussi bien aux hommes qu'aux femmes. En revanche, ils ressentent douloureusement les échecs, sont malheureux de ne pas être compris, et font couramment du refoulement sentimental.

□ Sociabilité

Ce sont des gens charmants, sociables, qui font généralement preuve d'une grande curiosité. Leur volonté est un peu floue, mais elle se retrouve dans les moments difficiles. Ils auraient parfois tendance à se laisser déborder par leur famille lorsqu'ils sont mariés. Leur chance est moyenne, les efforts qu'ils déploient ne sont pas toujours récompensés au début, de sorte que leur réussite est souvent tardive, mais il y a chez eux une intense activité mentale, et vivre auprès d'eux donne l'impression qu'ils évoluent sur un autre plan que la plupart des êtres.

□ Conclusion

Le mot « sentimental » est revenu bien souvent dans cette étude et c'est, nous le pensons, la clef de ce caractère qui demande à être compris et à être aimé avant toute chose. Il veut « venir », certes, mais il a surtout besoin qu'on l'attende car il a horreur de la solitude...

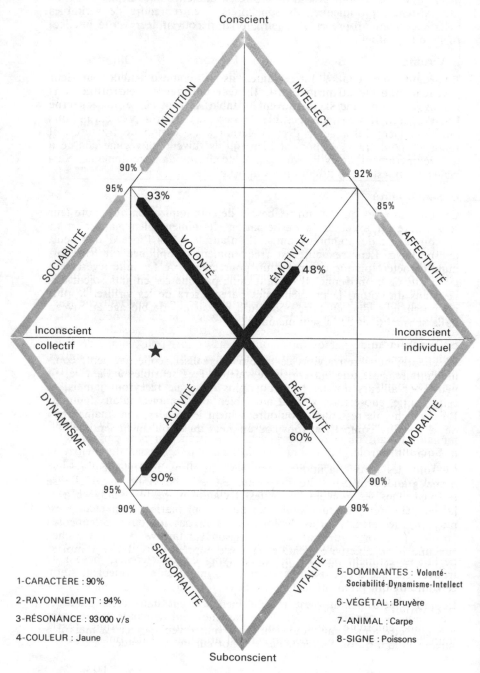

DOMINIQUE (F)

Personnalité : *La femme du silence.*

Conscient

INTUITION

INTELLECT

90%

92%

95%

93%

85%

SOCIABILITÉ

VOLONTÉ

ÉMOTIVITÉ

AFFECTIVITÉ

48%

Inconscient
collectif

★

Inconscient
individuel

DYNAMISME

ACTIVITÉ

RÉACTIVITÉ

MORALITÉ

60%

90%

90%

95%

90%

90%

90%

SENSORIALITÉ

VITALITÉ

1-CARACTÈRE : 90%

2-RAYONNEMENT : 94%

3-RÉSONANCE : 93 000 v/s

4-COULEUR : Jaune

5-DOMINANTES : Volonté-
Sociabilité-Dynamisme-Intellect

6-VÉGÉTAL : Bruyère

7-ANIMAL : Carpe

8-SIGNE : Poissons

Subconscient

Dominique

et prénoms aux caractéristiques analogues

Ada	Betty	Frédérique (F)	Olivette
Alice	Clélia	Gaudeline	Olivia
Anatolie	Coline	Germaine	Péroline
Axelle	Colinette	Martina	Pierrette
Baptista	*Dominique* (F)	Martine	Raphaëlle
Baptistine	Donatienne	Mathilde	Zéphyrine
Bettina	Fabienne	Olive	

□ Type caractérologique

N'allez pas croire qu'elles soient muettes, même si leur animal totem est la *carpe*. Mais ce sont des femmes qui savent mener à terme leurs projets les plus secrets. Elles ont généralement beaucoup de classe et inspirent une vive sympathie. Leur émotivité et leur activité sont bonnes, leurs réactions parfois colériques. Avec elles, se pose, une nouvelle fois, le problème des prénoms mixtes ou androgynes : là encore, nous constatons que très souvent les femmes qui portent ce genre de prénom, comme les Claude par exemple, ont un assez fort pourcentage de masculinité dans leur formule caractérologique. Rappelons que les autres prénoms associés à celui-là partagent sensiblement les mêmes paramètres de personnalité.

□ Psychisme

Ce sont des extraverties, c'est-à-dire qu'elles ont l'intuition du contact humain. Il faut qu'elles s'expriment, mais beaucoup plus par les actes que par la parole. Elles sont peu influençables et assez dominatrices. Elles possèdent un sens un peu masculin du commandement. Elles savent être objectives, sont capables de se dévouer corps et âme à une cause. Elles ont confiance en elles et s'attachent comme la *bruyère* qui est leur végétal totem.

□ Volonté

Elle se déploie dès l'enfance et il convient que les parents et éducateurs ne la sous-estiment pas. En effet, ces types de caractère ont besoin de trouver en face d'eux d'autres volontés se manifestant fermement sinon ce sont eux qui prennent leur destin et celui de la famille en main !

□ Emotivité

C'est une émotivité toute de finesse qui, lorsqu'elle s'exprime, révèle toute la richesse de cette personnalité si attachante. Elles ont un grand sens de l'amitié aussi bien envers les hommes qu'envers les femmes, ce qui est passablement rare. Cette amitié est fidèle, même si leur comportement à l'égard de ces amis est sujet à des hauts et des bas qui rappellent les montagnes russes !

◻ **Réactivité**

Explosive, comme il se doit ! Mais précisons qu'elles n'explosent pas gratuitement. Elles attendent de posséder un bon « détonateur » et elles profitent de cet éclat pour régler leurs comptes : elles ont un grand sens de l'opposition. Elles aiment dire non, elles aiment discuter et sont entêtées. Que les parents le sachent ! Les échecs ne les perturbent que moyennement, mais elles auraient tendance à faire du refoulement sentimental, car, sur ce plan-là, il existe en elles une dualité permanente qui a du mal à se résoudre.

◻ **Activité**

Une activité parfois « à la hussarde ». Chose décidée, chose faite. On fonce ! Au diable l'avarice ! Elles sont d'ailleurs généreuses, voire dépensières. Elles aiment les études, mais habituellement, elles s'en débarrassent avec une sorte d'intrépidité : il faut le faire, on le fait ! Ce qui est plus important pour elles, c'est le choix d'une profession. Or, ce qui les attire, ce sont les métiers où il faut commander et même où il peut y avoir un certain risque. Elles sont à l'aise dans l'immobilier, dans les affaires en général, la publicité les intéresse et elles sont attirées par tout ce qui est beau. Si elles sont artistes, et elles le sont souvent, alors elles deviendront sculpteurs ou peintres. De toute façon, elles ont des idées bien arrêtées et savent merveilleusement mettre les autres « dans leur poche », comme on dit. A d'autres moments, au contraire, elles envoient tout promener !

◻ **Intuition**

Leur intuition est fine, leur séduction remarquable. Il existe généralement chez elles quelque chose de mystérieux, d'indéfinissable qui fait que l'on se pose mille questions à propos de leur personnalité. Leur imagination est brillante, mais elles ne se laissent pas emporter par elle.

◻ **Intelligence**

Elles possèdent une intelligence riche, complète. Elles peuvent aborder beaucoup de sujets car cette intelligence est synthétique. Autrement dit, elles saisissent rapidement l'ensemble d'une question sans avoir besoin d'entrer dans les détails. Mais comme il ne faut pas négliger ces détails, il sera bon d'habituer très tôt ces jeunes filles à bien étudier chaque problème. Leur mémoire est remarquable et leur curiosité, tout en étant vive, ne devient jamais de l'indiscrétion.

◻ **Affectivité**

Elles sont possessives mais sans excès. Il y a chez elles une certaine pudeur dans les sentiments : leurs affections sont assez secrètes, et elles ne tiennent pas à étaler au grand jour leur tendresse qui est souvent profonde. Les parents devront bien faire comprendre à ces enfants combien il leur est nécessaire, dans la vie, de s'exprimer totalement. En effet, on peut avoir l'impression que si elles ne se livrent pas complètement, c'est que les autres leur apparaissent comme incapables de les saisir !

□ **Moralité**

Une moralité large mais qui a parfois tendance à plonger ses racines dans un sens aigu des situations sociales. Autrement dit, dans ce cas, il arrive que la moralité suive l'action comme l'intendance suit l'armée. Ou elles ont une foi militante, ou cela ne les intéresse que fort peu. De toute manière, elles n'hésiteront pas à changer de religion au cours de leur vie si cela leur paraît utile.

□ **Vitalité**

Le fond de cette vitalité est excellent, mais elles auront tendance à en abuser. La santé est convenable. Attention au surmenage, car elles ne savent pas toujours se discipliner, équilibrer leur régime, s'accorder suffisamment de sommeil. Elles croient avoir une santé de cheval, mais elles se heurtent à de multiples petits maux qui peuvent perturber leur existence. Points faibles : le système végétatif, l'appareil génital.

□ **Sensorialité**

La sensorialité est exigeante, car il existe chez ce type de caractères une propension très nette à tout mélanger en un désir de vivre très intense. Elles sont sensuelles, mais cette sensualité n'est pas compartimentée, et la gourmandise, l'esthétisme, les loisirs, la sexualité, etc. se mêlent heureusement ou dangereusement. De toute manière, on ne s'ennuie pas avec elles...

□ **Dynamisme**

Nous vous conseillons de jeter un coup d'œil sur le schéma psycho-structurel qui accompagne cette étude et vous constaterez qu'il existe un losange d'une intensité étonnante qui unit la volonté, l'activité, le dynamisme et la sociabilité. Quelle belle promesse de réussite pour ces femmes à la masculinité secrète !

□ **Sociabilité**

Admirable sociabilité qui, jointe à une intuition remarquable, fait d'elles des hôtesses infiniment séduisantes. Elles reçoivent avec beaucoup de classe. Ce sont des maîtresses de maison hors pair, qui mettent leurs invités à l'aise et savent aussi utiliser intelligemment leurs relations pour faire progresser leurs affaires, car elles ont de l'ambition. Elles aiment beaucoup leur famille, mais comme elles sont indépendantes, il ne faut pas que cette famille devienne trop envahissante. Elles ont de la chance, ce qui, allié à leur charme indéniable, à leur volonté souvent forte, leur assure une réussite généralement brillante.

□ **Conclusion**

Un type de caractère très fort pour une femme. L'un des plus efficaces car il existe chez elles un mystère de l'être particulièrement fascinant. Mais il faut bien reconnaître que ces « femmes du silence » — même s'il est symbolique — garderont toujours un pouvoir étrange qu'elles ne partageront jamais...

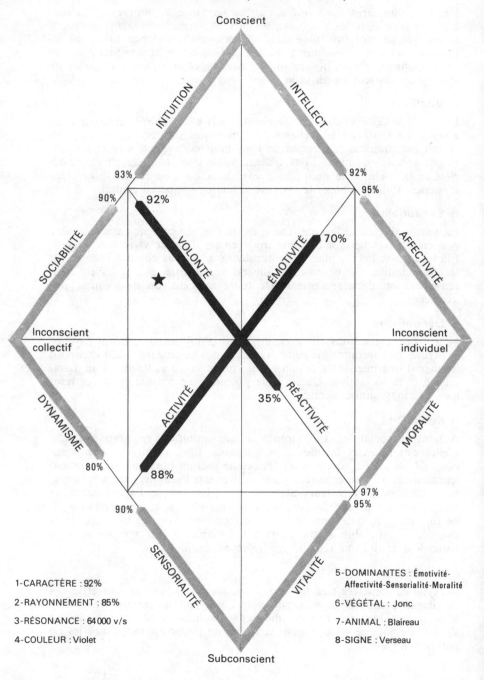

EDMOND

Personnalité : *Celui qui subit la tempête.*

Conscient

INTUITION

INTELLECT

93%

92%

90%

95%

92%

VOLONTÉ

ÉMOTIVITÉ

70%

SOCIABILITÉ

AFFECTIVITÉ

Inconscient
collectif

Inconscient
individuel

35%

RÉACTIVITÉ

DYNAMISME

ACTIVITÉ

MORALITÉ

80%

88%

97%

90%

95%

SENSORIALITÉ

VITALITÉ

Subconscient

1-CARACTÈRE : 92%

2-RAYONNEMENT : 85%

3-RÉSONANCE : 64 000 v/s

4-COULEUR : Violet

5-DOMINANTES : Émotivité-
Affectivité-Sensorialité-Moralité

6-VÉGÉTAL : Jonc

7-ANIMAL : Blaireau

8-SIGNE : Verseau

Edmond

et prénoms aux caractéristiques analogues

Ambroise	*Edmond*	Giraud	Privat
Ange	Eustache	Maixent	Romaric
Arthur	Gatien	Placide	Selma
Donat			

□ Type caractérologique

Ce sont, d'ordinaire, des sentimentaux, dotés d'une vive émotivité, d'une activité forte et de réactions à retardement. Cela ne les empêche pas d'être des personnalités de valeur, avec toutefois cette nuance que leur manque d'activité va faire d'eux beaucoup plus des gens qui font travailler les autres que des travailleurs. Quand on saura que leur végétal totem est le *jonc,* on comprendra que, lorsque le vent devient violent, ils préfèrent plier que résister. Ils ne sont pas trop ambitieux et voudraient avoir une vie tranquille et confortable. Ils ont besoin de sécurité et, très tôt, les parents devront habituer leurs enfants à se battre, à mener jusqu'au bout ce combat pour la vie qui est indispensable à leur réussite.

□ Psychisme

Ce sont des introvertis qui, négligeant trop souvent le monde extérieur, se replient sur eux-mêmes et se satisfont de leur petit confort mental. Là encore, il faudra, dès leur jeunesse, les habituer à s'occuper des autres, à participer à des mouvements de jeunes, à faire du sport de compétition. Ils sont influençables et il faudra soigneusement structurer et discipliner ces jeunes caractères.

□ Volonté

Mais n'allez surtout pas croire qu'ils manquent de volonté. Elle est là, présente, efficace ! Mais voilà, il existe deux modes de volonté. Celle qui s'autodétermine et mérite vraiment le nom de volonté. Elle n'a besoin d'aucune motivation pour se manifester. Puis il y a la volonté de circonstance. Celle qui n'apparaît que lorsque les événements la forcent à réagir. C'est le cas ! N'oublions pas que leur animal totem est le *blaireau,* dont la vie souterraine et hivernale est des plus retirées...

□ Emotivité

C'est donc cette émotivité qui va servir de facteur déclenchant et provoquer, à certains moments, la résurgence de cette volonté, pourtant intéressante, mais qui a tendance à jouer les « Belle-au-bois-dormant ». Ils aiment avoir des amis, mais à condition que cela ne les engage pas trop, et qu'ils n'aient pas la charge de ceux qui les entourent. D'ailleurs ils n'aiment pas être trop surchargés de responsabilités.

□ Réactivité

Il y a là un décalage, un abîme même, entre la réactivité et l'émotivité, qui mérite d'être souligné, et qui apparaît clairement dans notre schéma psycho-structurel. Cette émotivité est en effet le double de la réactivité et va provoquer un certain « écrasement » aux conséquences fâcheuses. Ce ne sont pas des oppositionnels farouches, mais ils ont un sens aigu de l'échec qui les traumatise et les décourage. Ils font souvent du refoulement sentimental.

□ **Activité**

C'est pourtant cette activité inférieure à la volonté qui va faire de ces caractères-types, des êtres qui « subissent la tempête ». Leurs études sont généralement honorables, car ils s'adaptent bien à toutes les matières enseignées et savent fixer leur attention à condition qu'ils ne se laissent pas entraîner par leur imagination. Ils seront attirés par les professions qui se situent à mi-chemin entre l'obéissance et le commandement, c'est-à-dire qu'en réalité, ils ont des âmes de contrôleur. On les voit bien dans les contributions, douaniers, fonctionnaires, administrateurs. Comme ils sont méticuleux, ils pourront faire d'excellents électroniciens, mais aussi bien réussir dans certaines professions médicales et para-médicales. Ce sont des chirurgiens de valeur et d'excellents dentistes. Signalons aux parents qu'il leur faudra être très attentifs au moment du choix de la profession, car ce n'est pas une chose toujours facile pour ces jeunes de se déterminer et de s'engager dans une carrière.

□ **Intuition**

L'intuition est exceptionnelle. Ils auraient même tendance à trop s'en servir et à tenir des propos dans le genre de celui-ci : « Cela je ne le ferai pas parce que je ne le sens pas ». C'est la porte ouverte à toutes les fuites et à tous les renoncements. Leur séduction est grande et ils ont beaucoup de charme, mais souvenez-vous que c'est justement au sein des tempêtes qu'il faut savoir tenir la barre.

□ **Intelligence**

Ils ont une belle intelligence, doublée d'une imagination peu commune et il ne faudrait pas que cette imagination prenne le pas sur l'intelligence et les entraîne dans le monde fantastique du rêve ou celui de la fiction. Cette intelligence est analytique et leur permet d'entrer dans les détails avec une sûreté remarquable. On retrouvera d'ailleurs cette qualité au moment du choix d'une profession. La mémoire est solide mais la curiosité un peu faible. Encore une fois, ils préfèrent imaginer les choses dans leur appartement douillet que de partir dans la bourrasque à la découverte du monde.

□ **Affectivité**

Ils sont affectueux et sensibles à tout ce qui touche le cœur, en bien comme en mal. Ils sont susceptibles et s'il est nécessaire de s'adresser calmement à ces enfants, il ne faut pas non plus renoncer à une certaine fermeté lorsqu'on a des remarques à leur faire. Ils ne sont pas trop possessifs et, d'une façon générale, n'ont pas tellement l'impression que ce qui leur appartient soit vraiment à eux.

□ **Moralité**

C'est une excellente moralité, mais que certains jugeraient, un peu rapidement, hypocrite ! Comprenons-nous bien ! Nous ne voulons pas dire par là qu'ils feignent une rigueur de comportement qu'ils n'auraient pas. Non ! Mais il y a chez eux un « je-ne-sais-quoi » qui rend un peu irritantes ces manifestations de vertu qui parfois tombent à contretemps. Leurs croyances sont souvent fluctuantes. Leur foi est rarement fixée, et ils se laissent porter, la plupart du temps, par une rêverie métaphysique un peu brumeuse. Il convient de les ramener sur terre.

□ Vitalité

La vitalité est forte, mais ils se fatiguent rapidement ; nous avons vu, par ailleurs, que ce ne sont pas des caractères excessivement actifs, aussi risquent-ils de faire du surmenage. Il faudra toutefois bien faire la distinction entre le vrai surmenage et le blocage physique qui, chez eux, ressemble parfois à de la paresse. Ils ont besoin de beaucoup de sommeil. Ils ont intérêt à passer leurs vacances au bord de l'eau, de la mer en particulier, et leurs points faibles sont l'appareil génital et le système nerveux. Attention aux excitants !

□ Sensorialité

Belle sensorialité ! Mais ce type de caractère passera sa vie à essayer de concilier les tendances antagonistes de sa personnalité. Leur sexualité participe de la dualité qui les déchire car s'il y a, chez eux, l'homme sentimental et délicat, qui sait se plier admirablement aux mouvements de la psychologie féminine, il y a aussi, par instants, celui qui a des réactions passablement brutales, surtout en matière de sensualité. Il faudra veiller sur ces adolescents d'assez près, et les informer le plus tôt possible des problèmes essentiels.

□ Dynamisme

Il n'est pas à la hauteur de leur activité ni de leur volonté et dénote une certaine timidité, un recul devant l'engagement et la « bagarre ».
Ils sont habituellement objectifs, mais plus par indifférence que par maîtrise de soi. Ils sont souvent timides et leur confiance en eux est très moyenne. Ce sont des enfants qu'il faut savoir encourager au bon instant et dont il est nécessaire de bien comprendre le caractère à double face, car, à certains moments, ils sont souples et tranquilles alors qu'à d'autres moments, plus rares ceux-là, ils peuvent se rebeller et donner un coup de dent, comme le *blaireau*, leur animal totem.

□ Sociabilité

Ce sont des gens charmants qui, de temps en temps, peuvent manifester une petite nervosité colérique sans gravité. Ils aiment être entourés, même si ceux qui sont auprès d'eux ne possèdent pas toutes les qualités d'amis véritables. Leur volonté est un peu fluctuante, ils sont capables d'œuvrer pendant un certain temps, puis leur tension se relâche, ils se découragent mais repartent de nouveau. Ils ont un sens développé de la famille ; ils y cherchent la tranquillité et la sécurité, et sont prêts pour y parvenir à de nombreuses concessions. Leur chance est excellente mais ils ont tendance à trop miser sur elle. Leur réussite, en fin de compte, sera surtout due à leurs efforts soutenus dans le cadre d'un travail bien défini et fixe.

□ Conclusion

Des hommes de confiance qui, au-delà de leurs hésitations, vous apportent une image rassurante du foyer. Bien sûr, ce ne sont pas des foudres de guerre, mais ils possèdent des qualités assez rares à l'heure actuelle où l'on a trop tendance à juger les gens sur leur degré d'agressivité.

ÉDOUARD

Personnalité : *Celui qui vit dans deux éléments.*

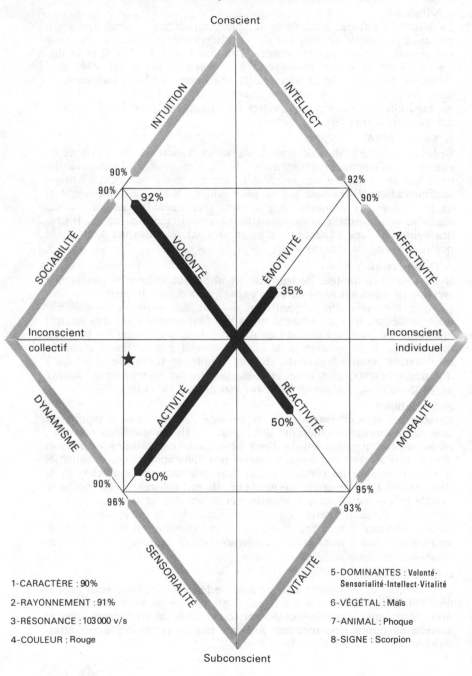

Conscient

INTUITION

INTELLECT

90%
90%
92%

SOCIABILITÉ

VOLONTÉ

ÉMOTIVITÉ

92%
90%

35%

AFFECTIVITÉ

Inconscient collectif

Inconscient individuel

DYNAMISME

ACTIVITÉ

RÉACTIVITÉ

50%

MORALITÉ

90%
90%
96%

95%
93%

SENSORIALITÉ

VITALITÉ

Subconscient

1-CARACTÈRE : 90%

2-RAYONNEMENT : 91%

3-RÉSONANCE : 103 000 v/s

4-COULEUR : Rouge

5-DOMINANTES : Volonté-Sensorialité-Intellect-Vitalité

6-VÉGÉTAL : Maïs

7-ANIMAL : Phoque

8-SIGNE : Scorpion

Edouard

et prénoms aux caractéristiques analogues

Cyriaque	Hans	Marc	Sacha
Cyrille	Joris	Omar	Samson
Edouard	Julian	Paquito	
Géraud	Kevin	Perrin	

□ Type caractérologique

Des caractères assez difficiles à saisir, car on ne peut pas dire que ces types de prénoms soient absolument doubles, bien qu'ils évoluent dans deux éléments différents, et cela, sans perdre leur personnalité propre. Un mot d'explication est nécessaire, et le mieux est de recourir au symbolisme de leur animal totem, le *phoque*, qui est à la fois aquatique et terrestre sans perdre aucunement son caractère particulier. Ils peuvent aussi bien nous apparaître sous l'aspect d'un passionné que sous celui d'un flegmatique. Disons, pour prendre un langage figuré, que de face ils sont flegmatiques, et vus de côté, passionnés, c'est évidemment déconcertant !

□ Psychisme

Ce sont des êtres aux réactions surprenantes. On ne sait jamais comment ils vont se comporter, sur quel plan ils vont se déplacer. Ce sont des « hommes-surprises » qui, délibérément et sans changer la structure même de leur personnage, vont se présenter à nous sous l'angle qui leur convient. Une certaine nonchalance, un sang-froid inébranlable et le moment d'après passionnés, voire violents, mais s'exprimant toujours en fonction d'une idée bien précise qu'ils ont d'eux-mêmes et du but qu'ils poursuivent. Ils sont objectifs, capables de se dévouer à une cause. Ils ont une grande confiance en eux, sont peu influençables. Il arrive qu'ils jouent la timidité, mais elle est plus apparente que réelle.

□ Volonté

C'est une volonté efficace et de premier plan. Cela veut dire que non seulement ils sont volontaires, mais qu'en plus ils se donnent des allures volontaires. Ne pas laisser ces enfants s'installer dans cette attitude.

□ Emotivité

Elle est des plus moyennes et — notre schéma le montre bien — elle est soutenue par une réactivité très présente qui lui donne un aspect relativement explosif mais néanmoins contrôlé.

203

□ **Réactivité**

Dans le cadre général de ce caractère, elle est forte et amènera les porteurs de ces prénoms à trancher rapidement dans un débat, ou même à
lancer une réplique cinglante qui presque toujours fait mouche et souvent fait mal. Ne laissez pas ces jeunes gens vous « répondre », car,
s'ils s'aperçoivent que vous n'êtes pas « à la hauteur » dans ces joutes
oratoires, vous risquerez de perdre beaucoup de votre prestige.

□ **Activité**

C'est avant tout une activité motivée. Ils veulent savoir pourquoi et
pour qui ils travaillent. D'où la nécessité de les informer largement, et,
dès leur jeune âge, proposer un but précis à leur action. Qu'ils sachent
où ils vont ! Très tôt, ils savent ce qu'ils sont, ce qu'ils peuvent et ce
qu'ils veulent faire. Brillants sans éblouir, autoritaires sans agressivité,
dotés d'une belle conscience professionnelle, ils se dirigent rapidement
vers des professions de contact et de combat. Juges, religieux engagés,
industriels d'avant-garde, cadres, ils adhèrent volontiers à de vastes
mouvements de pensées sociales. Ce sont des parlementaires compréhen-
sifs et généreux, des médecins dévoués, aux dons parfois extraordinai-
res.

□ **Intuition**

Leur intuition est remarquable et fortement structurée. Ils s'en servent
exactement comme ils utilisent leur séduction, jouant de leurs possibilités complémentaires de contact ; le « passionné » qu'ils peuvent paraître
et le « flegmatique » qu'ils semblent être. C'est cette intuition qui leur
confère une justesse de diagnostic sans égale.

□ **Intelligence**

L'intelligence est vaste, à la fois synthétique et analytique, c'est-à-dire
qu'ils embrassent mentalement la totalité d'un événement, dans son
ensemble et dans son détail, ce qui est souvent captivant. Belle
mémoire, curiosité organisée.

□ **Affectivité**

Profonde et large affectivité. Les sentiments qu'ils manifestent et ceux
qu'ils recueillent font d'eux des êtres aux antennes déployées, capables
de comprendre beaucoup de choses. Ils sont très attentifs au comportement des autres et les observent avec une grande sagacité. Ils expriment
leur affection ou leur amour avec beaucoup d'équilibre et de nuance.
Enfants, il ne faut pas les obliger à de grandes démonstrations de tendresse, mais bien les comprendre et savoir lire dans leur regard à qui
vont leur respect et leur tendresse.

□ **Moralité**

C'est une moralité de « militant » ou même de « militaire » tant elle
s'apparente à un code, à un manuel de discipline. On ne discute pas :
« Ça se fait » ou « Ça ne se fait pas », et on ne triche pas plus avec sa
conscience qu'avec son adjudant. Leurs croyances sont riches, elles
aussi ! Il y a chez eux une illumination presque spirituelle de l'être. Ils
croient en eux, en leur mission, aux principes qui les guident, sur quel-

que plan que cela soit. Des mystiques éclairés, même si leur religion, dans certains cas, est plus « politique » que confessionnelle.

□ Vitalité

La vitalité faisant partie de l'intendance, elle suit et ne pose pas de problèmes généraux. Elle est habituellement remarquable, néanmoins se méfier d'un certain lymphatisme dans la jeunesse. Santé équilibrée. Points faibles : sang et digestion.

□ Sensorialité

C'est une sensorialité de bon aloi. Puissante sans être tyrannique, elle amène ce type de caractère à goûter très tôt aux « bonnes choses » de la vie, sans se laisser, toutefois, entraîner à des actes qui ne cadreraient pas avec leurs principes. Leur sexualité sera souvent exigeante ; en cette matière, ils sont précoces mais discrets. Leur maturité sur ces plans est quelquefois étonnante, mais toujours équilibrée. Très tôt, ils deviennent des hommes que l'on écoute et que les femmes respectent. Fidèles, ils sont capables de vivre un grand amour à la fois passionné et tranquille.

□ Dynamisme

Un dynamisme parfaitement en rapport avec l'activité qu'il sous-tend. Chose intéressante, on s'apercevra que cette activité est toujours empreinte d'une sociabilité certaine. Autrement dit, ce genre de patron, tout en étant ferme sur la discipline, introduit, dans ses rapports avec le personnel, une nuance de considération familière fort appréciée et sans tomber dans le paternalisme.

□ Sociabilité

Nous l'avons déjà à peu près analysée. Ce sont des êtres maîtres d'eux-mêmes, jamais déconcertés, riches d'un caractère s'ouvrant largement sur le monde. Ils ont besoin de grandir dans une ambiance saine et solide. Ils ont un sens profond de l'autorité et du pouvoir, c'est-à-dire du rôle de la mère et de celui du père. « Les deux flambeaux du monde », ainsi que les appelaient les Anciens. Recevant à la fois avec dignité et avec faste, ils seraient tentés de faire, en ce domaine, des dépenses inconsidérées.

□ Conclusion

Un type de caractère très fort. Des hommes de grande classe dont le seul défaut, peut-être, serait de trop chercher à déconcerter le partenaire en jouant de ses qualités manœuvrières d'« amphibie » — c'est un « phoque », ne l'oublions pas — qui le conduisent à mener une discussion sur deux plans : les affaires et le sentiment... contrôlé ! A moins qu'ils ne soient hybrides, comme le *maïs*, leur végétal totem !

ÉLISABETH

Personnalité : *La reine de beauté.*

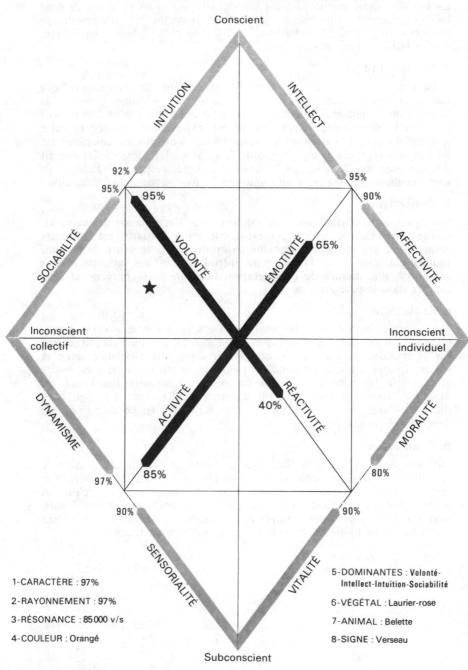

Conscient

INTUITION
INTELLECT

92%
95%
95%
95%
90%

SOCIABILITÉ
VOLONTÉ
ÉMOTIVITÉ
65%
AFFECTIVITÉ

Inconscient collectif
Inconscient individuel

DYNAMISME
ACTIVITÉ
RÉACTIVITÉ
40%
MORALITÉ

97%
85%
80%

90%
90%

SENSORIALITÉ
VITALITÉ

Subconscient

1-CARACTÈRE : 97%

2-RAYONNEMENT : 97%

3-RÉSONANCE : 85000 v/s

4-COULEUR : Orangé

5-DOMINANTES : Volonté-
Intellect-Intuition-Sociabilité

6-VÉGÉTAL : Laurier-rose

7-ANIMAL : Belette

8-SIGNE : Verseau

Elisabeth

et prénoms aux caractéristiques analogues

Aglaée	Félicienne	Liliane	Marceline
Déborah	Félicité	Lily	Marcelline
Elisa	Florentine	Lisbeth	Stéphanette
Elisabeth	Florine	Lise	Vinciane
Elise	Hermance	Lisette	
Félicie	Liliana	Lizzie	

□ Type caractérologique

Ce sont des sentimentales dotées d'une forte émotivité et de beaucoup de sensibilité, mais leur activité est moyenne et elles ne réagissent souvent qu'après coup, ce qui complique le portrait de leur caractère. Ce sont des femmes de belle allure, sachant commander, passablement rusées quand il le faut. Leur comportement laisse souvent apparaître une double notion des choses.

Il y a l'être extérieur, plein de majesté, avec un très beau port de tête, puis un être plus secret, sachant s'adapter merveilleusement aux événements, même les plus déconcertants, « encaissant », comme on dit, les coups les plus rudes sans se départir d'une tranquillité rassurante sauf lorsque vient le moment de la vengeance. Ces enfants se prénommant ainsi sont habituellement des petites filles plutôt renfermées et narcissiques. Elles aiment beaucoup se contempler et en arrivent souvent à jouer leur vie plutôt qu'à l'accomplir pleinement.

□ Psychisme

Ce sont des introverties. Elles ne disent pas tout ce qu'elles pensent et ne font pas toujours ce qu'elles disent. Elles sont peu influençables et fort maîtresses d'elles-mêmes secrètement. Ne pas se laisser prendre aux apparences, car elles chercheront à vous déconcerter par un comportement ambigu. C'est un jeu auquel il ne faut pas céder. Il faut se rappeler que leur animal totem est la *belette,* si chère à La Fontaine : « c'est une rusée... »

□ Volonté

Elle est forte, très organisée, discrète et, souvent, il arrive à ces petites de faire semblant de ne pas comprendre ou de ne pas pouvoir réaliser ce qu'on leur demande pour mieux défendre leurs intérêts. Elles sont assez machiavéliques et aiment « monter des coups ». Elles sont à la fois fleurs et feuilles comme le *laurier-rose*, leur végétal totem.

□ Emotivité

Elle frise l'excès ! Cela est d'autant plus regrettable que l'activité est moyenne et que cette émotivité envahissante va se reporter sur le dynamisme. Ce type de caractère réagira donc en exagérant son verbalisme, en « bluffant », mais aussi en cherchant à se servir des autres.

□ Réactivité

Elle est relativement en veilleuse, mais cela n'empêche nullement des réactions, diluées dans le temps, et néanmoins redoutables. Elles sont subjectives. Leur monde à elles est pratiquement le seul valable. Elles sont captatives et n'abandonnent pas volontiers un pouvoir ou un avantage qu'elles ont pu acquérir. Au fond d'elles-mêmes, elles ont une grande confiance en leur destin, mais cachent cette certitude sous une fausse humilité. Leur imagination n'est pas tout à fait à la hauteur de leur intelligence. Elles auraient tendance à s'emparer facilement des idées des autres. Ces enfants sont de celles qui, à l'école, copient sur leur voisine !

□ Activité

Le niveau de cette activité n'est pas totalement convaincant. Il lui manque ce petit « quelque chose » qui fait les grandes réussites. Il faut que ces êtres aillent jusqu'au bout de leurs engagements. Pour elles, les études doivent aboutir à un but précis. Dès leur plus jeune âge, il faut leur expliquer la raison de leurs efforts, sans oublier qu'elles ont besoin, presque toujours, qu'on leur donne une double explication à ce qu'elles doivent faire. Par exemple, si on leur propose, dans le domaine de l'orientation professionnelle, de devenir avocates, elles ont besoin de savoir aussi que cela peut les conduire au parlementarisme. Elles sont orientées vers les techniques nouvelles, en particulier l'électronique. Elles peuvent être de remarquables reporters, surtout attirées par la radio ou la télévision. En un jour de grande sincérité, elles vous avoueront peut-être — mais n'y comptez pas trop — qu'elles rêveraient d'être détectives ou même espionnes !

□ Intuition

Elle est remarquable. Habituellement elles choisissent bien ceux qui les entourent, avec une envie subtile à les réduire en esclavage. La séduction est réelle, mais légèrement artificielle, calculée. Les Elisabeth auraient presque un côté Mata-Hari. Ces enfants ont tendance à être gourmandes et à grossir.

□ Intelligence

Intelligence profonde, assez souterraine. Elles ont un sens très poussé de l'analyse. Ce sont des observatrices, parfois sans pitié. Elles possèdent une grande mémoire. Elles sont curieuses et auraient même de grandes facilités à violer le secret de la vie privée des autres. Il ne faut pas encourager, chez ces enfants, l'indiscrétion sous toutes ses formes.

□ Affectivité

L'affectivité est secrète avec de grands élans retombés. Elles demandent à être comprises. Elles voudraient se jeter dans les bras de ceux qu'elles aiment, mais la dualité de leur caractère les freine et les bloque. Elles sont compliquées et déconcertent par une certaine froideur. Ces enfants, n'ont pas un contact facile avec les parents, et, dès leur jeune âge, il faut les habituer à jouer sur un seul tableau et non sur deux.

□ Moralité

Elles ont la moralité de leur ambition et il faudra les convaincre d'obéir à des principes rigoureux, sous peine de les voir se livrer à des fantaisies sociales difficiles à contrôler. Moyennement superficielles, elles ont leur propre religion où jouent des éléments d'opportunisme, de snobisme et parfois même d'intérêts. Elles sont relativement méfiantes, ne sachant pas toujours, finalement, où elles en sont elles-mêmes, mais ne le laissant jamais paraître.

□ Vitalité

Lorsqu'elles sont portées par la réussite, elles ont une santé éclatante. Elles savent ce qu'il faut faire et ce qu'il ne faut pas faire pour garder leur équilibre physiologique et mental, pour la simple raison qu'elles disposent, comme certaines voitures pour leur freinage, d'un double circuit qui leur permet, à chaque instant, de trouver une solution immédiate à leur problème physique ou psychique. Leurs points faibles : le cou et les glandes qui lui sont liées. Attention à la thyroïde...

□ Sensorialité

Encore un atout dans leur jeu. Elles troublent leurs partenaires qui ne savent plus très bien à qui ils ont affaire. Qui peut bien se cacher sous cet être un peu déroutant dont la beauté froide surprend et intrigue ? Maîtresses de leurs sens, masculines par certains aspects de leur personnalité, réservées, elles ne sont pas toujours d'un abord très facile. Elles sont changeantes, moins par frivolité que par désir de rester indépendantes et libres.

□ Dynamisme

C'est un dynamisme de conquête qui étonne un peu lorsqu'on le compare, nous l'avons vu, à une activité nettement plus discrète. Cela prouve que ces prénoms-types ne reculeront devant rien pour imposer leurs idées ! Vous êtes prévenus... Elles ont beaucoup de chance et elles savent s'en servir. Elles tricheraient même un peu s'il le fallait. Elles veulent aller jusqu'au bout de ce qu'elles entreprennent, même si, par moments, on a l'impression qu'elles ont oublié leur direction première. Des êtres remarquables. Belles au-delà de la beauté, séduisantes au-delà de leur dédain calculé !

□ Sociabilité

Leur sociabilité est grande, mais c'est une sociabilité acceptée. Elles ont un sens certain des public-relations et savent avec beaucoup de finesse faire les présentations et mettre les gens en contact. Cette sociabilité « concertée » est un instrument remarquable entre leurs mains et elles sauront toujours se servir de leur « présence » pour se tirer d'un mauvais pas. Chose remarquable, dans ce jeu social aux règles plus ou moins sournoises, elles réussissent aussi bien auprès des femmes que des hommes. Les Elisabeth et les prénoms qui partagent les mêmes caractéristiques, savent donc recevoir avec infiniment d'habileté et de classe et un plan de table, pour elles, est une véritable carte de bataille !

□ Conclusion

Il ne conviendrait pas que nous donnions l'impression que ces types de caractère sont animés par un machiavélisme féroce. Non, ce sont des êtres remarquables. D'une puissance étonnante et qui ne cesseront, tout au long de leur existence, de provoquer les plus vives passions ou les plus redoutables critiques. Mais n'est-ce pas cela la vie ? N'est-ce pas cela la réussite ?

ÉMILE

Personnalité : *Celui qui se cache.*

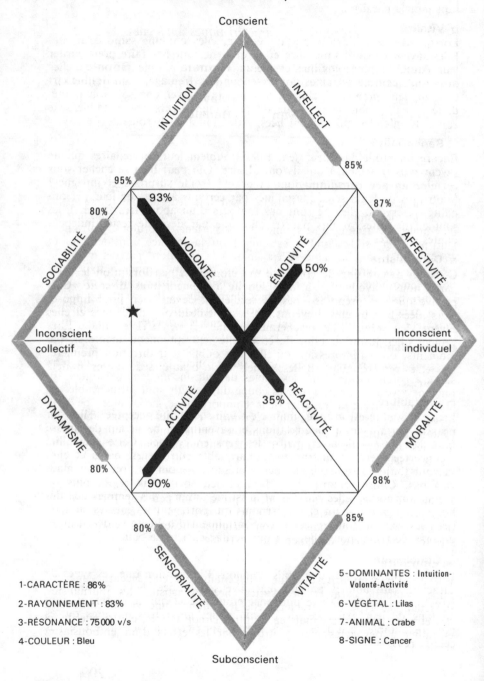

Conscient

INTUITION

INTELLECT

85%

95%

93%

80%

87%

SOCIABILITÉ

VOLONTÉ

ÉMOTIVITÉ

50%

AFFECTIVITÉ

★

Inconscient
collectif

Inconscient
individuel

ACTIVITÉ

RÉACTIVITÉ

35%

DYNAMISME

MORALITÉ

80%

90%

88%

85%

80%

SENSORIALITÉ

VITALITÉ

Subconscient

1-CARACTÈRE : 86%

2-RAYONNEMENT : 83%

3-RÉSONANCE : 75000 v/s

4-COULEUR : Bleu

5-DOMINANTES : Intuition-
   Volonté-Activité

6-VÉGÉTAL : Lilas

7-ANIMAL : Crabe

8-SIGNE : Cancer

Emile

et prénoms aux caractéristiques analogues

Alex	Elme	Homère	Ronald
Alexandre	*Emile*	Jordane	Siegfried
Alexis	Emilien	Mayeul	Wilfried
Aymeric	Goulven	Renald	

□ Type caractérologique

Pour bien les comprendre, il faut savoir que leur animal totem est le *crabe*. Or, le comportement de ces crustacés est étrange. Ils marchent en diagonale, ils attaquent, ils pincent, ils partent à reculons, entraînant leur proie et, si le combat est inégal ou la menace considérable, ils s'enfouissent dans le sable. C'est un peu la situation, parfois inconfortable, de ces types de prénoms qui possèdent une grande activité, une bonne émotivité, mais des réactions en retrait. Curieusement, on pourrait dire que ce sont des passionnés flegmatiques. Ils savent se « démener » quand il le faut, mais ils savent aussi « faire le mort » comme le *lilas*, leur végétal totem qui, lui aussi, attend le printemps.

□ Psychisme

Ce sont des introvertis, c'est-à-dire qu'ils fuient parfois la réalité blessante en s'enfonçant dans les sables de leur inconscient personnel. Ils ont une vive imagination qui les coupe du réel. Ils sont influençables, et cherchent souvent à justifier leur comportement à l'avance, de peur d'être jugés. Ils sont donc plutôt craintifs et il ne faut pas abuser de l'inquiétude que l'on peut créer chez les petits Emile et leurs prénoms associés, qui ont besoin d'affection et d'encouragement pour avoir confiance en eux.

□ Volonté

En apparence, elle est forte et même presque un peu trop forte puisque l'on s'aperçoit rapidement qu'elle peut tourner à l'entêtement et qu'à d'autres moments elle laisse passer certaines choses sans réagir. Luttez, très tôt, contre cette tendance à la « bascule ».

□ Emotivité

Elle est d'une intensité quelque peu gênante car elle accentue une certaine instabilité caractérielle. Certes chez les artistes, les journalistes, possédant ce type de caractère, elle leur donne une vision émouvante des êtres et des choses, mais en d'autres circonstances, elle risque de les entraîner à des actes mal contrôlés par les effets d'un enthousiasme irraisonné.

211

□ Réactivité

Cette réactivité est, malheureusement, souvent négative et, parfois, prend l'allure d'une fuite... Ils ont un sens profond de l'amitié et même, à certains moments, arrivent à transmuer leur amour-passion en amitié amoureuse, ce qui ne plaît pas à toutes les femmes ! A d'autres moments, ils se bloquent et ils nourrissent, souvent sans raison, une crainte maladive de l'échec, des refoulements sentimentaux et artistiques. Ils voudraient s'exprimer totalement mais une certaine timidité les neutralise. La discrétion de leur végétal totem : le *lilas!*

□ Activité

Une bonne activité, certes, mais l'examen de notre schéma psychostructurel nous montre qu'elle est parfois anarchique ou même incomplète en fonction d'un faible niveau de dynamisme. Ils ne sont pas spécialement passionnés par les études ou plutôt ils font des études pour eux seuls. Autrement dit, ce sont des autodidactes, des indépendants et ils n'acceptent pas facilement la vie de caserne, des lycées ou des collèges où l'on ingurgite la culture sous la menace. Ce sont des artistes dans l'âme et tout ce qui est aspiration profonde de l'être les passionne. De remarquables comédiens, des metteurs en scène, des conférenciers, des hommes de radio et de télévision. Mais on trouve aussi chez eux des voyageurs solitaires, des marins, des moines, ce qui leur permet de s'éloigner, d'une certaine manière, de ce monde qu'ils refusent.

□ Intuition

Une intuition de type assez féminin. Une séduction tendre, un peu implorante, parfois, une imagination galopante qui les entraîne dans un monde fantastique d'où il est difficile de les faire revenir.

□ Intelligence

Leur intelligence est faite d'astuces et d'un certain sens de l'opportunisme. Elle est synthétique, c'est-à-dire qu'ils agissent beaucoup plus en fonction d'un principe qu'en examinant tous les éléments de l'opération en cours. Ils possèdent une mémoire fidèle et surtout une intense et parfois dangereuse curiosité qui les conduit à s'engager trop à fond dans des combats ou des entreprises, dont ils ne sortent que par une dérobade habile.

□ Affectivité

Ils sont difficiles à apprivoiser ! Si on les prend mal, ils pincent et s'ils vous voient venir avec une affection un peu envahissante, ils fuient. Ils sont très indépendants et en même temps désirent un refuge où ils trouveront, à leur convenance, tendresse et sécurité. Les parents auront une tâche délicate pour éviter que ces enfants ne se soustraient à leurs responsabilités. Leur apprendre à juger clairement des choses et à vivre courageusement.

□ Moralité

On pourrait presque dire qu'il s'agit d'une moralité de « surprise », dans la mesure où le sujet n'en découvre l'existence qu'après avoir accompli l'acte litigieux. Alors, il se pose la question : « Est-ce que j'ai bien fait de faire ça ? » Ils habitent souvent un monde imaginaire à mi-chemin entre le ciel et la terre, ou entre la terre et l'enfer, cela dépend des jours. Ils sont mystiques ou cyniques selon le cas, et là encore il faudra être attentif à leurs démarches mentales, surtout lorsqu'ils sont jeunes.

□ **Vitalité**

Assez moyenne. Ce ne sont pas des forces de la nature, et ils se fatiguent très rapidement.
Et leur santé ? Pas toujours excellente, l'estomac est fragile et il faut surveiller la digestion, les intestins. Ces maux secondaires les humilient et les découragent souvent plus qu'un mal reconnu. Ils ont besoin d'une rigoureuse discipline de vie, sur le plan physique comme sur le plan psychique, pour empêcher leur mental de trop vagabonder.

□ **Sensorialité**

Il ne faut pas oublier, au niveau de la sensorialité, que ces hommes — jeunes et moins jeunes — sont « ceux qui se cachent ». On ne doit donc pas s'attendre à une sensualité explosive ni tellement agressive.
Leur sexualité est essentiellement psychique et ils ont tendance « à se faire du cinéma ». Ils rêvent leur amour beaucoup plus qu'ils ne le vivent et leur sensualité gardera toujours quelque chose d'assez enfantin avec, obscurément, une constante recherche de la chaleur maternelle.

□ **Dynamisme**

C'est un des points faibles de leur caractère et qui, hélas, leur donne parfois des allures hésitantes dans l'action. Ce ne sont pas des entraîneurs d'hommes, des chefs pleins d'enthousiasme ! On a plutôt l'impression que le travail les ennuie et qu'ils n'ont qu'une envie, rentrer chez eux pour faire ce qui leur plaît... ou même rien du tout !

□ **Sociabilité**

Sociables avec tendresse, attentifs à tout ce qui leur est proposé, inquiets, ce sont souvent des écorchés qui attendent l'impossible et passent ainsi à côté du réel. D'une volonté à éclipses qu'il faut à tout prix éduquer, mais d'une moralité plus stable, ils comptent sur la chance pour les sortir des trous où ils s'enfoncent eux-mêmes et leur réussite a parfois du mal à se décider tant ils hésitent sur la meilleure conduite à adopter. Des enfants à bien structurer, à bien équilibrer.

□ **Conclusion**

Ce sont des caractères qui, toute leur vie, auront besoin de s'appuyer sur un partenaire fort, que ce soit la mère ou l'épouse. Mais de toute manière, ne les laissez pas s'endormir au fond de leur tanière, ces petits crabes... même, et surtout, s'ils en « pincent » pour vous !

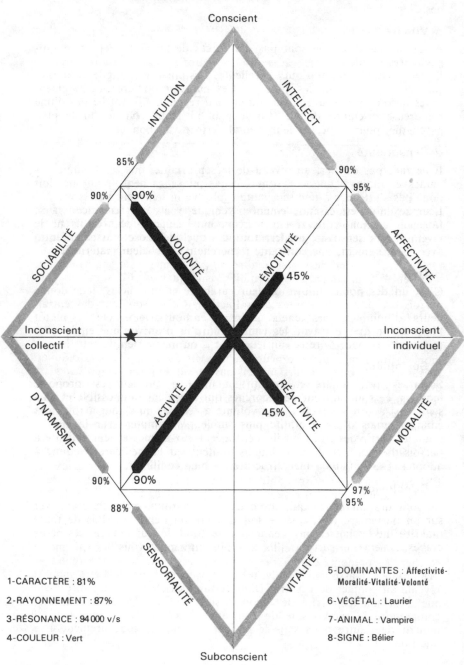

ÉTIENNE

Personnalité : *L'homme qui cherche*

Conscient

INTUITION
INTELLECT

85%
90%
95%

90% 90%

SOCIABILITÉ
VOLONTÉ
ÉMOTIVITÉ
AFFECTIVITÉ

45%

Inconscient collectif
Inconscient individuel

DYNAMISME
ACTIVITÉ
RÉACTIVITÉ
MORALITÉ

45%

90% 90%

88%
97%
95%

SENSORIALITÉ
VITALITÉ

Subconscient

1-CARACTÈRE : 81%

2-RAYONNEMENT : 87%

3-RÉSONANCE : 94 000 v/s

4-COULEUR : Vert

5-DOMINANTES : Affectivité-
Moralité-Vitalité-Volonté

6-VÉGÉTAL : Laurier

7-ANIMAL : Vampire

8-SIGNE : Bélier

Etienne

et prénoms aux caractéristiques analogues

Adelin	**Déodat**	**Guérin**	**Justinien**
Annibal	**Erasme**	**Jonas**	**Léo**
Auguste	*Etienne*	**Juste**	**Léonilde**
Césaire	**Flavien**	**Justin**	**Ludovic**
César			

□ Type caractérologique

Il existe un très intéressant équilibre chez ce type de caractère. En effet, le schéma psycho-structurel qui accompagne cette étude nous offre un exemple rare d'égalité des indices : d'une part, la volonté possède la même intensité que l'activité et, d'autre part, l'émotivité est égale à la réactivité. Ce sont des êtres maîtres d'eux-mêmes tout en ayant une « présence », un impact, une vitalité remarquables. Ce sont des fonceurs, mais des fonceurs prudents.

□ Psychisme

Dans la plupart des cas, c'est une joie que de vivre et de travailler auprès d'eux. Ils nous donnent, en effet, l'impression d'évoluer dans un monde simple où pour être heureux, il suffit de comprendre et d'aimer. Extravertis, ils ont toujours un œil ouvert sur l'univers et ils savent se donner corps et âme à la cause qu'ils défendent. Ce trait de caractère se remarque même chez les enfants : profitez donc de ce dévouement toujours présent et ne le décevez pas. Sont-ils colériques à certains moments ? Ce serait plus une preuve de dynamisme que d'agressivité.

□ Volonté

Nous avons vu que cette volonté soutient une activité de même niveau. Elle est puissante et raisonnable. Elle ne cherche jamais à contraindre et donne toujours une impression de spontanéité et de facilité, loin de tout effort contraignant.

□ Emotivité

Nous avons affaire à une émotivité de « contact ». Chez les Etienne — et chez les prénoms qui, à des degrés divers, leur sont apparentés — l'émotivité est assoupie au niveau de la vie intérieure de l'être mais se réveille au contact de l'Autre. Dans certains cas, on pourrait dire d'elle que c'est une émotivité de « compassion ». C'est ici qu'il faut bien comprendre le symbolisme de leur animal totem, le *vampire,* qui se nourrit de l'autre mais sans le « vider » jamais... contrairement à ce que l'on dit !

215

□ Réactivité

Elle est discrète, car, en réalité, ils n'ont pas à en jouer ! A quoi bon se mettre en colère, ou s'énerver lorsque l'on tient parfaitement la situation en main ? Ce sont les faibles qui, la plupart du temps, dissimulent leurs hésitations sous des masques agressifs. Les Etienne, eux, œuvrent sans complexe ! Ils réagissent parfois avec vigueur, mais cela ne va pas plus loin.

□ Activité

Une activité d'autant plus riche qu'elle est totalement efficace. Chez eux, « rien ne se perd, tout se transforme » ! Le dynamisme, la volonté viennent soutenir cette activité et lui donner une puissance assez rare. La plupart sont d'éternels étudiants qui passent leur vie à parcourir le monde des pensées et des sentiments pour découvrir l'Homme Universel. Passionnés de psychologie, de médecine, ils se dévouent admirablement aux déséquilibrés nerveux, aux enfants caractériels et d'une manière générale à la recherche psychique. Leur sens de l'adaptation, leur fécondité mentale, font aussi d'eux de remarquables écrivains possesseurs d'une puissante expérience humaine. Sur un autre plan, ce sont des enseignants de grande qualité, des syndicalistes lucides, des hommes politiques clairvoyants.

□ Intuition

C'est, avant tout, une intuition d'« apparat ». Elle ne joue pas un rôle d'« informateur » mais de « confirmateur », si l'on nous permet ce mot. En effet, ce type de caractère ne « part » pas de son intuition mais de son intellect et ce n'est qu'en fin de parcours, tout étant accompli, qu'il vérifie si cette intuition était bonne ou non.

□ Intelligence

D'une intelligence claire et analytique, ils ont l'art de débrouiller les situations les plus inextricables, les plus embarrassantes. Dotés d'une vaste mémoire, ce sont de véritables encyclopédies vivantes. Animés d'une vive curiosité, on les trouve partout où se produit, à un moment donné, un événement important. Ce sont des enquêteurs, des informateurs-nés.

□ Affectivité

On comprend que leur vie soit relativement stable. Vous pouvez donc faire confiance à ces enfants qui ne demandent, pour être heureux, que de vous voir heureux. Avec une intuition sûre, ils sentiront immédiatement si la vie de votre couple est équilibrée ou non. Ils sont rares ceux qui s'illuminent de la joie des autres. Les Etienne et prénoms apparentés sont de ceux-là.

□ Moralité

Excellente moralité qui ne va pas chercher ailleurs qu'en elle-même les raisons de croire en des principes bien établis. Ne demandez pas à ces hommes pourquoi ils agissent ainsi. Constatez plutôt l'efficacité et la rigueur de leur comportement et prenez-en « de la graine ». Quant à leur foi, elle est souvent très forte et ils ont un sens élevé de l'amitié.

216

Ce sont des hommes de parole que l'échec ne rebute pas ni même, ce qui est rare, la trahison.

□ Vitalité

Dans ce cas précis, le pourcentage important de vitalité ne signifie pas forcément l'assurance d'une vie tranquille. Il existe autre chose chez un être et c'est la plénitude du psychisme. Cet équilibre mental se reflète dans leur vie physique et ce sont généralement des hommes en bonne santé, et d'une grande vitalité. Dans les cas les plus extrêmes, ils pourraient souffrir de troubles nerveux s'ils ne respectaient pas les règles de ce métabolisme psychique qui fait leur force et qui leur donne ce pouvoir. Donc bien veiller sur l'équilibre nerveux de ces enfants et leur assurer une vie saine et stable. Ils sont toujours verts, à l'image de leur végétal totem : le *laurier*.

□ Sensorialité

Elle est délicate à expliquer cette sensorialité qui se laisse souvent dépasser par une affectivité qui les rend très dépendants des mouvements de leur cœur...
Leur sexualité est limpide dans la mesure où elle est profondément saine. Ces enfants ont besoin qu'on leur dise clairement les choses et vous n'avez pas à craindre de curiosité mal placée. Plus grands, ils trouveront dans le mariage ce plein épanouissement qu'ils désirent habituellement.

□ Dynamisme

Cet équilibre caractériel, que nous avons déjà constaté, se retrouve au niveau du dynamisme. Il est rare de rencontrer — s'il existe ailleurs qu'au niveau de cette étude de prénoms — un losange aussi éloquent que celui qui réunit la volonté, l'activité, la sociabilité et le dynamisme. Quel programme et quelle efficacité !

□ Sociabilité

Parlons justement de cette sociabilité, qui se met parfaitement à l'unisson du schéma général de ce type de caractère. Dessinons la silhouette de ces prénoms. Ces hommes, nous avons vu qu'ils étaient disponibles, prêts à participer à la vie du monde. Leur sociabilité sera donc bonne, à condition qu'ils ne se dispersent pas. Leur réussite ne dépend que très peu de la chance, qu'ils ont d'ailleurs, mais bien plutôt de leur enthousiasme raisonné.
Ils sauront donc choisir leurs amis, composer un cadre, décider d'un contexte social qui leur apportera cette sympathie dont leur exubérance se nourrit.

□ Conclusion

Rien n'est parfait en ce bas monde, et il serait illusoire de considérer ce type de prénom comme parfait. Comme tout chercheur, ils peuvent aussi se tromper de route, mais il existe chez eux une telle honnêteté intellectuelle qu'ils sont prêts, à chaque instant, à reprendre le chemin de Damas... au risque de se faire foudroyer.

EUGÉNIE

Personnalité : *Celle qui avance, celle qui fonce.*

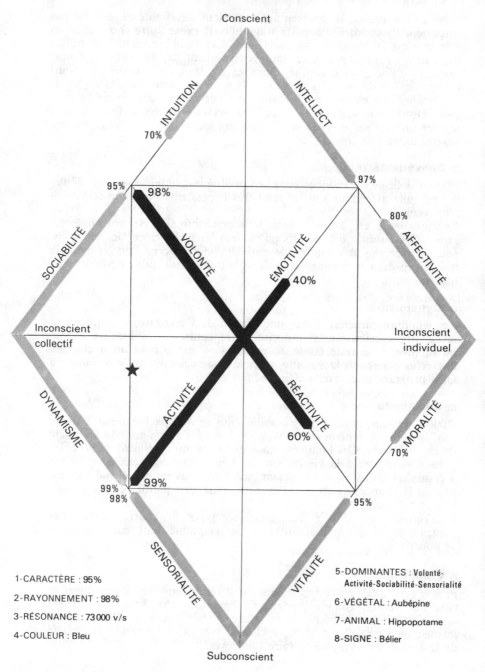

Conscient

INTUITION   INTELLECT

70%   97%

95%   98%   80%

SOCIABILITÉ   VOLONTÉ   ÉMOTIVITÉ   AFFECTIVITÉ

40%

Inconscient collectif   Inconscient individuel

★

DYNAMISME   ACTIVITÉ   RÉACTIVITÉ   MORALITÉ

60%

70%

99%   99%   95%
98%

SENSORIALITÉ   VITALITÉ

Subconscient

1-CARACTÈRE : 95%

2-RAYONNEMENT : 98%

3-RÉSONANCE : 73 000 v/s

4-COULEUR : Bleu

5-DOMINANTES : Volonté-Activité-Sociabilité-Sensorialité

6-VÉGÉTAL : Aubépine

7-ANIMAL : Hippopotame

8-SIGNE : Bélier

Eugénie

et prénoms aux caractéristiques analogues

Alexandra	Chloé	Franceline	Liesse
Alexandrine	*Eugénie*	Francette	Linda
Alexia	France	Francine	Octavie
Balbine			

□ Type caractérologique

Il est difficile de leur résister, car ce sont à la fois des êtres séduisants et piquants, à l'image de leur végétal totem, l'*aubépine*. Elles foncent dans le brouillard et se fraient un chemin à coups de tête. Malheur à ceux qui leur résistent ! Elles ont aussi l'art de se mettre dans des situations compliquées dont elles ont, par la suite, un certain mal à se dépêtrer. Leur esprit est aventureux, passionnant, mais n'est pas toujours de tout repos.

□ Psychisme

Des personnes passablement difficiles à suivre car tout en elles est mouvement. Leurs plans d'action sont souvent embrouillés et il faudra dès leur jeune âge leur apprendre la simplicité. Ce sont des extraverties, c'est-à-dire qu'elles sont extériorisées et qu'elles ont besoin d'un large contact avec le monde. Leur imagination est fertile mais un peu « tordue » ! Elles sont légèrement — nous le disons gentiment — machiavéliques. Il faudra donc amener ces enfants à agir selon des principes clairs et sains, à ne pas se disperser et à aller jusqu'au bout du travail commencé. Extrêmement possessives, elles rêvent d'avoir des esclaves, en commençant par leurs parents. Elles sont subjectives et ont une confiance en elles qui frise parfois l'orgueil. Et même si, parfois, on a du mal à les suivre, c'est qu'elles sont entre deux eaux, comme leur animal totem : l'*hippopotame*.

□ Volonté

Si l'on pouvait faire le caractérogramme d'un bulldozer ou d'un char d'assaut, on trouverait vraisemblablement ce pourcentage de volonté ! Pour elles, tout arrêt est une reculade et une reculade, une déroute... Malheur à ceux qui ne peuvent ou ne veulent pas suivre ! Ils n'arriveront jamais à recoller au peloton...

□ Emotivité

Une émotivité parfaitement contrôlée mais qui soutient merveilleusement une réactivité beaucoup plus forte et qui sera à la source de tous les « séismes » psychologiques de ces caractères volcaniques. Elles ont une véritable passion de l'amitié. Leur rêve : partir au pôle Nord ou au Sahara avec une bande de copains. Attention au désir d'indépendance

219

des petites Eugénie et de leur tendance à la fugue, à l'aventure. Les prénoms partageant les mêmes caractéristiques sont aussi du voyage !

□ Réactivité

Redoutables réactions lorsque les choses ne prennent pas la direction souhaitée et qu'un responsable leur tombe entre les mains. C'est l'hallali, la curée, la corrida ! Les époux de ces belles tigresses auront quelques problèmes pour survivre à ces heures épouvantables. Et vous, parents, cramponnez-vous et soyez fermes comme un roc !

Elles sont oppositionnelles, non par système, mais par la simple conviction qu'elles détiennent seules la vision exacte des choses et des événements, et que les autres n'ont rien compris ! Donc, un manque certain d'objectivité. Les échecs ne les atteignent guère car elles les mettent sur le compte d'autrui.

□ Activité

On ne sait plus très bien comment qualifier cette activité qui, dans certains cas, est absolument délirante et essentiellement contagieuse. Avec elles, il faut que ça bouge, ou plutôt que tout le monde bouge : les parents, les copains, puis, plus tard, le mari, les enfants, etc.

Etant accrocheuses et ambitieuses, elles sont prêtes à faire de longues études. Elles sont attirées par tout ce qui touche aux voyages, par les professions médicales et paramédicales. On les voit très bien directrices d'école, secrétaires de direction, mais ce qu'il leur faut avant tout, c'est commander ! Capables de beaucoup d'enthousiasme, elles ont besoin de professions exaltantes, voire dangereuses : psychiatres, enseignantes, exploratrices, etc.

Elles s'adaptent très bien quand elles sont maîtresses de la situation, mais moins bien lorsqu'elles dépendent de la volonté des autres. Leur apprendre très tôt la discipline et le respect de la hiérarchie.

□ Intuition

Leur intuition est moyenne, leur séduction directe. Avec elles, « ça marche ou ça ne marche pas ». Attention, avec une astuce remarquable, elles donnent parfois l'impression de « prévoir le coup » ! Leur flair n'est pas de l'intuition, mais une logique « florentine » des plus subtiles. Des « rouées »...

□ Intelligence

Une intelligence plus pratique que brillante et mise entièrement au service de l'action, car, si leur émotivité est convenable, leur activité et leurs réussites sont remarquables. Leur intelligence est synthétique et elles voient immédiatement les lignes de force d'une situation sans trop s'occuper des détails, ce qui parfois leur cause des surprises assez désagréables. Elles ont une vive curiosité et une mémoire fidèle.

□ Affectivité

Versatiles en affection, elles se jettent à la tête des gens qu'elles rencontrent, les oublient, les retrouvent. C'est une série de coups de bélier ! Aussi n'attendez pas d'elles une tendresse continue et flatteuse. Et puis, il faut le dire, cette affectivité est un curieux cocktail d'amitié, de sensorialité, de sexualité... que sais-je encore ! Mais dans tous les cas, elles ne passent pas inaperçues, les chères petites...

220

□ Moralité

Il n'est pas étonnant, après tout cela, que la moralité de ces délicieuses créatures soit un peu « ramollie ». Comment diable voulez-vous leur demander de jouer les « saintes nitouches » alors que tous les tambours de l'enfer les appellent à des sabbats fantastiques ? Néanmoins, il faut absolument essayer de leur inculquer un minimum d'automatismes moraux ! Si ce n'est pas très efficace, cela vous donnera, au moins bonne conscience...

Et leur religion ? Elles sont, disons-le franchement, peu spiritualistes. Elles ont besoin de voir pour croire. L'ennui, c'est que de ce côté-là, elles ont la vue courte...

□ Vitalité

Elles possèdent évidemment la vitalité qu'il leur fallait : sauvage ! La santé est bonne, mais soumise aux conditions de vie de ces personnages remuants : manque de sommeil, repas pris irrégulièrement, etc. Points faibles : dans l'enfance et l'adolescence, surveiller le système respiratoire et particulièrement les poumons. Attention aux accidents, aux fractures provoquées par les imprudences propres à ces caractères impétueux.

□ Sensorialité

Que dire de plus ? Nous n'avons fait que traiter de ces appels à la sensualité qui leur courent les veines comme autant de messages diaboliques... Elles cèdent parfois à des pulsions assez violentes. Leur sensibilité est à base de coups de tête. Tout ou rien ! Ce sont des passionnées, colériques, très aventureuses, là aussi... Seul un grand amour peut les freiner...

□ Dynamisme

Pourquoi traiter spécialement du dynamisme alors qu'il envahit, qu'il inonde, qu'il submerge chaque paramètre de cette étude psycho-structurelle ? Il est au maximum de sa potentialité et, si tous ces prénoms-caractères ne sont pas forcément de petits diables — toutes les nuances existent —, chez tous ces êtres nous retrouverons cette fureur de vivre si attachante et si inquiétante parfois...

□ Sociabilité

On pourrait leur reprocher le côté excessif de leur comportement s'il n'y avait, en compensation, l'aspect entreprenant de leur caractère. Leur entourage ne manque pas d'être parfois effrayé de leur fougue, mais il les suit, parce qu'il est certain qu'avec elles « il se passera quelque chose ». Leur sociabilité est grande, quoique un peu anarchique. Attention à leur réussite, elle est due en grande partie à leur chance qui est peu commune ! En résumé, il est peut-être difficile de vivre avec elles, mais il est bien ennuyeux de vivre sans.

□ Conclusion

Il n'y a pas de conclusion possible avec ce type de caractère qui ne procède que par des remises en question constantes, surtout à propos des autres. On ne peut les suivre qu'en pratiquant la politique du « comme en 14 », c'est-à-dire en s'efforçant de suivre — malheureux fantassins de l'amour — ces petits monstres en forme de chars d'assaut qui, tous les matins, recommencent leur guerre !

FÉLIX

Personnalité : *Celui qui domine les flots.*

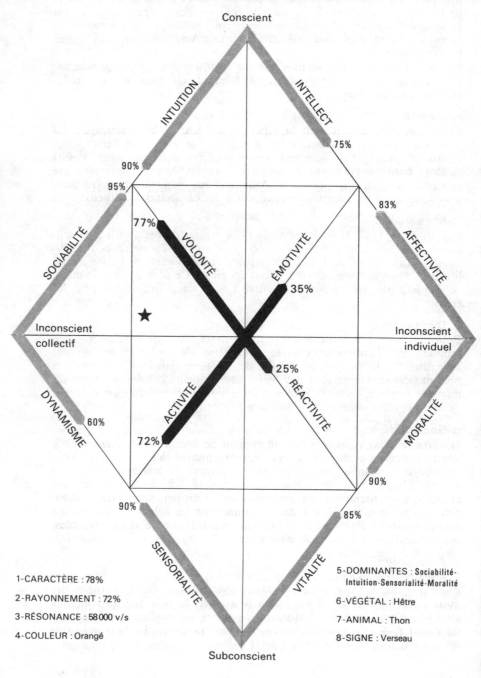

Conscient

INTUITION — 90%

INTELLECT — 75%

95%

83%

SOCIABILITÉ

AFFECTIVITÉ

77% VOLONTÉ

ÉMOTIVITÉ 35%

Inconscient collectif

Inconscient individuel

DYNAMISME

25%

ACTIVITÉ

RÉACTIVITÉ

MORALITÉ

60%

72%

90%

90%

85%

SENSORIALITÉ

VITALITÉ

1-CARACTÈRE : 78%

2-RAYONNEMENT : 72%

3-RÉSONANCE : 58 000 v/s

4-COULEUR : Orangé

5-DOMINANTES : Sociabilité-Intuition-Sensorialité-Moralité

6-VÉGÉTAL : Hêtre

7-ANIMAL : Thon

8-SIGNE : Verseau

Subconscient

Félix

et prénoms aux caractéristiques analogues

Alban	Bastien	*Félix*	Pacôme
Andoche	Colomban	Hermès	Rémi
Armel	Elisée	Luc	
Aurèle	Félicien	Paco	

□ Type caractérologique

Ainsi, ce seraient ces hommes heureux qui triomphent des flots ? Oui, peut-être, mais la mer a deux visages, celui des calmes soirs d'été, lisse et paisible, et le visage creusé tourmenté des féroces tempêtes d'hiver... De même, nous aurons la vision de deux types de caractères : l'un sera l'homme tranquille des gondoles aux sérénades langoureuses, l'autre luttera pour sa vie sur un vaisseau fantôme promis au crépuscule des dieux. Figure de proue et de poupe à la fois, ils seront comme les deux masques de la comédie que nous jouons tous ici-bas, avec plus ou moins de conviction. Ils sont donc à la fois leurs deux totems : le *thon,* mobile et fugace ; le *hêtre,* immobile et noueux.

□ Psychisme

C'est contre cet attentisme qu'il faut lutter, car, dès leur enfance, ils sont victimes d'une introversion du genre méridional qui les amène à se replier sur eux-mêmes et à soupirer : « Aujourd'hui peut-être, ou alors demain ! » Ils sont influençables, subjectifs. Ils voient midi à leur clocher et, s'ils ont confiance en eux, c'est davantage par un phénomène d'aveuglement que pour partir à la conquête du monde. Il y a aussi l'homme des coups durs qui, lorsqu'il est acculé à l'action, sait prendre la barre du navire, et redresser une situation compromise ; mais il faut vraiment que les choses aillent mal pour en arriver là !

□ Volonté

Si ce type de prénoms pouvait parler, les Félix en particulier, il nous dirait, avec une pointe d'accent fleurant bon le romarin : « Eh, vé ! La volonté, qué volonté ? Et si ma volonté c'est de pas avoir de volonté ! Et si j'ai la volonté de ne rien faire ! » Que voulez-vous répondre à cela, sinon de se verser un autre pastis...

□ Emotivité

Elle est faible, certes, mais ne croyez pas que leur vie soit dénuée de toute inquiétude. Car, finalement, ce sont de grands inquiets qui ont besoin pour se rassurer de regarder passer la vie comme on contemple un grand fleuve se heurtant en un combat inutile contre la mer qui le dévorera quand même ! L'amitié ? Elle leur est sacrée ! C'est la quié-

223

tude du cabanon, la pétanque au soleil, cette camaraderie réconfortante qu'ont les hommes entre eux, loin des femmes nourricières et dévorantes.

□ Réactivité

Quelle discrétion dans la réactivité ! Notre schéma psycho-structurel nous donne une vision très claire de ces personnalités où la réactivité est encore plus faible que l'émotivité et où l'activité se tapit, prudente, sous une volonté déjà passablement somnolente !

□ Activité

Quelle activité douillette, tendre, confortable ! On se hâte lentement, on se décide par lassitude et on agit avec une indolence toute méridionale. Et leurs études ? Elles sont curieuses leurs études, parfois ils s'accrochent, à d'autres moments ils décrochent, mais en s'obstinant ils arrivent, néanmoins, à des résultats honorables. Quant au choix d'une profession, c'est un problème pour eux, et un problème que parfois ils ne résolvent que tard ou pas du tout. Ils aiment la politique et ce sont d'excellents musiciens, mais pour ceux qui, moins aventureux, préfèrent la sécurité paisible du fonctionnariat, s'ouvrent des carrières de percepteur, de douanier ou de policier. Ah ! être fonctionnaire ! Quoi qu'il en soit, il sera indispensable de découvrir chez ces jeunes leurs aptitudes professionnelles, et de les orienter vers un métier valable, sans illusions dangereuses !

□ Intuition

Quelle intuition ! Ils sentent venir les tempêtes de la vie mieux que l'albatros sur les mers... Ils subodorent les calmes plats et nagent au milieu des écueils avec la souplesse d'un thon ! Ce *thon,* qui est d'ailleurs leur animal-totem et qui reflète bien le psychisme de ces prénoms-caractères : le banc de thons avec la chaude communauté de la « harde », la brève bagarre lorsque la liberté est en jeu, puis l'acceptation forcée de la boîte de conserve où dans l'huile tropicale on attend la retraite promise et désirée...

□ Intelligence

Ce sont des sentimentaux flegmatiques dont l'émotivité n'est pas sauvée par leur activité très moyenne et par leurs réactions amorties. Ils sont un peu lents, analytiques, ce qui n'arrange pas les choses, car cela les amène à s'encombrer de mille détails, à ne pas prendre une position ferme, à se dire que demain sera vraiment pour eux le premier jour d'une action nouvelle, voire d'un monde nouveau !

□ Affectivité

Ce sont de tendres tyrans dont la sentimentalité vous enveloppe doucement, vous paralyse. Ils sont possessifs et les parents devront se montrer vigilants à l'égard de ces enfants pour qui la famille est avant tout une plage tranquille où l'on prend ses vacances d'été et le refuge douillet des hivers déplaisants... Leurs femmes se demandent parfois s'ils les ont épousées par amour, par sensualité, par gourmandise, ou par désir de confort... Dans l'indécision, elles les dorlotent et renoncent à comprendre !

☐ Moralité

Oh ! elle est tranquille ! Pourquoi se compliquer la vie ? Tout le drame de cette humanité réside dans le fait qu'elle ne sait pas rester tranquille dans sa chambre ou dans son petit jardin. Alors, les aventures, les explorations, les luttes sournoises ... à d'autres ! La foi n'est pas un problème crucial à leurs yeux, ils se contentent généralement de suivre le troupeau... et puis, il fait si bon dans la petite église, quand le grand soleil « escagasse » les mécréants !

☐ Vitalité

Une vitalité pleine de promesses, en principe. La santé est satisfaisante, mais ils se fatiguent vite et prétendent avoir une tendance au surmenage. Ils sont gourmands, avec un penchant pour les boissons « raides » et, comme leur nature est riche, s'ils ne prennent pas d'exercice, l'embonpoint ne tarde pas. La bouche et les dents seront à surveiller.

☐ Sensorialité

Forte, mais, nous venons de le voir, la gourmandise joue un grand rôle : malheur à la femme qui ne sera pas un cordon-bleu ! Chez eux, l'amour passe par la cuisine et même souvent y fait son nid !
Sexualité assez déroutante ! Elle s'accommode parfois de situations compliquées puisqu'ils sont prêts à tout pour protéger leur petit confort personnel. Les femmes représenteront pour eux une sorte de chaîne qui les attachera toute leur vie et dont le premier maillon sera leur mère.

☐ Dynamisme

Le gros mot que voilà ! Comme il choque dans cette étude en demi-teintes où le soleil joue entre les branches des pins maritimes, dans la poussière dorée des petits sentiers tout bordés de cigales !
« Taisez-vous, fadas de Parisiens, assassins de toute joie de vivre, pôvres gens qui mélangez dynamisme et dynamite pour mieux nous faire sauter ce monde fou, fou, fou... »

☐ Sociabilité

Rien d'étrange à ce que ces hommes soient sociables. Recevoir est pour eux un plaisir sans cesse renouvelé où l'amitié tient compagnie à la bonne chère. La volonté est discrète mais se manifeste parfois, à l'occasion des grandes circonstances. Leur moralité est bonne. Quant à leur plus grande chance, elle consiste habituellement à s'appeler ainsi, à avoir beaucoup d'amis, à être entourés de femmes charmantes et de parents qui les aiment et les protègent. Pour que leur bonheur soit complet, il ne leur manque plus qu'un patron compréhensif et souvent absent ! Quel rêve !...

☐ Conclusion

Qu'est-ce qui domine mieux les flots qu'un petit cabanon accroché aux rochers d'une calanque ? Maintenant, rien ne vous empêche, parents et éducateurs, de prendre ces chers enfants par la peau du cou et de les secouer jusqu'à ce que miracle s'ensuive ! Pourquoi pas ? Les chenilles deviennent bien papillons... quand il fait très chaud !

FRANÇOIS

Personnalité : *Celui qui enseigne.*

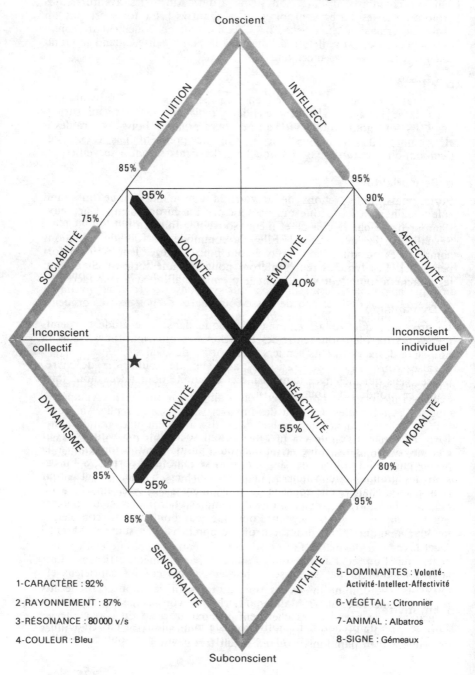

Conscient

INTUITION   INTELLECT

85%   95%

95%   90%

75%   AFFECTIVITÉ

SOCIABILITÉ   VOLONTÉ   ÉMOTIVITÉ

40%

Inconscient collectif   Inconscient individuel

RÉACTIVITÉ

DYNAMISME   ACTIVITÉ   55%   MORALITÉ

85%   95%   80%

95%

85%   SENSORIALITÉ   VITALITÉ

Subconscient

1-CARACTÈRE : 92%

2-RAYONNEMENT : 87%

3-RÉSONANCE : 80000 v/s

4-COULEUR : Bleu

5-DOMINANTES : Volonté-Activité-Intellect-Affectivité

6-VÉGÉTAL : Citronnier

7-ANIMAL : Albatros

8-SIGNE : Gémeaux

François

et prénoms aux caractéristiques analogues

Adelphe	Francelin	Frankie	Harold
Anne (M)	Francis	Franklin	Kléber
Billy	Francisque	Frantz	Marin
Eléazar	Franck	Gérald	Melaine
Fiacre	*François*	Gontran	Nathanaël

□ **Type caractérologique**

Ce sont en apparence des gens réservés, observateurs, alors qu'en réalité, ils sont passionnés et nerveux. Quand on ne les connaît pas, ils dégagent une certaine froideur, mais c'est le feu sous la cendre. Il y a deux hommes chez eux : l'un semble venir d'un autre monde, tandis que l'autre est plus matérialiste, plus réaliste, voire acerbe. On pourrait dire que le premier c'est *l'albatros,* qui symbolise le grand et mystique voyage, et le second, le coq de basse-cour, agressif, possessif et orgueilleux. Sans oublier l'acidité du *citron,* qui est leur végétal totem.

□ **Psychisme**

Il est à surveiller chez ces enfants pour ne pas qu'ils s'aigrissent dans une perpétuelle lutte intérieure. On leur apprendra la douceur, la patience et surtout, on leur enseignera à établir un équilibre entre ce « coq » rageur et despotique et cet « albatros » mystérieux, empêtré dans ses grandes ailes. Ce sont des introvertis, prêts à se replier sur eux-mêmes, assez influençables malgré tout. Ils affectent une grande confiance en eux et ils aiment à prouver aux autres qu'ils ont raison. Mais la réalité profonde est plus nuancée, très souvent le doute les assaille et une certaine timidité, qu'ils se reprochent, les décourage. Ils sont possessifs, nous l'avons vu, et ils ramènent souvent les choses à leur petite personne. Là encore, il faudra leur fournir de larges ouvertures sur le monde et leur apprendre que « vivre c'est partager ».

□ **Volonté**

Chez eux, on a du mal à faire la différence entre la volonté et l'entêtement, qui l'un et l'autre sont d'ailleurs parfaitement efficaces. Les parents ne doivent pas se laisser déborder par ces enfants capricieux et parfois rageurs.

□ **Emotivité**

Dans ce type de prénoms, l'émotivité existe mais elle n'est pas épidermique. Elle est en profondeur et déconcerte souvent par tout ce qu'elle

227

cache de troubles profonds qui peuvent provoquer, s'ils sont toujours « écrasés », des remous psychopathologiques.

□ Réactivité

Elle est moyenne, mais elle présente parfois des « crêtes » lorsque le sujet sort de ses gonds dans des « foucades » parfois redoutables. A d'autres moments, les plus nombreux, ils savent réfléchir avant d'agir.

□ Activité

Elle est bonne et il leur arrive même de compenser un certain manque de sociabilité, voire de dynamisme, par une persévérance dans le travail qui confine à l'obstination. Mais ce travail prend parfois les allures d'une provocation tant ils mettent d'agressivité dans leur activité : on a souvent l'impression qu'il n'y a qu'eux qui travaillent au monde !

□ Intuition

Intuitifs, ils se servent de leurs visions subtiles des choses pour vous dérouter et pour vous faire sentir que vous n'appartenez pas à leur monde. On les dit un peu prétentieux, mais ce n'est souvent qu'un réflexe d'autodéfense. Ils sont séduisants, d'une manière sélective. Si vous ne leur plaisez pas...

□ Intelligence

Elle est remarquable, incisive, précise, rapide. C'est une intelligence analytique, un peu négative, et dans certains cas, même destructive. Les François et les prénoms associés sont capables d'une ironie blessante. Il ne faut pas laisser ces enfants s'installer dans un système où l'attaque constituerait l'essentiel de leur stratégie.

□ Affectivité

Nous retrouvons encore ici l'homme double, capable d'avoir de magnifiques élans de générosité et de tout reprendre quelques minutes plus tard. Ils veulent qu'on les aime, mais ils ne sont pas sûrs de savoir exprimer l'amour qu'ils vous portent. De ce tiraillement naîtront des refoulements et des contradictions. L'aveu d'un amour ne peut pas leur être fait n'importe quand. Selon l'heure et le jour, on parle soit au « coq » soit à l'« albatros ». Leur amitié non plus ne se livre pas facilement. Ils attendent de nombreuses preuves de dévouement avant de répondre et encore avec une certaine réticence. Ils ont un sens profond de l'opposition, sont facilement découragés lorsque l'échec se présente et font des refoulements nombreux qui risquent de les aigrir.

□ Moralité

Elle est bonne, même si c'est un peu une moralité de façade, car il faut sauver les apparences. L'éducateur devra se montrer soucieux d'apprendre à ces enfants qu'il existe aussi une morale intérieure, plus enrichissante. Ils ne sont pas étouffés par leur foi qui est légèrement opportuniste et un tantinet bourgeoise et pourtant, en bien des cas, ils auraient intérêt à se réchauffer le cœur à la flamme d'une croyance.

□ Vitalité

La vitalité est excellente ; il faudra cependant surveiller très tôt leur régime car ils auraient tendance à abuser de certains excitants comme l'alcool par exemple. Les maux de tête sont relativement fréquents et lorsque leur nervosité passionnée se déchaîne, ils peuvent avoir des accidents de voiture assez graves.

□ Sensorialité

Leur sexualité est relativement compliquée comme tout leur caractère, d'ailleurs. Elle est faite évidemment d'agressivité, de fuite, de neutralisation et d'ébauche de réalisations qui ne sont pas toujours concluantes. Là aussi, il faudra que ces enfants aient, dès que possible, des explications tout à fait claires.

□ Dynamisme

Leur dynamisme est nettement inférieur à leur volonté et à leur activité. On a l'impression qu'ils agissent plus par devoir que par enthousiasme véritable. Ils sont tout à fait capables de poursuivre des études prolongées, faites sans passion mais avec beaucoup de conscience. Ils pourront devenir facilement de hauts fonctionnaires, des industriels pointilleux, des enseignants à la rigueur un peu ostentatoire, des pharmaciens, mais il y aura toujours en eux une certaine sécheresse d'expression contre laquelle il sera bon de lutter très tôt.

□ Sociabilité

Elle est positive, bien qu'un peu bourgeoise. On reçoit parce qu'il faut recevoir, parce qu'il faut montrer son appartement, sa femme, mais de temps en temps on aime s'échapper de la vie urbaine et se retirer dans quelque résidence secondaire, perdue au fond des bois. Et puis, il y a la « voiture » ! Ce désir naïf de paraître en fonction d'une potentialité mécanique qui surprend toujours chez ces êtres intelligents...

□ Conclusion

On ne peut pas dire que chez eux la chance soit un moteur essentiel de leur réussite. Elle provient plutôt de cette agressivité « complexée » avec laquelle ils traitent leur entourage. Ils sont fort capables, par exemple, de réussir dans la politique s'ils se donnent la peine d'être un peu diplomates. De toute manière, ils « enseignent » mieux qu'ils n'apprennent, ce qui est peut-être le secret de la pédagogie. Mais, mon Dieu, à les voir, on a parfois l'impression qu'ils portent sur leurs épaules tous les péchés du monde !

FRANÇOISE

Personnalité : *Celle qui possède la force.*

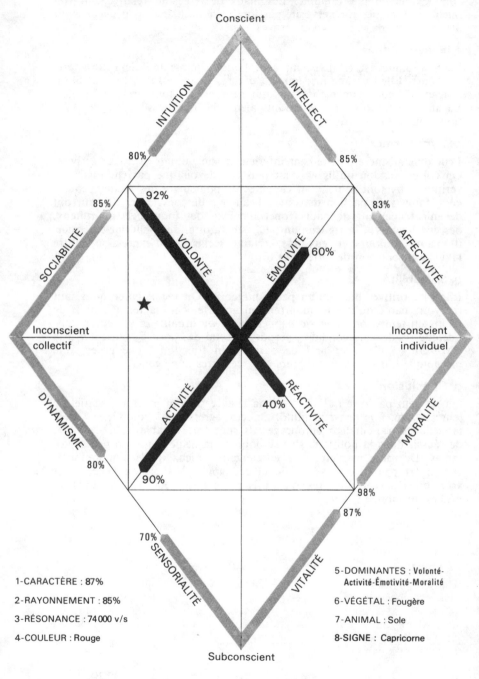

Conscient

INTUITION

INTELLECT

80%

85%

85%

92%

83%

SOCIABILITÉ

VOLONTÉ

ÉMOTIVITÉ

60%

AFFECTIVITÉ

Inconscient
collectif

Inconscient
individuel

DYNAMISME

ACTIVITÉ

RÉACTIVITÉ

40%

MORALITÉ

80%

90%

98%

87%

70%

SENSORIALITÉ

VITALITÉ

Subconscient

1-CARACTÈRE : 87%

2-RAYONNEMENT : 85%

3-RÉSONANCE : 74 000 v/s

4-COULEUR : Rouge

5-DOMINANTES : Volonté-
Activité-Émotivité-Moralité

6-VÉGÉTAL : Fougère

7-ANIMAL : Sole

8-SIGNE : Capricorne

Françoise

et prénoms aux caractéristiques analogues

Elsa	Jacquine	Noëlla	Théodora
Elsy	Mireille	Noëlle	Vivette
Françoise	Noëlie	Soledad	Viviane
Hilda			

□ **Type caractérologique**

D'un caractère quelque peu sombre et inquiet, elles possèdent une grande émotivité doublée d'une activité intense. Par contre, leurs réactions sont plus lentes, ce qui tempère l'aspect impulsif qu'aurait pu avoir le personnage. Elles sont plutôt portées à faire confiance à leur volonté qu'à leur intuition. D'une manière générale, il ne faut pas les bousculer, les harceler, si l'on veut qu'elles soient totalement efficaces car elles sont aussi farouches que la *sole,* leur animal totem.

□ **Psychisme**

Elles sont fortement introverties, c'est-à-dire qu'elles donnent la priorité à leur petit univers intérieur où le monde vient se refléter. Elles ont tendance à ruminer certains problèmes dont elles ne se débarrassent que difficilement. Il ne faudra pas que ces jeunes filles se bloquent et se créent des complexes de culpabilité. On ne doit jamais leur proposer plusieurs buts en même temps, mais au contraire les laisser assimiler la première entreprise qui leur est offerte avant de passer à une autre, sinon elles perdent pied et elles se réfugient dans l'anonymat uniforme de leur végétal totem : la *fougère.*

□ **Volonté**

Très belle volonté qui, associée à une forte activité, fera de ces « prénoms caractères » des êtres de valeur aux riches possibilités. Notez cependant que cette volonté n'est pas forcément spectaculaire et qu'il faudra lui laisser du temps pour qu'elle puisse se manifester pleinement.

□ **Emotivité**

Une émotivité qui se transforme parfois en nervosité lorsque le sujet se sent « coincé » et que l'on exige trop et trop rapidement de ces femmes inquiètes. Avec elles, et sur bien des points, il ne faut pas aller plus vite que la musique ! Elles n'ont qu'un nombre restreint d'amis, mais solides. Elles-mêmes sont fidèles en amitié, et dévouées. Elles savent être d'excellentes camarades.

231

□ Réactivité

Dans ce portrait dynamique voici que vient s'insérer une réactivité très secondaire qui va compliquer quelque peu le tableau en estompant les lignes-forces de ces personnes. Elles sont sensibles aux échecs, mais elles ne se découragent pas facilement. Néanmoins elles doutent d'elles-mêmes jusqu'au moment de l'action, ensuite la machine, un peu lente à se mettre en marche, prend sa vitesse de croisière. Lorsqu'elles sont jeunes, il faut essayer de les maintenir dans une ambiance joyeuse et exaltante et ne jamais les laisser se morfondre dans un coin où elles douteront d'elles-mêmes.

□ Activité

En principe, ce sont des élèves studieuses qui se fixent un but et font tout ce qui est nécessaire pour l'atteindre. Dès leur plus jeune âge, elles doivent être disciplinées. N'oubliez jamais qu'elles ont besoin d'un certain temps pour s'adapter et qu'il n'est pas recommandé de les heurter. Elles ont une haute conscience professionnelle et sont attirées par des métiers sérieux où habituellement elles n'ont pas à avoir trop de contacts avec le public. On peut leur confier des tâches délicates et compter sur leur discrétion. Ce sont de remarquables secrétaires de direction, des administratrices de valeur. Elles aiment les professions qui touchent au droit, à la justice, à la médecine. Ce sont d'excellentes masseuses et esthéticiennes. Elles font aussi des techniciennes de premier plan, des chimistes, des laborantines. Elles sont méticuleuses et organisées. Parfois, elles écrivent...

□ Intuition

Leur intuition est pénétrante, mais elles s'en méfient. Leur séduction n'est pas tapageuse. Ce type de caractère mérite pourtant d'être pleinement révélé car elles possèdent des personnalités riches, prenantes. Il est nécessaire de leur donner confiance en elles-mêmes.

□ Intelligence

Leur intelligence est vive mais a besoin de procéder avec méthode. Elle est analytique et il leur faut une bonne compréhension des détails pour distinguer pleinement les lignes de leur action. Leur mémoire est organisée, structurée et vaste. Leur curiosité est moyenne. Là encore, il faut leur laisser le temps de s'exprimer. Ne répondez pas à leur place ! Elles ont besoin de votre confiance et de votre patience pour se révéler...

□ Affectivité

Elles ne sont pas démonstratives et leur affectivité discrète pourrait laisser croire à une certaine prétention. En réalité, elles sont méfiantes et complexées vis-à-vis des grands élans du cœur qui leur semblent parfois relever de la comédie. Ce sont des enfants susceptibles qui doivent faire l'objet de beaucoup d'attention et de compréhension. Il est indispensable de leur faire comprendre sobrement qu'on les aime et qu'on les apprécie à leur juste valeur.

□ Moralité

Elle est excellente et elles en font un bon usage. Car — est-il besoin de le rappeler ? — nous fournissons dans ces études des pourcentages qui

232

ne concernent que la potientalité du paramètre considéré. L'usage que chaque individu en fera ne concerne que l'être en question. Nous exprimons donc des tendances. Dans ce cas, ces types de caractères ont des polarités morales très positives. Lorsqu'elles ont la foi, elles sont assez souvent portées à faire des complexes de culpabilité, nous l'avons vu. Elles sont généralement scrupuleuses, voire pointilleuses.

◻ **Vitalité**

Elle est bonne, cette vitalité, mais d'une manière générale ce sont des êtres qui se fatiguent assez rapidement et mettent un certain temps à récupérer. Nous leur conseillerons le sport, le grand air, le développement d'une bonne musculature. Leurs points faibles : les intestins, le système nerveux. Elles sont sensibles au surmenage intellectuel.

◻ **Sensorialité**

Moyenne ! Cette sensorialité est d'ailleurs nettement inférieure à la vitalité. Il existe donc un blocage qui pourra se situer sur plusieurs plans. Un refus de vivre ? Non, mais un certain masochisme. Elles sont un peu autodestructrices. Chez elles, la sexualité est souvent compliquée par des refoulements pouvant provenir de la famille ou même de la religion et posant des problèmes délicats qu'il conviendrait d'exposer à des spécialistes, le cas échéant. Leur caractère comporte un pourcentage sensible de masculinité, ce qui facilite considérablement leurs rapports professionnels avec les hommes. Mais comme leur susceptibilité vient, là aussi, tout compliquer !

◻ **Dynamisme**

Il n'est donc pas surprenant de constater que ce dynamisme est loin de correspondre à l'activité qu'il devrait soutenir. Soyez donc attentifs à la manière dont ces jeunes filles parlent de leurs travaux et de leurs projets. Il faut qu'elles sachent en traiter avec cet enthousiasme qui trop souvent leur fait défaut.

Elles manquent d'objectivité et de confiance en elles. On les croit timides alors qu'elles sont réfléchies, mais quand elles passent à l'action, c'est avec une vigueur et une persévérance admirables. Elles ne sont guère influençables.

◻ **Sociabilité**

Leur sociabilité est bonne, mais elles ne veulent pas être envahies. Elles ont davantage besoin d'amis que de connaissances. Souvent le côté superficiel des choses les heurte ou les arrête. Ces jeunes femmes doivent mener une vie sociale suffisamment ouverte pour leur permettre de se sentir à l'aise en société. Ne les laissez pas se réfugier dans leur « ermitage ». La moralité est solide, soumise à une volonté, en principe, à toute épreuve. Leur chance est neutre dans la mesure même où elles ont de telles ressources en elles-mêmes qu'elles ne cherchent pas le miracle extérieur. Des femmes attachantes, qu'il faut comprendre.

◻ **Conclusion**

Ce sont des caractères qu'il convient d'« accompagner ». Il ne faut pas les abandonner dans la nature surtout lorsqu'elles viennent de subir un échec. Etre présent et non envahissant. Voilà ce qu'elles attendent de vous ! Ce n'est pas toujours facile...

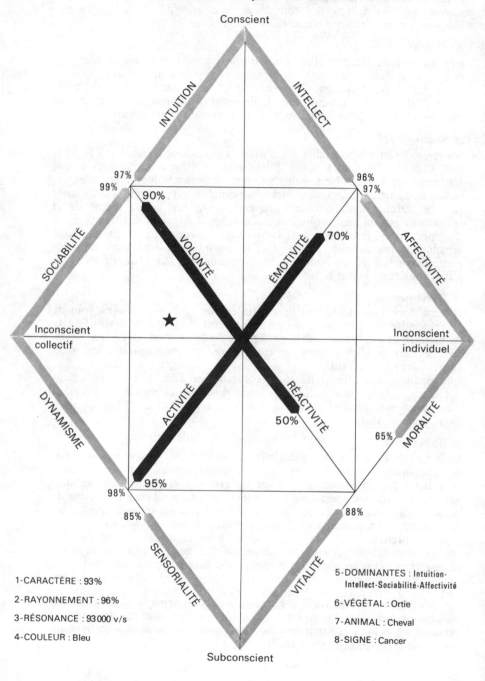

GABRIEL

Personnalité : *Celui qui monte le cheval.*

Conscient

INTUITION INTELLECT

97%
99% 90% 96%
97%

SOCIABILITÉ VOLONTÉ ÉMOTIVITÉ 70% AFFECTIVITÉ

★

Inconscient
collectif

Inconscient
individuel

ACTIVITÉ RÉACTIVITÉ

DYNAMISME 50% MORALITÉ

65%

98% 95%

85% 88%

SENSORIALITÉ VITALITÉ

1-CARACTÈRE : 93%

2-RAYONNEMENT : 96%

3-RÉSONANCE : 93 000 v/s

4-COULEUR : Bleu

5-DOMINANTES : Intuition-
Intellect-Sociabilité-Affectivité

6-VÉGÉTAL : Ortie

7-ANIMAL : Cheval

8-SIGNE : Cancer

Subconscient

Gabriel

et prénoms aux caractéristiques analogues

Archambaud	David	Gwennaël	Salvadore
Ariel	Davy	Jacob	Salvatore
Bruno	Elie	Jaouen	Valère
Canut	Gabin	Joachim	Valéry
Cédric	*Gabriel*	Loïs	Virgile
Crépin	Gaby	Marius	Wolfang
Dante	Gracieux	Quentin	Zacharie

□ Type caractérologique

Ce sont habituellement des actifs, et dans certains cas des remuants. Ils sont dotés d'une grande émotivité, d'une activité remarquable et de réactions rapides. Autrement dit, ce sont des hommes-flèches, des messagers, et lorsqu'on sait que leur animal totem est le *cheval* on comprend que ces êtres portent un des prénoms les plus dynamiques qui soient. Attention pourtant ! Ce sont des prénoms-caractères « bifides » : ils sont à la fois annonce heureuse, mais aussi colère piquante, car leur végétal totem est l'*ortie*. En d'autres termes, ils ne sont pas toujours faciles à manier.

□ Psychisme

Ce sont des extravertis, c'est-à-dire qu'il faut qu'ils participent à la vie du monde pour se sentir bien dans leur peau. S'ils n'ont pas la possibilité de s'occuper de beaucoup de choses, de se mêler de tout, de conseiller, de choisir, de changer, ils se sentent inutiles et donc malheureux. Ils sont assez influençables, car chez eux le défaut de la cuirasse s'appelle l'orgueil, le désir de paraître et d'être approuvés ; aussi les parents devront-ils utiliser ces moyens pour obtenir de leur enfant une plus grande efficacité dans l'action, mais avec précaution...

□ Volonté

Notons que cette volonté a besoin d'être soutenue par l'émotivité et l'activité pour être pleinement efficace. Notre schéma psycho-structurel nous montre bien toute la richesse expansive de ces personnalités que d'aucuns trouveront peut-être envahissantes...

□ Emotivité

Elle est très grande. Comme le cheval, ils sont susceptibles, ombrageux. Très souvent ils prennent la fuite avant de connaître la nature du danger qui les menace. Leur amitié non plus n'est pas très stable, ils n'aiment pas voir les mêmes gens trop longtemps ! Comme ils ont des tendances égocentriques qui les poussent à tout ramener à eux-mêmes, il n'est pas toujours facile d'être leur ami, il y faut beaucoup de patience et de compréhension.

□ Réactivité

Heureusement, cette réactivité bien équilibrée vient apporter une note plus calme par rapport au couple explosif : volonté-émotivité. Ce charmant cheval pourra donc être dressé, sinon facilement, tout au moins durablement.

Finalement, ils sont très affectueux. Ils vont jusqu'à se plaindre tout haut, à se faire prendre en pitié. Ils sont très sensibles à l'échec, et leur susceptibilité se révolte quand on les traite comme tout le monde, ou moins bien que tout le monde. Ils font souvent du refoulement sentimental.

□ Activité

Leur activité dépend, pour s'exprimer, du « coup de foudre » pour une profession. S'ils ne l'aiment pas, ce métier, ils l'abandonneront et en changeront jusqu'au choc passionnel tant attendu... mais parfois le « choc » se fait désirer longtemps. Habituellement, ce ne sont pas des fanatiques de la culture, ni des études. Pour eux, il existe autre chose qui est la compréhension même de la vie et leur intégration à ce monde qu'ils aiment et qu'ils veulent conquérir. Aussi, lorsque le choix d'une carrière se présentera, ils feront tout pour retarder l'échéance de cette décision. Leur rêve, ce serait de s'occuper de spectacles, de chanter, de danser ; ils sont passionnés par tous les métiers d'art, de couture, et d'une manière générale, par tout ce qui est luxueux. Ils ont un excellent jugement, ce seront des critiques remarquables. Ils ont du goût pour les voyages, ils peuvent aussi faire de la restauration, tenir des cabarets, en un mot ils aiment tout ce qui est mobile, raffiné, chatoyant... Amateurs de changement, ils font parfois des complexes de fuite, ils s'expatrient volontiers pour trouver, croient-ils, un meilleur emploi de leurs dons qui sont effectivement nombreux.

□ Intuition

Cette intuition nous semble excessive et va développer chez ces êtres une hyper-sensibilité un peu ambiguë qui risque de les éloigner du père et les amener à donner à la mère un rôle trop important.

□ Intelligence

Intelligence exceptionnelle dont la soudaineté de compréhension surprend et même déconcerte : à la fois synthétique et analytique, elle leur permet toutes les opérations, allant aussi bien du particulier au général que du global à l'individuel. Leur mémoire est fidèle, et leur curiosité infatigable. Mais cette intelligence très intense ne devra pas les conduire à trop « gamberger », si l'on peut dire, car ce type de caractère risquerait de tourner en rond et de perdre sa spontanéité.

□ Affectivité

Ils sont très possessifs et d'une manière qui leur permet de faire des autres les instruments d'une recherche qui parfois les dépasse. Ils ont souvent l'impression d'avoir une mission à remplir, et ils sont prêts à faire n'importe quoi pour arriver à leur but. Les parents devront manifester leur autorité pour empêcher que la vie entière de ces êtres ne soit soumise aux caprices de leur affectivité et que leurs décisions ne soient liés à cette alternative : « J'aime » ou « Je n'aime pas ».

236

□ Moralité

Si l'on n'y prend garde, cette moralité risque fort de demeurer un peu floue tout au long de leur vie ! Leur égoïsme natif les amène à juger les événements au travers de leur vision teintée d'hédonisme, et ils feraient volontiers du plaisir le but de leur vie si les personnes chargées de les éduquer n'y mettaient le holà ! Tâche délicate car les « chevaux » redeviennent vite sauvages... Leurs croyances sont du style « galopant », et ils se lassent vite d'une philosophie religieuse ; leur foi est quelque peu à éclipses... c'est le moins qu'on puisse dire !

□ Vitalité

Elle devrait être en tout point excellente et cependant elle ne cessera de causer de légers ennuis. Leur santé est à l'image du cheval et de l'ortie. D'un côté ils ont effectivement une vitalité équine, de l'autre leur santé les démange par le truchement de petits maux qui sont, la plupart du temps, d'origine psychique ; ils se fatiguent vite et sont sensibles au surmenage intellectuel. Il faut qu'ils surveillent leur tension, ont tendance à grossir ; leurs yeux sont leur point faible.

□ Sensorialité

Elle est étroitement liée à la formule androgyne de leur prénom-pilote qui est Gabriel et qui, lui, — et à un plus haut degré que les autres prénoms associés, — est un alliage assez difficile à définir de masculinité et de féminité. Mais il s'agit là de tendances plus ou moins déclarées. Leur sensualité leur pose un certain nombre de problèmes, car il y a dans leur formule caractérologique une certaine indécision qu'il ne faudra pas laisser se développer. Dès le plus jeune âge, il sera bon de les viriliser, par le sport, par une vie équilibrée, et de ne pas les laisser glisser vers un narcissime dangereux.

□ Dynamisme

Un dynamisme presque exhibitionniste qui les conduit à faire un « cirque » qui ne manquera pas d'indisposer une partie de leur entourage. Ce désir de paraître les poussera à mille extravagances qui risquent de ne pas être toutes de bon goût. Ils manquent nettement d'objectivité, ils ne voient le monde qu'au travers de leur optique personnelle, ils sont même parfois injustes tant ils sont sûrs d'avoir raison. Inutile de dire qu'ils ont confiance en eux, et que la timidité n'est pas leur fort.

□ Sociabilité

Il est bien évident que leur sociabilité est tyrannique : ils ont tout pour séduire, même si, dans certains cas, cette séduction est légèrement trouble. Ils aiment les réceptions fastueuses, les repas d'une grande originalité, les potins, les médisances. Leur volonté est malgré tout plus forte que leur moralité. Quant à leur chance, elle confine souvent à la superstition : ne renversez jamais du sel devant eux, ne les faites pas passer sous une échelle ! Pour ce qui est de leur réussite, elle est sujette à des hauts et des bas, tantôt exceptionnelle, tantôt très moyenne. Mais de toute façon, ce sont des gens avec qui l'on ne risque pas de s'ennuyer.

□ Conclusion

Que dire de ces Gabriel et des prénoms qui se rattachent à cette souche caractérologique ? Tout d'abord, qu'il ne convient pas de leur donner trop d'importance ! Ensuite qu'il ne faut pas attacher trop d'intérêt à ce qu'ils disent ! Enfin, qu'il est nécessaire de leur faire comprendre qu'à faire toujours les importants, ils perdent toute importance !

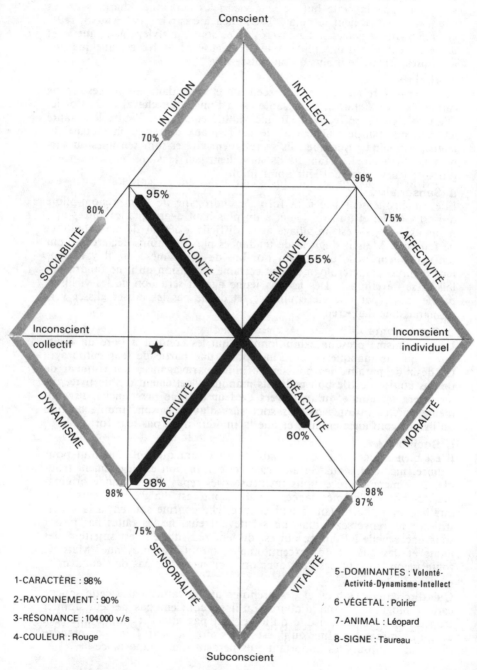

GENEVIÈVE

Personnalité : *Celle qui attaque.*

Conscient

INTUITION

INTELLECT

70%

96%

95%

80%

75%

SOCIABILITÉ

VOLONTÉ

ÉMOTIVITÉ

55%

AFFECTIVITÉ

Inconscient
collectif

★

Inconscient
individuel

DYNAMISME

ACTIVITÉ

RÉACTIVITÉ

MORALITÉ

60%

98%

98%

98%

97%

75%

SENSORIALITÉ

VITALITÉ

Subconscient

1-CARACTÈRE : 98%

2-RAYONNEMENT : 90%

3-RÉSONANCE : 104 000 v/s

4-COULEUR : Rouge

5-DOMINANTES : Volonté-
Activité-Dynamisme-Intellect

6-VÉGÉTAL : Poirier

7-ANIMAL : Léopard

8-SIGNE : Taureau

Geneviève

et prénoms aux caractéristiques analogues

Alida	*Geneviève*	**Michèle**	**Olga**
Diane	**Hildegarde**	**Nicole**	**Sheila**
Esther	**Inès**	**Nicoletta**	

□ Type caractérologique

Un prénom de guerrière, un caractère solide, parfois assez dur. Elles possèdent habituellement une forte émotivité, une exceptionnelle activité et des réactions rapides. Elles sont loin d'être maniables et vont même jusqu'à l'agressivité. Elles ne lâchent pas facilement ce qu'elles tiennent dans leurs griffes et il n'est pas prudent de leur arracher leur proie. Rien d'étonnant à ce que leur animal totem soit le *léopard* !

□ Psychisme

Elles ne se livrent pas facilement, et même leurs colères sont, jusqu'à un certain point, contrôlées. Elles jugent avec clairvoyance mais sans concession. Il y a en elles quelque chose qui n'est pas sans inquiéter, une force de caractère qui laisse présager une obstination redoutable. On croit même distinguer à certains moments un fanatisme dans le comportement de ces amazones.

□ Volonté

Quelle volonté ! L'examen du schéma psycho-structurel est d'ailleurs révélateur d'un caractère explosif où les quatre éléments de base se conjuguent pour donner de cette personnalité une image pleine de fureur et de bruit ! Mais cette volonté a besoin de s'appuyer sur une activité féroce qui, dans certains cas, mériterait mieux le nom d'activisme.

□ Emotivité

Elle est forte et pourtant elle n'est pas tellement féminine en son essence, cette émotivité. Il semblerait qu'elle joue beaucoup plus le rôle d'un détonateur que celui d'une modulation affective du psychisme. Méfiantes en amitié comme en amour, les grandes déclarations les gênent et elles n'accordent leur amitié qu'avec parcimonie, lorsque l'épreuve leur a révélé un cas réel d'attachement désintéressé. Systématiquement assez opposées aux idées des autres, peu sensibles à l'échec, leur ténacité vient à bout de bien des obstacles.

□ Réactivité

Elle est à la hauteur de la situation. A constater son importance, on pourrait en déduire que ce type de caractère est surtout orienté vers l'extérieur. Eh bien, pas du tout !

239

Elles sont introverties, c'est-à-dire qu'elles sont surtout sensibles à leur vie intérieure, néanmoins elles songent aussi à participer directement à la vie extérieure mais avec prudence. Elles n'ont qu'une objectivité relative et ne jugent qu'en fonction de leur propre critère. Elles sont fort peu influençables et il est difficile de les faire revenir sur une de leurs décisions, même si elle est injuste. Une confiance en soi qui confine à l'orgueil.

□ Activité

Chez elles l'activité est une arme, parfois, une provocation, souvent, une passion, toujours ! Elles ne savent pas agir sans se dépasser et sans dépasser aussi les autres. Neuf fois sur dix ce sont des « bûcheuses » qui vont loin et sont capables de « tenir la distance » autant dans leurs études que dans leur vie professionnelle. Elles n'admettent pas que la femme ait un rôle secondaire à jouer. Elles lutteront jusqu'au bout pour que les hommes les traitent en égales. Ce qui n'ira pas sans obstacles, surtout en politique ! Elles sont passionnées par tous les métiers où l'on se bat : médecins, infirmières, pharmaciennes, propagandistes politiques ou syndicalistes, directrices d'entreprises et même militaires, le cas échéant. Leur conscience professionnelle est excellente et elles possèdent un grand sens des responsabilités et du commandement.

□ Intuition

Elles remplacent souvent l'intuition par le raisonnement logique, car elles se méfient de leur imagination et de leurs inspirations. Elles sont sans complaisance pour ceux ou celles qui ne suivent pas une voie droite et bien définie.

□ Intelligence

Très intelligentes, mais d'une intelligence assez froide, assez calculatrice et de type synthétique, ce qui leur permet d'avoir une vue large et immédiate des événements. Très jeunes, elles développent une propension à devenir un peu sèches et légèrement prétentieuses ; il sera bon d'être attentifs à les amener à maintenir le contact avec les autres, de leur laisser une large ouverture sur le monde. Il n'est donc pas facile de leur donner cette chaleur, cette humanité sans lequel il n'y a pas d'intelligence véritable.

□ Affectivité

On ne peut pas dire que ce soit des enfants vivant dans les jupes de leur mère ; très tôt indépendantes, elles prennent tout de suite la dimension de leurs relations avec la famille, puis avec l'école et enfin avec la société. Elles sont un peu pessimistes et plus tyranniques que possessives. Elles méprisent la faiblesse, les sentiments mièvres, les embrassades pathétiques. Elles sont généralement d'une grande rigueur de comportement : nous les retrouverons par exemple sous les traits de quelque directrice implacable.

□ Moralité

Etonnez-vous après cela qu'elles manifestent une raideur dans la conduite qui, à la fois, les rassure et les valorise ! Elles ne vous feront pas de cadeau, et, avec une mémoire diabolique, elles vous jetteront au visage vos erreurs anciennes.

Leurs croyances sont exclusives, pour ne pas dire fanatiques. On les voit assez bien sanglées dans l'uniforme d'une armée religieuse, mais rassurez-vous, toutes ces jeunes filles ne sont pas des garçons manqués !

□ Vitalité

Une vitalité de hussard qui ne manquera pas de marquer de son empreinte impressionnante ce type de femme aux formes assez masculines. Ce sont habituellement des forces de la nature, qui ne cèdent ni devant la fatigue, ni devant la maladie. Ne sachant pas s'arrêter, elles dépassent quelquefois les limites raisonnables. Assez sujettes aux fièvres. Points sensibles : foie, appareil génital.

□ Sensorialité

Elle est moyenne et ce type de caractère ferait tout au monde pour qu'il ne soit jamais question de ces pulsions nettement animales qui submergent la volonté et bloquent l'activité. Ah ! les hommes... Et la sexualité ? C'est un sujet plus ou moins tabou pour elles qui n'acceptent que très difficilement de discuter de leurs problèmes personnels, à plus forte raison lorsqu'il s'agit de leur sensualité. Nous l'avons vu, il existe un assez fort pourcentage de masculinité dans leur formule caractérologique. Pour éviter que ces enfants ne fassent des refoulements, leurs parents devront mettre les choses au point avec eux en toute clarté.

□ Dynamisme

Que voulez-vous ajouter à la définition de leur personnalité : « Celle qui attaque » ? Ce dynamisme possède la même intensité que l'activité et que la vitalité de ces « léopards » à l'incomparable souplesse et à la griffe homicide.

□ Sociabilité

Leur sociabilité est en dents de scie et ne s'exprime vraiment que dans le cas où elle vient coïncider avec la profession ou avec les convictions politiques, religieuses ou littéraires de ces jeunes femmes. Alors elles tiennent des « salons », comme on disait naguère. Volonté et moralité sont assez tyranniques. Quant à leur chance, il faut éviter de leur en parler car elles n'acceptent de réussir que par le travail et l'obstination. Des maîtresses femmes !

Mais il ne faudrait pas en faire des caricatures d'« adjudantes », car sous leur rugosité native se cache souvent le fruit savoureux. Difficile à atteindre, mais aussi moelleux que l'on peut le souhaiter et qui pousse sur le *poirier*, leur végétal totem !

□ Conclusion

Oui, des maîtresses femmes, et qui ont tendance à réduire les autres en esclavage. Les autres étant aussi bien les parents que les amis ou les employés... sans oublier les maris et les enfants, qui, eux aussi, iront ramer sur la galère royale !

GEORGES

Personnalité : *Celui qui détient la parole.*

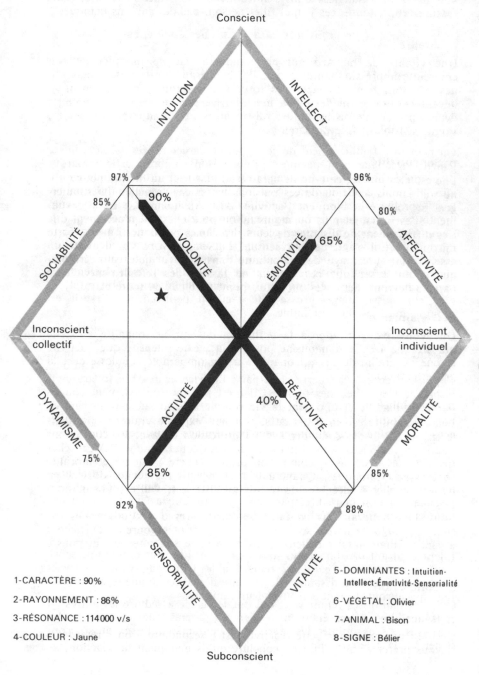

Conscient

INTUITION INTELLECT

97% 96%

85% 90% 80%

VOLONTÉ ÉMOTIVITÉ 65%

SOCIABILITÉ AFFECTIVITÉ

★

Inconscient collectif Inconscient individuel

ACTIVITÉ RÉACTIVITÉ

40%

DYNAMISME MORALITÉ

75% 85% 85%

85%

92% 88%

SENSORIALITÉ VITALITÉ

1-CARACTÈRE : 90%

2-RAYONNEMENT : 86%

3-RÉSONANCE : 114 000 v/s

4-COULEUR : Jaune

5-DOMINANTES : Intuition-Intellect-Émotivité-Sensorialité

6-VÉGÉTAL : Olivier

7-ANIMAL : Bison

8-SIGNE : Bélier

Subconscient

Georges

et prénoms aux caractéristiques analogues

Arsène	Fernand	Geoffroy
Eloi	Geoffrey	*Georges*

□ Type caractérologique

On peut dire familièrement de ces types de caractères qu'ils ont généralement la langue bien pendue ! Nous faisons d'abord cette remarque
parce qu'ils ont à résoudre avant tout le problème d'une grande émotivité. Ils sont d'une activité toute relative et souvent l'analyse semble
leur tenir lieu d'action. Très tôt, il faudra expliquer à ces jeunes sentimentaux — c'est leur formule caractérologique — qu'il ne s'agit pas de
savoir si l'on aime ou non les gens et les choses, mais de se mettre délibérément à l'ouvrage. Leurs réactions sont un peu à retardement et l'on
conçoit, une fois l'émotion passée, qu'ils aient du mal à trouver l'énergie suffisante pour livrer le combat de la vie. Ils ont mentalement certaines analogies avec le *bison,* qui est leur animal totem. En effet, ils
ont, eux aussi, une « grosse tête » et un petit corps ; l'esprit est
prompt, mais la chair est faible.

□ Psychisme

Ce sont des hommes de combat, mais il faut bien préciser que ce combat est intérieur et qu'ils le livrent surtout à eux-mêmes. Toujours
s'opposent en eux la guerre et la paix, l'*olivier,* leur arbre totem, et le
bison, ce vieux dieu des prairies. Il n'est pas rare qu'ils soient épuisés
par cette bataille et abordent la vie comme s'ils sortaient d'un ring de
boxe, à moitié K.O. Tout le problème sera donc de ramener ces jeunes
gens à la réalité et de diminuer leur pourcentage d'autodestruction.

□ Volonté

Oui, certes, elle existe cette volonté et le schéma psycho-structurel nous
montre qu'elle atteint un niveau intéressant, mais, dans ce cas, elle est
« sapée » si l'on peut dire, par une émotivité qui la transforme en une
lutte sans fin entre le réel et l'imaginaire, entre le vécu et le possible.

□ Emotivité

Elle a pourtant son bon côté, cette émotivité. Elle leur donne une sensibilité, une finesse de caractère remarquable. Oui, mais voilà ! Associée
à une intuition envahissante, elle va faire d'eux des inquiets, des insatis-
faits qui auront du mal à trouver leur équilibre.

□ Réactivité

Ce n'est pas parce que cette réactivité est « secondaire » ou « retardée »
si vous préférez, qu'il faut en conclure qu'ils manquent de réaction, au

contraire ! Il semble que ce retard ne fasse qu'accroître la violence des sentiments d'opposition ou d'agressivité. Ah ! ce comportement, il serait bien trop compliqué de l'expliquer en détail. C'est en quelque sorte un tissu de contradictions où la volonté et la moralité se conjuguent sur la trame du tumulte intérieur. Ce qui ne les empêche pas d'être des hommes de grande valeur dont le message ne saurait nous laisser indifférents.

□ Activité

Détenir la parole, oui ? Mais est-ce que la parole est un acte ? Sans aucun doute ! répondront ces êtres. Chez eux, en effet, tout passe par l'énonciation d'une décision de principes. Malheureusement, ils en restent souvent aux principes... Une certaine rage d'étudier, l'envie forcenée des diplômes ! Un métier beaucoup plus décidé par l'environnement et par les événements que par un choix volontaire. La tentation de la vocation surgira à un moment ou à un autre. Souvent le métier ronronne doucement et ils n'osent plus en sortir. Alors, ils deviennent fonctionnaires, industriels. S'ils peuvent se dégager de leur inertie, ils seront de remarquables psychologues, des avocats, des parlementaires et même des religieux. Là encore leur parole sera d'une extraordinaire efficacité. Ils feront de bons journalistes, des enseignants, des représentants de commerce, des politiciens quelque peu « verbeux » !

□ Intuition

Chez eux, c'est plus que de l'intuition, c'est presque une vision immédiate et « magique » des choses et des êtres. Leur séduction, un peu trouble, est fonction de cet esprit tumultueux. Ce sont les derniers romantiques, vivant les ultimes souffrances du jeune Werther... et prêts à se tirer une balle dans la tête !

□ Intelligence

Justement, ils risquent d'avoir la « grosse tête », car leur intelligence, à la fois analytique et synthétique, les amène à saisir en un même temps les causes et les effets, le détail et le plan général de tous les événements. L'ennui — car il y a un ennui — c'est que cette intelligence brillante les conduit souvent à prendre les autres pour des « sous-développés » et à les traiter avec une certaine condescendance...

□ Affectivité

Leur affectivité découle de ce qui précède. Ils ont besoin de tellement d'amour pour donner un peu d'amour, tellement de souffrances pour pouvoir parler de paix, tellement de courage pour ne pas être lâches devant la vie, qu'il est nécessaire de les entourer et de les comprendre, de les aimer au-delà d'eux-mêmes, là où commence leur véritable sacrifice.

□ Moralité

Il existe un certain scepticisme au niveau de leur moralité comme au niveau de leur croyance. « La morale, d'accord, il en faut ! Mais, pour l'amour de Dieu, n'en parlez pas du matin au soir et avant de nous casser les oreilles avec vos belles maximes vertueuses, commencez donc par les appliquer... on verra après ! » Leur croyance est « alternative ».

Tantôt l'extase et l'humiliation inavouées de Pascal, tantôt l'abjection de Dostoïevsky. Tout cela est en eux... Très souvent ils pensent qu'il n'est qu'une seule tristesse au monde, celle de ne pas être un saint, puis à d'autres moments, ils tremblent devant le surgissement de désirs sournois. L'amitié est souvent chez eux un appel au secours et une planche de salut. Leur foyer peut aussi souffrir de ces deux tendances presque irréductibles mais toujours lancinantes. Fuir et participer, c'est ce dilemme angoissant qu'il leur faudra essayer de résoudre.

□ Vitalité

Cette vitalité n'est pas tellement convaincante et très souvent nous les rencontrerons en état de légère dépression. Cela ne tourne pas toujours rond ! De fréquentes affections mineures intéressant surtout la tête (les cordes vocales sont fragiles) et provenant la plupart du temps d'une mauvaise hygiène alimentaire. Il leur faut beaucoup de sommeil et de grand air. Qu'ils se méfient des abus de médicaments !

□ Sensorialité

Elle est forte mais assez mal acceptée. Une espèce de pudeur mal comprise les bloque dans leur jeunesse, et ensuite bien des regrets s'installeront en eux lorsque l'âge mûr sera venu. « Ah, si j'avais su... »
Quant à leur sexualité, elle se complique de tous les interdits, de toutes les impuissances que déclenche le refoulement, de toutes les pulsions irrésistibles que le mental suscite. Il faudra éventuellement faire contrôler par des spécialistes la mécanique compliquée du psychisme de ces êtres lorsque la puberté viendra brouiller les cartes.

□ Dynamisme

C'est un dynamisme nettement en retrait que nous découvrons sur notre schéma. On en vient à se demander si le sujet croit vraiment à ce qu'il entreprend ! Plus d'une fois, nous aurons l'occasion de nous poser la question : est-ce qu'ils se lancent dans l'action par conviction, par devoir, ou par crainte de refuser franchement de participer ?

□ Sociabilité

Cette sociabilité atteint un niveau intéressant mais elle est déconcertante en son expression. A certains moments, ils ne supportent pas d'être seuls ; à d'autres moments, la Sibérie elle-même leur semblerait trop peuplée. Ils ont des caractères assez difficiles. Ce n'est point par l'égalité d'humeur qu'ils brillent. Ils sont prêts à dire non à tout et à tous ! Subjectifs, ils ne voient que par eux. Ils sont égoïstes, timides et agressifs. Avec tous les êtres ils ne cherchent, en principe, que la paix, mais il est bon qu'ils sachent qu'ils ne la trouveront qu'en se donnant aux autres, qu'en luttant pour les autres, qu'en participant aussi à l'enfer des autres.

□ Conclusion

Ce sont des hommes qui peuvent être brillants, pleins d'éloquence, voire d'autorité puis, sans transition, se mettre à douter de tout, à hésiter, à fuir... Parfois, ils emportent la conviction de leurs auditeurs, suscitent l'enthousiasme puis disparaissent dans les coulisses comme un comédien qui aurait fini de jouer son rôle et serait presque honteux de son costume et de son maquillage ! Curieux bonshommes !

GÉRARD

Personnalité : *Celui qui soutient le monde.*

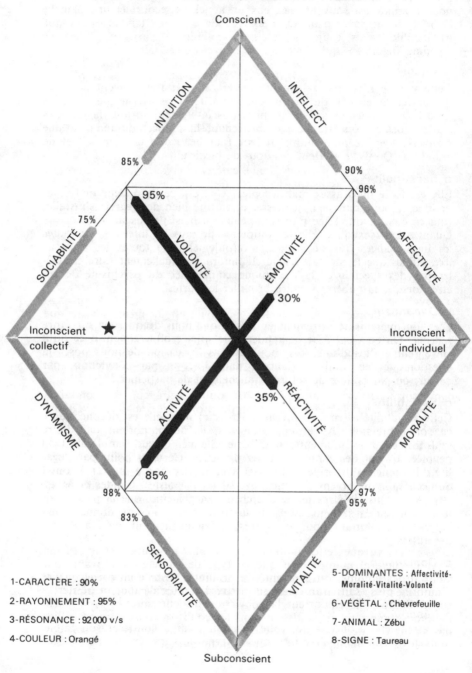

Conscient

INTUITION   INTELLECT

85%   90%

95%   96%

75%   AFFECTIVITÉ

SOCIABILITÉ   VOLONTÉ   ÉMOTIVITÉ

30%

Inconscient   ★   Inconscient
collectif   individuel

DYNAMISME   ACTIVITÉ   RÉACTIVITÉ   MORALITÉ

35%

85%   97%

98%   95%

83%

SENSORIALITÉ   VITALITÉ

Subconscient

1-CARACTÈRE : 90%

2-RAYONNEMENT : 95%

3-RÉSONANCE : 92 000 v/s

4-COULEUR : Orangé

5-DOMINANTES : Affectivité-
Moralité-Vitalité-Volonté

6-VÉGÉTAL : Chèvrefeuille

7-ANIMAL : Zébu

8-SIGNE : Taureau

Gérard

et prénoms aux caractéristiques analogues

Aloïs	Florent	*Gérard*	Lilian
Aloysius	Florentin	Gérardin	Lucas
Amand	Florian	Gilbert	Stève
Eudes	Gaétan	Judicaël	

□ Type caractérologique

Ce sont des êtres flegmatiques dont l'émotivité et l'activité sont moyennes mais efficaces, tandis que leurs réactions sont assez discrètes. Autrement dit, il ne faut pas attendre d'eux des explosions d'enthousiasme ou des désespoirs spectaculaires. Ils sont calmes, patients. Ils regardent tourner la roue du destin, monter et descendre les hommes et les femmes qui, après un bref triomphe, retombent dans l'océan sans fin de la vie. Ils sont plus observateurs que philosophes, et, si on les croit un peu lents, c'est qu'ils pèsent soigneusement tous les termes de chaque problème avant de se prononcer et de se décider.

□ Psychisme

Ce sont des inquiets et comme leur émotivité est au même niveau que leur activité, cette inquiétude ne peut se résoudre vraiment que dans l'action. Ne laissez jamais ces enfants tourner à vide. Occupez-les. Ils ne demandent d'ailleurs que cela mais, lorsqu'on leur propose une occupation nouvelle, il leur arrive de se bloquer ; ce n'est pas de l'opposition, c'est simplement le refus d'un enthousiasme irraisonné. Attention, dans trois jours vous aurez peut-être oublié cette conversation alors qu'ils seront déjà en pleine réalisation du projet que vous leur avez suggéré !

□ Volonté

Une volonté très forte qui se situe, souvent, à la limite de l'obstination et de l'entêtement. Ils n'aiment pas avoir tort, ils ne veulent pas avoir tort et pour dominer toute résistance venant des êtres ou des choses, ils sont prêts à dépenser des quantités incroyables d'énergie comme le *zébu,* leur animal totem.

□ Emotivité

Nous avons vu que cette émotivité est des plus moyennes, et le schéma psycho-structurel montre bien que ce type de caractère est avant tout fondé sur la volonté, cette volonté qui se dresse comme un pic et que ni l'émotivité ni la réactivité ne viennent contrarier, ne peuvent contrarier.

□ Réactivité

Elle est assez déconcertante, cette réactivité, car à constater son faible pourcentage on pourrait croire que ce type de caractère ne réagit que faiblement et soit assez laxiste. Erreur ! En réalité, ces réactions sont lentes et s'étalent sur plusieurs jours, voire plusieurs semaines, mais sont très efficaces. Il y a chez eux ce foisonnement exubérant, interminable, du *chèvrefeuille*, leur végétal totem.

□ Activité

C'est l'homme de l'épreuve de force par excellence. C'est Atlas, le géant mythologique, portant le monde sur ses épaules. Ce sont des bûcheurs, mais assez complexés car s'ils arrivent à d'excellents résultats, tout cela est obtenu à la force du poignet. Là, justement, où ils sont particulièrement brillants, c'est dans le sport, et il est nécessaire que les études se fassent parallèlement à un entraînement sportif pouvant aller jusqu'à la compétition, ce qui équilibre heureusement ces jeunes. Ils sont très attirés par la médecine et les professions paramédicales. Ce sont de remarquables chirurgiens, mais ils ont aussi l'esprit pratique. Ils font de très bons ingénieurs, des techniciens consciencieux et habiles, des ingénieurs agronomes ou des mines, des éleveurs et surtout des sportifs professionnels de grande classe. Donc ne brisez pas la carrière « olympique » de ces enfants, mais exigez d'eux qu'ils aient avant tout un bon métier en main.

□ Intuition

Ils ont un flair excellent et ils détectent vite chez autrui le moindre travestissement de la vérité. Cela dit, il existe chez eux une certaine naïveté qui les amène, malgré leur intuition, à se laisser entraîner dans des aventures dont ils ne perçoivent pas toutes les implications souterraines.

□ Intelligence

Leur intelligence est bonne, mais ils sont méfiants. Toute solution qui n'est pas fondée sur une expérience passée les inquiète. Ils aiment progresser pas à pas et non par sauts ; leur animal totem, le zébu, les décrit bien. Leur intelligence, à moitié sauvage et à moitié policée, est analytique ; ils ont une certaine difficulté pour passer du détail à la vue générale des choses, c'est-à-dire à la synthèse. Il faudra donc aider ces jeunes à se dépasser pour mieux voir et mieux comprendre le jeu des êtres et des événements.

□ Affectivité

Leurs entreprises ne sont complètes que si elles débouchent sur un geste altruiste. Ils veulent rendre service, ils veulent aider les autres et en cela ils ne font que jouer le jeu que leur impose leur caractère. Ils sont l'axe de la roue et même si elle grince un peu, qu'importe, ce sont eux qui soutiennent le monde. Ils sont assez influençables et se le reprochent parfois. Ils ont un sens élevé de la famille et il ne faudra surtout pas créer chez ces enfants des complexes en prenant leurs réactions discrètes pour de la froideur. Ils ont besoin d'une grande compréhension, de beaucoup de tendresse, mais un peu secrètement : il faudra les habituer à s'exprimer avec liberté et confiance.

□ Moralité

Et cette affectivité quelque peu occultée va déboucher tout naturellement sur une très belle morale que des esprits mal intentionnés prendraient un peu pour une morale de « boy-scouts ». Certes, la distinction entre le bien et le mal semble un peu arbitraire, chez eux, mais les résultats sont là. Ils y croient ! Lorsqu'ils ont la foi, elle est absolue : tout ou rien ! Leur sens de l'amitié est extraordinaire et la présence de leurs amis leur donne cette sécurité dans l'action dont ils ont besoin ; les parents auront intérêt à les inscrire, aussitôt que possible, à des mouvements de jeunes.

□ Vitalité

Une vitalité de forêt tropicale à la sylve envahissante. Ils sont passionnés par tout ce qui touche à la vie. Ils s'intéressent à la médecine, nous l'avons vu, aux gymnastiques respiratoires, à la diététique, etc. Le yoga les séduit beaucoup. Eux-mêmes ont besoin de grand air et de sommeil. Leur point faible, le squelette. Bien surveiller la calcification des os chez les jeunes et la colonne vertébrale.

□ Sensorialité

C'est à ce point de notre étude que les choses se télescopent quelque peu. Nous nous trouvons là en présence d'une sensorialité à problème, car ces types de caractères s'affolent un peu, coincés qu'ils sont entre leurs pulsions qui sont fortes, tyranniques dans certains cas, et leur sens du devoir, du respect de la femme, et de la B.A. à accomplir. Leur respect du foyer et de la famille les sauvera de bien des situations douteuses. Leurs réactions dépendent avant tout de leur sentimentalité, mais là encore ces scrupuleux arrivent souvent à compliquer tout !

□ Dynamisme

Il ne leur reste donc plus qu'à sublimer ces instincts en se précipitant à corps perdu, non pas dans l'action proprement dite — nous avons constaté que l'activité était moyenne — mais dans un dynamisme frénétique, c'est-à-dire dans la création d'équipes de recherches, d'associations philanthropiques, de groupes d'intervention sociaux ou paramédicaux... Le tout teinté d'un certain utopisme car ils sont plus attirés par les « phalanstères » que par les « sociétés anonymes » !

□ Sociabilité

On se demande, parfois, si, pour eux, cette sociabilité n'est pas une perte de temps. Ils sont sociables, mais beaucoup plus par politesse que par conviction. Ce qu'ils préfèrent, c'est être en famille ou avec des amis, tirant les plans d'un monde futur où régneront amour et justice. Ils paraissent un peu « ours », mais ils savent faire de gros efforts pour manifester leur adhésion à des réunions qui les ennuient profondément. Ils ont une volonté forte qui comprend toutefois des moments de flottement lorsque le doute les saisit, ce qui ne dure jamais longtemps. Ils ne croient pas beaucoup à leur chance qui est moyenne. Leur réussite, c'est avant tout une victoire sur eux-mêmes, qui leur permettra d'aider leur prochain à se dominer et les conduira à trouver le sens de l'efficacité.

□ Conclusion

Oui, ils ont vraiment l'impression de soutenir le monde et leur grande force est de croire avec ferveur qu'ils sont indispensables ! Ont-ils souvent tendance à surestimer leurs potentialités ? Qu'importe, puisqu'ils savent entraîner et convaincre. Pour une fois que nous voyons des êtres se lancer à l'eau... même glacée ! Chapeau !

GUILLAUME

Personnalité : *L'homme solitaire.*

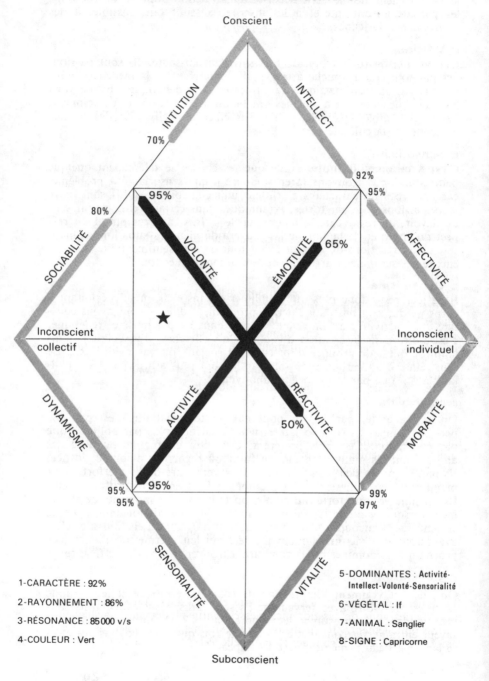

Conscient

INTUITION 70%

INTELLECT 92%

95%

80%

95%

VOLONTÉ

ÉMOTIVITÉ 65%

95%

AFFECTIVITÉ

SOCIABILITÉ

★

Inconscient collectif

Inconscient individuel

DYNAMISME

ACTIVITÉ

RÉACTIVITÉ 50%

MORALITÉ

95%
95%

95%

99%
97%

SENSORIALITÉ

VITALITÉ

Subconscient

1-CARACTÈRE : 92%

2-RAYONNEMENT : 86%

3-RÉSONANCE : 85 000 v/s

4-COULEUR : Vert

5-DOMINANTES : Activité-Intellect-Volonté-Sensorialité

6-VÉGÉTAL : If

7-ANIMAL : Sanglier

8-SIGNE : Capricorne

Guillaume

et prénoms aux caractéristiques analogues

Anthelme	*Guillaume*	Miloud
Calliste	Léger	Parfait
Gilles	Martian	Prosper

□ Type caractérologique

Jamais prénoms n'ont été aussi rudes à porter que ceux-là et pourtant quelle puissante intelligence ils renferment ! Ils s'apparentent bien au *sanglier*, leur animal totem. Comme lui, ils sont colériques, d'une grande émotivité, d'une extraordinaire activité et comme lui ils possèdent des réactions équilibrées, une détermination redoutable, de grandes qualités de cœur et de courage.

□ Psychisme

Il faut tout de suite mettre ces enfants à leur véritable niveau : celui de l'adulte. Ne les traitez pas comme de petits animaux inconscients mais comme des êtres responsables. Introvertis et, à la fois, extravertis, ils peuvent aussi bien vivre en communauté qu'en solitaires, se replier sur eux-mêmes ou participer totalement à la vie sociale à condition que le but qu'ils poursuivent s'accorde au destin de cette communauté. Peu influençables, ils n'en font qu'à leur tête et sont capables de la plus grande méfiance ou du plus total abandon de soi selon les cas, et ils savent très bien juger de ces cas !

□ Volonté

Elle est déterminante dans le schéma psycho-structurel de ce type de caractère. Elle entraîne et polarise tout et en particulier l'activité qui lui correspond absolument. C'est cette volonté qui leur donnera la possibilité d'assener ces coups de boutoir qui les rendent si redoutables.

□ Emotivité

Dieu merci, elle est là ! En effet, si une telle puissance brisante ne trouvait pas une raison de devenir plus humaine, plus sensible au travers de cette belle émotivité, nous nous trouverions en face d'un véritable sauvage.

□ Réactivité

Ils la tiennent en main, cette réactivité et c'est bien ainsi. Mais attention, méfiez-vous de ces hommes blessés sentimentalement, socialement, professionnellement. Ils peuvent être extrêmement dangereux ! Leur amitié est difficile à conquérir, mais elle est pour ainsi dire éternelle.

251

C'est une sorte d'aventure difficile, vécue ensemble. Chez eux, l'échec est une raison de poursuivre, de s'obstiner, car tout ce qui ne leur résiste pas ne les intéresse pas.

□ **Activité**

Nous l'avons vu, cette activité est en parfaite harmonie avec la volonté qui la sous-tend et l'enrichit. Mais en fonction de l'émotivité très forte, elle sera presque toujours agressive et exposera le sujet à des risques certains. Ce ne sont pas toujours des étudiants brillants, mais à coup sûr des étudiants sérieux. Un rocher se présente, ils le brisent. Ils ont le sens de la discipline, une grande conscience professionnelle. Ils s'adaptent assez lentement, ne poursuivent qu'un seul but à la fois, mais vont jusqu'au bout. Ils peuvent être agriculteurs, éleveurs, militaires, explorateurs, transporteurs, marins, sportifs, en particulier boxeurs, etc. En somme, toutes les professions où il faut du courage, de l'audace, un sens aigu du commandement, de la puissance et, en un mot, le magnétisme d'un chef.

□ **Intuition**

Chez eux l'intuition devient presque de l'instinct. Ils sentent les choses, les pressentent, les flairent. Ils n'ont rien à faire de la séduction. On les prend comme ils sont ou on les laisse. Ils ont un côté « indien » et prennent facilement le sentier de la guerre.

□ **Intelligence**

Leur intelligence est essentiellement analytique. Ils observent, dissèquent les choses, les événements et les êtres, et ne s'avancent qu'avec prudence. Fidèle et vaste mémoire. Ce sont, en somme, des enfants de la terre au sens le plus large. Ils ont de la personnalité, et bien qu'il ne soit pas facile de les apprivoiser, c'est une joie de les voir devenir des hommes, des vrais.

□ **Affectivité**

Il n'y a rien de plus simple ni de plus beau qu'un sanglier qui accepte de vivre avec les hommes, de son plein gré. Ce type de caractère est ainsi. Leur fidélité est à toute épreuve, mais surtout ne les décevez jamais, ne leur racontez pas de sornettes : ils vous en voudraient à mort. Ce n'est d'ailleurs pas une vaine formule et les coquettes et les allumeuses devraient se méfier de ces êtres entiers qui ne supportent pas — ou mal — les intrigues et les « combines ».

□ **Moralité**

On peut donc deviner que leur moralité, d'une manière générale, est à toute épreuve. Ils l'appliquent à eux-mêmes bien sûr, mais il faut aussi que la famille, les collaborateurs, les amis, subissent les mêmes lois morales et rigoureuses...
Habituellement, il existe chez eux une religion naturelle qui n'a rien à voir avec les églises, et ils s'en satisfont.

□ Vitalité

Enorme ! C'est Porthos, le mousquetaire ! C'est Antée, qui se nourrissait des forces de la terre ! Ce sont des rocs qui ne savent pas se soigner ! Ils mangent n'importe quoi et se fient à leur vitalité débordante en disant « ça va passer ». Ils risquent souvent de franchir les limites de leur résistance. Il faudra les habituer très jeunes à une discipline alimentaire stricte et les entraîner à vivre dans la nature grâce aux camps de vacances, au scoutisme, à l'alpinisme, etc.

□ Sensorialité

Elle est sans détour ! On mange quand il faut manger. On dort quand on a sommeil, etc. Tout le reste est littérature. Les femmes, dans certains cas, feront partie de cette nourriture et il ne faut pas attendre pour s'expliquer avec eux sur ce sujet. Ajoutons qu'en ce qui concerne le domaine de la sexualité, la plupart d'entre eux ne se réaliseront pleinement que dans le cadre de la famille qu'ils fonderont.

□ Dynamisme

Notre schéma nous montre un carrefour significatif au niveau de l'activité, de la sensorialité et du dynamisme qui sont de même intensité. Cela décrit bien le personnage qui associe très étroitement l'action, la joie de vivre et la raison profonde de se déterminer. Mais sans ce dynamisme illuminant, ces types de caractères retourneraient vite à l'immobilité un peu sombre de leur végétal totem : l'*if*.

□ Sociabilité

Elle est intéressante, mais exige quelques explications pour être bien comprise car ils ne sont sociables qu'au milieu de leur famille ou de quelques amis triés sur le volet. Plus tard, ils seront des pères modèles mais à la main leste, des époux qu'il faudra manœuvrer avec tact sinon avec respect. D'une volonté d'acier, ils ont d'ordinaire une moralité rigoureuse qu'ils essaieront d'imposer à leur entourage. Leur chance, ils se la construisent, et leur réussite, ils l'obtiennent par leur valeur et leur obstination. Un dernier conseil pour terminer : méfiez-vous quand même de leurs colères !

□ Conclusion

On serait tenté d'affirmer que nous nous trouvons en présence d'écologistes-nés ! Amoureux de la nature, porteurs de forces telluriques, respectueux de la faune comme de la flore, ce sont les dieux des champs et des bois... Curieux personnages que notre société aurait besoin de redécouvrir !

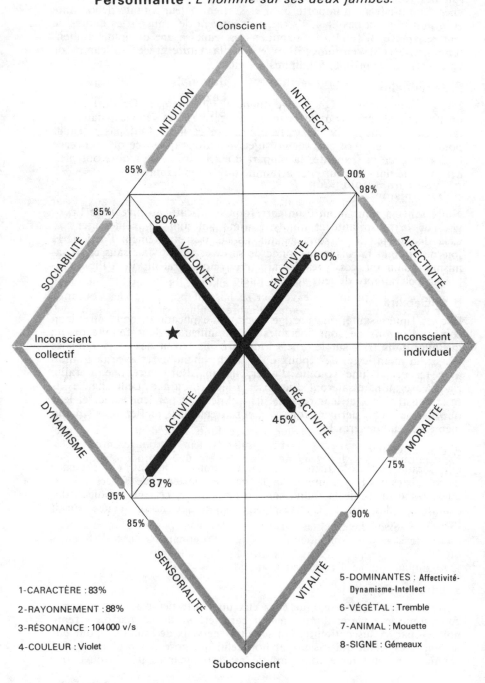

GUY

Personnalité : *L'homme sur ses deux jambes.*

Conscient

INTUITION   INTELLECT

85%

90%

98%

85%

80%

85%

SOCIABILITÉ

VOLONTÉ

ÉMOTIVITÉ

60%

AFFECTIVITÉ

★

Inconscient
collectif

Inconscient
individuel

DYNAMISME

ACTIVITÉ

RÉACTIVITÉ

45%

MORALITÉ

75%

95%

87%

85%

90%

SENSORIALITÉ   VITALITÉ

Subconscient

1-CARACTÈRE : 83%

2-RAYONNEMENT : 88%

3-RÉSONANCE : 104 000 v/s

4-COULEUR : Violet

5-DOMINANTES : Affectivité-
    Dynamisme-Intellect

6-VÉGÉTAL : Tremble

7-ANIMAL : Mouette

8-SIGNE : Gémeaux

Guy

et prénoms aux caractéristiques analogues

Amé	Enguerran	Juvénal	Tanguy
Côme	Gustave	Lazare	Tudal
Cosme	*Guy*	Sidoine	

□ Type caractérologique

Ces « prénoms-caractères » sont à la fois nerveux et sentimentaux. Pour que cette dualité ne les perturbe pas, il est nécessaire qu'ils soient d'aplomb sur leurs deux jambes. Leur grande émotivité associée à une activité et à des réactions très moyennes peuvent provoquer une certaine anxiété. Ils ont besoin d'être rassurés sur eux-mêmes tout en étant assez optimistes, et ne se décident vraiment à l'action que lorsque la situation a acquis une certaine stabilité. Leur animal totem est la *mouette,* comme elle, ils prennent le vent et se laissent porter par les courants. Leur végétal totem est le *tremble,* l'arbre le plus sensible à tous mouvements de l'air.

□ Psychisme

Ils ont du flair. Ils savent d'où vient le vent, et s'en servent. Il sera donc nécessaire pour les parents d'être vigilants et de ne pas laisser leur enfant s'abandonner aux événements au lieu de se battre. Ils sont introvertis, c'est-à-dire que devant les heurts de la vie, ils ont tendance à se replier sur eux-mêmes. Ils sont influençables ; là encore les parents devront prendre garde à ce que leurs enfants ne cèdent pas à la première suggestion venue. Assez peu objectifs, leur confiance en eux n'est pas toujours très grande, même s'ils adoptent une attitude quelque peu agressive.

□ Volonté

Cette volonté est assez fluctuante et ne s'applique que par à-coups à des situations assez hétéroclites. Ainsi, on les voit passer d'un métier à l'autre avec désinvolture même s'il s'agit d'occupations aussi différentes que musicien et prédicateur ! Le principal n'est-il pas de participer au jeu étonnant qui se déroule sur le monde ?

□ Emotivité

Cette émotivité qui provoque chez eux une forte nervosité va les persécuter toute leur vie et donner à leur caractère un aspect parfois « féminoïde » par sa susceptibilité. Un sens très nerveux de l'amitié : pour eux un ami c'est celui qui rassure et non celui qui pose des problèmes. Or, comme sur cette terre toute amitié est astreignante, il se trouve que

255

pour ne pas se créer de complications inutiles, ils changent assez souvent d'amis...

□ **Réactivité**

Ils essayent donc de compenser cet excès d'émotivité en bloquant leur réactivité, en diminuant l'intensité de leur réaction. Mais il n'est pas rare, aussi, qu'ils se protègent psychiquement en faisant de l'opposition. Dire « non » sans raison est une occasion de s'affirmer ; c'est aussi la cause de fâcheux malentendus. Il faudra leur apprendre, dès la petite enfance, ce que représente le « oui » et le « non » qui donnent leur double structure à notre vie sociale. Infiniment sensibles à l'échec, ce sont fréquemment des refoulés sentimentaux.

□ **Activité**

Elle est calme ! mais capable de s'appliquer avec beaucoup d'efficacité à la réalisation d'une entreprise soigneusement choisie. En général, ils ne font bien que ce qu'ils aiment. Comme le projecteur de leur intérêt se déplace successivement sur de nombreuses matières différentes, le tracé de leurs études est dramatiquement irrégulier, et ce n'est que grâce à la souplesse de leur intelligence, la solidité de leur mémoire, qu'ils retombent sur leurs pieds à chaque examen. Ils sont spécialement attirés par des métiers que nous appellerons mouvants, qui leur permettent de se déplacer, de voyager : musiciens, représentants, membres d'un organisme international, missionnaires. C'est pourquoi le problème de leur orientation professionnelle va se poser très tôt et devra être résolu dans le sens d'un emploi stable, en ne perdant jamais de vue l'objectif qu'ils se sont fixé.

□ **Intuition**

Leur intuition, fort vive, ne fait souvent qu'alimenter leur anxiété. Il faudra leur rendre confiance, afin d'éviter les complexes de culpabilité. Leur pouvoir de séduction est grand et leur imagination fertile. Les parents et les éducateurs ne devront pas se laisser séduire par le psychisme un peu ambigu de ces jeunes gens.

□ **Intelligence**

Une intelligence souple, qui s'adapte aux situations, et qui est de nature synthétique, ce qui leur permet de survoler, d'embrasser d'un seul coup d'œil l'ensemble d'une action. Mais qu'ils ne méprisent pas pour autant les détails, ce pourrait être la source d'ennuis considérables ! D'autre part, cette intelligence mobile, risque de présenter quelques inconvénients lorsque ces caractères, assez instables, l'appliquent à des situations plus ou moins régulières sur le plan social ou juridique.

□ **Affectivité**

Ils sont possessifs, et cherchent dès leur enfance à accaparer toute l'attention des éducateurs et des parents. Leur psychisme est parfois instable, et ils sont assez dispersés dans leurs actions. Ils ont de grands élans d'affection, puis brusquement ils rentrent dans leur coquille, mais ce n'est pas pour longtemps. Il ne faudrait pas que cette affectivité devienne un lieu de refuge lorsque la vie devient difficile et qu'au lieu de combattre on cherche à se réfugier dans le giron maternel.

□ Moralité

On les entendra à maintes reprises parler de moralité dans la mesure même où ils auront, eux-mêmes, des problèmes pour établir un code de conduite personnelle suffisamment précis et clair. Ils hésitent souvent sur le comportement à tenir dans telle ou telle circonstance. Le résultat est qu'ils composent fréquemment avec leur conscience. Leurs croyances sont généralement floues et incertaines, ou tout au moins ne se précisent qu'assez tard dans l'existence. Ce sont habituellement des hommes aux vocations différées, qui ne s'éveillent qu'à l'âge mûr.

□ Vitalité

La vitalité est bonne, mais la santé n'est pas exceptionnellement florissante. Quand ils se passionnent pour un travail, tout va bien ; dès qu'ils s'ennuient, c'est l'abattement, c'est la fatigue ; ils recourent alors à des excitants ou des euphorisants. Il leur faut mener une vie tranquille, éviter les alcools, surveiller de près leur système nerveux et leurs yeux.

□ Sensorialité

C'est une sensorialité qui se perd un peu dans le brouillard de ce psychisme parfois hésitant. La sexualité participera à cette instabilité et ces jeunes gens demanderont à être bien informés. L'émotivité considérable que nous avons décelée dans leur formule caractérologique donne lieu, de leur part, à des réflexes surprenants ; ils semblent n'avoir pas pris pleinement conscience des polarités de l'homme. Il faudra les viriliser très tôt par une éducation sans concession, en évitant de les « chouchouter », et en leur enseignant la stabilité et la fidélité.

□ Dynamisme

Attention à ce dynamisme qui apparaît sur notre schéma psychostructurel comme important et dépassant nettement l'activité. D'où une tendance à en dire plus qu'on n'en fait ! Beaux parleurs, sujets à l'imagination brillante, il ne faut pas les laisser raconter leurs projets au lieu de les réaliser.

□ Sociabilité

Leur sociabilité est un peu fantasque. Un jour ils sont ouverts à toutes les sollicitations mondaines, le lendemain, bloqués par des problèmes psychiques personnels, ils sont lointains, et comme détachés de ce qu'ils ont eux-mêmes organisé. La volonté est fluctuante, capable toutefois de redressements spectaculaires. La moralité est moyenne et dépend beaucoup de leurs états d'âme, et disons-le, de leur réussite sociale. Ils ont de la chance et savent l'exploiter. En résumé, des êtres déconcertants, riches de possibilités, souples, sachant s'adapter, des êtres « dans le vent », mais qu'on doit surveiller de près !

□ Conclusion

Plus que tous les autres, ces « prénoms-caractères » demandent à être encadrés très tôt. Il y a d'immenses possibilités en eux et des réussites remarquables à la condition, toutefois, que soient bien établies les lignes-forces du caractère : quoi faire, comment le faire, pourquoi le faire. Toute dispersion serait catastrophique...

HÉLÈNE

Personnalité : *Celle qui est parfaite, la beauté du Royaume.*

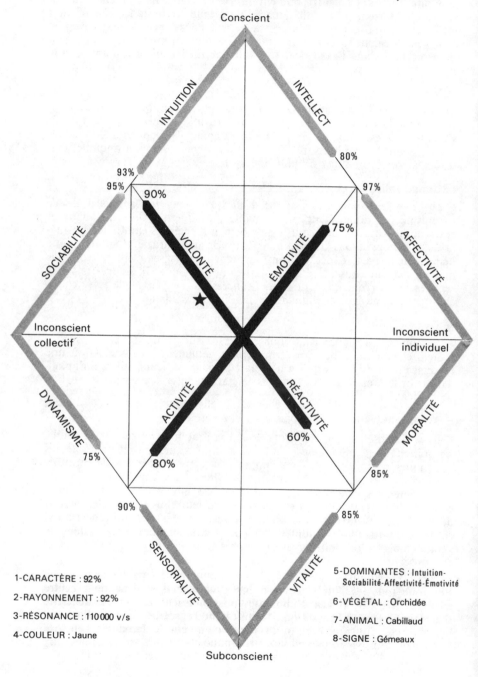

1-CARACTÈRE : 92%

2-RAYONNEMENT : 92%

3-RÉSONANCE : 110 000 v/s

4-COULEUR : Jaune

5-DOMINANTES : Intuition-
Sociabilité-Affectivité-Émotivité

6-VÉGÉTAL : Orchidée

7-ANIMAL : Cabillaud

8-SIGNE : Gémeaux

Hélène

et prénoms aux caractéristiques analogues

Abella	Camille (F)	Georgette	Héliéna
Amédée	Chantal	Georgia	Léna
Annonciade	Elina	Georgina	Marlène
Barbara	Eline	Georgine	Milène
Barbe	Gaëla	Gisèle	Mylène
Barberine	Gaële	Héléna	Solenne
Blanche	Georgetta	*Hélène*	Soline
Blanchette			

□ Type caractérologique

Ce sont des sentimentales très émotives. Tout les atteint, elles sont sensibles à ce qui fait le charme de la vie, et ont un sens inné de la poésie, de la beauté, de l'élégance. Elles sont faites pour être admirées, cajolées, dorlotées. Ce sont sans doute les plus féminins des prénoms, mais aussi les plus délicats à porter. Il ne faut pas laisser ces enfants s'installer dans leur rôle de petites reines dédaigneuses des viles contingences de la vie quotidienne, rêvant, nonchalamment installées sur un nuage rose. Car elles ont tendance à être un peu paresseuses, à réagir mollement et à remettre tout au lendemain. Comme leur fleur totem, l'*orchidée*, ce sont des fleurs de serre qui ont besoin de chaleur, de soleil !

□ Psychisme

Elles sont fortement introverties, ou si vous préférez, elles ne se sentent bien que dans leur monde à elles ! Là, elles rêvent de bijoux — elles sont très coquettes —, de palais — elles aiment le luxe —, de princes charmants — elles sont plus sentimentales que sensuelles. Elles sont possessives, elles ne voient l'existence que de leur petite fenêtre et vivent dans un univers imaginaire, ce qui les conduit à la pratique d'un mensonge presque permanent et souvent involontaire.

□ Volonté

Si vous vous reportez au schéma psycho-structurel qui accompagne cette étude, vous découvrirez que le pourcentage de volonté est plus important qu'on ne pourrait l'imaginer. Sous des apparences de « femme-enfant », elles disposent de ressources volontaires qui étonnent.

□ Emotivité

Elle est évidemment très forte et leur donnera ce caractère capricieux qui fait à la fois leur charme et leur faiblesse. Peu d'amitié avec les femmes. Un peu plus avec les hommes, mais leur féminité exubérante prend alors le dessus et elles transforment rapidement ces malheureux en esclaves. Elles ont une propension à être médisantes, ce qui n'arrange pas les choses. Elles sont oppositionnelles et sensibles aux échecs qui représentent pour elles une injure faite à leur séduction.

259

□ **Réactivité**

Elle est très importante et a tendance à rendre ce type de caractère assez susceptible. N'oubliez pas qu'elles pardonnent assez difficilement et ont la rancune tenace. Comment réagissent-elles aux études ? Le chapitre sera bref : elles ont en général horreur des études ou alors, elles les mènent à leur fantaisie, s'intéressant à la géographie parce que le professeur a des yeux romantiques, se jetant sur l'espagnol par amour des hidalgos... Lorsque les études sont sérieusement faites, grâce à des parents vigilants, elles portent sur des sujets classiques. Elles aiment beaucoup l'Antiquité !

□ **Activité**

Une activité qui « ne casse rien », car ces très jeunes femmes pensent que c'est moins l'action qui compte que leur « présence ». Autrement dit, elles considèrent que leur seule participation « vaut salaire ». Donc, ce qui les intéresse c'est tout ce qui touche à l'art, à l'élégance, au commerce des bijoux ou à la beauté. Elles peuvent être peintres ou modèles, couturières ou mannequins, ou encore dans les relations publiques, mais ne leur demandez pas de pointer à sept heures dans une usine. Elles sont très indépendantes, écrivent bien, ont besoin de luxe et d'hommes riches. De grandes filles toutes simples, en somme ! Dans ces milieux de vie facile, elles s'adaptent avec une vitesse prodigieuse mais si elles ne peuvent plus être habillées à la dernière mode ni colporter le dernier potin, méfiez-vous !

□ **Intuition**

Leur intuition, leur charme, s'imposent avec une telle habileté qu'elles feraient manger la pomme au serpent. Ce n'est plus de la séduction, c'est de l'envoûtement. Cette intuition est d'ailleurs mise au service d'un plan de vie complexe car elles sont assez intrigantes par certains côtés. Empêchez ces jeunes filles de se prendre pour des voyantes !

□ **Intelligence**

Elles sont d'une intelligence synthétique, elles saisissent tout d'un bloc et ne se donnent pas la peine d'entrer dans les détails. Si elles ne comprennent pas tout de suite, elles laissent tomber ! Il faudra beaucoup de patience et de doigté pour inculquer la discipline à ces belles endormies qui sont très vives quand il le faut. Elles sont curieuses comme des chattes, bavardes et ont une mémoire affective redoutable.

□ **Affectivité**

Pour elles, tout est affectivité. Elles aiment ou elles n'aiment pas. Quand elles n'aiment pas, c'est simple, il n'y a qu'à partir ! Quand elles aiment, c'est, pour le partenaire, la douche écossaise. Un jour, « ça marche » ; l'autre jour, « ça ne marche pas ». Il ne faut pas que les parents tombent dans ce piège. Fermeté pleine de tact et discipline musclée en gants de velours.

□ **Moralité**

Il serait étonnant qu'un caractère pareil, pour qui tout caprice est sacré, n'en arrive pas à certains accommodements avec la morale classique. Elles ont l'impression qu'il y a toujours un moyen de s'arranger ! Leurs croyances ont un côté « montagnes russes ». Elles croient sans croire, tout en croyant ! Elles aiment les grandes cérémonies, elles soupirent en entendant les orgues, elles pleurent aux mariages et fuient les enterrements. Là aussi, ne les laissez pas vagabonder mentalement et faites-leur respecter le plus possible la règle du jeu.

□ Vitalité

Cette vitalité n'est pas entièrement satisfaisante. Elles sont relativement fragiles, sans qu'on puisse rien dire de précis sur leur santé. Un certain snobisme de la maladie, une langueur de bon aloi, s'ajoutent à beaucoup de petits malaises dont la plupart sont d'origine psychique. Il faut cependant faire attention au diabète, au pancréas et aux reins, surveiller la colonne vertébrale (deux heures de marche quotidienne sont à conseiller) et les intestins qui sont facilement irritables.

□ Sensorialité

Il n'est pas facile d'expliquer le mécanisme sensoriel de ces femmes tant il existe une imbrication entre la coquetterie, la sociabilité, l'amour du confort, le désir de changement, les voyages, le flirt plus ou moins innocent... Quant à la sexualité proprement dite... c'est ici que les choses se compliquent définitivement. Leur charme est tel qu'on ne sait plus exactement où commence et où finit la sensualité. C'est le type même de la femme-enfant, de la femme-fleur, qui trouble, déconcerte, ravit, désespère les pauvres soupirants jusqu'au jour où elle tombe sur un homme-père, pour qui la fessée n'a pas de secret et qui la dresse... mais pour combien de temps ?

□ Dynamisme

Pourquoi se préoccuperaient-elles de leur propre dynamisme, alors qu'elles ont l'art d'utiliser celui des autres ? En particulier celui de leurs innombrables soupirants ?
Elles ont de la chance et elles n'en ont pas ! Cela veut dire que souvent elles gâchent leurs chances par trop de précipitation. Elles ne savent pas attendre le bon moment. Elles veulent à la fois être heureuses, rêver leur bonheur, être aimée mais sans que cela vienne bousculer leur petit monde un peu infantile !

□ Sociabilité

Elles sont sociables, non qu'elles participent vraiment à la vie des autres, mais plutôt parce qu'elles veulent intégrer les autres à leur propre vie. Elles sont en outre charmantes, coquettes, allumeuses... Et ne croyez pas que nous parlons seulement des adultes. Observez une enfant de ce type dans un salon, vous serez tout de suite fixés. Dire qu'elles ont beaucoup de volonté, non, mais elles savent ce qu'elles veulent et l'obtiennent astucieusement. Leur moralité devra être l'objet d'une surveillance toute particulière de la part des parents, car sans principes, elles risquent de sacrifier beaucoup de choses pour avoir une existence facile et indépendante.

□ Conclusion

Tout au long de leur vie, il ne faudra pas les abandonner à elles-mêmes. Elles doivent dominer cette émotivité envahissante qui les entraîne vers des rêves fous. Il est nécessaire de leur donner très tôt le sens des responsabilités immédiates sinon elles risquent de se servir de leur charme merveilleux pour éviter toute prise de contact avec la réalité.
Ajoutons une dernière note poétique : leur animal totem est le *cabillaud...*

HENRI

Personnalité : *La fleur secrète de la terre.*

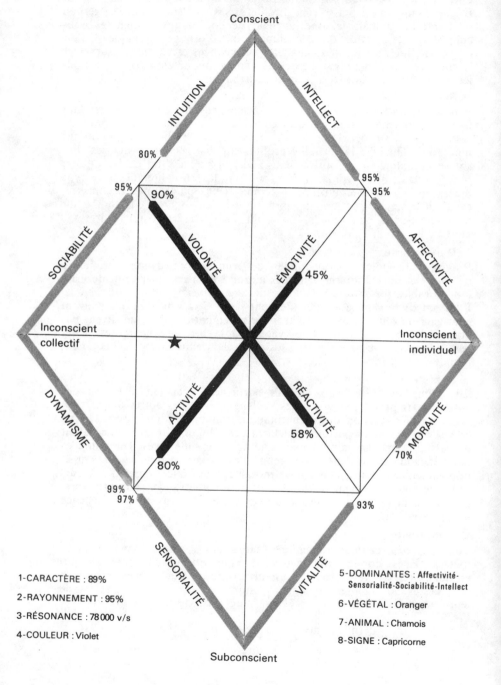

Conscient

INTUITION

INTELLECT

80%

95%
95%

95%

90%

VOLONTÉ

ÉMOTIVITÉ

45%

SOCIABILITÉ

AFFECTIVITÉ

Inconscient
collectif

★

Inconscient
individuel

DYNAMISME

ACTIVITÉ

RÉACTIVITÉ

58%

MORALITÉ

80%

70%

99%
97%

93%

SENSORIALITÉ

VITALITÉ

Subconscient

1-CARACTÈRE : 89%

2-RAYONNEMENT : 95%

3-RÉSONANCE : 78 000 v/s

4-COULEUR : Violet

5-DOMINANTES : Affectivité-
Sensorialité-Sociabilité-Intellect

6-VÉGÉTAL : Oranger

7-ANIMAL : Chamois

8-SIGNE : Capricorne

Henri

et prénoms aux caractéristiques analogues

Arnold	Gonzague	Longin	Stanislas
Arnould	*Henri*	Olaf	Symphorien
Clet	Hercule	Olav	Tudi
Enrique			

□ **Type caractérologique**

Ils auraient tendance à être secrets. Ils sont relativement timides et, s'ils manifestent une émotivité moyenne, leur activité est bonne et leur rapidité de réaction remarquable. On comprend donc que leur animal totem soit le *chamois*. Ils sont bondissants comme lui, ils sautent sur l'occasion ! En revanche, ils n'ont pas un caractère très facile, ils seraient même assez rugueux. Colériques, ils ont toujours l'air d'entrer en fermentation et de vouloir exploser. Ils ont les pieds sur terre et la tête au ciel. Finalement, on ne sait jamais exactement où ils en sont, et ils n'en savent eux-mêmes pas davantage ! Ils sont plutôt jouisseurs, aiment les bonnes choses de l'existence, et l'on peut dire qu'ils en prennent généralement à leur aise ! Ils aiment se dorer au soleil comme l'*oranger,* leur végétal totem.

□ **Psychisme**

Ils sont à la fois extravertis et introvertis, c'est-à-dire qu'il leur faut maintenir le contact avec les autres, mais qu'en même temps ils ont un besoin très net de revenir sur eux-mêmes, de prendre leurs distances par rapport à leur entourage et de vivre leur vie intérieure. Ils sont très peu influençables et même parfois entêtés.

□ **Volonté**

Elle existe, cette volonté, et si vous jetez un regard sur le schéma psycho-structurel, vous découvrirez qu'elle domine nettement l'ensemble du psychisme. Oui, mais voilà ! Elle ne s'applique que d'une façon très sélective aux événements. On négligera un devoir urgent pour se lancer, de toutes ses forces, dans une opération inutile ou douteuse !

□ **Emotivité**

Cette émotivité moyenne leur sert avant tout à pimenter les récits délirants qu'ils font d'aventures qui leur sont plus ou moins arrivées. Oh ! les merveilleux fabulateurs que voilà ! Ils ont une notion très forte de l'amitié. Ne pas avoir d'amis, c'est se laisser aller au gré des vents de la passion, et ils ont horreur de cela.

□ **Réactivité**

Elle est forte. Et non seulement elle est forte, cette réactivité, mais ils en rajoutent. A les entendre, ce sont des foudres de guerre, des « condottieri »... La réalité ! Elle est beaucoup plus banale ! Ils racontent n'importe quoi pour se mettre en vedette ! Ils aiment l'opposition plus que toute autre chose. Leur rêve : dire « non ». Ils sont peu sensibles à l'échec et lorsque celui-ci survient, ils le traitent soit par le mépris, soit par la colère. Si ça ne marche pas, c'est la faute des autres ! Malgré ces attitudes tranchées, nous avons vu qu'ils étaient secrètement de grands sensibles, ce qui les amène à faire du refoulement sentimental... mais cela ne dure pas non plus !

□ **Activité**

Ils se méfient un peu de l'action. Non qu'ils soient paresseux mais ils ont peur de tomber dans le piège des autres. En réalité, ils ne veulent, à aucun prix, travailler pour les autres... Ces types de caractères accepteraient plus facilement une discipline physique qu'une discipline mentale. Ils pourront être commerçants, ingénieurs des mines, agriculteurs. D'une manière générale, ils préfèrent les professions qui leur permettent d'entrer en contact avec les réalités de notre terre et aiment voir le fruit de leurs efforts. Ce sont aussi des médecins de campagne et des vétérinaires zélés. Ils s'adaptent facilement ; il faudra très tôt les intéresser à un métier précis pour qu'ils puissent en prendre toutes les dimensions et s'attacher à lui. Avec eux, il n'y a pas de véritables problèmes de choix. Ils savent ce qu'ils veulent très tôt.

□ **Intuition**

Ils ont plus de flair que d'intuition. Ils sentent avec leur bon sens plutôt qu'avec un sixième sens. Ils sont très directs. Ils séduisent par leur bonhomie et même en abusent, car ce fameux flair leur sert souvent à « gommer » des situations délicates, pour ne pas dire autre chose !...

□ **Intelligence**

Leur intelligence est rapide sans être très profonde. Ils aiment bien les discours et les grandes phrases. Ils possèdent une intelligence synthétique, c'est-à-dire qu'ils ont une vision très claire et immédiate des grandes lignes d'un problème, mais ils auraient parfois tendance à renoncer aux détails. Il faudra donc que les parents soient très attentifs à la manière dont se comportent leurs enfants, et qu'ils ne négligent pas le particulier pour ne s'en tenir qu'aux généralités. Ils ont beaucoup de mémoire et ont habituellement une vive curiosité.

□ **Affectivité**

Ils sont très possessifs. Ce sont des hommes qui utilisent facilement les « mon », les « ma » : « ma » situation, « ma » femme, « mon » appartement, « ma » voiture... Ils ont besoin de confort physique et de sécurité affective. Ils sont même un peu tyranniques et donnent l'impression que beaucoup de choses leur sont dues, surtout au plan de l'affection. Leur famille compte énormément pour eux, et les parents doivent s'habituer à ces petits qui sont toujours par monts et par vaux, mais qui, en réalité, sont fortement attachés à la notion de foyer. Ils détestent vivre seuls. Ils désirent être compris beaucoup plus qu'ils n'ont envie de comprendre les autres.

□ **Moralité**

Nous dirons, pudiquement, que leur moralité serait parfois hésitante. Assez opportunistes, collant à l'événement au point d'en oublier la valeur morale, ils vivent une existence un peu indécise, où surnagent, néanmoins, des principes plus ou moins bourgeois qui les sauvent au dernier moment, dont ils parlent beaucoup et qu'ils appliquent quelquefois !

Quant au niveau des croyances !... Ce sont plutôt des sceptiques, ils ont souvent un petit sourire au coin des lèvres qui en dit long sur l'importance qu'ils accordent aux grands « mythes » qui mènent ce monde. Ils sont tolérants, peut-être plus par indifférence que par grandeur d'âme, mais enfin...

□ **Vitalité**

On a parfois l'impression qu'ils ont passé un pacte secret avec la Terre qui, comme pour Antée, leur fournirait le fluide vital dont ils ont besoin ! Quant à leur santé, elle est excellente en général. Ils jouissent d'une grande vitalité, mais attention au foie, attention aux abus de nourriture et d'alcool. Ils devront surveiller leurs intestins et ne pas abuser des antibiotiques. Ils ont besoin de sommeil ce qui les amène quelquefois à empiéter sur leurs heures de bureau pour satisfaire leur désir de repos !

□ **Sensorialité**

Une sensorialité de grande classe, et cela est compréhensible après ce que nous avons dit au chapitre de la vitalité. Ils ont de gros besoins : manger, boire, dormir, etc. Et ils sont prêts à tous les sacrifices, surtout ceux des autres, pour satisfaire ces pulsions. Leur sexualité est habituellement très exigeante et très précoce, aussi ils vont droit au but, ce qui ne manque pas de créer, par moments, certaines bousculades dans leur vie sentimentale !

□ **Dynamisme**

Le décalage entre les pourcentages de l'activité et du dynamisme est tel ; le fossé existant entre ce qu'ils veulent faire — et qu'ils crient sur les toits — et ce qu'ils font véritablement est tel qu'on peut parler de « bluffeurs » de génie ! A les entendre, tout est beau, facile... c'est « dans la poche » ! A les voir agir, on s'étonne, parfois, de les voir encore en liberté !

□ **Sociabilité**

Ils sont tout à fait sociables. Ils aiment les bons repas pris avec une bande de copains. Ce sont de joyeux compagnons. Ils n'ont pas toujours une connaissance très profonde de la psychologie féminine, et il y a dans leur galanterie une certaine rudesse, qui d'ailleurs peut ne pas déplaire ! Leur moralité est, nous l'avons vu, sujette à caution. Ils ont au fond d'eux-mêmes un sens de la débrouillardise qui les fait retomber sur leurs pieds, même lorsque les circonstances sont délicates. Leur chance est excellente, surtout dans la deuxième partie de leur vie, et leur réussite est positive, car ils ont la sagesse de rechercher la tranquillité au lieu de courir après une gloire inutile et fatigante. En résumé, de « grands sympathiques », d'humeur parfois inégale, mais profondément dévoués.

□ **Conclusion**

Ils auraient tendance à être ironiques par défense, amusants par système, et on en vient à se demander s'ils sont toujours bien dans leur peau ! Ils sont de parti pris et leur subjectivité est assez forte. Ils ramènent tout à leur confort et ils ont une vision très personnelle de l'univers. Relativement jouisseurs, ils recherchent une existence facile. De plus, ils ont une grande confiance en eux. Mais quels personnages !

HENRIETTE

Personnalité : *Celle qui porte le vin de la vie.*

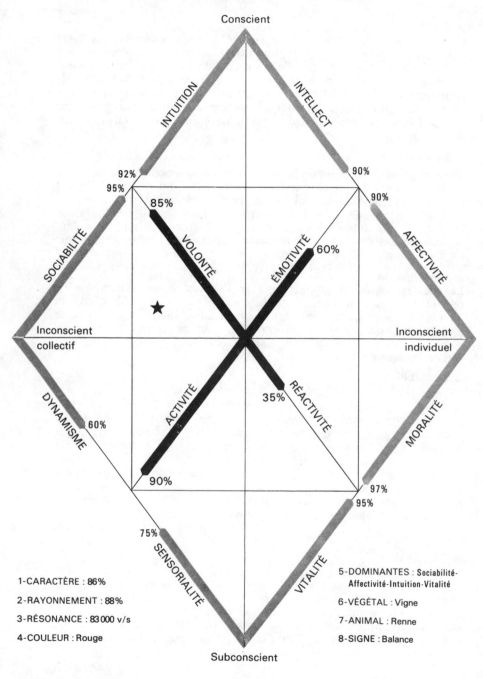

Conscient

INTUITION INTELLECT

92%
95%

85%

90%
90%

VOLONTÉ ÉMOTIVITÉ 60%

SOCIABILITÉ AFFECTIVITÉ

★

Inconscient collectif

Inconscient individuel

ACTIVITÉ RÉACTIVITÉ

35%

DYNAMISME 60%

MORALITÉ

90%

97%
95%

75%

SENSORIALITÉ VITALITÉ

Subconscient

1-CARACTÈRE : 86%

2-RAYONNEMENT : 88%

3-RÉSONANCE : 83 000 v/s

4-COULEUR : Rouge

5-DOMINANTES : Sociabilité-Affectivité-Intuition-Vitalité

6-VÉGÉTAL : Vigne

7-ANIMAL : Renne

8-SIGNE : Balance

Henriette

et prénoms aux caractéristiques analogues

Babette	Faustine	Julienne	Ninon
Brigitte	*Henriette*	Juliette	Paméla
Capucine	Ivanne	Lola	Réjane
Carole	Joséphina	Lolita	Sara
Caroline	Joséphine	Micheline	Sibille
Chrétienne	Julia	Nadège	
Fanchon	Julie	Nina	

□ **Type caractérologique**

Ce sont habituellement des femmes très séduisantes, pleines de majesté et de grâce. On pourrait les croire un peu prétentieuses, distantes même, alors qu'en réalité ce n'est qu'une froideur de façade, une autodéfense, car elles ont toujours peur de s'attacher ou de paraître vulnérables. Elles sont secrètes, légèrement timides, et mettent un certain temps à réagir, mais elles possèdent une forte émotivité et une belle activité. Comme leur végétal-totem, la *vigne*, elles ont besoin d'un tuteur pour s'épanouir pleinement. Un mariage heureux ou une profession intéressante leur donneront ce support d'action qui leur est nécessaire.

□ **Psychisme**

Introverties, elles ont un certain mal à participer à la vie communautaire. Elles fuient le contact avec le monde, avec la foule. Elles sont un peu sauvages, comme le *renne,* leur animal-totem. D'une manière générale, elles ont une apparence raffinée, aristocratique même, et les réjouissances populaires, les bals, les fêtes ne leur plaisent guère. Elles sont peu influençables. Elles ont confiance en elles, quand elles se sentent bien soutenues. C'est alors qu'elles donnent leurs fruits les plus beaux.

□ **Volonté**

Le pourcentage de volonté — tel que nous le donne notre schéma psycho-structurel — est intéressant, mais à voir vivre ce type de caractère on a l'impression qu'il fait tout pour que cette volonté n'ait pas à se manifester, pour qu'elle reste discrète sinon secrète. Mais elle existe et saura se montrer à son heure.

□ **Emotivité**

C'est leur point faible car cette émotivité est trop forte par rapport à la réactivité. Or, ce qu'il y a d'extraordinaire, c'est que cet excès d'émotivité va se traduire finalement par une espèce de froideur apparente.

□ **Réactivité**

Et c'est là où la faible réactivité de ce type de caractère intervient. En effet, pour dissimuler leur émotivité qui est importante, nous l'avons vu, elles vont bloquer leurs réactions au point de paraître insensibles ou distantes devant une situation qui les bouleverse ou plus simplement les émeut. Il faudra surveiller ce mode de réactions chez ces jeunes filles...

□ **Activité**

Elle est plus importante que la volonté ce qui laisse croire qu'elles se laissent parfois dépasser par leur travail, qu'elles deviennent prisonnières de la tâche entreprise. Elles sont peu sensibles à l'attrait des études. Elles les font parce qu'il faut les faire, par devoir. Elles commencent à n'être vraiment passionnées qu'au moment de choisir une profession. Deux voies alors s'ouvrent devant elles. La première, c'est la solution de la vie au foyer où elles sont des maîtresses de maison remarquables, recevant avec classe, secondant merveilleusement leur mari sur le plan mondain, de plus d'excellentes mères de famille, pleines de rigueur et de tendresse. La seconde voie consiste pour elles à renoncer plus ou moins à un foyer en choisissant une profession absorbante comme celle d'avocate, de psychiatre, d'hôtesse de l'air, etc.

□ **Intuition**

Est-ce de l'intuition, de la prescience ? En tout cas, elles ont presque toutes une double vue lorsqu'il s'agit de prévoir les grandes étapes de leur vie. Elles possèdent une séduction réelle bien qu'un peu intimidante. Peut-être, tout simplement, parce qu'elles sont intimidées elles-mêmes !

□ **Intelligence**

Leur intelligence est vive et synthétique, c'est-à-dire qu'elles n'entrent pas forcément dans le détail des choses, mais qu'elles ont une large vision des problèmes, ce qui est très pratique lorsque l'on jette les plans d'une affaire sur le papier, et moins efficace lorsqu'il faut aborder la phase de réalisation. Elles ont une excellente mémoire, et une curiosité moyenne.

□ **Affectivité**

Lorsqu'elles s'attachent à un être, c'est en principe pour longtemps, sinon pour toujours. On comprend donc qu'elles envisagent l'heure du choix avec beaucoup de réserve et de prudence. Ces passionnées discrètes attendront parfois de longues années le prince charmant dont elles se sont forgé l'image, non pas en rêvant, mais en additionnant les qualités fondamentales de l'homme qu'elles espèrent rencontrer. Donc une grande lucidité dans la décision... mais un joli sens de l'utopie dans la réalisation !

□ **Moralité**

Une moralité d'une très belle tenue qui, là encore, sait rester à sa place. Pas de discours moralisateurs, pas de reproches déplacés mais une grande dignité dans le comportement, et, habituellement, une belle fidélité, un respect des engagements allant jusqu'au sacrifice d'un bonheur uniquement mondain. Elles sont aussi pudiques dans leurs croyances que dans leurs amours. Mais si leur foi aime la pénombre, elle n'en est pas moins riche de dévouement et même d'abnégation. Pour elles, l'amitié est une très belle chose, et elles s'entendent également avec les hommes et avec les femmes. Elles ressentent durement toute trahison, tout abandon, car elles sont sensibles à l'échec, surtout sentimental.

□ Vitalité

Leur santé est normalement excellente. Elles ont une grande vitalité et surtout une volonté de vivre, de continuer leur tâche sans jamais se plaindre. Elles sont peu sensibles à la fatigue et d'une grande sobriété. Leurs seuls points faibles : leur système endocrinien et le sang.

□ Sensorialité

Elle existe, cette sensorialité, et ce serait une erreur de croire que ce type de caractère ne vit que d'amour et d'eau fraîche. Elles sont réservées, pour les raisons que nous avons déjà exprimées. Cela n'empêche pas pour autant leurs élans sensuels lorsqu'elles ont trouvé le partenaire idéal.

□ Dynamisme

C'est ici que le bât blesse et qu'il faudra beaucoup de tact et, en même temps, de fermeté pour développer le dynamisme de ces jeunes filles. Elles auraient tendance, en effet, à prendre pour de la vulgarité, voire de la goujaterie, toute tentative visant à imposer son point de vue ou à s'imposer soi-même. Il faudra bien leur faire comprendre que la prise de conscience de sa propre valeur n'est ni prétention, ni hâblerie.

□ Sociabilité

Très sociables, elles auraient une certaine tendance à la solennité dans leurs réceptions ; il faut dire qu'elles n'aiment pas le laisser-aller. Ayant une forte volonté, une moralité parfaite, ce sont des êtres qui savent surmonter les plus grosses difficultés de l'existence. Les parents devront s'efforcer de ne pas accentuer le côté un peu lointain de ces enfants, et de les maintenir le plus possible en contact avec la réalité sociale, car il ne faudrait pas que ces femmes, telle Hébé, se croient destinées à ne verser l'hydromel, le vin de la vie, qu'aux seuls dieux !

□ Conclusion

Ce sont des femmes particulièrement attachantes, mais il faut bien les connaître pour éviter de les heurter ou de les blesser. Pour leur part, elles voudraient ne pas avoir à s'expliquer. Elles ont horreur de fournir le mode d'emploi de leur caractère. Et leur rêve, ce serait que le prince charmant puisse les comprendre à demi-mot et que leurs parents les devinent, les pressentent... Puisse ce modeste ouvrage les y aider !

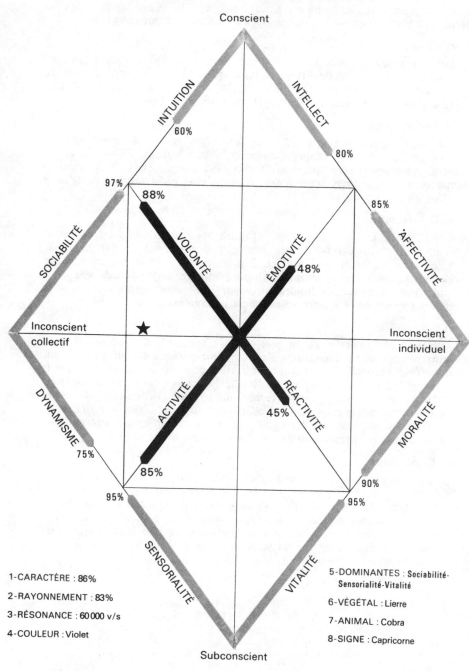

HUGUES

Personnalité : *Celui qui s'attache.*

Conscient

INTUITION 60%

INTELLECT 80%

97%

88%

85%

VOLONTÉ

ÉMOTIVITÉ 48%

SOCIABILITÉ

AFFECTIVITÉ

Inconscient
collectif

★

Inconscient
individuel

ACTIVITÉ

RÉACTIVITÉ 45%

DYNAMISME

MORALITÉ

75%

85%

90%

95%

95%

SENSORIALITÉ

VITALITÉ

1-CARACTÈRE : 86%

2-RAYONNEMENT : 83%

3-RÉSONANCE : 60 000 v/s

4-COULEUR : Violet

5-DOMINANTES : Sociabilité-
Sensorialité-Vitalité

6-VÉGÉTAL : Lierre

7-ANIMAL : Cobra

8-SIGNE : Capricorne

Subconscient

Hugues

et prénoms aux caractéristiques analogues

Hugues　　　　**Noé**　　　　**Soizic**　　　　**Youri**

□ **Type caractérologique**

Ce type de prénom correspond symboliquement à la colonne vertébrale, et implique une notion de verticalité qui définit bien leur personnalité : ce sont des hommes debout. Leur animal totem est le *cobra* et leur végétal le *lierre*. Passionnés, agressifs, accrocheurs, ils ont besoin de la terre pour vivre vraiment, et il leur est nécessaire de se fixer pour s'épanouir totalement.

□ **Psychisme**

Ce sont des extravertis qui ont une large ouverture sur l'extérieur. Dès que le chant du monde se fait entendre, ils sortent de leur panier, tel le cobra, pour savoir ce qui se passe. Ils sont peu influençables et d'une objectivité relative. Ils voient les choses comme ils veulent les voir. Ils sont possessifs et lorsqu'ils s'enroulent autour d'une idée précise, il est très difficile de leur faire lâcher prise et de leur faire changer d'avis. Ils possèdent une grande confiance en eux, et même, dans certains cas, sont fort satisfaits de leur personne.

□ **Volonté**

Les paramètres caractérologiques de notre schéma psycho-structurel sont relativement rétractés. Nous n'aurons donc pas affaire, en général, à des aventuriers ou des anarchistes ! La volonté est bonne, mais ils se laissent, assez souvent, « endormir » par une certaine indolence alors qu'à d'autres moments, ils se passionnent sans cause apparente.

□ **Emotivité**

Elle vient compléter le tableau et accompagne bien cette réactivité moyenne qui donne aux porteurs de ces prénoms un « profil » un peu « anglais ». Respect des traditions. Belle sensibilité. Le sens de la famille et du « club ». Ils ont l'amitié relativement facile. Ils mélangent agréablement la notion d'amis, de camarades et de copains.

□ **Réactivité**

Elle est très raisonnable et en dehors de certains coups de tête, parfois calculés, on ne peut dire qu'ils soient « compliqués ». L'essentiel pour eux est de se sentir entourés dans une ambiance animée. Ils sont peu sensibles aux échecs, mais ont parfois un sens aigu de l'opposition et leur manie est de contredire systématiquement leur interlocuteur, puis

271

d'éclater de rire au milieu de la discussion. Précisons qu'ils sont assez blagueurs.

□ Activité

Elle n'est pas tyrannique, mais correspond bien à l'allure générale de ces types de caractères : « Assez, mais pas trop ! » Ils aiment l'étude, qui représente à leurs yeux une occasion excellente de briller, de dépasser les autres, de réussir, en un mot. Car ils ont un sens profond de la réussite professionnelle et, au moment du choix, ils se dirigeront de préférence vers un métier qui leur permettra de vivre largement, d'avoir un foyer confortable et une grande activité sociale. Comme ce sont des gens prudents, ils s'orienteront vers des professions stables. On les trouvera fonctionnaires ou appartenant à des sociétés ayant « pignon sur rue. » Ils ne s'adaptent pas facilement et prennent vite des habitudes qui risquent de les scléroser. Ils peuvent aussi faire carrière dans l'armée. La notion de retraite joue très tôt un grand rôle dans le choix de leur profession. Il ne faudra donc pas pousser les jeunes à faire des métiers hasardeux qui risqueraient de les déséquilibrer en les privant d'une sécurité essentielle.

□ Intuition

Leur intuition est médiocre. Ils ont les pieds sur terre, veulent savoir où ils vont, ce qu'il convient de faire, comment le faire, et ne se fient guère à cette notion quelque peu féminine qu'est l'intuition. Leur séduction est efficace mais assez peu nuancée ; l'imagination est fertile.

□ Intelligence

L'intelligence est valable, sans être d'une rapidité exceptionnelle. Elle est analytique, c'est-à-dire qu'ils ont besoin de bien comprendre chaque détail d'une affaire pour en avoir une vue suffisante. Leur curiosité est forte.

□ Affectivité

Leurs passions se traduisent, le plus souvent, par un comportement très direct. Ils ont tendance à dire ce qu'ils pensent avec une certaine brutalité et les parents devront prendre soin de rectifier très tôt les débordements de langage de leurs enfants.

□ Moralité

Cette moralité fait aussi partie des « piliers » de leur petit monde et ils la respectent mais sans formalisme et sans rigueur excessive.
Et en matière de foi ? Là non plus les problèmes ne se posent pas d'une manière aiguë. Ou bien ils pensent que leurs croyances peuvent être efficaces sur le plan social, voire professionnel, ou bien ils ne sont pas du tout intéressés et la religion se perd dans les brumes de la superstition.

□ Vitalité

Elle est remarquable et leur donne assez souvent des allures de « gentleman-farmer » à la mine enluminée et au whisky facile... Cette vitalité est même peu commune et ils ont besoin d'exercice. Il leur est recommandé d'avoir une résidence secondaire où ils pourront se livrer au jardinage, ou à des travaux de force, tels que couper des arbres. Ils aiment beaucoup la vie en plein air qui compense ce que l'existence citadine leur apporte en fatigue nerveuse. Mais ils doivent surveiller leur colonne vertébrale ; chez les jeunes, il faudra s'assurer qu'il n'existe pas de décalcification. En raison d'une certaine violence de caractère, attention aux accidents, affectant surtout les os !

□ **Sensorialité**

Elle ne peut être que forte et la nourriture — la gastronomie devrait-on dire — représentera pour eux une tentation permanente. Leur sexualité serait plutôt exigeante et ils passent très tôt à l'attaque ! Ils ont d'ailleurs un côté « soudard » qui les amène à penser que le geste vaut la parole...

□ **Dynamisme**

Il est très calme ce dynamisme ! Ce n'est pas lui qui les empêchera de faire la sieste, qu'ils aiment beaucoup... Il conviendra donc de ne pas laisser ces enfants abuser de la grasse matinée et du farniente. Quant à vous, chères petites madames, qui venez d'épouser ces hommes charmants, ne comptez pas trop sur eux pour faire la vaisselle après le repas...

□ **Sociabilité**

Leur sociabilité est extrême et, si on les écoutait, ils recevraient tous les soirs. Le dimanche, ils accueilleraient tous leurs amis dans leur propriété. Ils raffolent de la chasse, des surprises-parties, de la danse. Cela fait partie de leur mode de vie et correspond également à des prises de contact nécessaires sur le plan professionnel. Leur volonté est forte, leur moralité plutôt adaptée aux événements et aux circonstances. Ils ont un grand amour de la famille, avec toutefois un certain sens de l'indépendance. Leur chance est bonne et comme ils ont beaucoup de flair, ils réussissent fort bien.

□ **Conclusion**

On a vraiment l'impression que ce sont des hommes qui ne se maintiennent que dans une bonne moyenne. Cela les rassure ! Ils tiennent aux êtres qui les entourent, aux choses et aux situations et ils n'ont pas envie d'en changer... C'est peut-être cela la sagesse ?

JACQUELINE

Personnalité : *Celle qui saisit, celle qui s'empare.*

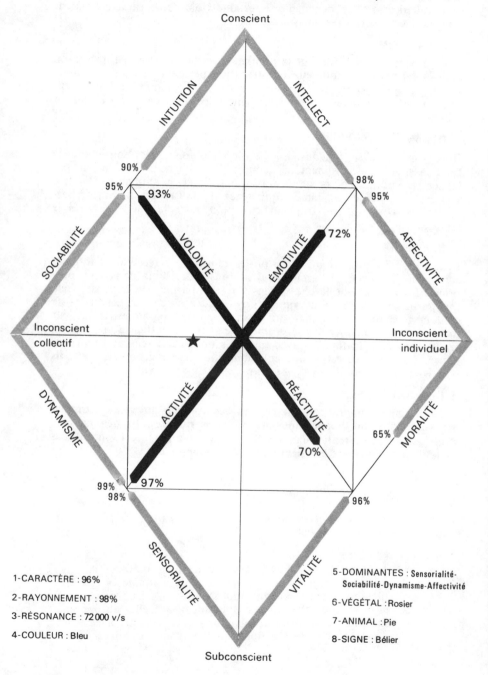

1-CARACTÈRE : 96%

2-RAYONNEMENT : 98%

3-RÉSONANCE : 72000 v/s

4-COULEUR : Bleu

5-DOMINANTES : Sensorialité-Sociabilité-Dynamisme-Affectivité

6-VÉGÉTAL : Rosier

7-ANIMAL : Pie

8-SIGNE : Bélier

Jacqueline

et prénoms aux caractéristiques analogues

Bathilde	Clémence	Irma	Rosemonde
Bathylle	Géraldine	*Jacqueline*	

□ Type caractérologique

Voilà un caractère difficile à manier — et cela à tous les âges. On pourrait assimiler ces « prénoms-caractères » au *rosier*, leur végétal totem. Elles sont à la fois la fleur et l'épine. Elles sont très émotives, actives et possèdent des réactions d'une soudaineté souvent inquiétante. Tout cela, mélangé, donne un cocktail explosif qui, dans certains cas, peut être redoutable. Ce sont des enfants qui veulent toucher à tout, s'emparer de tout. Si elles n'ont pas ce qu'elles désirent — et vite — c'est la colère, c'est le drame. La voix s'élève, la diction se précipite, on tape sur la table... Que les parents réagissent à la première occasion, au premier biberon, ou c'est l'enfer qui s'installe dans la famille...

□ Psychisme

Ce sont des extraverties, très réalistes, qui s'extériorisent facilement, qui ont besoin de contacts et qui savent les provoquer. Dès leur plus jeune âge, elles commencent à brasser l'air autour d'elles. Elles amènent les petits copains à leur domicile, les réduisent en esclavage, jouent les maîtresses de maison sans complexe. Tout comme la *pie,* leur animal totem, elles sont bavardes, curieuses et accapareuses.

□ Volonté

Elle est forte cette volonté, mais elle réagit souvent par à-coups. C'est une volonté mise au service d'un but et si ce but vient à disparaître, sa structure en est atteinte. Donc, ne laissez pas ces enfants vivre selon leurs caprices, mais imposez-leur une vraie discipline.

□ Emotivité

Elle est redoutable, car elle s'appuie sur une réactivité de même niveau. Reportez-vous au schéma psycho-structurel qui précède cette étude et vous pourrez constater à quel point le caractère proprement dit — la croix de Saint-André — est expressif.

□ Réactivité

Tout est au service de cette réactivité dévastatrice : la volonté, l'émotivité, l'activité, tout concourt à faire de ces êtres de véritables « passionaria », à des degrés divers, bien entendu. N'allez pas leur demander d'être objectives ni de tout abandonner pour un idéal ; elles auront un idéal, certes, mais elles se débrouilleront pour qu'il s'accorde avec leur réussite professionnelle. On devine donc qu'elles sont captatives, avec une tendance à s'approprier ce qui les entoure. Luttez contre cette possessivité, apprenez-leur la générosité, la gentillesse ; elles sont très attentives et comprennent vite... quand elles le veulent bien.

□ Activité

D'une intensité féroce ! Elles aiment les études, non pour l'étude même, mais pour atteindre un objectif précis. Le « bac » pour elles, cela ne veut rien dire, mais si c'est la marche indispensable pour parvenir au but et devenir politicienne, avocate, directrice... elles marchent. Voilà le nœud du problème posé par ce type de caractère : le métier ! Une jeune femme portant ce prénom ne se réalise vraiment que si elle s'épanouit dans la réussite professionnelle. Qu'importe le travail ; s'il la passionne elle aura une vie merveilleuse ! Son rêve : commander à des hommes, faire mieux que les hommes, obtenir d'eux qu'ils la traitent comme un chef ou comme un égal, jamais comme une femme. Si, à tout cela, vous ajoutez un public, alors, elle est heureuse et deviendra, nous l'avons vu, journaliste, avocate, comédienne et surtout politicienne, c'est-à-dire un peu tout cela en même temps. Observez bien cette enfant afin de la guider discrètement, au moment de ce choix, qui est souvent précoce.

□ Intuition

Ce sont des femmes fortes, riches en réactions, mais aussi en émotions, et, détail intéressant, elles possèdent une fort belle intuition dont elles savent très bien se servir. Mais une intuition en forme d'institut de sondages car elles mettent tout leur flair au service de leur envie de savoir ce que les autres pensent d'elles !

□ Intelligence

Elles sont intelligentes, ces petites, et elles doivent avoir un lien de parenté avec le célèbre Machiavel, car elles disposent d'un arsenal d'astuces et de roueries pratiquement inépuisable. Elles saisissent la balle au bond et leur intelligence, du genre analytique, ne laisse rien passer. Spirituelles, caustiques, mordantes, elles ne font pas de cadeau. Elles sont aguichantes et se servent des hommes avec une astuce diabolique. Dans certains cas, ce sont des briseuses de ménage patentées...

□ Affectivité

Nous avons vu qu'elles étaient très possessives ; il faut ajouter qu'elles sont très attirantes. Leur grande intuition les met immédiatement en accord avec les situations qui se présentent. Si vous êtes affectueux avec elles, elles se comporteront de la même manière ; elles jouent le jeu jusqu'au moment où elles décident d'en changer sans raison discernable. Et cela est valable pour tous les âges. Elles déconcertent pour conserver la direction de la partie ! Au risque de perdre... ou de se perdre !

□ Moralité

A surveiller particulièrement chez ces enfants qui voudraient faire feu de tout bois. Ne rien passer et ne pas laisser traîner ce qui pourrait tenter ces petites « pies ». Elles ont souvent la moralité de l'homme qu'elles aiment et auraient parfois tendance à fermer les yeux sur les sources de revenus du couple, pourvu que la vie qu'elles mènent soit

276

brillante ! Elles croient surtout en elles. Les religions leur paraissent lointaines et peuplées d'empêcheurs de vivre et, pourtant, ce ne serait pas une mauvaise chose si ces jeunes filles bénéficiaient, au cours de leur adolescence, de certains garde-fous !

□ Vitalité

Avec elles, pas de problème. Elles ont une santé de fer si elles réussissent, et tous les maux de la terre si elles s'ennuient. Le reste est littérature ! Leur point faible : les mains qui risquent d'être victimes d'accidents plus ou moins graves, et le cœur. Au propre et au figuré ! Et puis, elles doivent avoir un côté « vampire » et se nourrir de la vitalité de ceux qui les entourent et qu'elles mettent « sur les genoux »...

□ Sensorialité

Quel problème ! Qui donc a jamais su dompter un volcan ? Comment empêcher ces adorables créatures de mener leur vie tambour battant en faisant fi du « qu'en-dira-t-on » et se fichant du reste ?... Elles sont coquettes en naissant et la puberté ne fera qu'ajouter une arme de plus à leur séduction naturelle. Dès l'âge le plus tendre, ces enfants seront polarisées et se serviront de leur charme. Elles doivent être informées le plus complètement possible des problèmes sexuels.

□ Dynamisme

Elles n'ont pas du dynamisme, elles sont le dynamisme même. Rien ne leur résiste, ou plutôt peu de choses et peu d'êtres peuvent leur résister... Elles ont de la chance, elles s'en servent, elles en abusent, elles trichent même s'il le faut, mais elles réussissent. Alors, me direz-vous, et leur mari dans tout cela ? Oh ! le mari !!! Eh bien, s'il est banquier ou industriel, ça peut aller... à la rigueur !

□ Sociabilité

Leur sociabilité est telle qu'elles transforment souvent la moindre réception en meeting. Quelle vitalité, quel entrain, quel pouvoir d'argumentation, voire d'intrigue ! Le petit Machiavel remonte à la surface... Elles ont un grand sens de l'amitié, une amitié plutôt tumultueuse, tyrannique mais fidèle. Elles aiment avoir beaucoup de garçons autour d'elles ; très souvent, ces petites abandonnent la poupée pour faire le coup de poing avec les gars. Elles aiment beaucoup vivre dans la rue. Ce sont des femmes de « barricade », courageuses, aucunement abattues par les échecs. Lorsqu'elles réalisent harmonieusement la construction de leur personnalité, elles sont véritablement étonnantes... bien que de caractère difficile.

□ Conclusion

Il convient de rappeler la nature de l'animal totem de ces caractères : la pie (et non « chipie », comme l'affirment certaines mauvaises langues). Comme la pie, ce sont des « voleuses », mais à bien comprendre. Ne laissez pas votre fiancé, ou votre mari, traîner à portée de ces drôles d'oiseaux... elles l'amèneraient dans leur nid à tire-d'aile. Et si vous êtes P.-D.G. d'une entreprise, et que vous la choisissiez comme collaboratrice immédiate, ne vous étonnez pas de vous retrouver planton quelques mois plus tard en train de lui ouvrir respectueusement la porte...

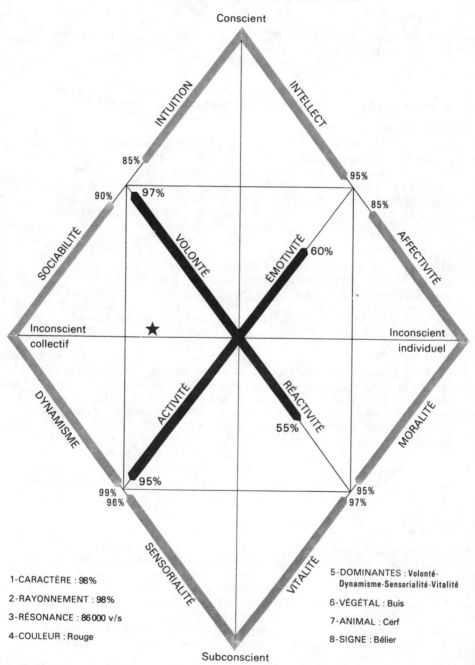

JACQUES

Personnalité : *Celui qui porte la flamme.*

Conscient

INTUITION

INTELLECT

85%

95%

90%

97%

85%

VOLONTÉ

ÉMOTIVITÉ

60%

SOCIABILITÉ

AFFECTIVITÉ

Inconscient
collectif

★

Inconscient
individuel

ACTIVITÉ

RÉACTIVITÉ

55%

DYNAMISME

MORALITÉ

99%
96%

95%

95%
97%

SENSORIALITÉ

VITALITÉ

1-CARACTÈRE : 98%

2-RAYONNEMENT : 98%

3-RÉSONANCE : 86 000 v/s

4-COULEUR : Rouge

5-DOMINANTES : Volonté-
Dynamisme-Sensorialité-Vitalité

6-VÉGÉTAL : Buis

7-ANIMAL : Cerf

8-SIGNE : Bélier

Subconscient

Jacques

et prénoms aux caractéristiques analogues

Avit	Gérôme	Jérôme	Siméon
Damien	Gervais	Malo	Werner
Darius	Guénolé	Primaël	Yann
Esteban	Jacme	Réginald	Yannick
Fabrice	*Jacques*	Régis	Yoann

□ Type caractérologique

Un type de prénom d'une grande force qui s'appuie sur une émotivité puissante, une activité dévorante, et de bonnes réactions, qui font de ces colériques des personnes particulièrement efficaces. Il y a chez eux une indéniable noblesse, comme chez leur animal-totem, le *cerf*. Ce sont également des hommes de jugement qui appellent de leur trompette l'humanité à s'éveiller, avant que tout ne retombe et ne revienne à l'état primitif. Ce sont incontestablement des caractères difficiles, comme tous ceux qui ont quelque chose d'important à accomplir, et tantôt on les découvrira à la tête de vastes mouvements humanitaires, tantôt on les trouvera écrasés par leur caractère colérique, ayant perdu le contact avec le réel.

□ Psychisme

Ils sont extravertis ; pour eux, ce qui compte, c'est le monde extérieur, et la façon dont ils peuvent s'y insérer. Ce sont donc des hommes de combat, qui vont parfois jusqu'à chercher la bagarre. Ils sont très peu influençables directement, mais le sont assez d'une manière indirecte, c'est-à-dire qu'après s'être heurtés de front avec vous, ils repensent à vos arguments, et finissent par se décider secrètement en votre faveur.

□ Volonté

Quelle volonté ! Et l'on peut dire que lorsqu'ils ont quelque chose dans la tête il est difficile de les faire changer d'avis. Ils construisent soigneusement leurs plans de bataille, quitte à improviser au dernier moment un « coup » qui déconcertera l'adversaire.

□ Emotivité

Elle est importante mais elle n'est pas gênante. Cette forte émotivité leur permettra de colorer leurs discours d'une passion convaincante. En fonction de tout cela, ce sont des conducteurs d'hommes et d'idées. On pourra toujours les discuter, les critiquer... Qu'importe ! Ils savent parfaitement qu'un jour, « on » aura besoin d'eux. C'est ce que nous enseigne leur végétal totem : le *buis,* dur et présent...

□ Réactivité

Ce sont des contestataires. Pour eux l'opposition fait partie de leur système philosophique ; protester, c'est s'affirmer, c'est forcer les autres à se découvrir, à se défendre, et tout devient possible. Les échecs, loin de les abattre, les fouettent et redoublent leur efficacité.

◻ **Activité**

Ils en débordent et on a l'impression, à les voir, que plus ils agissent, plus ils s'agitent, et plus ils semblent reposés et bien dans leur peau. Des bourreaux de travail !

Il est évident qu'en fonction de tout ce qui précède, on peut dire qu'ils ne sont pas des écoliers ni des étudiants faciles ; ce sont bien souvent des meneurs assez violents. Lorsqu'ils s'accrochent à une matière donnée, ou lorsqu'ils veulent à tout prix obtenir un diplôme, ils savent faire feu des quatre fers et sont prêts à renverser tours et murailles. Il n'est pas toujours facile de les guider dans le choix d'une profession, parce qu'ils ont des idées arrêtées sur ce qu'ils veulent faire, supportent mal les conseils qu'on leur donne, et sont persuadés de pouvoir toujours se débrouiller dans la vie. Ils ont souvent une âme d'autodidacte, et il est malaisé de citer précisément des professions qui leur conviennent. D'une manière générale, disons qu'ils aiment les métiers où il se passe quelque chose : politicien, aviateur, chanteur, homme de radio, de télévision, représentant, sportif, que sais-je encore... Ce qu'ils ont en horreur : tout ce qui ressemble à une caserne, à une limitation de leur chère liberté. Ils ont par contre un merveilleux sens de l'adaptation, et c'est l'un de leurs principaux atouts.

◻ **Intuition**

Ils possèdent une vive intuition à laquelle ils ont tendance à trop se fier quelquefois, ce qui pourrait les conduire à jouer les inspirés ou les illuminés. Leur séduction est remarquable, et ils ont une manière de convaincre les autres qui ne rencontre que peu de résistance. Leur imagination est fertile, ils connaissent l'art d'utiliser des formules à l'emporte-pièce d'un effet foudroyant.

◻ **Intelligence**

Ils possèdent une intelligence rapide, incisive, cinglante même, une manière implacable de ramener les êtres et les choses à leur juste dimension, une intelligence synthétique qui dessine à grands traits les lignes de force d'une situation donnée, ce qui leur permet de prendre immédiatement les décisions qui s'imposent. La mémoire est bonne, la curiosité très poussée, ils veulent comprendre afin de pouvoir ensuite intervenir.

◻ **Affectivité**

Ils sont possessifs, non pour être le simple propriétaire des choses et des êtres, mais pour les avoir à leur disposition et s'en servir éventuellement comme des pions, ou comme monnaie d'échange, car dès leur plus jeune âge, on peut constater qu'ils sont obstinés et qu'ils sont prêts à beaucoup de choses pour arriver au but qu'ils se sont fixé. Il ne faudra pas que les parents encouragent ces attitudes trop autoritaires.

◻ **Moralité**

Ils adoptent volontiers un langage moralisateur lorsqu'ils se lancent dans une entreprise sociale ou humanitaire. Ce ne sont pas des gens de combine et, en général, ils détestent tout ce qui n'est pas clair et net. Ils ont un sens réel de l'amitié, mais ils confondent volontiers amis et partisans. Eux-mêmes sont disposés à se dévouer, à se donner à une cause, mais à la condition que les autres en fassent autant. Si ces derniers montrent le même enthousiasme, la même ferveur, ce sont des amis ; en revanche, si l'un d'eux par malheur sort du droit chemin, il est alors excommunié sans pitié.

Dans le domaine des croyances, ils sont du genre tout ou rien, ou bien ils ont la foi du charbonnier, ou bien un athéisme féroce.

□ **Vitalité**

Des forces de la nature, avec une agressivité qui les conduira parfois à certains accidents, la prudence n'étant pas leur fort. Ce sont des conducteurs qui ont des réactions terribles lorsqu'on leur fait une « queue de poisson » au propre ou au figuré ! Il faut qu'ils se méfient particulièrement des excitants, sous quelque forme qu'ils apparaissent, alcool, café, drogues diverses. Ils ont besoin de sommeil alors qu'ils mènent une vie des plus agitées, c'est pourquoi il faudra habituer ces jeunes à avoir une existence réglée et sportive. Leurs points sensibles : le système nerveux, le foie et les yeux.

□ **Sensorialité**

Ce type de caractère ne se perd pas dans les détails, et leur sensualité, tout en étant très présente, les conduira à adopter des solutions fort directes pour ne pas dire cavalières : « Je veux, je prends ». Leur sexualité est d'ordinaire très forte, ce qui leur posera très tôt des problèmes, ainsi qu'à leurs parents... Ils ont un besoin de conquête, d'ordre sensuel aussi bien que sentimental, qui les expose à de nombreux ennuis s'ils ne le contrôlent pas.

□ **Dynamisme**

Des geysers aux éruptions presque toujours inattendues qui sèment la panique dans leur entourage familial ou socio-professionnel. Assez peu objectifs, ils arrivent néanmoins, la plupart du temps, à se définir avec suffisamment de lucidité pour ne pas commettre d'erreurs trop grossières. Si au contraire l'orgueil les aveugle, alors nous assistons à un déchaînement de mesures tyranniques qui les isolent fâcheusement. Ils ont habituellement une totale confiance en soi, et s'efforcent d'impressionner leur partenaire avec une habileté diabolique.

□ **Sociabilité**

Les voilà donc ces êtres remuants, difficiles parfois à supporter, mais capables de bousculer ciel et terre, sans oublier l'enfer ! Leur sociabilité est excellente et, comme ils ont habituellement le cœur sur la main, ils ouvrent largement leur porte à tous ceux qui frappent, quitte à leur faire comprendre assez vite que leur visite a suffisamment duré. Leur volonté est explosive, leur moralité en accord avec leurs principes, et leurs principes en accord avec les événements. Ils aiment leur famille, ont besoin d'un foyer qui leur serve de tremplin pour de nouvelles aventures. Leur chance est d'ordinaire insolente et leur réussite surprenante et rapide.

□ **Conclusion**

Des « fils du tonnerre ». Encombrants mais passionnants. Tyranniques mais intelligents. Séduisants et dangereux. De tendances assez totalitaires — dans le bon sens du terme — leur passage laisse une trace fulgurante et ils auront bien du mal à se faire pardonner leur réussite. Mais, d'ailleurs, leurs ennemis ne sont-ils pas, pour eux, un merveilleux excitant ?

JEAN

Personnalité : *Celui qui entraîne, qui commande.*

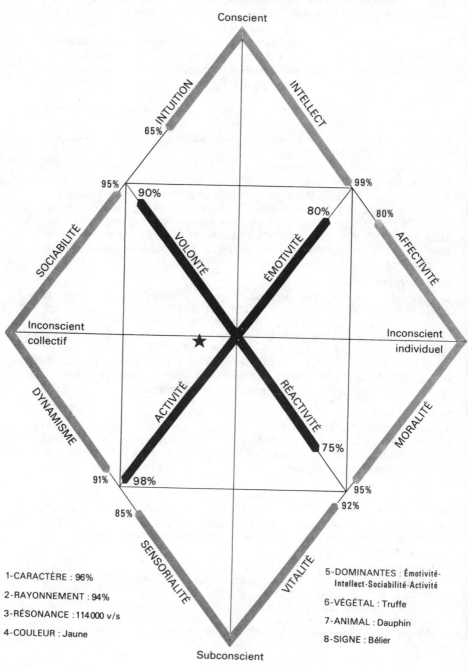

Conscient

INTUITION 65%

INTELLECT

95%

99%

90% VOLONTÉ

80% ÉMOTIVITÉ

80% AFFECTIVITÉ

SOCIABILITÉ

Inconscient collectif

Inconscient individuel

DYNAMISME

ACTIVITÉ

RÉACTIVITÉ

75%

MORALITÉ

91% 98%

95%

92%

85%

SENSORIALITÉ

VITALITÉ

Subconscient

1-CARACTÈRE : 96%

2-RAYONNEMENT : 94%

3-RÉSONANCE : 114 000 v/s

4-COULEUR : Jaune

5-DOMINANTES : Émotivité-Intellect-Sociabilité-Activité

6-VÉGÉTAL : Truffe

7-ANIMAL : Dauphin

8-SIGNE : Bélier

Jean

et prénoms aux caractéristiques analogues

Basile	Gaël	Gino	*Jean*	John
Edgar	Germain	Hector	Jehan	Johnny

□ **Type caractérologique**

Il faut immédiatement parler de leur intelligence qui, habituellement, est exceptionnelle. Ce sont des « cerveaux » toujours en éveil, d'une émotivité et d'une activité maximales. Ils ont des réactions dont la rapidité est stupéfiante. C'est incontestablement un des prénoms les plus intelligents, mais il ne faut pas qu'ils cèdent à l'orgueil, car ce qui les a élevés serait alors pour eux une cause de chute brutale. Ce sont des colériques - nerveux qui explosent lorsque les autres ne les suivent pas dans leurs cogitations. Ils sont capables de faire dix choses en même temps et en plus, de les faire bien. On aura une idée de leur prodigieuse adaptabilité lorsqu'on saura que leur animal totem est le *dauphin,* c'est tout dire !

□ **Psychisme**

Ce ne sont pas des êtres très reposants ! Avec eux, il faut tout remettre en question, car ils vous « coincent », comme on dit, avec volupté. En effet, leur prodigieuse mémoire alliée à une vive curiosité les amène à toucher à tout, à s'informer de tout et à avoir des opinions définitives sur tout. Là encore, nous retrouvons ces « prénoms-caractères » sur deux plans puisqu'ils sont en même temps introvertis et extravertis. Pour être plus clair, on peut dire qu'ils peuvent mener à la fois une vie intérieure intense et se manifester extérieurement avec une efficacité très grande. Ils sont dans le même temps moines et guerriers, objectifs et subjectifs, pleins de confiance en eux, et d'une relative timidité. Dans tous les cas, on a d'ordinaire bien du mal à les suivre ! Précisons que leur aspect « souterrain » leur vient de leur végétal totem, la *truffe,* dont la nature reste encore mystérieuse.

□ **Volonté**

Elle est très intéressante cette volonté, mais elle n'est peut-être pas tout à fait à la hauteur de ce caractère exceptionnel. Elle est un peu dévorée par cette intelligence prodigieuse qui déborde aussi sur l'intuition et qui, finalement, arrive à brouiller les cartes.

□ **Emotivité**

Il ne faudrait pas que cette très puissante émotivité débouche sur une nervosité qui conduirait ce type de caractère à se montrer désagréable en ses propos et parfois injuste en ses décisions.

□ **Réactivité**

Finalement, ce psychisme aux branches largement ouvertes ne présente pas que des avantages. Cette réactivité trop forte en fait des personnes difficiles à manier. Ils sont assez entêtés et font souvent de l'opposition lorsqu'on leur propose quelque chose de nouveau. Tout simplement, au départ, ils s'imaginent détenir la solution idéale. Il est difficile de leur faire changer d'avis, d'autant plus qu'ils ont souvent raison !

□ **Activité**

Cette activité est une véritable « drogue » car, parfois, ils utilisent l'action pour l'action. On les verra ainsi se lancer dans des entreprises souvent inutiles et dont le seul but est de les occuper ! Très tôt, ils savent ce qu'ils veulent faire et ordonnent leurs études en fonction du but à atteindre. Dites-vous bien qu'ils ont longuement réfléchi avant de se décider, comme il faudra que vous réfléchissiez vous-mêmes avant de leur conseiller ou de leur déconseiller le choix d'une profession. Inventeurs-nés, ce sont à la fois des intellectuels supérieurs et des manuels habiles. Ils peuvent faire beaucoup de choses : ingénieurs, directeurs d'entreprises, militaires, financiers, enseignants, etc., toutes professions où il faut commander, remuer les idées, les êtres et les choses. Leur conscience professionnelle est excellente, ce sont des organisateurs de taille à planifier les opérations les plus délicates, mais ils ont souvent le défaut de tout vouloir faire seuls. Finalement, ils sont assez misanthropes...

□ **Intuition**

Leur intuition est bonne, mais ils s'en méfient un peu. Ils lui préfèrent ordinairement la règle à calcul, plus certaine à leur avis et plus rassurante. Ils ont beaucoup de charme et sont généralement très séduisants... Surtout pour les femmes qui aiment les mathématiques spéciales !

□ **Intelligence**

C'est évidemment leur intelligence brillante qui frappe le plus. Une intelligence rare, à la fois synthétique et analytique, c'est-à-dire qu'ils ont la vision globale d'une opération en même temps qu'ils en distinguent tous les détails. Nous avons vu qu'ils en abusent parfois. Ainsi, ne laissez pas ces enfants discuter à tout bout de champ, sinon ils vous « enterreront » rapidement sous des tonnes d'arguments très personnels.

□ **Affectivité**

On peut imaginer, après cela, que leur affectivité est complexe, car, si leur logique est d'une certaine froideur, ils possèdent une tendresse qui ne s'exprime que rarement. Veillez à ne pas faire de ces enfants des monstres de foire, des génies en herbe, qui arriveraient très vite à un dessèchement du cœur. Il faut développer chez eux un sentiment de compréhension et d'amour à l'égard des autres, même si ceux-ci sont parfois plus lents et plus lourds qu'eux. Qu'ils ne prennent pas non plus l'habitude de juger trop vite, cela pourrait leur jouer de bien mauvais tours !

□ **Moralité**

Elle est remarquable mais souvent irritante pour les autres qui voient d'un mauvais œil cet « exemple » impeccable qui les écrase de leur mépris... Ils ont le sens de l'amitié. Ils sont prêts à se dévouer aux autres et seront avec leurs amis, hommes ou femmes, d'un désintéressement et d'une fidélité à toute épreuve.

Quant à la foi ... pas de milieu ! Ou nous avons affaire à une foi totale, riche d'un mysticisme profond, ou c'est le rationalisme le plus absolu qui domine. Ce ne sont pas des tièdes. Ils sont capables de grands dévouements et même de grands sacrifices. Mais ils le font, parfois, payer cher aux autres !

□ Vitalité

Elle est très bonne et cependant il arrive que ces types de caractères manifestent souvent une certaine inquiétude pour leur santé. Ce sont des inquiets... Vous imaginez facilement leur état nerveux, eux qui vivent à toute vitesse, qui pensent en supermen. Mais rassurez-vous, tous ne sont pas aussi explosifs, bien que presque tous soient des colériques qu'il sera bon d'équilibrer dès leur plus jeune âge, aussi bien sur le plan de la vie mentale que sur celui de la vie psychique. Il faut qu'ils se méfient du surmenage intellectuel et des excitants, qu'ils pratiquent le sport, qu'ils vivent au grand air et ne négligent pas le sommeil. Le yoga sera souvent, pour eux, une détente bienvenue.

□ Sensorialité

Chez eux, la sensorialité doit aussi obéir à la règle à calcul. Ce n'est pas qu'ils manquent de pulsions tentatrices, mais là encore, il faut que la satisfaction de leurs désirs obéisse à un plan de vie précis. Leur sexualité est puissante, mais, normalement, contrôlée. Ils ont horreur d'être dépassés par les événements, même sur le plan de la sensualité. Il convient de les informer très tôt des grands problèmes de la vie, car ils détestent les histoires à dormir debout.

□ Dynamisme

Ce dynamisme est incontestablement à la hauteur de la situation avec toutefois cette nuance qu'il est légèrement inférieur à l'activité. Ce qui fait que ces hommes sont parfois pris de doute au beau milieu d'une entreprise soigneusement montée. Mais ils gardent cette inquiétude pour eux et ne font, ainsi, qu'augmenter leur nervosité.

□ Sociabilité

Leur sociabilité est brillante. Ils aiment recevoir avec une légère tendance à accaparer l'attention dans les conversations. Ils possèdent une volonté inébranlable, une rigueur morale de grande classe. Ils ont habituellement une très belle chance qui, grâce à leurs dons remarquables, débouche sur des réussites de haut vol.

En résumé des caractères étonnants, solides, mais qui doivent se rappeler qu'ils sont sujets à des alternances stupéfiantes de succès et de revers et qu'ils ne doivent jamais s'imaginer être définitivement « arrivés ».

□ Conclusion

Des caractères remarquables, mais qui ne savent pas toujours faire la distinction entre le travail et la famille, entre le devoir et le sentiment, entre la générosité et la rigueur. Un peu trop intelligents pour être vraiment humains... Mais ce n'est pas général, heureusement, et les Jean — et prénoms associés — possèdent des qualités trop rares pour ne pas donner à leurs personnages des dimensions hors du commun.

JEANNE

Personnalité : *Celle qui découvre l'âme des êtres et des choses.*

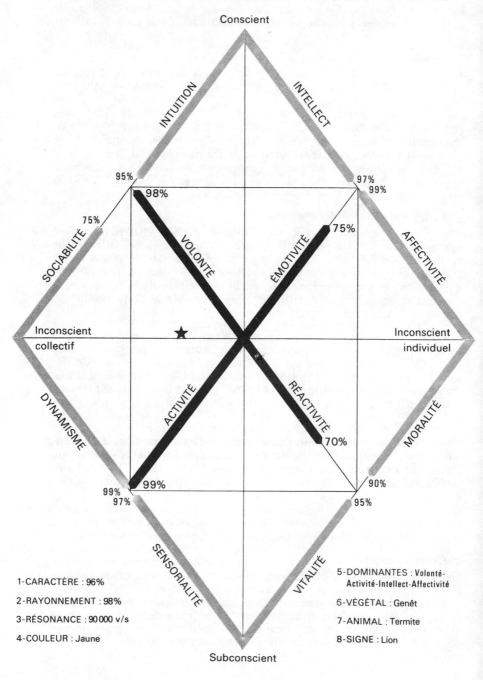

Conscient

INTUITION   INTELLECT

95%   98%

75%   97%
99%

SOCIABILITÉ   VOLONTÉ   ÉMOTIVITÉ   AFFECTIVITÉ

75%

Inconscient collectif   ★   Inconscient individuel

DYNAMISME   ACTIVITÉ   RÉACTIVITÉ   MORALITÉ

70%

99%   99%
97%

90%
95%

SENSORIALITÉ   VITALITÉ

Subconscient

1-CARACTÈRE : 96%

2-RAYONNEMENT : 98%

3-RÉSONANCE : 90 000 v/s

4-COULEUR : Jaune

5-DOMINANTES : Volonté-Activité-Intellect-Affectivité

6-VÉGÉTAL : Genêt

7-ANIMAL : Termite

8-SIGNE : Lion

Jeanne

et prénoms aux caractéristiques analogues

Aline	Fernande	Jeannine	Odette
Carmen	Irène	Jehanne	Pernelle
Céleste	Isabeau	Jenny	Quiterie
Célestine	Isabelle	Juanita	Sonia
Cunégonde	Jane	Lore	Yolande
Dorothée	*Jeanne*	Lorraine	
Elvire	Jeannette	Mercédès	

□ **Type caractérologique**

Ce sont des passionnées que leur émotivité et leur soif d'agir poussent vers des solutions extrêmes. Leurs réactions sont heureusement secondaires, c'est-à-dire qu'elles prennent le temps de réfléchir avant de se lancer à corps perdu dans l'action. Elles possèdent une grande maîtrise d'elles-mêmes qui leur permet de faire face à des situations quelquefois délicates. Dans certaines circonstances, elles deviennent franchement agressives. Difficiles à diriger, elles donneront du fil à retordre à leurs parents dès leur plus jeune âge. Elles parlent souvent avec véhémence, mais toujours avec une conviction qui entraîne l'adhésion.

□ **Psychisme**

Ce sont des extraverties qui extériorisent leurs réactions et s'adaptent facilement au milieu ambiant. Elles sont à la fois objectives par la logique de leur jugement et subjectives par leur affectivité. A plusieurs reprises, nous constaterons le côté double de ces femmes qui sont souvent déconcertantes, même dans leur enfance. Il existe chez elles une forte propension à donner quelque chose d'elles-mêmes, soit à leur prochain, soit à une cause patriotique ou religieuse. Dans ces cas, elles sont animées d'une irrésistible confiance en elles.

□ **Volonté**

Elle est de fer, mieux d'acier. A tous les âges de la vie, elles portent leur famille à bout de bras. Ne les laissez pas monter sur vos pieds car vous les retrouveriez assises sur votre tête ! Leur moralité est faite de rigueur et d'adaptations successives. S'agit-il d'individus, c'est la rigueur. S'adresse-t-on aux événements mêmes, aux foules, aux nations, aux puissances, c'est l'adaptation, allant, le cas échéant, jusqu'aux plus extrêmes concessions.

□ **Emotivité**

Un coup d'œil sur le schéma psycho-structurel nous montre à quel point les « antennes » de ce caractère sont développées. L'émotivité en

287

particulier est intense mais ne sombre jamais dans le « nervosisme ». Comment font-elles pour garder leur sang-froid au milieu de ces tonneaux de poudre où elles promènent le feu de leur passion !

□ Réactivité

Ce sont des révolutionnaires-nées ! Elles ne réagissent pas, elles éclatent... Ce n'est donc pas par la force qu'on pourra les amener à renoncer à un projet, mais en les convainquant que cette action ne cadre pas avec les buts de leur mission, de leur carrière. Elles ont d'ailleurs la résistance, la rusticité de leur végétal totem : le *genêt*.

□ Activité

Une activité à la fois dévorante et dévoreuse. Tout autour d'elles doit participer au combat, à la croisade. Il pourra leur arriver « d'user » plusieurs maris au cours de leur existence. Pour comprendre leur mentalité, il faut comprendre l'analogie qui les relie à leur animal totem, le *termite*. A peine sorties de l'enfance, elles ont déjà dans la tête l'image de la tour à construire, la notion de leur mission. On dirait qu'elles viennent sur terre avec le plan précis de leur vie ! Ne vous étonnez donc pas si elles savent très tôt ce qu'elles veulent faire au cours de leur existence. Si vous pouvez les aider à réaliser leurs projets, vous serez étonnés de leur dynamisme, sinon elles vous retomberont sur les bras ! Elles peuvent exercer n'importe quel métier avec foi : infirmières, artistes, ingénieurs, politiciennes, syndicalistes...
C'est l'un des rares types de prénom à qui toutes les portes sont ouvertes. Mais c'est aussi la chute si elles perdent leurs « visions », leurs « voix », c'est-à-dire la confiance en leur destin, en elles-mêmes.

□ Intuition

Leur intuition est une sorte de voyance tant elles sont aptes à découvrir le secret de la vie profonde de ceux qui les entourent. Ne mentez jamais à ces enfants qui vous percent jusqu'au fond du cœur...

□ Intelligence

Leur intelligence est remarquable ; elles disposent d'un sens inné de la diplomatie qui les sert en toute occasion. Cette intelligence est à la fois analytique et synthétique, c'est-à-dire qu'elles sont capables d'entrer dans le détail d'une opération et d'en survoler en même temps le déroulement global. Très belle mémoire, grande curiosité.

□ Affectivité

C'est, chez elles, le moteur principal de leur activité. Si elles croient, si elles aiment, elles transporteront des montagnes. Si elles doutent, tout s'écroule. Il n'y a pas de milieu. Parents, prenez garde ! Ne perdez pas votre prestige, votre autorité, devant ces petites qui ne vous pardonneraient jamais de descendre de votre piédestal. Aimez-les, mais avec fermeté, sans enfantillages ni démagogie. Si vous promettez un châtiment, ne le remettez sous aucun prétexte. Rigueur et amour...

□ Moralité

Le pourcentage de moralité potentielle est quelque peu déconcertant car on pouvait espérer un niveau plus élevé. Mais nous nous sommes déjà expliqués là-dessus, et nous avons vu qu'il existe chez elles une moralité individuelle qui est, en principe, redoutable et une moralité collective ou de « circonstances », infiniment plus souple.

Nous sommes ici dans le monde des extrêmes. Celui de la foi illuminante ou de la superstition la plus étroite. Le damier de l'existence de ces êtres est tranché : noir ou blanc, sainte ou diablesse. Ne laissez pas ces petites devenir trop tôt des personnes excessives en tout. Apprenez-leur la discipline et l'humilité.

□ Vitalité

En dépit d'une vitalité de salamandre, il faut qu'elles surveillent leur santé, plus particulièrement leur estomac. Attention au contenu des repas, eux-mêmes pris à des heures irrégulières, au surmenage, à l'abus des alcools, et des excitants, y compris le tabac.

□ Sensorialité

Il ne faut pas leur en promettre ! Mais cependant il ne faudrait pas les prendre pour des vampires assoiffés de sensations fortes. Chez elles, la sexualité, c'est tout ou rien ! Ce sont des passionnées ayant soif d'absolu, capables de tout sacrifier à leur idéal, y compris leur vie la plus intime. Si, au contraire, l'amour physique devient leur idéal, alors, tout peut arriver... Ajoutons qu'elles ont une assez forte masculinité caractérielle.

□ Dynamisme

Ce dynamisme est à la hauteur de leur psychisme bouillonnant. En plus, elles ont, ces chères créatures, la chance de leur foi. Elles s'en servent insolemment le moment venu et la réussite de leur vie n'est pas de durer, mais d'accomplir. Elles ne sont pas toujours faciles à vivre, mais toujours passionnantes à voir vivre. C'est cela de la graine de héros ! Mais peut-être faut-il aussi des héros pour passer l'existence avec elles ?

□ Sociabilité

Sont-elles sociables ? Peut-on même parler de sociabilité puisqu'il s'agit de personnes toujours sous pression, de vrais Don Quichotte féminins à la recherche de leurs éternels moulins ? Est-on de leur avis, elles se servent de vous. Entre-t-on en conflit avec elles, elles vous hissent sur un bûcher. Ah ! les colères de ces femmes ! Elles sont orgueilleuses et leur amitié est parfois tyrannique, mais quand elles l'accordent, elles sont remarquables de fidélité et de sollicitude. Leurs réactions sont farouches et vont jusqu'à la violence. Leur opposition est forte, et, même très jeunes, elles refusent catégoriquement de céder lorsqu'elles s'imaginent être dans leur droit. L'échec ne les abat nullement et les plus vives contrariétés, les plus cruelles déceptions ne font que renforcer leur combativité.

□ Conclusion

Un conseil : surtout n'empêchez pas ces charmantes et turbulentes « termites » de construire leur forteresse... Donnez-leur la possibilité de commander, de diriger et si, parfois, dans le tumulte de l'action, elles vous oublient... profitez bien de ces instants de repos !

JOSEPH

Personnalité : *Celui qui passe.*

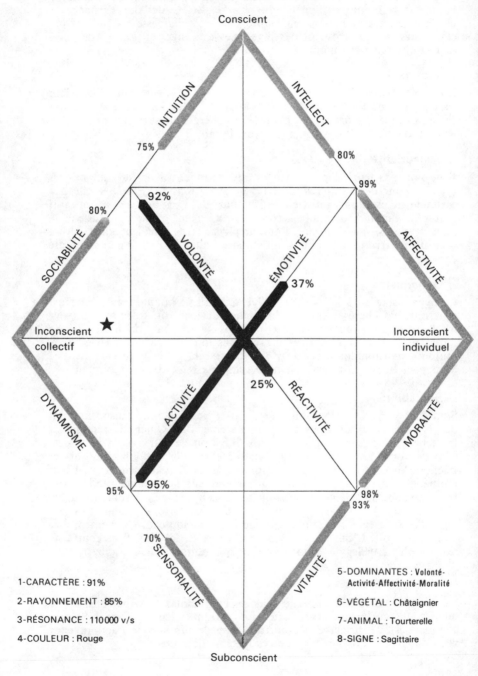

Conscient

INTUITION

INTELLECT

75%

80%

99%

92%

80%

VOLONTÉ

ÉMOTIVITÉ

SOCIABILITÉ

AFFECTIVITÉ

37%

Inconscient
collectif

★

Inconscient
individuel

25%

DYNAMISME

ACTIVITÉ

RÉACTIVITÉ

MORALITÉ

95%

95%

98%
93%

70%

SENSORIALITÉ

VITALITÉ

Subconscient

1-CARACTÈRE : 91%

2-RAYONNEMENT : 85%

3-RÉSONANCE : 110000 v/s

4-COULEUR : Rouge

5-DOMINANTES : Volonté-
   Activité-Affectivité-Moralité

6-VÉGÉTAL : Châtaignier

7-ANIMAL : Tourterelle

8-SIGNE : Sagittaire

Joseph

et prénoms aux caractéristiques analogues

Anaël	*Joseph*	Samuel
Isaac	Macaire	Samy
José	Médard	Vianney

□ Type caractérologique

Ceux qui portent ces prénoms, et notamment les Joseph, sont des hommes qui viennent d'un point précis et vont vers un autre point bien défini. On pourrait dire, en utilisant le vocabulaire de la géométrie, que ce sont des vecteurs orientés. Ils savent ce qu'ils veulent, même si nous ignorons ce qu'ils font, et finalement ce type de caractère est un des plus mystérieux qui soient. C'est l'homme du renoncement, doté de possibilités souvent remarquables, et qui sait dominer sa personnalité pour se mettre au service d'une cause ou d'une collectivité. Il a un caractère équilibré, et on a l'impression à l'entendre et à le regarder vivre, qu'il est porteur d'un message, comme son animal totem, la *tourterelle,* qui revient vers l'arche, messagère de la fin du déluge et du printemps retrouvé.

□ Psychisme

Là encore, il est malaisé de savoir s'ils sont introvertis ou extravertis, c'est-à-dire si leur vie intérieure prédomine, ou si le contact qu'ils ont avec le monde est le plus important. Leur végétal totem est le *châtaignier,* et nous comprenons que, chez eux aussi, le fruit secret se dissimule sous l'écorce épineuse, qu'il faut un choc violent pour révéler. Ils sont peu influençables, parce qu'ils sont sûrs de leur mission. Ils sont discrets, car ils détiennent une force qui les domine et les conditionne à la fois.

□ Volonté

Leur volonté est à la hauteur de leur tâche. Elle est forte tout en ne se manifestant que lorsque cela est absolument utile. Le schéma psychostructurel donne bien l'image de ces êtres épanouis dans l'action et pleins de pudeur dans leurs réactions.

□ Emotivité

Elle ne sort jamais de son cadre et ne provoque jamais un gonflement de la réactivité. Elle est virile, et sûre d'elle-même. Elle se veut au service d'un caractère et non d'une passion... Comme cela est rare, de nos jours !

□ **Réactivité**

Cette réactivité, qui est un modèle du genre, ne s'exprimera jamais par une colère ou un mot cinglant. Ils sont objectifs, au point de s'oublier eux-mêmes. Ils peuvent se dévouer corps et âme à une cause, mais sans fanatisme, et leur confiance en soi paraît s'appeler tout simplement la foi.

□ **Activité**

C'est une activité dont la plénitude leur assure un rayonnement exemplaire. Ils influencent beaucoup plus les autres par leurs actes que par leurs paroles. Ce sont habituellement des élèves et des étudiants sérieux, et si nous ne donnons que peu de conseils aux parents pour l'éducation de ces enfants, c'est qu'eux-mêmes semblent avoir pris la responsabilité de leur destin. On se demande parfois s'il faut les guider ou les accompagner ? De toute manière ils décideront très tôt du métier qu'ils veulent exercer et ils seront là où on a besoin d'un homme compétent et désintéressé. Il est difficile de donner une liste forcément limitative des professions qu'ils pourraient embrasser : on les voit dirigeant un home d'enfants, philanthropes s'ils ont de la fortune, dévoués s'ils ne sont qu'employés. Mais, pour eux, l'importance d'une profession ne se mesure pas à son degré d'élévation sociale mais à sa « rentabilité humanitaire », en quelque sorte. Ils peuvent être des avocats zélés, des juges intègres, des syndicalistes courageux, mais aussi des commerçants actifs et des artisans appréciés.

□ **Intuition**

Ils n'ont pratiquement pas besoin de leur intuition, car ils savent où ils vont, et cela seul leur importe. Leur séduction est discrète, elle aussi, mais prenante et leur imagination bien disciplinée.

□ **Intelligence**

Ils ont une intelligence profonde qu'il est très difficile d'analyser. Dire qu'elle est synthétique n'explique pas tout et pourtant cette intelligence survole les événements en leur permettant d'avoir une vue totale des gens et des choses. Ils sont dotés d'une grande mémoire, mémoire affective et aussi mémoire des faits. Leur curiosité est faible : on a l'impression que, volontairement, ils se refusent d'en apprendre plus qu'il ne leur est permis.

□ **Affectivité**

Comment définir l'affectivité d'un homme qui, au-delà de tout égoïsme, cherche à apporter l'amour à ceux qui l'entourent ? Son affection n'est pas possessive, il n'essaie pas de se faire valoir, et pourtant sa présence est unique. Tous les êtres portant ces prénoms ne sont pas absolument semblables, mais ils sont tous, néanmoins, associés à ces tendances profondes sur le plan caractérologique. Il ne faudra pas que les parents bloquent le psychisme de ces enfants en tentant d'en faire des garçons plus brillants qu'ils ne doivent être, car ils sont très efficaces ainsi, et c'est l'essentiel.

□ **Moralité**

On a presque la tentation de dire que nous nous trouvons là en face d'une moralité comme on n'en fait plus ! Sans bousculer le libre arbitre du prochain, sans jamais se donner pour un exemple, ils séduisent et entraînent...
C'est plus une morale de foi que de société. Ils sont absolus en matière de croyance sans être sectaires, mais, que ce soit sur le plan professionnel ou sur le plan personnel, ils ont besoin de croire pour agir.

□ **Vitalité**

C'est la vitalité qu'il fallait à ces forces de la nature qui passent, quoi qu'il arrive. Leur santé est généralement excellente, car ils ont décidé une fois pour toutes que lorsqu'on a vraiment quelque chose à faire, on n'a pas le temps d'être malade. Très résistants à la fatigue, ils ont parfois des ennuis du côté de la vésicule biliaire. Ils ont besoin de marcher, de vivre au grand air, ce sont des voyageurs infatigables. Leur point faible : l'appareil respiratoire.

□ **Sensorialité**

Elle est discrète et d'une manière générale ces types de caractères ne se laissent jamais submerger par leurs pulsions, par leurs besoins, par leurs tentations.
Habituellement, et lorsqu'ils en ont la détermination, les Joseph arrivent à dominer leur sexualité ; en réalité, elle est étroitement soumise à leurs convictions.

□ **Dynamisme**

Très bel équilibre entre ce dynamisme et l'activité qu'il soutient et complète. Ce sont des hommes à l'enthousiasme convaincant et solide. Il émane d'eux une chaleur profonde sur le plan de l'amitié. On a l'impression, même sans les connaître intimement, de faire partie de leur famille. Ils ont le don de réchauffer le cœur. Ils sont peu sensibles à l'échec qu'ils prennent pour un simple incident de parcours.

□ **Sociabilité**

Leur sociabilité est calme mais positive. Lorsqu'ils vous reçoivent, c'est pour vous associer à la vie de leur foyer, et non pour vous étonner par quelque réception fastueuse. Leur volonté et leur moralité sont à la hauteur de leurs ambitions profondes. Leur chance est bonne, mais, pour eux, réussir, ce n'est pas dominer les autres, c'est les amener à participer à la construction d'un monde nouveau. Quelle joie de marcher à leur côté, et de les écouter parler de l'avenir tranquille et sûr qui est le leur...

□ **Conclusion**

Il est évident que le tableau que nous brossons de ce type de caractère est « archétype », et que bien des nuances apparaîtront au niveau individuel ; néanmoins, nous avons affaire à des êtres de grande valeur, forts, sages, et d'une richesse de personnalité remarquable. Alors, nous vous en prions, ne les appelez pas Jojo !

LÉON

Personnalité : *L'homme qui engendre.*

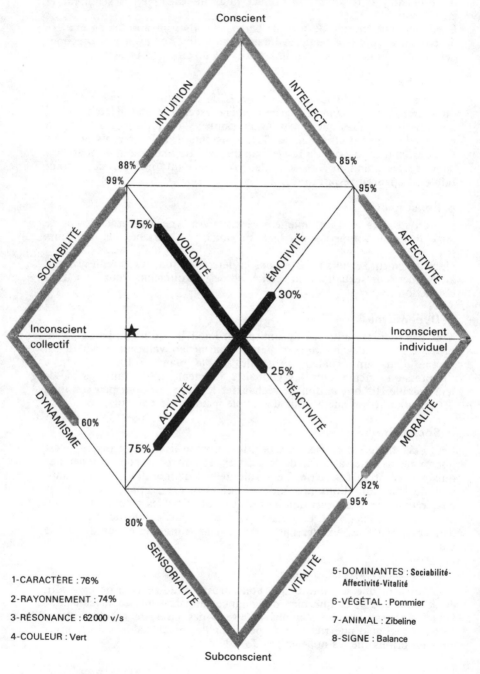

Conscient

INTUITION INTELLECT

88% 85%
99% 95%

75% VOLONTÉ ÉMOTIVITÉ

SOCIABILITÉ AFFECTIVITÉ

30%

Inconscient collectif ★ Inconscient individuel

25%

DYNAMISME ACTIVITÉ RÉACTIVITÉ MORALITÉ

60%

75%

92%
95%

80%

SENSORIALITÉ VITALITÉ

1-CARACTÈRE : 76%

2-RAYONNEMENT : 74%

3-RÉSONANCE : 62 000 v/s

4-COULEUR : Vert

5-DOMINANTES : Sociabilité-Affectivité-Vitalité

6-VÉGÉTAL : Pommier

7-ANIMAL : Zibeline

8-SIGNE : Balance

Subconscient

Léon

et prénoms aux caractéristiques analogues

Augustin	Fourier	Léonard	Morvan
Diomède	Hadrien	Léonce	Théophane
Briac	*Léon*	Martial	

◻ Type caractérologique

Ce sont habituellement des flegmatiques d'une assez faible émotivité, d'une belle activité, mais aux réactions moyennes. Ils seraient plutôt jouisseurs et aimeraient s'allonger à l'ombre d'un *pommier*, qui est d'ailleurs leur arbre totem, en attendant que le jour passe. Ils sont assez matérialistes et pencheraient volontiers vers une formule de vie orientale, d'où le travail des hommes serait exclu. N'allez pas croire cependant qu'ils soient paresseux, nous allons d'ailleurs rendre hommage à leur activité, mais il existe à leurs yeux plusieurs types d'activité, tout est là !

◻ Psychisme

D'une curiosité moyenne, ce sont des extravertis qui aiment le contact avec les autres, mais uniquement pour ne pas se sentir seuls. Ils ne font pas de discours pour convaincre, mais pour parler. On les croit influençables parce qu'ils disent « oui » à tout, ou presque. En réalité, ils disent « oui » avec la même facilité qu'ils diraient « non » ! Ne leur demandez pas s'ils ont confiance en eux, ils vous répondraient que, sans cela, ils seraient morts depuis lontemps. L'amour c'est toute leur vie ; ils ont l'art de faire un heureux mélange de sentiments, de sexualité, de gourmandise, de farniente... Il faut croire que toutes ces bonnes choses tendent à disparaître, car il y a de moins en moins d'hommes qui se prénomment Léon, par exemple. Et c'est dommage... Peut-être sont-ils aussi rares que leur animal totem : la *zibeline* ?

◻ Volonté

Elle n'a rien d'agressif, on s'en doute ! Sa manifestation se réduit à l'expression de quelques envies qui n'ont souvent qu'un rapport lointain avec une activité rentable. « On ferait bien une pétanque ! » « On boirait bien un pastis » ! N'exagérons pas, elle existe quand même cette volonté !

◻ Emotivité

Elle est à la hauteur de leur volonté et elle ne les dérange pas trop. Cependant elle est toujours présente et se manifeste par un sens très poussé d'un humour ensoleillé du genre : « Aujourd'hui peut-être, ou alors, demain... » Ils nous rappellent un peu les êtres qui répondent aux prénoms de Félix et la suite...

□ **Réactivité**

Bien sûr, le tableau offert par le schéma qui accompagne cette étude n'a rien d'apocalyptique. Tout est tranquille et la réactivité ne vient jeter aucune note discordante dans ce quatuor caractérologique qui joue à la fois en « mineur » et « en sourdine ». Cependant, derrière ce flegme, il y a un être plein de talent et d'imagination, capable de provoquer des surprises intéressantes.

□ **Activité**

Nous avons dit que ce type de caractère avait des idées bien précises quant à leur activité. Il y en a trois, essentiellement : *1. Ne rien faire est une erreur, mais en faire trop est un crime ! 2. Ce qu'il y a de gênant dans le travail des autres, c'est qu'ils le font pour vous embêter ! 3. Le travail que l'on peut éviter de faire soi-même est un bienfait pour celui qui le fera !*
On peut donc se demander comment ils vont aborder l'école ou le lycée ! Eh bien, c'est étonnant, mais ce sont souvent d'excellents élèves qui font de bonnes études classiques ou techniques ! Ils se retrouvent fonctionnaires, enseignants, écrivains, marchands de vin, représentants de commerce, avec, au fond de l'œil, une petite lueur méridionale, même s'ils sont nés à Maubeuge...

□ **Intuition**

Et puis, derrière ce décor psychologique plein de truculente nonchalance, il y a un être fort intuitif, possédant un flair remarquable et qui d'un mot — souvent un bon mot — ramène tous les autres agités, les « fadas », à une conception plus philosophique des choses.

□ **Intelligence**

Leur intelligence est analytique, c'est-à-dire qu'ils aiment entrer dans les détails, surtout pour conseiller aux autres de s'en occuper. Car il faut bien comprendre qu'ils ont une âme de spécialiste, qu'ils sont actifs dans un secteur donné et qu'ils refusent absolument de s'occuper des affaires des autres ! Ce qui est peut-être le secret du bonheur ! Chacun pour soi et le soleil pour tous !

□ **Affectivité**

Ils aiment aimer et ils aiment qu'on les aime. Leur drame : épouser une femme d'un type réfrigérant, une « nordiste », une « marâtre », une « exploiteuse » du sexe faible : l'homme. A côté de cela ils sont pleins de tendresse pour les enfants et les animaux à condition qu'ils ne leur « cassent » pas leur petit paradis... ou les pieds !

□ **Moralité**

Divine suprise ! Ils ont une moralité au-dessus de tout éloge ! De mauvaises langues diront que ce genre de morale prend sa source dans une certaine absence d'activité : une espèce de moralité par omission... Calomnie ! Pure calomnie ! Et en plus, ils croient ! Oui ils croient mais à quoi ? C'est un problème qu'ils ne résolvent pas toujours ! Par con-

tre, pour eux, l'amitié est sacrée ! Il ne faut pas toucher à leurs amis !
Dès le plus jeune âge on pourra s'apercevoir que ces enfants ont un
véritable culte pour les copains, et disons que les parents n'ont pas intérêt à se mettre en compétition avec leurs « potes ». Quant aux refoulements, échecs, frustrations, allez donc leur en parler !

□ **Vitalité**

Elle est excellente, ils sont pleins de vitalité. Ce sont d'ordinaire des
pères de famille féconds. Ils ont tendance à grossir et ont besoin d'exercice. Points faibles : l'appareil génital, qui est à surveiller, ainsi que
l'estomac et les intestins. Il faut qu'ils se méfient des boissons alcooli-
sées et les jeunes auront intérêt à avoir une discipline alimentaire qui
devra déboucher sur une discipline tout court s'ils veulent aller aussi
loin que leurs talents peuvent les porter...

□ **Sensorialité**

Elle évolue essentiellement au niveau de la beauté. Et nous constaterons, effectivement, que leur langage est truffé de commentaires esthéti-
ques. Ce qui est beau est bon, et ce qui est bon se consomme. Cette
philosophie du bonheur peut paraître rudimentaire mais elle « marche »
très bien avec les femmes... Demandez-leur !

□ **Dynamisme**

Alors là, s'il vous plaît, pas de gros mots ! Dynamisme ! Et puis quoi
encore... Ah ! si vous parlez de l'envie de faire quelque chose, d'un
projet qui sommeille en leur âme quiète, d'un espoir qui se décante au
creux d'un cerveau béat : oui, d'accord ! Mais utiliser des mots qui ressemblent à des explosifs : boudi !!!

□ **Sociabilité**

Elle est héroïque ! Elle est superbe ! Elle est sanctifiante ! Comment
vivre sans les autres quand on attend tout des autres ? Dites-le-moi ? Et
puis cessez de plaisanter sur ce type de caractère, car c'est vrai, ils sont
riches de possibilités. Ils écrivent habituellement avec beaucoup de style.
Ils parlent bien. Ils sont artistes. Ils ont du goût et aiment les belles
femmes. Ce sont des gens qui se contentent assez facilement de leur
sort ! Ils sont généralement de bonne humeur, ne se posent pas trop de
questions, et répandent autour d'eux une joie tranquille... Alors, que
demander de plus ? Vivent les Léon et compagnie !

□ **Conclusion**

Maintenant, il ne faudrait pas faire de ce type de caractère des caricatures à la « Pagnol ». Il leur arrive, en fonction de leur décontraction, de
réussir, fort bien, dans la vie et d'épater tout le monde ! Et puis, nous
connaissons aussi, à la télévision, un certain Léon qui est un bourreau
de travail... Mais celui-là, c'est un « mal-nommé »...

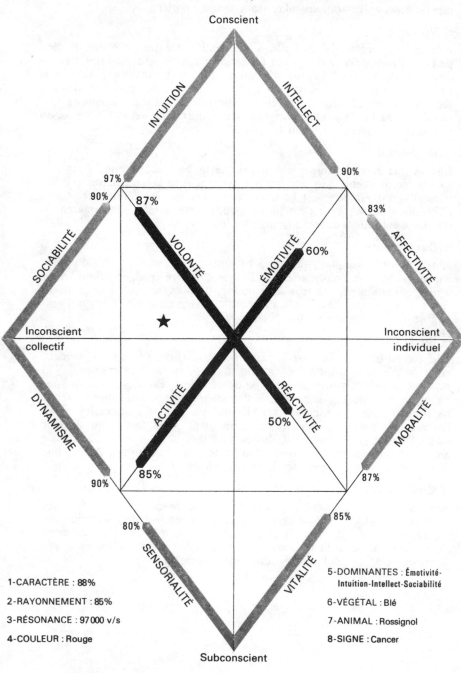

LOUIS

Personnalité : *Celui qui chante la vie.*

Conscient

INTUITION

INTELLECT

97%

90%

90%

87%

83%

SOCIABILITÉ

VOLONTÉ

ÉMOTIVITÉ

60%

AFFECTIVITÉ

Inconscient
collectif

★

Inconscient
individuel

DYNAMISME

ACTIVITÉ

RÉACTIVITÉ

50%

MORALITÉ

90%

85%

87%

80%

85%

SENSORIALITÉ

VITALITÉ

1-CARACTÈRE : 88%

2-RAYONNEMENT : 85%

3-RÉSONANCE : 97 000 v/s

4-COULEUR : Rouge

5-DOMINANTES : Émotivité-
Intuition-Intellect-Sociabilité

6-VÉGÉTAL : Blé

7-ANIMAL : Rossignol

8-SIGNE : Cancer

Subconscient

Louis

et prénoms aux caractéristiques analogues

| Aymour | Louison | Paulin | Roparz |
| *Louis* | Manuel | Roger | Serge |

□ Type caractérologique

Ce sont des nerveux dotés d'une grande émotivité, d'une activité un peu en retrait et de bonnes réactions. On constatera que chez eux l'imagination créatrice joue un très grand rôle, mais que leur activité moyenne les amène à s'entourer de collaborateurs qui sauront appliquer leur extraordinaire intuition. Leur animal totem est le *rossignol* qui est un symbole d'autorité, et leur végétal est le *blé* qui représente le pouvoir. Il y a donc une double personnalité chez eux : l'une capable, nous l'avons vu, d'avoir des idées remarquables, et une autre capable de les réaliser, ce qui est assez rare. Ils sont à la fois concepteurs et réalisateurs, même s'ils ont besoin d'être aidés, et ils savent très bien choisir ceux qui les aident.

□ Psychisme

Ils sont parfois difficiles à vivre, car on ne sait pas toujours à quelle face du personnage on a affaire. Dès leur jeune âge, il faudra bien les observer pour délimiter leurs frontières caractérielles, les amener, le plus tôt possible, à réaliser ce qu'ils imaginent et les structurer pour qu'ils ne perdent pas cette affectivité remarquable qui est la leur. Certes leur dualité pose quelques problèmes, mais il ne faut pas en exagérer l'importance et savoir que s'ils peuvent se présenter comme des êtres charmants — artistes, poètes — ils peuvent également, s'ils sont convenablement éduqués, œuvrer efficacement et parvenir à une bonne continuité dans l'effort collectif.

□ Volonté

Elle ne va pas toujours jusqu'au bout. Ce type de caractère, dans ses entreprises, est surtout un « démarreur ». Il procède merveilleusement à la mise en marche, mais aurait tendance à s'en remettre aux autres pour l'achèvement.

□ Emotivité

Elle est forte, mais ne déborde pas sur la volonté. Cela veut dire que le sujet ne se laisse pas envahir par ses émotions.

□ Réactivité

Ils sont susceptibles lorsque l'on critique leurs idées et beaucoup moins sensibles lorsqu'on discute la valeur de leur production. Ils font donc une nette distinction entre l'autorité qui est spirituelle et le pouvoir qui est matériel. Il ne faut pas que ces enfants « laissent tomber » leurs projets...

□ Activité

Elle est très semblable à la volonté ce qui confirme ce que nous disions, à savoir que ces hommes se fatiguent assez vite à la pensée que leur faculté créatrice va être bloquée par les nécessités de la réalisation. Il est très difficile de se prononcer sur la manière dont ils mènent leurs études. Brillants, intelligents, ils s'en sortent toujours haut la main, mais avec des procédés qui varient selon les individus et qui vont de la débrouillardise à l'obstination farouche dans l'effort. Ce sont des chercheurs, des savants, des hommes d'affaires, des tragédiens, des écrivains, des publicitaires et surtout des dirigeants capables d'embrasser, d'une vue large et immédiate, les problèmes qui se posent à eux. Ce sont en général d'excellents parlementaires. Attirés par tout ce qui exige un effort de conception et de réalisation, ils sont également de bons metteurs en scène, aussi bien au théâtre qu'au cinéma.

□ Intuition

Leur intuition est remarquable. Ils disposent de véritables antennes qui leur permettent de pressentir les événements et de jauger les êtres d'un seul coup d'œil. Ils ont une imagination de grands poètes, ou de grands inventeurs, ce qui revient au même. C'était le rossignol, ne l'oublions pas, qui, par ses chants modulés, inspirait les empereurs de Chine...

□ Intelligence

Ce caractère à double face, dans le sens noble du terme, leur donne une intelligence à la fois synthétique et analytique, ce qui fait qu'ils passent aussi facilement du simple au général, que du général au particulier. Cela leur apporte une grande souplesse intellectuelle, surtout lorsqu'il s'agit d'aborder des problèmes complexes, comme celui d'un gouvernement par exemple, où les idées sans l'action ne sont que du vent et l'action sans principes, une anarchie qui ne veut pas dire son nom...

□ Affectivité

Là encore il faut établir une division bien nette entre l'aspect très affectueux, très sensible de ce type de caractère, et leur autre aspect, celui d'un être qui ne veut pas que les sentiments viennent interférer à chaque instant dans la conduite de son travail. Encore une fois, il faut obliger ces enfants à aller jusqu'au bout d'une tâche entreprise, en cherchant l'équilibre entre celui qui imagine et celui qui réalise.

□ Moralité

Il ne faut pas leur en vouloir s'ils mettent au second plan de leurs préoccupations une morale qui leur semblerait trop rigoriste, donc contraignante. Les poètes, les grands inventeurs, tous ceux qui semblent branchés sur un autre monde et possèdent une autre dimension, ne se préoccupent pas outre mesure de certains interdits de la vie morale. Ils vivent leur vie, passionnément, et c'est tout ! Ils aiment le mystère et pour eux la religion est beaucoup plus l'approche d'un certain mode de sentir, de percevoir, qu'une ascèse religieuse, qu'une discipline émanant de principes rigoureux.

□ **Vitalité**

Elle n'est pas tout à fait ce qu'elle devrait être. Il existe, chez eux, une légère perte de vitalité due à leur manque de discipline alimentaire et de vie hygiénique. Leur santé est bonne, mais demanderait, pour atteindre son plein équilibre, une existence calme, ce qui est réalisable à condition de ne pas faire vivre ces enfants devant un poste de télévision ou une bibliothèque. Ils ont d'ailleurs l'art de découvrir les livres qui ne sont pas pour leur âge. Ils sont assez sensibles à la fatigue et au surmenage intellectuel et ont besoin de sommeil. Points faibles : système nerveux et appareil urinaire.

□ **Sensorialité**

Une sensorialité moyenne qui vient bien s'intégrer dans le cadre des activités de ces hommes qui sont plus à l'écoute de leur imagination que de leurs désirs. Leur sexualité est plutôt psychique et dépend étroitement de leur sentimentalité. Or, cette dernière risque de déconcerter la partenaire par une certaine instabilité, une incapacité à aimer totalement un autre être. Ce n'est, en réalité, que la conséquence de leur dualité profonde qui ne cesse de proposer des choix... et qui pose plus de problèmes qu'elle n'en résout !

□ **Dynamisme**

On consultera avec intérêt notre schéma psycho-structurel et l'on constatera que le dynamisme est légèrement supérieur à l'activité. Dans ce cas, cela ne présente aucun inconvénient car ces « prénoms-caractères » ont tellement d'idées, sont une telle source d'invention, qu'ils ont absolument besoin de ce léger excès de dynamisme pour présenter leurs trouvailles sous un jour séduisant et efficace.

□ **Sociabilité**

Ils possèdent une sociabilité de grande classe qui rejoint un peu celle du Roi Soleil ! Ils aiment une certaine pompe dans les réceptions. Ils s'habillent d'ailleurs eux-mêmes avec soin. La moralité sait s'adapter ! Ils ne sont pas insensibles, par exemple, aux raisons d'Etat, d'où la nécessité de leur inculquer des principes très stricts. Leur chance est forte. Leur réussite dépendra naturellement de leurs efforts, mais devra prendre en compte leur prodigieuse intuition, ce sixième sens, qui leur donne une dimension extraordinaire et leur permet des réalisations peu communes. Ils ont, habituellement, un sens de la « prospective » assez étonnant...

□ **Conclusion**

Nous avons vu qu'ils possédaient une intuition de grande classe. Il conviendrait peut-être de parler d'inspiration et l'on comprendrait, alors, qu'ils « chantent la vie » tant ils perçoivent avec clarté le message du « vivant » : cette rage de vivre qui bouleverse et anime notre monde... au point qu'il en meurt de vouloir tout, tout de suite !

LOUISE

Personnalité : *Celle qui règne sur la terre.*

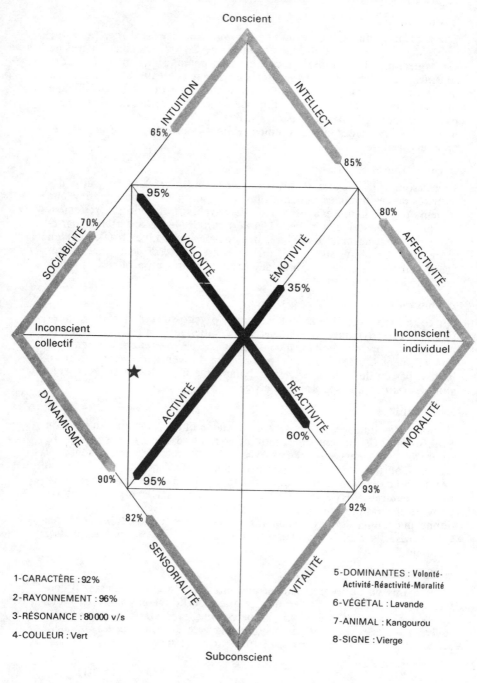

Conscient

INTUITION 65%

INTELLECT 85%

95%

80%

SOCIABILITÉ 70%

VOLONTÉ

ÉMOTIVITÉ 35%

AFFECTIVITÉ

Inconscient collectif

Inconscient individuel

DYNAMISME

ACTIVITÉ

RÉACTIVITÉ 60%

MORALITÉ

90%

95%

93%

92%

82%

SENSORIALITÉ

VITALITÉ

Subconscient

1-CARACTÈRE : 92%

2-RAYONNEMENT : 96%

3-RÉSONANCE : 80000 v/s

4-COULEUR : Vert

5-DOMINANTES : Volonté-Activité-Réactivité-Moralité

6-VÉGÉTAL : Lavande

7-ANIMAL : Kangourou

8-SIGNE : Vierge

Louise

et prénoms aux caractéristiques analogues

Edma	Ingrid	Louisette	Sylvaine
Edmée	Léontine	Maud	Zélie
Eliane	*Louise*	Pélagie	

□ **Type caractérologique**

Incontestablement, elles ont les pieds sur la terre. D'une émotivité très raisonnable, elles ont, par contre, une grande activité et possèdent des réactions rapides. Elles sont secrètes et ne se livrent que difficilement. Ce ne sont pas des rêveuses, elles seraient plutôt renfermées et le grand problème avec ces jeunes filles, c'est de les amener à sortir d'elles-mêmes, à se défouler. Elles sont du type sanguin, efficaces, mais captatives ; elles veulent posséder à tout prix et dès leur plus tendre enfance, ce seront des propriétaires-nées, à qui il faudra offrir des cadeaux utiles. Leur fleur totem est la *lavande,* parfumée et, malgré tout, envahissante.

□ **Psychisme**

Ce sont des introverties qui se replient promptement sur elles-mêmes et ruminent longtemps leurs déceptions et leurs échecs. Elles sont assez vindicatives : il ne faudrait pas que ces enfants prennent l'habitude de se venger. Elles ont aussi, par moments, tendance à jouer les martyres. Elles sont scrupuleuses et peu influençables.

□ **Volonté**

Elle est forte, avec une grande moralité et un sens aigu du sacrifice. Ce sont des femmes de cœur, même si elles paraissent un peu crispées. Il faut que ces petites soient très entourées dès leur enfance car elles souffriraient beaucoup d'une vie de bohème. En effet, si cette volonté ne trouve pas à s'exprimer dans le cadre familial, elle pourrait se créer des occasions de fuites, de fugues.

□ **Emotivité**

En se « recroquevillant » cette émotivité laisse le champ libre à une volonté et à une activité forcenées qui impriment à ces caractères une espèce de violence continue. Mais, tout d'abord, violence à l'égard de soi-même. On se « viole » pour réussir à tout prix. Il ne faut pas oublier que leur animal totem est le *kangourou,* qui fuit et qui cache...

□ Réactivité

Il est bien évident que cette réactivité va revêtir des formes complexes puisqu'elle sera l'expression d'une lutte contre soi et contre la société. Tout cela doit évidemment déboucher sur une propension au refoulement et sur un complexe d'infériorité. Elles savent garder malgré tout une certaine objectivité, mais leur confiance en soi n'est pas aussi solide qu'on pourrait l'imaginer. Il leur arrive même d'être timides, sauf lorsque leurs intérêts profonds sont en jeu.

□ Activité

Elle est très importante cette activité, tant au plan de son intensité — prière de se reporter au schéma psycho-structurel — qu'au plan de sa résonance psychologique. Il semble, en effet, que ces types de caractères cherchent à se réfugier dans le travail pour fuir certaines responsabilités sentimentales ou sociales. On comprendra alors que leur désir de conquête et que leur possessivité soient une manière de se prouver à elles-mêmes qu'elles peuvent dominer leurs complexes débilitants.

□ Intuition

Elles se méfient de leur intuition et de leur charme, que d'aucuns pourraient trouver sévère. Elles possèdent une séduction très classique, qu'on peut estimer un peu froide, mais qui a le mérite de la solidité et de la fidélité, ce qui, à l'heure actuelle, n'est pas si courant !

□ Intelligence

L'intelligence est essentiellement pratique, vive, capable de s'adapter à toutes les situations matérielles. Cette intelligence est analytique, c'est-à-dire qu'elles ont un sens très poussé du détail. La mémoire est redoutable.

□ Affectivité

Elles sont habituellement susceptibles. Elles rentrent dans leurs coquilles et en viennent à douter de l'affection qu'on leur porte. Elles seraient même légèrement égoïstes par crainte de se découvrir en aimant trop. Il faut donc, très tôt, leur donner confiance en elles, mais aussi dans les autres, et leur apprendre à aimer.

□ Moralité

Elles seraient plutôt du genre scrupuleux. Moins par désir profond de moralité que par respect des lois établies et des convenances respectables. Une certaine forme de bourgeoisie très opposée à tout laxisme et à toute fantaisie. Inévitablement, la religion devient une sorte de refuge pour ces types de caractère qui trouvent dans la spiritualité une compensation aux déceptions que l'existence leur apporte parfois. Il sera donc bon, sans les bousculer ni leur imposer une vie trop fantaisiste, de jouer avec elles la carte de la participation et de les empêcher de fuir la réalité.

□ Vitalité

Elle est excellente. Cependant ces Louise et les prénoms associés ont souvent tendance à se réfugier dans des maux psychosomatiques, des malaises, de petits accidents, provoqués inconsciemment par le sujet lui-même pour fuir une responsabilité précise. L'intestin est fragile ainsi que le foie. Sensibles aux refroidissements.

□ Sensorialité

Une sensorialité tout à fait moyenne, mais qui dissimule des conflits affectifs et des blocages sexuels dont l'examen dépasse le cadre de cette étude. C'est sans doute ici que le risque de refoulement est le plus accentué. Elles doutent presque systématiquement de la sincérité des déclarations d'amour ; elles se demandent à chaque fois si l'on ne se moque pas d'elles. Il est indispensable d'empêcher que ne se développe chez ces jeunes filles la méfiance du partenaire masculin, d'autant plus que, par suite de leur manque d'émotivité, elles auraient tendance à rester vieilles filles. Si elles se marient, elles feront des mères rigoureuses mais justes.

□ Dynamisme

Il est intéressant car il soutient bien l'activité sans toutefois atteindre son niveau. Cela se traduit par quelques décrochages dans l'action ; on ne va pas au bout de certaines entreprises. On hésite, on tergiverse à propos de tel ou tel engagement. Autrement dit, ce dynamisme, tout en étant fort, ne joue pas le rôle d'entraîneur qui devrait être le sien.

□ Sociabilité

On pourrait presque dire « la Société, voilà l'ennemi » tant elles se sentent mal à l'aise dans un monde de convention, de dissimulation et de « combines »...
Elles ne croient pas tellement à la chance, mais beaucoup plus au travail acharné. Ne détournez jamais ces enfants de leur devoir car elles se fabriqueraient des complexes de culpabilité qui les obséderaient longtemps. N'oubliez pas, non plus, que ce sont des propriétaires-nées, qu'elles se lancent dans le mariage comme on entre en religion et qu'elles règnent par le courage et l'effort sur un monde qui ne leur paraît que trop souvent le fruit de la facilité et de la lâcheté.

□ Conclusion

A la lecture de cette étude, on demeure perplexe, car on distingue nettement deux tendances caractérologiques assez inconciliables : 1. une possessivité certaine, appuyée sur une volonté et une activité redoutables ; 2. une tendance à la fuite lorsque toutes les conditions de réussite ne sont pas réunies ! C'est à la solution de cette dualité que devront se consacrer parents et éducateurs... Bon courage !

LUCIEN

Personnalité : *L'homme sobre.*

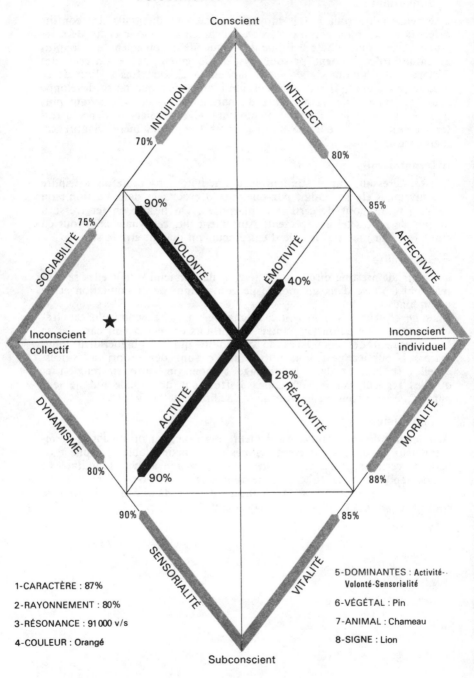

Conscient

INTUITION 70%

INTELLECT 80%

90% VOLONTÉ

85%

75% SOCIABILITÉ

ÉMOTIVITÉ 40%

AFFECTIVITÉ

★

Inconscient collectif

Inconscient individuel

28% RÉACTIVITÉ

ACTIVITÉ

DYNAMISME 80%

MORALITÉ

90%

88%

SENSORIALITÉ 90%

VITALITÉ 85%

Subconscient

1-CARACTÈRE : 87%

2-RAYONNEMENT : 80%

3-RÉSONANCE : 91 000 v/s

4-COULEUR : Orangé

5-DOMINANTES : Activité-Volonté-Sensorialité

6-VÉGÉTAL : Pin

7-ANIMAL : Chameau

8-SIGNE : Lion

□ **Type caractérologique**

Ce ne sont généralement pas des excités. Ils ont une émotivité et une activité moyennes et surtout des réactions calmes, c'est dire qu'ils réfléchissent longuement avant de se lancer dans l'action. Mais ce qui est remarquable, c'est qu'ils ont une résistance extraordinaire qui nous fera comprendre la nature de leur animal totem qui est le *chameau*, pris évidemment dans son acception zoologique, car leur caractère est habituellement charmant ! Comme les chameaux, ils sont capables d'une longue marche dans la vie, d'une patience dans l'effort, bien qu'il leur arrive de temps en temps « d'exploser ».

□ **Psychisme**

Ils sont ouverts à la vie du monde. Néanmoins, ils sont assez anxieux et ils donnent souvent l'impression d'aller vers les autres avec beaucoup de conviction mais aussi avec des complexes d'infériorité difficilement analysables. Quand ils sont dans l'action, ils y participent pleinement. Assez peu influençables, ce sont de grands prudents.

□ **Volonté**

Elle est importante cette volonté, tant au point de vue de l'intensité que de la qualité. Ce sont des hommes courageux mais qui souvent luttent plus contre eux-mêmes que pour atteindre un but précis. Il y a là une perte d'énergie dont il faudra prendre conscience très tôt pour canaliser leur puissante volonté-activité.

□ **Emotivité**

Cette émotivité, le schéma psycho-structurel le montre, est assez forte par rapport à la réactivité peu accentuée du personnage, ce qui peut expliquer la tendance à l'anxiété de ces types de caractères. Leur sens de l'amitié est nuancé. Il leur arrive d'hésiter à s'engager totalement et ils ne tiennent pas non plus à ce que les autres soient trop possessifs. En particulier, ils évitent fréquemment les amitiés féminines.

□ **Réactivité**

Elle est en retrait par rapport à l'activité, ce qui implique un certain blocage psychique. Ils sont assez objectifs et ne se font pas trop d'illusions sur leur propre personne. Dévoués quand il le faut, ils ont une confiance en eux assez moyenne, et, jeunes, auront besoin d'encouragements. Ils sont aussi pleins de tact, sinon de timidité. Ils sont sensibles aux échecs, ce qui crée chez eux des réactions de défense donnant naissance à une agressivité que l'on ne soupçonnait pas. Tendance au refoulement sentimental.

□ Activité

Elle est des plus intéressantes et soutenue par un dynamisme d'égale valeur. Générosité efficace. Ils sont attirés par l'étude des langues. Ce sont de remarquables traducteurs et interprètes. Les études classiques leur plaisent moins que celles qui peuvent les conduire vers les professions de techniciens et d'ingénieurs. Ils aiment beaucoup la recherche scientifique et il faudra essayer de les informer le plus complètement possible sur la question du choix d'une profession. Une fois qu'ils ont choisi, ils sont en effet capables d'efforts soutenus pour arriver à leur but. Ils ne s'adaptent pas toujours facilement et n'ont pas intérêt à changer de métier. Ils font aussi d'excellents fonctionnaires.

□ Intuition

Ils se méfient un peu de leur intuition. Ils ont du flair ; ce n'est pas la même chose ! Un flair est beaucoup plus matériel, palpable, et s'appuie sur des bases plus vérifiables. Mais cela est un peu gênant, car ils se privent ainsi d'une psychologie spontanée dont ils auraient grand besoin.

□ Intelligence

Leur intelligence est solide, si elle n'est pas très rapide. Une intelligence analytique qui leur permet de fouiller profondément le cœur de l'événement et de bien juger des choses. Leur mémoire est exceptionnelle, et il est difficile de les prendre en défaut à propos d'une date ou d'une citation. De surcroît, ils sont fort curieux, presque touche-à-tout, et il ne faudra pas laisser ces enfants se disperser. Ce sera d'autant plus facile qu'ils ont un sens certain de la discipline personnelle qu'il ne faudra pas laisser se perdre.

□ Affectivité

Ils ont une affectivité relativement compliquée car ils ont du mal à exprimer leurs sentiments d'une manière qui ne leur semble ni simpliste, ni exagérée, ni ridicule. Cela leur donne parfois une espèce de froideur qui est bien loin de ce qu'ils ressentent intérieurement. Il faudra donc les aider à s'exprimer pleinement.

□ Moralité

Pourquoi faut-il que cette moralité soit légèrement inférieure à ce qu'elle devrait être ? Elle ressemble, en intensité, à l'affectivité et c'est ainsi que l'on est amené à penser que ces types de caractère ne respectent vraiment que ce qu'ils aiment et possèdent donc une morale affective. Ce sont des hommes assez anxieux et ils ne se satisfont pas aisément d'une religion dite classique ; il leur arrive d'être nullement intéressés par la métaphysique.

□ Vitalité

Cette vitalité pourrait être meilleure si elle n'était pas altérée par une espèce de doute physiologique. Ils ne croient pas totalement en eux-mêmes et cela les débilite quelque peu. Leur santé est bonne, mais dépend en grande partie de leur psychisme. Il ne faut pas qu'ils se laissent aller. Ils ont d'ailleurs assez de courage en eux-mêmes pour surmonter les déceptions. Leur point faible : le dos. Ils devront surveiller particulièrement tout ce qui touche aux vertèbres et à la moelle épinière. Ils ont d'ordinaire un régime alimentaire bien équilibré, mais attention aux accidents ! Ils auraient tendance à brûler leurs réserves, ce qui doit être évité à tout prix. Il faudra leur apprendre à ne pas gaspiller leurs forces. Leur végétal totem est le *pin* qui est, par essence, un arbre économe... et représente, symboliquement, la colonne vertébrale.

□ Sensorialité

Leur sensualité est forte mais contrôlée, et c'est davantage du côté de la sentimentalité qu'ils auraient des problèmes, car ils manquent souvent de psychologie féminine. Quant à la sexualité, il faut y prendre garde dès leur jeunesse, car elle risque d'achopper contre ce que l'on pourrait appeler, galamment, un excès d'importance accordée à la femme. Il leur manque, en vérité, un côté « hussard » ! Ils se posent des questions au moment où il faut donner la réponse...

□ Dynamisme

Eh bien, nous y sommes ! C'est justement l'absence de cette virilité efficace qui va les pénaliser aussi au niveau de l'action. A trop réfléchir, l'occasion passe ! Et c'est justement le drame des caractères « secondaires », c'est-à-dire manquant quelque peu de réactivité, que de laisser passer l'instant précis... en affaire comme en amour !

□ Sociabilité

Ils sont d'une sociabilité moyenne. Ce ne sont pas des personnes dévorées par les mondanités. Ils préfèrent cent fois vivre au sein de leur famille et surtout dans leur résidence secondaire, à la campagne, que de « trôner », comme ils disent, à la ville. Leur chance est moyenne, mais leur réussite est souvent très belle en fonction des qualités de courage et d'obstination dont ils font preuve. Chose curieuse, nous n'avons que peu parlé des problèmes que posent ces enfants. Peut-être parce qu'ils prennent très tôt leur départ, avec le sérieux du petit « chameau » qui a tout le désert de la vie à traverser...

□ Conclusion

Nous ne voudrions pas que cette analyse vous laisse un goût d'insatisfaction qui correspondrait mal au caractère de ces prénoms et plus particulièrement de Lucien qui en est le « pilote ». Certes, ce ne sont pas habituellement des personnages cherchant à briller à tout prix, mais ils possèdent des qualités de fond remarquables. Comme ils sont rares, les hommes qui vont jusqu'au bout de leurs possibilités !

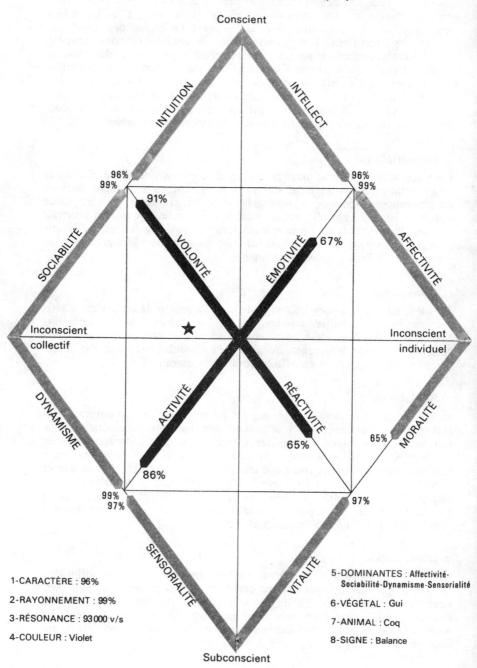

MADELEINE

Personnalité : *Celle qui mesure, qui pèse.*

Conscient

INTUITION

INTELLECT

96%
99%

96%
99%

91%

VOLONTÉ

ÉMOTIVITÉ

67%

SOCIABILITÉ

AFFECTIVITÉ

Inconscient
collectif

Inconscient
individuel

ACTIVITÉ

RÉACTIVITÉ

DYNAMISME

MORALITÉ

86%

65%

65%

99%
97%

97%

SENSORIALITÉ

VITALITÉ

1-CARACTÈRE : 96%

2-RAYONNEMENT : 99%

3-RÉSONANCE : 93 000 v/s

4-COULEUR : Violet

5-DOMINANTES : Affectivité-
Sociabilité-Dynamisme-Sensorialité

6-VÉGÉTAL : Gui

7-ANIMAL : Coq

8-SIGNE : Balance

Subconscient

Madeleine

et prénoms aux caractéristiques analogues

Agathe	Dahlia	Maddy	Suzel
Alphonsine	Désirée	*Madeleine*	Suzette
Aubierge	Huguette	Suzanna	Suzon
Bernardine	Ludmilla	Suzanne	Suzy

□ **Type caractérologique**

Un caractère qui n'est pas spécialement souple. Dressées, sur leurs ergots, comme un *coq*, qui est leur animal totem, elles ne se laissent pas facilement approcher. Emotives et actives, possédant une grande rapidité de réactions, elles sont une véritable bombe ! Elles sont excessives, colériques, ne mâchant pas leurs mots, mais de grand cœur et de bel amour. Ces diverses tendances, surtout les tendances négatives, devront être bloquées sans tarder par les parents et les éducateurs.

□ **Psychisme**

Mais, non loin de ce négatif, il existe tout un aspect positif de leur caractère qui est particulièrement séduisant. Tout d'abord, il ne faut pas se laisser impressionner par le côté un peu délirant de leur caractère, car il existe chez elles une grande solidarité humaine, un grand amour de l'autre qui revêt parfois des formes excessives mais qui leur donne une véritable richesse psychique.

□ **Volonté**

C'est une volonté qui n'est pas aussi définitive qu'elle semble l'être. Une fois passée la surprise de l'agression, on s'aperçoit que finalement, par lassitude ou par jeu, on peut leur faire faire bien des choses...

□ **Emotivité**

Comme elle est encombrante cette émotivité qui noie littéralement la volonté et la réactivité. L'activité, elle-même ne lui échappe pas et, trop souvent, on a l'impression que l'être que l'on a en face de soi n'est qu'une boule de nerfs aux réactions plus ou moins bien contrôlées.

□ **Réactivité**

Si nous devions proclamer une reine de la réactivité, la palme — ou plutôt la couronne — irait très certainement à ce type de prénoms dominés incontestablement par les Madeleine. Que dire de plus ? On ne parle pas du caractère d'une bombe atomique ! On fuit ou on saute avec...

□ Activité

Pourquoi faut-il que cette activité soit en pointillé ? Pourquoi faut-il qu'elle soit source de drames dans la mesure même où le champ professionnel va devenir un champ de bataille où tous les coups seront permis ! Comment établir une frontière entre combativité et agressivité ? Et les études ? Citons-les, ces études, pour mémoire, car elles s'en moquent ! Elles sont attirées par tout ce qui est beau, brillant, somptueux. Pour les retenir, essayez au moins de leur faire apprendre un métier qui les sauvera en cas de coup dur ou « lorsque la bise sera venue ». Elles adorent toutes les professions qui touchent au luxe : couture, salon de beauté, théâtre, cinéma, etc. Elles abhorrent tout travail réglementé, avec un horaire précis. Ce sont des médecins, des infirmières dévouées, des peintres, des sculpteurs, mais, c'est là où le bât les blesse, elles veulent réussir, et réussir vite !

□ Intuition

Un coup d'œil sur le schéma qui accompagne cette étude nous prouvera que cette intuition est d'une telle intensité qu'elle déborde de son cadre. Là aussi, elles en font trop ! Mais si cette « excessivité » peut, parfois, leur donner des allures de pythonisse, il se trouve que cette intuition devient étonnante au niveau de la psychologie spontanée et du diagnostic médical.

□ Intelligence

Leur émotivité prive parfois leur intelligence de ce sang-froid qui éviterait bien des drames. D'intelligence analytique, elles se perdent dans les détails et en arrivent à être injustes, elles qui n'aiment que la justice. Très extraverties, elles prennent le monde à témoin de leur moindre aventure. Elles s'expriment volontiers à la hussarde et, lorsqu'elles sont enfants, elles doivent être remises à leur place avec vigueur. Elles ont une mémoire auditive très développée, une curiosité toujours en éveil. Capables d'incroyables dévouements et d'égoïsme forcené, elles sont à la fois confiantes en elles-mêmes et très vulnérables.

□ Affectivité

Elles sont affectueuses, assoiffées d'amour sous toutes ses formes. Elles sont possessives et veulent être les premières toujours et partout. Orgueilleuses, pleines d'intuition, pleines de charme, elles vous possèdent corps et âme et, parfois, corps et biens. Les parents, les éducateurs doivent donc être sur leurs gardes et les limiter dans leurs excès dès leur jeunesse.

□ Moralité

Il n'y a pas de quoi pavoiser et pourtant cette moralité, quelque peu titubante, fait partie de leur charme ! On voudrait les reprendre, les gronder et puis, lâchement, on éclate de rire, on se laisse « avoir » ! Méfiez-vous...
Leurs croyances sont fréquemment superficielles et réclament beaucoup de compréhension de la part des parents, car elles ont de la foi une notion passablement discutable. Sans amitié, elles risquent de devenir affreusement tyranniques et, se servant de leur séduction, elles vont

312

essayer de subjuguer leur entourage. Ajoutons qu'elles sont parfaitement entêtées, que les échecs les mettent hors d'elles-mêmes, mais ne les abattent pas, et vous comprendrez que nous avons affaire à forte partie !

□ **Vitalité**

Elles ont une vitalité de « zoulou » ! Elles vous auront à l'usure : les parents, les amis, les copains et, ce qui est le plus grave, les maris capituleront tous... ou presque ! Une santé de fer, heureusement, car elles n'ont aucune notion des heures régulières de sommeil ; très résistantes à la fatigue, elles dorment quand elles le peuvent. Elles risquent à la longue d'avoir des ennuis circulatoires, aux jambes en particulier. L'appareil génital est souvent fragile et elles auraient tendance à abuser des excitants.

□ **Sensorialité**

Chapitre délicat s'il en fut ! Que dire de ces femmes passionnées qui ont besoin d'aimer et d'être aimées, de prendre et de jeter, de posséder farouchement et d'être possédées, quitte à ce que ce soit par le démon ? Ces manifestations de possession se font sentir très tôt. Toutes petites filles, elles sont déjà infiniment attirantes, et même ensorcelantes. Les faire exorciser ? Oui, mais par qui ? Le démon lui-même s'y damnerait de nouveau !

□ **Dynamisme**

Où commence et où finit le dynamisme chez ces femmes terriblement séduisantes et qui vous mettent, au propre comme au figuré, sur les genoux ?
Ayez le courage d'étudier le schéma psycho-structurel qui vous est proposé et vous comprendrez à quel point elles peuvent bluffer ! Quelles joueuses de poker !...

□ **Sociabilité**

Démente ! Très sociables, trop sociables parfois, menant une vie souvent décousue, mais possédant une grande volonté pour satisfaire leurs envies. Leur chance est insolente, leur réussite inégale. Ce sont des êtres délicieux qu'il faut pouvoir suivre, et à qui les parents devront construire de solides garde-fous. D'ailleurs, leur végétal totem, le *gui* correspond bien à ces êtres, très « tête-en-l'air », et qui ne touchent le sol que pour danser...

□ **Conclusion**

Si vous tenez absolument à mener une vie de « dingue », mais passionnante, épousez ce type de caractère et plus particulièrement une Madeleine ! Vous serez servis... A ce propos, rectifions le vieux dicton qui dit : « Pleurer comme une Madeleine. » Il s'agit là d'une fâcheuse contraction. Le vrai proverbe est : « Pleurer comme un homme marié à une Madeleine... »

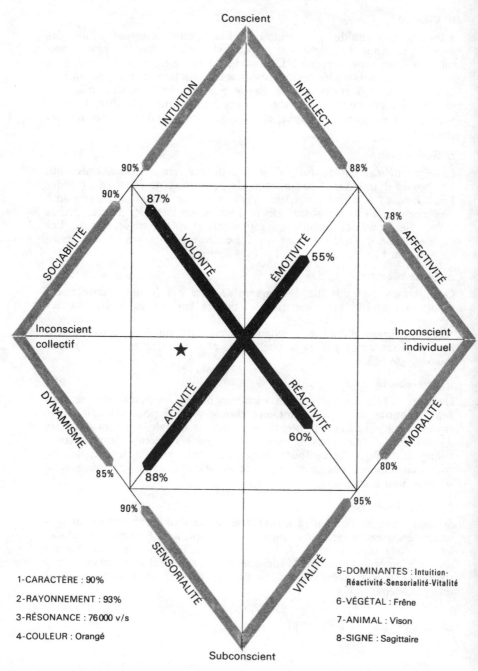

MARCEL

Personnalité : *L'homme qui marche, qui avance.*

Conscient

INTUITION

INTELLECT

90%

88%

90%

87%

78%

SOCIABILITÉ

VOLONTÉ

ÉMOTIVITÉ

55%

AFFECTIVITÉ

Inconscient
collectif

★

Inconscient
individuel

DYNAMISME

ACTIVITÉ

RÉACTIVITÉ

MORALITÉ

85%

88%

60%

80%

90%

95%

SENSORIALITÉ

VITALITÉ

1-CARACTÈRE : 90%

2-RAYONNEMENT : 93%

3-RÉSONANCE : 76 000 v/s

4-COULEUR : Orangé

5-DOMINANTES : Intuition-
Réactivité-Sensorialité-Vitalité

6-VÉGÉTAL : Frêne

7-ANIMAL : Vison

8-SIGNE : Sagittaire

Subconscient

Marcel

et prénoms aux caractéristiques analogues

Benoît	*Marcel*	Max	Maximilien
Magloire	Marcelin	Maxence	Maximin
Marceau	Marcellin	Maxime	

□ **Type caractérologique**

Ce sont des colériques amortis ; on croit qu'ils vont exploser, et rien ne se passe. Ils sont un peu du genre : « Retenez-moi ou je fais un malheur. » Leur émotivité et leur activité sont bonnes. Ils ont des réactions rapides, prennent des décisions qui semblent improvisées mais qui, en réalité, sont longuement mûries. Ils savent fort bien se servir des autres et sont des intermédiaires remarquablement doués. Vendeurs-nés, ils sont peu sensibles à l'échec. Leur arbre totem les définit exactement puisque c'est le *frêne,* tout d'élasticité et de résistance.

□ **Psychisme**

Ce sont des extravertis, c'est-à-dire qu'ils ont un grand pouvoir de contact qui, allié à leur diplomatie spontanée, donne d'excellents responsables de relations publiques, des parlementaires astucieux, des attachés de presse efficaces. Ils savent écouter, mais ne sont que peu influençables. S'ils vous disent : « Donnez-moi votre avis », c'est que leur décision est déjà prise, sans cela ils ne vous en parleraient pas ! Ils savent être objectifs, mais surtout lorsque cela les arrange ! Ils sont capables de se dévouer à une grande cause. Ils seraient même philanthropes et ont confiance en eux, en leur destin. D'ailleurs le succès leur est presque indispensable pour assurer leur équilibre car ils sont un peu timides. Il faut donc encourager ces jeunes tant qu'ils n'auront pas eu la consécration de la réussite. Ils sont sauvages et « confortables » comme leur animal totem : le *vison*.

□ **Volonté**

Ils jouent volontiers aux hommes volontaires mais en réalité c'est pour eux le moyen de se prouver qu'ils existent. Alors, ils tapent sur la table, ils parlent haut et fort, mais, à vrai dire, ils se demandent toujours secrètement si les autres vont « marcher »... Et habituellement, ça marche !

□ **Emotivité**

Ils ont besoin de cette émotivité d'où provient une partie de leur puissance de conviction. Ils en jouent et leur côté comédien apparaît clairement quand, la main sur le cœur, ils témoignent de leur bonne foi ou de leur amour !

□ **Réactivité**

Ils n'aiment pas, mais pas du tout, qu'on leur monte sur les pieds ! Du temps des Mousquetaires du Roy, ils auraient eu droit à leurs trois

315

duels par jour ! Ils sont à la fois sensibles sur le plan de l'honneur et chatouilleux sur celui du portefeuille car ils craignent par-dessus tout qu'on abuse de leur générosité... toute relative d'ailleurs !

□ Activité

« Attention ! Agir, oui, c'est bien ! Mais il faut le faire à bon escient c'est-à-dire lorsque cela vous rapporte directement ! » Donc, ces types de caractères aiment bien travailler pour leur propre compte... et pas trop !

Beaucoup d'entre eux sont des autodidactes remarquables. De toute manière, ce qui leur est nécessaire pour triompher ne s'apprend pas dans les universités, mais bien dans le livre de la vie. Ce sont très souvent des « self-made men » de grande classe, gardant les pieds sur terre et d'une très grande simplicité, ce qui fait aussi partie de leur système. Cela n'empêchera pas les jeunes d'acquérir des connaissances solides. Mais ne vous effrayez pas si votre enfant n'a pas une idée précise du métier qu'il veut faire. Il se débrouillera très bien. Ce sont d'excellents diplomates, des négociateurs de premier plan, et, nous l'avons vu, des hommes de relations publiques exceptionnels. Tout ce qui touche à la masse, tout ce qui peut l'informer et la distraire, les enchante. Ce sont de bons directeurs de théâtre et des commerçants irrésistibles. Ils peuvent être également des prélats populaires, des députés discrets, qui aiment tirer les ficelles. Enfin, ils peuvent faire presque tout, à condition que cela les passionne.

□ Intuition

Dans leur cas, cela s'appelle le flair, le « nez » ! Leur psychologie spontanée fait merveille et ils vous « voient venir » à des kilomètres... C'est ce flair qui fera de certains d'entre eux des « flambeurs » impénitents, prêts à laisser leur chemise au jeu !

□ Intelligence

Une intelligence très souple, mise au service d'une grande imagination. Mémoire étonnante, curiosité aux aguets, humour, bonhomie. Ils ont un extraordinaire talent pour mettre les gens dans leur poche. Aussi, avec ces enfants, court-on très vite le risque d'être manipulé sans même s'en rendre compte.

□ Affectivité

Il leur plaît d'être aimés, mais ils ne veulent pas qu'une affection leur soit une charge. Il ne faut donc pas embrasser ces petits du matin au soir, mais plutôt les aider à réaliser une de ces idées brillantes qu'ils ont toujours en tête. Mettez la conversation sur leur avenir et, à ce moment, ils comprendront votre affection, car elle deviendra efficace. Ils sont possessifs comme le soleil possède ses planètes. Ils ont une âme de propriétaire sur tous les plans. Il y a d'ailleurs en eux un désir sincère d'aider les autres car leur intuition est phénoménale et ils ont un œil fait pour découvrir les talents.

□ Moralité

Elle est convenable, sans plus et il ne faut pas chercher la « petite bête » quant à leur comportement en affaires ou en amour. « Il faut que ça marche ; il faut que ça avance. » Alors, pour quelques « bavures » on ne va pas remettre en cause tout un système, toute une « combinazione » soigneusement montés !

□ **Vitalité**

C'est une vitalité de loup-cervier ! Elle s'étale, insolente et durable. Mais il faut en tenir compte et ne pas confiner ce type d'homme dans les bureaux étouffants des ministères parisiens. Il leur faudra de la marche et beaucoup de grand air. Il leur faut suivre un régime diététique correspondant à leur caractère, pas d'excitants, du sommeil (bien qu'ils déclarent ne pas en avoir besoin) et surtout une ambiance jeune et dynamique, ce qui est pour eux le meilleur aiguillon. Points faibles : les reins, l'appareil urinaire, la prostate.

□ **Sensorialité**

Cette sensorialité fait feu des quatre fers. Ce type d'homme est gourmand, sensuel, possessif, tyrannique le cas échéant, et toujours prêt à faire quelque « gueuleton » mémorable ! Quant à leur sexualité, c'est une sexualité à tiroirs, et elle dépend de beaucoup de choses : de l'intérêt — presque toujours grand — qu'ils accordent à leur famille, de leur travail qui les absorbe, de leur réussite qui les tyrannise. Donc pour eux, la sexualité est importante sans être capitale. Dans une affaire, ils ne partiront pas avec la caisse pour les beaux yeux d'une blonde, ils resteront plutôt avec la caisse afin d'avoir la possibilité de s'asseoir, un jour, dans le fauteuil du P.-D.G. Les blondes viendront toutes seules, mais après !

□ **Dynamisme**

Ils ont le dynamisme de leur activité — à peu de chose près — et cependant cette légère restriction indique bien qu'à certains moments le sujet décroche. Alors, on compte sur la chance ; on achète un billet de la loterie nationale ; on « tape » les copains...

□ **Sociabilité**

Ils sont très sociables mais, néanmoins, cette approche des autres comporte quelques nuances... Ils sont d'une sensibilité réelle, à laquelle vient s'ajouter discrètement une sensibilité intéressée. Ils reçoivent simplement, avec cordialité. Ils ne sont pas snobs, mais ils savent, avec une prodigieuse habileté, conduire leur barque, laquelle barque ne tardera pas, si tout va bien, à devenir un véritable paquebot. Leur volonté est forte, mais nuancée, comme leur morale d'ailleurs. Ils ont le sens de la famille, nous l'avons vu. Leur chance est insolente et ils s'en servent en virtuoses. D'une rage de vivre débordante en période faste, ils savent composer en période difficile. Mais, lorsqu'ils ont une bonne idée en tête, qu'elle soit d'eux ou d'un autre, ils sont partants pour la victoire.

□ **Conclusion**

De « sacrés » bonshommes ! Oscillant perpétuellement entre un égoïsme confortable et un dévouement un peu velléitaire, ils ont habituellement la chance d'épouser une femme suffisamment « esclave » pour satisfaire leurs petits caprices. Mais, pour suivre ces « galopeurs » infatigables, ce n'est pas une « esclave » qu'il faut, mais une « pouliche indomptable et rebelle »...

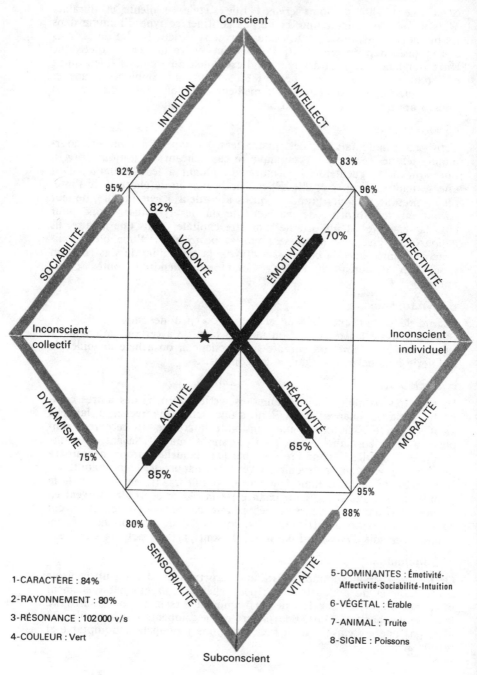

MARGUERITE

Personnalité : *Celle qui détient le secret de la vie.*

Conscient

INTUITION

INTELLECT

83%

92%

95%

96%

82%

VOLONTÉ

ÉMOTIVITÉ

70%

SOCIABILITÉ

AFFECTIVITÉ

Inconscient
collectif

Inconscient
individuel

ACTIVITÉ

RÉACTIVITÉ

DYNAMISME

MORALITÉ

75%

65%

85%

95%

88%

80%

SENSORIALITÉ

VITALITÉ

Subconscient

1-CARACTÈRE : 84%

2-RAYONNEMENT : 80%

3-RÉSONANCE : 102 000 v/s

4-COULEUR : Vert

5-DOMINANTES : Émotivité-
Affectivité-Sociabilité-Intuition

6-VÉGÉTAL : Érable

7-ANIMAL : Truite

8-SIGNE : Poissons

Marguerite

et prénoms aux caractéristiques analogues

Adolphine	Léopoldine	Marine	Séraphine
Daphnée	Maggy	Marinette	Sylvette
Karell	*Marguerite*	Marjorie	Sylviane
Laurette	Marina	Rolande	Tamara

□ Type caractérologique

Elles possèdent un caractère assez difficile à saisir, car on a l'impression qu'elles sont toujours entre deux eaux, comme la *truite*, leur animal totem. Ce sont des colériques nerveuses d'une grande émotivité. Un rien les fait fuir et se cacher. Tout les émeut, les touche. Leur activité est moyenne mais leurs réactions, comme celles de la truite, sont rapides et déconcertantes. Ce sont des caractères mobiles, se décourageant facilement, donc très sensibles à l'échec, et susceptibles. Leurs parents devront s'efforcer de les maintenir en contact avec le réel, de freiner leurs caprices et de leur apprendre à se dominer.

□ Psychisme

Elles ont énormément de charme, c'est le type de « femme-enfant » que les hommes ont envie de protéger. Lorsqu'elles ne sont pas soutenues et encadrées, elles éprouvent certaines difficultés à réussir. Elles sont très introverties, c'est-à-dire qu'elles se replient sur leur petit monde intérieur quand la vie devient trop dure à leur sensibilité excessive. Très tôt, il faudra habituer ces enfants à faire face, à avoir le courage de s'expliquer et surtout à ne pas se dérober au moment du danger. Elles sont capables de se donner à une cause avec conviction mais elles n'ont guère d'esprit de suite ; elles ont tendance à abandonner une opération en cours de route, avant d'avoir pu être encouragées par un début de réussite. Elles sont timides et manquent essentiellement de confiance en elles.

□ Volonté

C'est bien une volonté « entre deux eaux » ! D'une seconde à l'autre le décor peut changer et le grand enthousiasme du matin devenir l'accablement du soir. N'oubliez pas d'imposer à ces enfants un code de conduite précis : « Toute action commencée doit être achevée ».

□ Emotivité

Bien trop présente, elle va donner à ce caractère un nervosisme qui dans certains cas frise l'instabilité. Et cette émotivité va déteindre à la fois sur la volonté en la rendant fluctuante, et sur la réactivité en développant des complexes de fuite, voire de fugue.

□ Réactivité

Elle est étrange cette réactivité car elle est à double sens. D'une part, nous avons affaire à un être aux réactions fulgurantes, imprévisibles, c'est la « truite enragée » qui casse tout. Puis, à d'autres moments, c'est une espèce d'acceptation un peu morne, un peu triste. On a même parfois l'impression qu'elles sont un peu « maso » et qu'elles aiment se laisser effeuiller sans trop réagir, à condition qu'on leur dise : « Je t'aime, un peu... »

□ **Activité**

Ainsi que nous pouvons le constater en examinant le schéma psycho-structurel, l'activité de ce type de caractère n'a rien d'envahissant. Très moyenne, elle est littéralement « dévorée » par une réactivité capable de provoquer bien des coups de tête. Elles s'intéressent à tout ce qui a un rapport direct avec la vie, et souvent leurs études les portent à s'occuper de pédiatrie, de gynécologie, de jardins d'enfants, de rééducation. Elles ont, quand elles le veulent, une bonne discipline mentale et physique, surtout lorsqu'elles se passionnent pour un métier. Ce sont d'excellentes infirmières, des puéricultrices remarquables. Elles deviennent habituelle-ment de bonnes mères de famille, tendres et dévouées, à qui il arrive quelquefois de manquer un peu de caractère pour lutter contre certains garnements endiablés. Il convient de s'occuper sans tarder de l'orienta-tion de ces jeunes, afin de les stabiliser par un choix professionnel mûrement réfléchi.

□ **Intuition**

Elles ont, presque, un peu trop d'intuition. Elles se réfugient dans un monde secret où tout devient un « signe », un présage. Il ne faudrait pas que ces jeunes femmes accordent trop d'importance aux horoscopes et autres prédictions délirantes dont déborde la presse féminine. Elles sont discrètes comme leur végétal totem, l'*érable,* qui, au cœur de la grande forêt, distille son suc délicieux...

□ **Intelligence**

Elles sont intelligentes, mais elles se précipitent tellement pour parler ou pour agir qu'elles en arrivent à commettre des gaffes monumentales. Cette intelligence est synthétique, ce qui leur permet de voir l'ensemble des problèmes sans avoir toutefois la possibilité de toujours les résoudre complètement. La mémoire est médiocre et brouillée quelque peu par leur grande émotivité, ce qui fait qu'elles oublient beaucoup de choses allant de leur parapluie à leur époux !

□ **Affectivité**

Très affectueuses, très câlines lorsqu'elles se sentent en sécurité, elles disparaissent sous leur rocher dès que l'inconnu surgit devant elles. Il faudra les exercer, ces petites, à avoir confiance en elles et en leur des-tin, à regarder la vie en face, à suivre leur intuition, qui est bonne. Elles sont séduisantes et leur charme leur vient souvent de leurs yeux pleins de tendresse, où on lit à la fois la promesse d'un grand amour un peu effarouché et le désir de continuer leur existence protégée et tranquille.

□ **Moralité**

Elle est belle et suffisante ! Elle est belle et cela, dans une certaine mesure, peut « sécuriser » le sujet en lui offrant des protections effica-ces. Elle est suffisante, car à multiplier les interdits et les anathèmes, on risquerait de détraquer littéralement ce caractère relativement fragile, et qu'il faut traiter avec amour et compréhension. Les Marguerite et prénoms associés devraient obligatoirement être munis de l'étiquette *Fragile*.

□ Vitalité

Leur vitalité est bonne, la santé un peu en pointillé : un jour ça va, le lendemain ça va moins bien. Le psychisme a une grande part dans ces alternances ; il monte et descend comme le baromètre. Points faibles : les intestins et l'appareil génital. Elles doivent avoir un régime très strict, sans excitants, donc ni café ni alcool. Inversement, se méfier de l'abus de calmants et d'euphorisants.

□ Sensorialité

Comme ce mot, trop chargé de significations diverses les effraie ! Elles ne savent, elles ne tiennent pas à savoir où commencent leurs désirs. Quand on aborde devant elles le problème de la sexualité, elles ne veulent plus rien entendre. Dans ce domaine, elles se reprochent souvent leur faiblesse, leur timidité qui les conduit à vivre avec des partenaires fort éloignés de leur idéal. Mais qu'est-ce que le partenaire idéal ? Elles-mêmes, le savent-elles ? Il sera bon, dès leur jeune âge, de développer en elles le jugement et le sens du choix, de les habituer à prendre des décisions et à s'y tenir, en sachant dire « non », si elles sont sollicitées. Et elles le seront, car, pour des raisons souvent contradictoires, elles sont très attirantes.

□ Dynamisme

Nous avons vu que l'activité de ce type de caractère était discrète. Mais que dire alors de ce dynamisme ! Il est fait, à la fois, de rêveries mal digérées, d'enthousiasmes irraisonnés, de timidités soudaines. On remet au surlendemain ce qu'on aurait dû faire la veille. On tremble à chaque sonnerie de téléphone car on a promis de faire dix choses dont on ne veut plus entendre parler. On voudrait tout recommencer dans un autre monde et l'on s'aperçoit que, pour l'instant, il n'y a que celui-là !

□ Sociabilité

Leur sociabilité est grande, elles ont besoin d'être aimées et cajolées, et détestent vivre seules. Leur volonté est capricieuse et elles ont de nombreux passages à vide. Elles sont très influençables et adoptent souvent le mode de vie de celui qu'elles aiment, ce qui n'est pas dénué d'inconvénients. Elles sont très attachées à la famille, aux amis et d'une manière générale à ceux qui s'intéressent à elles. Ce ne sont pas des enfants difficiles, mais il convient de les suivre attentivement sur les plans physique et psychique. Leur chance est satisfaisante, leur réussite assez discrète et tardive. En résumé, des êtres attachants qui, lorsqu'ils s'épanouissent, sont riches d'un magnétisme dont profite tout leur entourage.

□ Conclusion

Il n'est pas facile de saisir toute l'étendue du psychisme de ces femmes charmantes. Tout change si vite avec elles ! Mais si vous aimez la pêche sportive, alors jetez-vous à l'eau et essayez de prendre cette jolie petite truite chatoyante et fugace qui risque, le plus gentiment du monde, de vous en faire voir de toutes les couleurs !

MARIE

Personnalité : *Celle qui règne sur le ciel et sur la terre.*

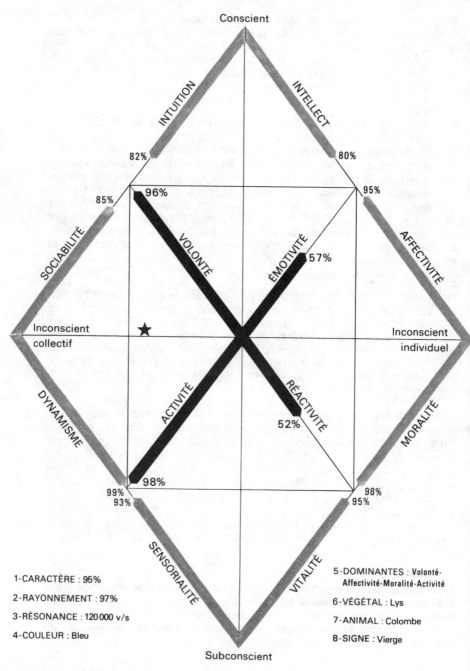

Conscient

INTUITION

INTELLECT

82%

80%

85%

96%

95%

SOCIABILITÉ

VOLONTÉ

ÉMOTIVITÉ

57%

AFFECTIVITÉ

Inconscient collectif

★

Inconscient individuel

DYNAMISME

ACTIVITÉ

RÉACTIVITÉ

52%

MORALITÉ

98%

99%
93%

98%
95%

SENSORIALITÉ

VITALITÉ

Subconscient

1-CARACTÈRE : 95%

2-RAYONNEMENT : 97%

3-RÉSONANCE : 120 000 v/s

4-COULEUR : Bleu

5-DOMINANTES : Volonté-
Affectivité-Moralité-Activité

6-VÉGÉTAL : Lys

7-ANIMAL : Colombe

8-SIGNE : Vierge

Marie

et prénoms aux caractéristiques analogues

Astrid	Graziella	Marietta	Philomène
Béatrice	Gwenn	Mariette	Rita
Béatrix	Gwennaëlle	Marilyne	Rozenn
Dévote	Laetitia	Marion	Stella
Elodie	Maïté	Marjolaine	Valentine
Etoile	Maria	Maryline	Véra
Eva	Mariam	Marylise	Vérane
Eve	Marianne	Maryse	Véronique
Evelyne	Mariannick	Maryvonne	Zita
Grâce	*Marie*	Myriam	Zoé
Gracieuse	Marielle	Nolwenn	

□ **Type caractérologique**

Elles sont habituellement dotées d'une très belle émotivité, d'une grande activité et de réactions rapides. Elles sont du type colérique. Ce ne sont pas des caractères faciles et, lorsqu'on les étudie d'un peu près, on s'aperçoit que ce sont des êtres décidés, durs au travail, d'une grande rigueur dans l'action et généralement assez susceptibles, ombrageuses même, jalouses aussi, mais riches de tendresse et d'amour. La *colombe*, leur animal-totem, est, contrairement à ce que l'on pense, un animal volontaire et courageux !

□ **Psychisme**

Elles sont introverties, c'est-à-dire qu'elles ont tendance à se replier sur elles-mêmes et qu'elles ne jugent pas toujours utile d'extérioriser toutes leurs pensées, tous leurs sentiments. Elles sont même assez secrètes. Elles ont beaucoup de détermination et ce sont des mères de famille remarquables qui ne se plaignent jamais. Elles sont peu influençables et capables de magnifiques dévouements. Elles ont une grande confiance en elles, mais cela vient beaucoup plus de la mission qu'elles ont à remplir que de la considération qu'elles peuvent avoir de leur propre personne.

□ **Volonté**

Une volonté largement épanouie qui ne laisse pratiquement pas de place à l'égoïsme. Le prénom de Marie, qui est le « prénom-pilote », correspond donc bien à la définition : « Celle qui règne sur le ciel et sur la terre » et qui a le *lys* comme végétal-totem, symbole de beauté, de pureté, au parfum prenant, mais que tout le monde ne supporte pas.

323

□ Emotivité

Ces types de caractères possèdent une belle émotivité, mise au service d'une volonté efficace. Cependant, l'addition de la réactivité et de l'émotivité donne une formule assez explosive à certains moments et susceptible toujours.

□ Réactivité

Elle est forte, et nous venons de voir qu'elle jouait un rôle de détonateur chez un caractère qui n'est pas des plus souples ! Des réactions oppositionnelles très vives lorsqu'elles ne sont pas d'accord. Elles sont assez entêtées. Les échecs les font souffrir, mais ne les arrêtent pas. Grande tendresse pour les enfants, mais aussi fermeté avec ceux qu'elles doivent éduquer.

□ Activité

La plénitude de cette activité est remarquable et le schéma psycho-structurel nous montre à quel point elle est soutenue par un dynamisme de grande classe. Habituellement, ce sont d'excellentes élèves. Elles aiment les études classiques, et sont attirées par les professions où il faut donner beaucoup de soi-même, la plus belle étant celle de mère de famille. De là, elles rayonnent, si l'on peut dire, vers des métiers qui les mettront en contact avec l'enfance et les malades : médecins, infirmières, pédiatres, institutrices, religieuses. Tout ce qui touche au social les intéresse, tel le syndicalisme, une certaine forme de journalisme. Ce sont souvent des artistes remarquables. Elles possèdent une grande générosité, mais contrôlée.

□ Intuition

Elles ont une bonne intuition, mais elles s'en méfient un peu. Elles préfèrent suivre patiemment les voies connues de l'expérience plutôt que de se lancer à l'aventure. Elles ont les pieds sur terre. Leur séduction est grande, bien qu'elles soient quelquefois un peu intimidantes.

□ Intelligence

D'une bonne intelligence, elles ne cherchent pas à briller et ont même une certaine méfiance à l'égard de ceux qui veulent accaparer l'attention à n'importe quel prix. Cette intelligence est analytique, c'est-à-dire qu'elles sont plus orientées vers les détails que vers la vision globale d'un événement. Leur mémoire est vaste et elles se souviennent de tout. Leur curiosité est moyenne.

□ Affectivité

La notion d'affectivité, chez elles, est complexe, car elles sont à la fois vulnérables, sensibles et d'une sévérité qui parfois surprend et même déconcerte, surtout lorsqu'elles s'emportent. Elles sont attentives à la conduite d'autrui et se vexent facilement. Elles sont possessives, plus par désir de protéger que par envie de s'approprier. Un sens profond de l'amitié, mais une volonté de limiter le nombre de leurs amis, et de les trier sur le volet. Elles ont horreur d'être envahies...

□ Moralité

Comment imaginer que ces jeunes filles, ces femmes, n'aient pas un comportement obéissant à des lois très strictes ! Nous ne voulons pas dire par là que toutes celles qui se prénomment ainsi sont des saintes ! Non ! Mais il se trouve qu'en règle générale, il existe chez elles une morale naturelle qui se manifestera toujours dans les moments les plus cruciaux. Enfin, disons qu'elles possèdent une foi très vive qui les place bien au-dessus des règles admises par les religions officielles.

□ Vitalité

Elles ont une grande vitalité, une santé robuste. Leur existence devra depuis l'enfance, être bien équilibrée pour que ne se développe pas trop cette émotivité déjà forte et pour ne pas atteindre au surmenage physique ou intellectuel. Points faibles : les intestins, à surveiller très tôt ; les poumons et la peau.

□ Sensorialité

Elle est impressionnante, cette sensorialité, et elle couvre une grande partie de la vie affective de ces types de caractère. En effet, chez elles, tous plaisirs de la vie et toutes pulsions sont liés à l'amour, pris dans son sens le plus noble. Plus que pour toutes autres, la joie de donner est essentielle. Leur sexualité est d'ordinaire exigeante, mais elles savent la dominer. D'ailleurs, il existe deux types de personnalités, celles du ciel et celles de la terre, celles du genre *colombe* et celles qui sont du genre *lys*.

□ Dynamisme

C'est ce dynamisme très soutenu qui leur donne ce rayonnement, ce magnétisme qui ne manque pas de frapper tous ceux qui les entourent. Mais attention, il ne faudrait pas que ces enfants se laissent prendre au piège du « paraître », car, effectivement, la « présence » de ces êtres donne l'impression que tout leur est facile, alors qu'elles doivent, au contraire, lutter pour « être », afin de se sentir à la hauteur de leur mission qui est, justement, de régner, « sur le ciel et sur la terre » par leurs qualités de cœur.

□ Sociabilité

Cette sociabilité est bonne, sans plus, car ces femmes parfaitement à l'aise en société n'ont pas besoin des autres pour vivre. Ce serait plutôt le contraire ! D'une grande richesse, elles méritent peut-être plus que d'autres, le nom de « mère » et leur attitude, dans bien des cas, sera très maternelle. Elles savent recevoir avec beaucoup de simplicité, avec un sens aigu de la famille et du foyer. Elles sont fidèles, économes, courageuses, et si parfois leur tempérament est un peu rude, sachez que c'est toujours pour redonner aux choses et aux êtres leur vraie valeur et non par hargne ou mauvaise humeur.

□ Conclusion

Habituellement, ce ne sont pas des enfants qui posent de grands problèmes. Ou plus exactement, elles peuvent très tôt résoudre leurs problèmes et plus tard, confrontées avec les inévitables difficultés de la vie, elles sauront parfaitement s'en sortir toutes seules. Mais le plus fort de tous ces prénoms est incontestablement Marie, qui, bien au-delà de la mode et des snobismes, garde une puissance de protection et de rayonnement sans égale. Il conviendrait peut-être de se le rappeler...

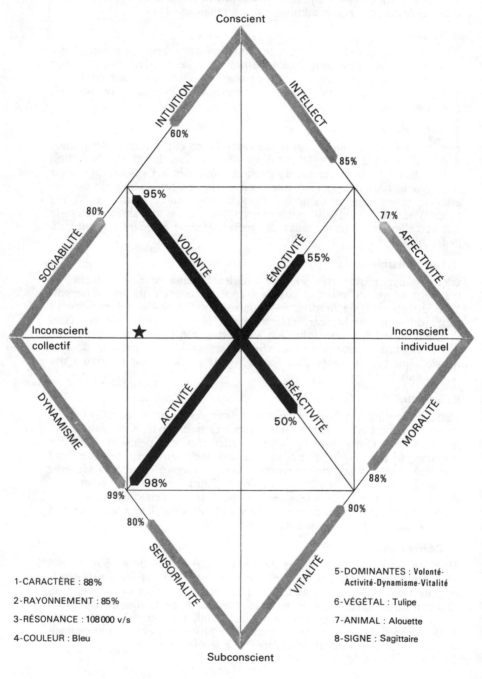

MARTHE

Personnalité : *Celle qui possède la force.*

Conscient

INTUITION 60%

INTELLECT 85%

SOCIABILITÉ 80%

95%

VOLONTÉ

ÉMOTIVITÉ 55%

AFFECTIVITÉ 77%

Inconscient collectif

★

Inconscient individuel

DYNAMISME

ACTIVITÉ

RÉACTIVITÉ 50%

MORALITÉ

98%

99%

88%

90%

80%

SENSORIALITÉ

VITALITÉ

Subconscient

1-CARACTÈRE : 88%

2-RAYONNEMENT : 85%

3-RÉSONANCE : 108 000 v/s

4-COULEUR : Bleu

5-DOMINANTES : Volonté-Activité-Dynamisme-Vitalité

6-VÉGÉTAL : Tulipe

7-ANIMAL : Alouette

8-SIGNE : Sagittaire

Marthe

et prénoms aux caractéristiques analogues

Dorine	Jessica	*Marthe*	Renée
Fabiola	Jessy	Monique	Tessa
Gertrude	Judith	Nathanaëlle	Ursula
Gudule	Lucrèce	Raïssa	Ursule
Gwénola			

□ Type caractérologique

Une femme forte, une force de la nature. Ces types de caractères possèdent ordinairement une bonne émotivité, une activité fébrile et de belles réactions, tout pour en faire des êtres efficaces. Un peu masculines peut-être, mais riches de possibilités lorsqu'elles se lancent dans l'action. Elles partent comme une flèche ou comme une *alouette,* qui est leur animal totem et qui monte au ciel au lever du jour pour devancer le soleil, ce soleil qu'elles aiment tant. Ce sont des colériques et l'on a intérêt à ne pas trop les bousculer. Un peu accapareuses, mais d'un très grand courage. Dès leur plus tendre enfance il faut leur faire comprendre quel rôle de responsables elles doivent jouer car on s'apercevra vite qu'elles ont un sens aigu du commandement.

□ Psychisme

Ce sont des extraverties, disposant d'une large surface de contact avec la société. Elles ne sont guère influençables. Leur caractère, dont la masculinité leur donne quelques complexes, est mûr très tôt et la durée de leur jeunesse inconsciente est relativement brève, comme celle de la *tulipe,* leur végétal totem, qui éclate de couleurs au début du printemps et s'enterre aussitôt pour conserver précieusement dans son bulbe ce premier soleil. On comprend, après cela, qu'elles soient économes, mentalement et matériellement. Ajoutons qu'elles sont possessives, qu'elles chérissent la contradiction, et qu'il faudra tout faire pour leur donner une confiance en elles-mêmes, autrement qu'en apparence.

□ Volonté

Cette volonté est à la fois tyrannique pour celles qui la possèdent et pour ceux qui la subissent. Tout y est : efficacité, entêtement, décision inébranlable... Mais on aimerait que, parfois, elle soit un peu plus humaine !

□ Emotivité

C'est une émotivité dont la force, loin de diminuer l'efficacité des paramètres voisins, les dynamise. Malheureusement, elle crée aussi une certaine anxiété qui viendra souvent gâcher les plus belles réussites.

□ **Réactivité**

Très équilibrée, elle correspond à peu de chose près à l'émotivité et elle soutient merveilleusement bien ce caractère plein de ressources et de réactions. Certes, tout n'est pas toujours facile et ces femmes ont une manière de vous répondre, de répliquer à toute attaque, qui ne manque pas de déconcerter... Il faudra que les époux s'y fassent... Les parents aussi !

□ **Activité**

Elle ne peut être que débordante car c'est, essentiellement, leur raison de vivre. Merveilleusement soutenue par un dynamisme virulent ; nous sommes ici au cœur de la forteresse !
Ce sont en général des étudiantes appliquées. Il y a en elles un désir de réussir et d'apprendre qui en fait normalement de bonnes élèves, plus efficaces que brillantes. En réalité, elles poursuivent leurs idées et lorsqu'elles se sont mis dans la tête d'atteindre un but précis elles feront tout pour cela... Elles deviendront médecins, pharmaciens, professeurs en sciences ou en langues étrangères, chefs d'entreprise, etc. Elles peuvent également être agricultrices, éleveuses, infirmières, commerçantes ou même propriétaires de restaurant ou de bar, elles en ont la poigne ! De toute manière elles veulent commander et l'on comprend alors qu'il faille user envers elles de beaucoup de fermeté pour ne pas se laisser dépasser par les événements.

□ **Intuition**

Ne leur parlez pas d'intuition, elles ne veulent pas savoir ce que cela veut dire ! L'intuition, pour elles, c'est renoncer à l'intelligence, à la déduction, au cartésianisme... « C'est des histoires de bonnes femmes » ! Elles ne sont pas toujours tendres avec leurs petites camarades !

□ **Intelligence**

Une intelligence analytique leur permet de saisir rapidement le moindre détail d'une opération. Elles possèdent une excellente mémoire affective, mais, en principe, elles ne sont pas trop curieuses. Elle ont une grande puissance de travail, et se méfient de leur imagination.

□ **Affectivité**

Leur affectivité a un caractère secret. Elles sont peu expansives et seraient même plutôt méfiantes ; elles observent, elles attendent pour avancer que les autres aient fait les premiers pas. Elles savent rire et s'amuser, certes, mais à la condition que les plaisanteries n'aillent pas trop loin. En bref, elles sont nettement bourgeoises. Les parents devront donc essayer de détendre ces enfants qui paraissent souvent trop sérieuses pour leur âge.

□ **Moralité**

Leur moralité personnelle dépend souvent de la moralité de la société ou de la classe à laquelle elles appartiennent. Elles suivent le mouvement : c'est une sécurité et un confort. Et puis, en adoptant la morale des autres, on se sent moins seule...
Et la foi ? Disons que, dans ce domaine, elles adoptent l'opinion générale tout en gardant, au fond de leur conscience, la liberté de croire à

ce qu'elles veulent. Elles aimeraient avoir des amis, mais elles n'apprécient pas qu'on envahisse leur domaine. Elles sont sensibles aux critiques, aux médisances, aux échecs, et il leur arrive de faire certains refoulements sentimentaux.

□ Vitalité

Là aussi, elles thésaurisent ! Il semble que tout leur organisme craigne une espèce de pénurie ! D'où une légère tendance à l'embonpoint. Le régime est donc à surveiller de très près. De la marche, de la natation, une vie à la campagne si possible, mais des vacances à la mer : elles ont besoin d'iode. Points sensibles : l'appareil génital et l'estomac. Habituer ces enfants à manger à des heures précises et à ne pas grignoter dans la journée.

□ Sensorialité

« Quelle sensorialité ? La gourmandise ? Ah, oui ! Bien manger, savourer de fines sucreries, des chocolats... cela rassure, sécurise ! La sexualité ? Bof ! Se prêter aux désirs de l'autre ! Se compliquer bêtement la vie... »

Nous avons dit qu'elles avaient un pourcentage de masculinité plus important que la moyenne, ce qui leur donne une certaine agressivité à l'égard des hommes. Dans bien des cas, elles auront tendance à prendre le ménage en main et, comme on dit, à « porter la culotte ». Dans leur enfance elles sont plus près du père que de la mère. Adultes, elles ne cèdent pas facilement à leurs élans sensuels et elles ont une propension à calculer leur comportement. Pour elles le mariage a beaucoup d'importance car c'est presque toujours une promotion sociale. Elles se méfient des autres femmes et n'accordent pas facilement leur amitié.

□ Dynamisme

Si le dynamisme, c'est le fait de s'accrocher farouchement à une entreprise au point de considérer comme adversaires — sinon comme ennemis — tous les compétiteurs, alors ces types de caractères sont prêts à faire la guerre... fût-elle de cent ans ! Mais si le dynamisme consiste à posséder en soi des motivations suffisamment valables pour dépasser le stade de l'agressivité et coopérer avec les autres, alors... « Ça manque de punch » ! Ce sont des violentes !

□ Sociabilité

Elles sont sociables aussi longtemps que cela ne nuit pas à leurs affaires ou sert leurs intérêts. Il y a chez elles un grand désir de posséder, d'acquérir des richesses, mais aussi une certaine nostalgie de ne pas être celles qui séduisent. Une volonté de fer, parfois tyrannique, et une moralité de principe, toujours efficace. Une chance moyenne que le désir d'arriver transforme presque toujours en réussite. Bref, des maîtresses femmes.

□ Conclusion

Vous avez dû conclure vous-mêmes ! Oui, bien sûr, ces prénoms, dont Marthe est le pilote, ne sont pas des êtres de tout repos. Elles ne sont pas non plus tellement bien dans leur peau, mais il y a en elles un tel désir de bien faire, une telle volonté de réussir, qu'il faut leur tirer un grand coup de chapeau. C'est ce que font certains maris... en prenant la fuite !

MAURICE

Personnalité : *L'homme qui attend, qui espère.*

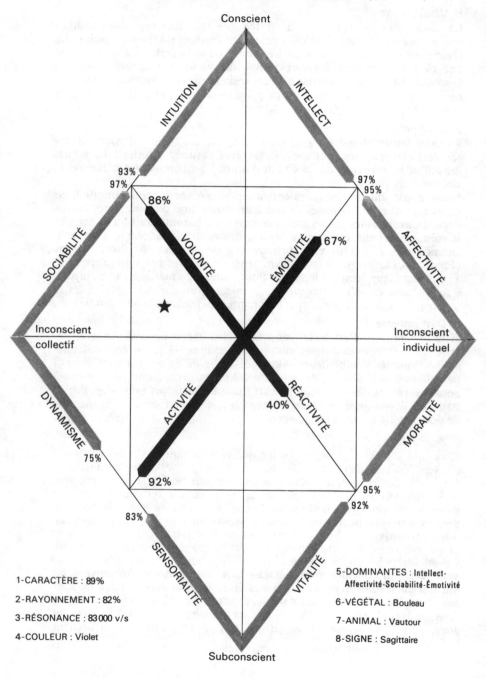

1-CARACTÈRE : 89%

2-RAYONNEMENT : 82%

3-RÉSONANCE : 83 000 v/s

4-COULEUR : Violet

5-DOMINANTES : Intellect-Affectivité-Sociabilité-Émotivité

6-VÉGÉTAL : Bouleau

7-ANIMAL : Vautour

8-SIGNE : Sagittaire

Maurice

et prénoms aux caractéristiques analogues

Athanase	Janvier	Mériadec	Vladimir
Evrard	*Maurice*	Saturnin	Wladimir

□ Type caractérologique

Ce sont des passionnés secrets, dotés d'une grande émotivité et qui ont besoin d'action avec toutefois une légère prédisposition à confondre action et agitation. D'ailleurs, on est souvent surpris par la relative lenteur de leur réaction. Il ne faut pas les bousculer et bien leur expliquer ce que l'on attend d'eux. Ils sont comédiens dans l'âme et jouent parfois les grands désespoirs avec une conviction étonnante. Ces enfants auront besoin d'être disciplinés, structurés très tôt. Les occuper tout le temps et ne pas les laisser seuls.

□ Psychisme

Evitez de leur proposer dix tâches en même temps. Lorsqu'on confie une besogne précise à ces petits, ils doivent l'accomplir complètement avant de passer à autre chose. Ce sont des introvertis, c'est-à-dire qu'ils ne sortent pas facilement d'eux-mêmes, sauf dans un cas majeur où, alors, ils sont d'une précision et d'une efficacité redoutables. Leur arbre totem est le *bouleau* et, comme lui, ils sont souples, séduisants, bruissant des mille vents de la plaine et attendent, dans la splendeur de leur automne, l'hiver qui, doucement, les endormira...

□ Volonté

Elle est un peu en dents de scie. Elle est solide quand tout va bien, puis hésitante lorsque les choses se compliquent. En réalité, ils voudraient bien disposer d'une volonté de fer pour accomplir la tâche qu'ils se proposent et qu'ils nomment : leur mission. Oui, mais voilà ! Le beau rêve de puissance trébuche au rocher du chemin, et devant le char brisé, on accuse le ciel...

□ Emotivité

C'est avant tout une émotivité introvertie et ces hommes feront tout pour éviter que ne transparaisse ce tumulte intérieur qui, parfois, les annihile totalement. Voilà pourquoi il ne faut pas se hâter de les juger et de leur reprocher leur lenteur ou leur réaction retardée. Ils font partie de ces prénoms qui appellent, qui réclament, le plus d'amitié. Ce sont des amis dévoués, disponibles, tout en nuances, fidèles, un peu envahissants, mais avec tant de gentillesse qu'on le leur pardonne volontiers.

□ Réactivité

C'est en effet à ce niveau que l'on a le plus tendance à évaluer leur caractère. C'est une erreur, car cette réactivité moyenne leur laisse de larges possibilités de réagir, même parfois violemment. Nous avons vu qu'ils se jetaient assez facilement dans l'opposition et que, très sensibles à l'échec, ils se décourageaient relativement vite. Donc, il ne faut pas laisser ces enfants se bloquer et, afin d'éviter toute tendance au refoulement, ne pas permettre aux malentendus de s'installer dans leur âme un peu fragile.

□ **Activité**

Ce sont des êtres très actifs, mais à leur manière ! Ils ont une façon curieuse et trop personnelle d'organiser leur travail ! Si vous leur faites des remarques, ils vous diront que vous n'avez rien compris... Ils aiment généralement les études, à condition d'avoir un but précis, d'où l'importance, chez eux, de l'orientation professionnelle, car ils ne travailleront bien qu'en fonction de la profession choisie. Ils ont un esprit de spécialiste. Ils peuvent devenir de très bons comédiens, et même des financiers, des écrivains brillants, des dramaturges, des médecins. D'une manière générale, toutes les professions libérales les attirent, mais, attention, ils ont du mal à s'adapter et à changer de métier. Ils possèdent une grande conscience professionnelle. Pour ces enfants, n'oubliez pas de ne leur présenter qu'une seule tâche à la fois. Ne les embrouillez pas et disciplinez leur imagination féconde et quelquefois frondeuse.

□ **Intuition**

Prodigieusement intuitifs, très séduisants, doués de beaucoup de charme, ayant de nombreux pressentiments, ils jouissent d'une grande fécondité mentale. Ce sont de merveilleux conteurs d'histoires.

□ **Intelligence**

Ils sont intelligents et réfléchis, mais avec quelque difficulté à se mettre en marche. Par contre, quand ils sont lancés, on ne les arrête plus. Ils ont même tendance à en faire trop. Ils seraient plutôt du genre bavard et il ne faut pas les laisser perdre leur temps en les écoutant raconter leur vie.

□ **Affectivité**

Ils sont très affectueux. Ils ont besoin de se sentir entourés, aimés, compris. Ils sont possessifs ; tout enfant, ils veulent être les préférés des parents et il ne faut pas tomber dans leurs pièges et les « chouchouter » au point d'en faire de « petites filles ». Nette tendance au repliement après l'échec. A les entendre, le moteur du monde devrait être l'Amour avec un grand A ! Et pour eux, c'est souvent vrai ! Néanmoins, ils ont tendance à mettre beaucoup de majuscules dans leurs discours... et dans leur vie !

□ **Moralité**

Bonne moralité. Ils deviendront d'excellents pères de famille, mais ils risquent d'être des maris un peu faibles. Cette moralité efficace les protège, ou plutôt leur donne le sentiment d'être protégés ; mais elle aurait aussi tendance à les isoler de certaines responsabilités contraignantes. Sous le prétexte que le Prochain — avec un grand P — ignore la Morale — avec un grand M — la plus élémentaire, on le laisse tomber ! Quant à leur religion, elle n'est pas très « catholique », si l'on peut dire...

332

Ce sont des mystiques, parfois même superstitieux. Ils sont attirés par l'occulte. Les fantômes les passionnent, ils rêvent de soucoupes volantes, ils se croient même un peu sorciers, parfois, et le plus fort, c'est qu'ils arrivent à le faire croire !

□ Vitalité
Bonne vitalité en général, néanmoins la santé est trop soumise au psychisme ; autrement dit, ils ne sont pas toujours très stables. Ils se fatiguent vite et ont tendance à se surmener. Leur régime alimentaire est souvent livré au hasard et ils doivent surveiller leurs intestins et leur poitrine. Attention à l'asthme !

□ Sensorialité
C'est une sensorialité de bon ton mais nettement amortie ! Cela leur donne parfois un petit air démodé et comme ils ne racontent pas leurs aventures à tout le monde, on imagine leur virilité un peu hésitante. Leur caractère comporte un pourcentage assez élevé de féminité. Ils sont sensibles et d'une sensualité tendre. Il faudra chercher très tôt à viriliser ces enfants, à leur faire affronter les problèmes de la vie, à ne pas développer chez eux une certaine crainte des femmes qui ne sont pas leurs mères, car bien des complexes seraient alors possibles.

□ Dynamisme
Il s'agit vraiment là d'un dynamisme « fatigué » qui n'ajoute rien à l'efficacité de leur caractère ! Et pourtant, ils ne sont pas paresseux ! Indolents, peut-être ... ou alors « attentistes » !
Leur chance est bonne, bien qu'ils espèrent trop d'elle. D'une manière générale, ils attendent toujours un peu trop des autres et ils ne peuvent réussir vraiment qu'à condition de se jeter dans la bagarre. L'ennui, c'est qu'ils n'aiment pas tellement les coups ! En résumé, des gens de bonne compagnie, brillants et charmants, qui doivent se méfier de leur « écologie » philosophique et de cette attirance des « ailleurs » qui est le propre de leur caractère.

□ Sociabilité
Une sociabilité fleuve. Ils ont besoin d'être entourés. Ils aiment recevoir. Ils raffolent des réunions amicales, recherchent les associations fraternelles, ont le désir sincère de se rendre utiles, d'aider, de servir. Ces tendances devront être particulièrement encouragées chez les jeunes. Ils sont assez négatifs dans leurs propos et commencent par refuser l'opinion d'autrui. Il leur faut longtemps pour changer d'avis. Ils ne se décident vraiment que lorsque les choses sont bien établies et que les événements sont presque accomplis. Alors, ils prennent position ! Leur prudence est proverbiable ; mais il ne faut pas que chez ces enfants cela devienne une prudence timorée. Enfin, malgré leur susceptibilité, ils sont capables d'objectivité... de temps à autre !

□ Conclusion
Ce sont habituellement des hommes remarquables, pleins de finesse, de tact et d'intelligence. Alors pourquoi faut-il qu'ils donnent souvent l'impression de ne pas aller jusqu'au bout de leur personnage ? Il leur manque un tout petit « quelque chose »... Peut-être la persévérance ! Ou une espèce d'agressivité qui devrait leur venir de leur animal totem : le *vautour*... Mais, est-ce que le vautour — en dehors des propriétaires — est aussi agressif qu'on le dit ?

MICHEL

Personnalité : *Celui qui juge.*

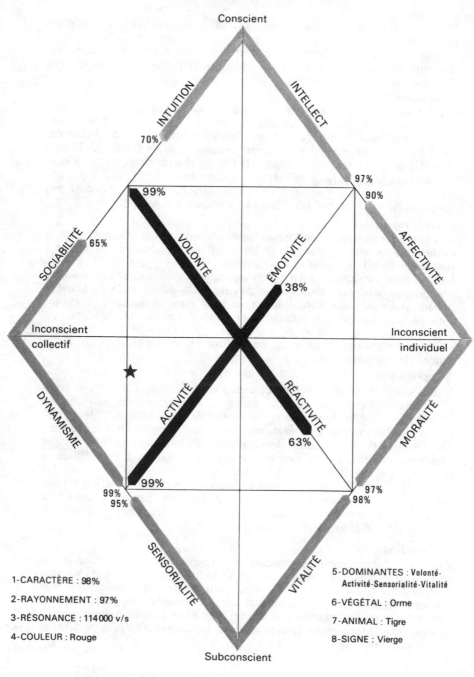

Conscient

INTUITION
70%

INTELLECT
97%
90%

99%

SOCIABILITÉ
65%

VOLONTÉ

ÉMOTIVITÉ
38%

AFFECTIVITÉ

Inconscient
collectif

Inconscient
individuel

DYNAMISME

ACTIVITÉ

RÉACTIVITÉ
63%

MORALITÉ

99%

99%
95%

97%
98%

SENSORIALITÉ

VITALITÉ

Subconscient

1-CARACTÈRE : 98%

2-RAYONNEMENT : 97%

3-RÉSONANCE : 114000 v/s

4-COULEUR : Rouge

5-DOMINANTES : Volonté-
Activité-Sensorialité-Vitalité

6-VÉGÉTAL : Orme

7-ANIMAL : Tigre

8-SIGNE : Vierge

Michel

et prénoms aux caractéristiques analogues

Adam	Dimitri	Michaël	Napoléon
Ahmed	Genest	*Michel*	Richard
Amaël	Mariel	Miguel	Vital
Cyprien	Marien	Mikaël	

□ Type caractérologique

Ces « prénoms caractères » possèdent une émotivité moyenne qui a du mal à se manifester. Ils ont une forte tendance à l'introversion, c'est-à-dire à se replier sur eux-mêmes, à s'isoler dans leur monde intérieur, en jugeant les autres avec une certaine sévérité. Très subjectifs, ils essaient rarement de se mettre, par la pensée, à la place des autres. Il faudra donc éviter de laisser cet enfant devenir un dangereux tyran, comme son animal totem, le redoutable *tigre ;* il sera bon, au contraire, de l'empêcher de tout ramener à lui-même, de lui apprendre à donner et à se donner, afin de combattre sa propension à s'approprier tout ce qui l'entoure : choses, bêtes et gens.

□ Psychisme

Ayant une imagination relativement calme, ils font davantage confiance à la méthode qu'à l'intuition. Ce sont des logiciens, d'où une raideur caractéristique dans les attitudes et les jugements et un manque à peu près total de diplomatie. Leur slogan favori pourrait être : « C'est à prendre ou à laisser ». Ils s'adaptent mal aux circonstances et ne sont guère influençables. Cependant, chaque cuirasse a son défaut, et chez eux c'est l'orgueil ; on pourra tout tirer de cet enfant à condition d'utiliser astucieusement son désir d'être le premier, le chef. Quant à la confiance en soi de ce type de caractère, elle est complète et les poussera à prendre des décisions parfois brutales et presque toujours définitives.

□ Volonté

Comment voulez-vous qu'elle ne soit pas tyrannique ? Les qualificatifs manquent, mais le schéma qui accompagne cette étude nous montre bien l'intensité de cette volonté par rapport aux autres paramètres caractériels. Elle les dévore, littéralement !

□ Emotivité

Prise en « sandwich » entre la volonté et la réactivité, cette pauvre émotivité fait ce qu'elle peut ! Elle arrive tout de même à donner à ces types de caractères une chaleur humaine qui pour ne pas être évidente, n'en est pas moins réelle.

□ Réactivité

Elle semble « terrible » et puis l'on s'aperçoit que, sous des aspects colériques, elle est bien contrôlée par le sujet. Chez eux, l'amitié, souvent très exclusive, joue un grand rôle. Il ne faut jamais tenter de la détruire ou de l'affaiblir. Ils choisissent intelligemment leurs amis et se feraient couper en quatre pour eux. Toutefois, ils sont possessifs, et conçoivent difficilement une amitié ou un amour dans lesquels le partenaire ne serait pas soumis. Il sera nécessaire pour les parents de dominer ce genre d'enfants, sinon ce sont eux qui les domineront. Les échecs, auxquels leur orgueil les rend particulièrement sensibles, ne les abattent pas, mais au contraire les fouettent.

□ Activité

Notre schéma psycho-structurel vous montrera que nous avons affaire à des prénoms champions, surtout les Michel, et que tous les records sont largement battus... Ce sont des enfants « bûcheurs », disciplinés et qui exigent cette discipline aussi bien des autres que d'eux-mêmes. S'ils ne sont pas sanctionnés pour une faute qu'ils ont commise, ils vous jugeront implacablement. Plus investigateurs que curieux, ils travaillent dans un but précis et non pour le plaisir de la découverte inopinée. Ils aimeront donc tout spécialement les études médicales, et feront des chirurgiens ou des médecins de premier ordre. Ils sont également très attirés par l'armée, et par les professions commerciales. Leurs dons artistiques sont moyens.

□ Intuition

Nous avons vu qu'ils affichaient une certaine méfiance à l'égard de l'intuition. Mais ce n'est pas si simple ! Ils obéissent plus ou moins consciemment à des voix intérieures qui les guident plus qu'ils ne pensent et qui les amènent, parfois, à jouer les oracles... bourrus !

□ Intelligence

Elle est vive, mais de caractère analytique, et assez froide. Elle examine, sans indulgence, les composantes d'une situation, pèse les données, les découpe avec le détachement d'un entomologiste. Dans les discussions, s'ils sont parfois un peu lents, ils possèdent par contre, une dialectique impitoyable. Ils en usent et en abusent au point qu'ils se font très vite la réputation de « râleurs » patentés !

□ Affectivité

Leur affectivité est grande, même et surtout si elle ne se manifeste qu'avec beaucoup de réserve. Sans se laisser impressionner par l'éventuelle brutalité de leurs réactions, il faudra aider ces enfants à se réaliser pleinement. Notons que leur mémoire est sans pitié, en particulier sur le plan affectif. Ils n'oublient ni le bien qu'ils ont reçu, ni le mal qu'on leur a fait. Ils sont spontanément attentifs et possèdent un grand pouvoir de concentration volontaire. Rien ne leur échappe. Ils possèdent cette longévité affective de l'*orme,* leur végétal totem, qui traverse les siècles avec une prétention superbe !

□ Moralité

Cette moralité fait partie de leurs paramètres-records ! Avec eux, on ne badine pas avec le comportement des êtres et bien souvent cette rigueur rappellera beaucoup plus l'adjudant de semaine que les exhortations suaves d'un « saint-sulpicien »... Et puis, la moralité, il faut bien que ça serve à quelqu'un et à quelque chose ! Alors pourquoi ne pas en faire un « moteur » politique ? D'ailleurs chez eux, la religion n'a rien de fanatique, mais si elle leur paraît utile, ils l'embrigadent, elle aussi !

□ Vitalité

Quelle vitalité ! Ils semblent « increvables » et bien des collaborateurs y laisseront leur santé. Quant à leurs femmes, il faudra qu'elles se « cramponnent » ! La santé est habituellement excellente et le sujet, doué d'une forte emprise sur lui-même, résiste généralement bien aux maladies. Néanmoins, ils devront surveiller leur système circulatoire et plus particulièrement le cœur.

□ Sensorialité

Cette sensorialité fait évidemment partie de ce cocktail explosif que constitue le caractère de ces hommes étonnants. Leur sensualité est vive et précocement exigeante. Leur masculinité est très forte. En revanche, ils connaissent mal la psychologie féminine. Au lieu de chercher à convaincre et à séduire, ils entraînent de gré ou de force. Une séduction d'homme des cavernes...

□ Dynamisme

Pas de commentaire ! Reportez-vous, s'il vous plaît, à notre schéma psycho-structurel et contemplez ce « carrefour » où se rencontrent l'activité, la sensorialité ! Vous comprendrez vite... sinon adressez-vous à votre Michel habituel... il vous expliquera !

□ Sociabilité

C'est là où le bât blesse ! Eux, sociables ? Laissez-les rire ! Un vrai tigre dans un élevage de chauves-souris ... Leur manque de diplomatie, leur ton péremptoire sont susceptibles de leur créer des inimitiés. Les parents ne devront jamais supporter de ces enfants la moindre remarque acerbe ou désobligeante mais leur inculquer, bien au contraire, le respect du prochain. Leur volonté est ferme, ils sont maîtres d'eux-mêmes, ils possèdent courage et sang-froid. Ils seraient tentés de se fabriquer une moralité excellente, mais où les intérêts du partenaire céderaient le pas à leurs propres objectifs.

Leur chance est positive, bien qu'ils s'en servent peu. Ils refusent systématiquement la voie de la facilité et ne semblent aimer une personne ou une profession que si elle leur résiste. La réussite est souvent tardive, mais durable. Secrets, jaloux, durs avec leurs subordonnés, mais, malgré tout, entraîneurs d'hommes, ils se « défendent » très bien dans l'existence, même si pour eux se « défendre », c'est surtout attaquer.

□ Conclusion

N'en faisons pas des « grands méchants loups » ! Cela leur ferait trop plaisir et créerait des complexes d'infériorité à ceux qui les entourent. Car, ne l'oubliez pas, il faut leur résister dès le plus jeune âge. Après, ce sera difficile... pour ne pas dire impossible !

PAUL

Personnalité : *Celui qui triomphe.*

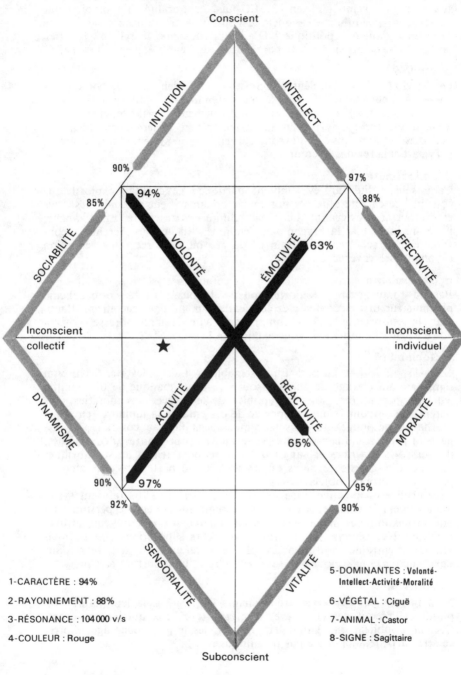

Conscient

INTUITION
INTELLECT

90%
97%

94%
88%

85%
VOLONTÉ
ÉMOTIVITÉ
63%

SOCIABILITÉ
AFFECTIVITÉ

Inconscient
collectif
★
Inconscient
individuel

ACTIVITÉ
RÉACTIVITÉ

DYNAMISME
MORALITÉ

65%

90%
97%
95%

92%
90%

SENSORIALITÉ
VITALITÉ

Subconscient

1-CARACTÈRE : 94%

2-RAYONNEMENT : 88%

3-RÉSONANCE : 104 000 v/s

4-COULEUR : Rouge

5-DOMINANTES : Volonté-Intellect-Activité-Moralité

6-VÉGÉTAL : Ciguë

7-ANIMAL : Castor

8-SIGNE : Sagittaire

Paul

et prénoms aux caractéristiques analogues

Aaron	Brice	Jim	*Paul*
Achille	Faustin	Noël	Pol

□ Type caractérologique

Ces types de caractères sont des passionnés, d'une grande émotivité, d'une remarquable activité, avec des réactions assez lentes, mais intenses. Si vous voulez une image, ils tiennent la dynamite d'une main et l'allumette de l'autre, mais au moment de tout faire sauter, une petite sonnerie retentit dans leur tête et ils se disent : « Attention ! ne nous lançons pas à corps perdu dans l'aventure, réfléchissons un instant ». Ce sont des bâtisseurs et ils construisent, comme leur animal totem, le *castor,* leur vie et leurs affaires et même leurs amours. Ils sont efficaces, et il ne faut surtout pas laisser ces enfants ne rien faire car ils ont, au fond d'eux-mêmes, cette *ciguë* qui est leur végétal totem et qui, parfois, leur empoisonne l'existence ! C'est leur grand ennemi : l'ennui !

□ Psychisme

Ce sont des gens précis, d'une intelligence très efficace, qui ne ratent presque jamais ce qu'ils ont entrepris. Passionnés et patients à la fois, ils mettent le temps qu'il faut pour obtenir ce qu'ils veulent et y parviennent. A ces enfants, il ne faut pas proposer dix tâches, mais une seule, qu'ils réalisent à fond. Cela leur apprendra qu'ils sont capables de réussites brillantes et cela vous permettra de les encourager. Ils sont très subjectifs et voient un peu le monde à leur manière, mais ils sont capables de se dévouer corps et âme pour la cause à laquelle ils croient. Ils pratiquent indifféremment la critique et l'autocritique. Ils sont autoritaires et rusés, quand il le faut.

□ Volonté

Elle est dotée d'une efficience remarquable lorsque ces « chers petits » ne sont pas bloqués et ne font pas leur mauvaise tête. Disons, en passant, que quelques bonnes fessées ne leur feraient pas de mal ! Mais quand tout va bien, on a en face de soi des travailleurs à haut rendement. Mais cela ne dure pas toujours !

□ Emotivité

Associée à une réactivité de haut niveau, elle fait de ces hommes des révoltés qui, à certains moments, auraient tendance à tout envoyer promener. On ne peut dire qu'ils ont un bon caractère et l'expression « ras le bol » revient souvent dans leurs propos !

□ Réactivité

Il ne faut pas confondre réactivité avec rapidité. Des réactions peuvent être faibles et soudaines comme d'autres peuvent être fortes et retardées, ce qui serait le cas avec ces hommes susceptibles, parfois vindicatifs. Ils mettent longtemps à régler leurs comptes, mais ils n'oublient personne !

□ Activité

Cette activité domine largement les autres paramètres de ce type de caractère. Tout leur équilibre est conditionné par l'utilisation maximale de cette activité qui les structure et les anime.

De bons élèves lorsqu'ils ne font pas les fortes têtes. Ils aiment les études classiques, mais sont aussi ouverts aux mathématiques et aux langues vivantes. Ce sont de bons industriels, des administrateurs remarquables, des hommes de loi, des parlementaires sachant « mettre les pieds dans le plat » au moment opportun. Tout ce qui électrise et remue les foules les intéresse, ils sont donc faits pour être également des hommes de radio et de télévision. Ils peuvent aussi, avec succès, devenir des policiers habiles et acharnés.

□ Intuition

Très intuitifs, ils ont du flair et le mettent à la disposition de leur séduction. Leur psychologie spontanée est intéressante et leur curiosité est si vive qu'elle ressemble à de l'indiscrétion !

□ Intelligence

Ils ont habituellement une intelligence profonde mais relativement lente. Chose étrange, nous nous apercevons qu'ils utilisent une grande partie de leur énergie intellectuelle à faire croire aux autres qu'ils sont rapides et pleins d'humour. Et le plus fort c'est qu'ils y réussissent quelquefois, mais au prix de quelle perte d'énergie... Il serait nécessaire qu'ils s'acceptent tels qu'ils sont, efficaces et secrets, et qu'ils ne cherchent pas à jouer d'autres rôles plus brillants !

□ Affectivité

L'essentiel de leur confiance en eux provient de leur réussite et ils feront tout pour réussir. Ils sont affectueux et aimants, mais avec une certaine raideur, ce qui ne simplifie rien ! Nous avons vu qu'ils étaient très structurés, même dans leurs affections : ils souffrent énormément d'une trahison. Ils sont durs avec les autres, comme avec eux-mêmes. Parents, soyez exigeants, vous aussi, avec ces enfants. Il ne faut pas les « manquer », car s'ils sont capables de faire beaucoup de bien, ils pourraient faire aussi beaucoup de mal.

□ Moralité

Ils sont scrupuleux et leur moralité n'est pas très discrète car ils se croient autorisés à faire des remarques plus ou moins désobligeantes à tout leur entourage. Ou bien ils sont profondément croyants, quelquefois jusqu'au mysticisme, ou ils sont d'un athéisme total. Ils possèdent un sens solide de l'amitié mais il arrive qu'ils veuillent faire le bonheur des autres malgré eux et qu'ils manient un peu trop le « pavé de l'ours ». Ils peuvent être, dans certains cas, très oppositionnels et devenir alors de véritables « hommes de barricades », mais aussi des martyrs, quand il le faut. Sensibles aux échecs, surtout moraux, ils ont tendance à vouloir que tout se passe dans la perfection et la rigueur, et ce perfectionnisme aboutit de temps en temps à des catastrophes !

□ **Vitalité**

Leur vitalité est bonne, il faut noter cependant que ces types de caractère sont doubles en cette matière. Ainsi tout se passera très bien s'ils se laissent tirer par le bon cheval qui est celui de la passion et de l'enthousiasme. Mais rien ne va plus, si c'est le cheval noir qui triomphe et si le pessimisme, toujours latent chez eux, se met à dominer. Que les parents et les éducateurs entretiennent donc ce dynamisme chez ces enfants et ne les accablent pas de critiques inutiles, ce qui pourrait leur être très préjudiciable. Attention à la diététique qui doit être particulièrement surveillée. Les points sensibles : le sens de l'équilibre et l'audition. Des ennuis gastriques peuvent surgir... qu'ils se méfient de la gourmandise !

□ **Sensorialité**

Dans ce domaine leur attitude aurait parfois tendance à être quelque peu hypocrite. Ils jouent souvent aux purs esprits alors que leurs petits démons de la sensualité se déchaînent ! Leur sexualité est parfois complexe. Des refus dus à des problèmes moraux ou religieux peuvent intervenir. Alors, ils se bloquent et il est difficile de les ramener à une saine conception des choses. Il existe même chez eux une méfiance de la femme qui se traduit par une certaine goujaterie...

□ **Dynamisme**

Il ne faut pas oublier que ce sont avant tout des constructeurs et que leur animal totem est le castor. Donc, ils possèdent un fort dynamisme, mais qui ne s'exprime qu'avec un certain retard. Il ne sert donc à rien de bousculer ces jeunes ! Il faut, au contraire, leur faire comprendre que chacun doit vivre à son rythme ; qu'il n'y a aucune honte à réfléchir longtemps avant d'agir et que les plus brillants ne sont pas forcément les plus efficaces.

□ **Sociabilité**

Ils sont sociables, avec discernement. Ils se servent intelligemment de leurs relations. Attentifs à tout, ils ne perdent pas une conversation et sont partout à la fois. Passionnés et passionnants, dotés d'une grande volonté, ils aiment leur famille, ils aiment les enfants. Leur moralité, comme leur santé, peut être double et ils sont capables du meilleur comme du pire. Chance moyenne, mais réussite volontaire excellente, qui fait presque toujours d'eux des triomphateurs.

□ **Conclusion**

Des êtres passionnants lorsqu'ils acceptent de ne pas jouer les « affreux jojos ». Il faudra, en effet, beaucoup de patience aux épouses de ces Paul et autres prénoms associés, pour résister à l'acidité de leurs propos ! Ce sont des tyrans de ménage qu'il faut tenir en main... et à distance, parfois !

PHILIPPE

Personnalité : *Celui qui brille.*

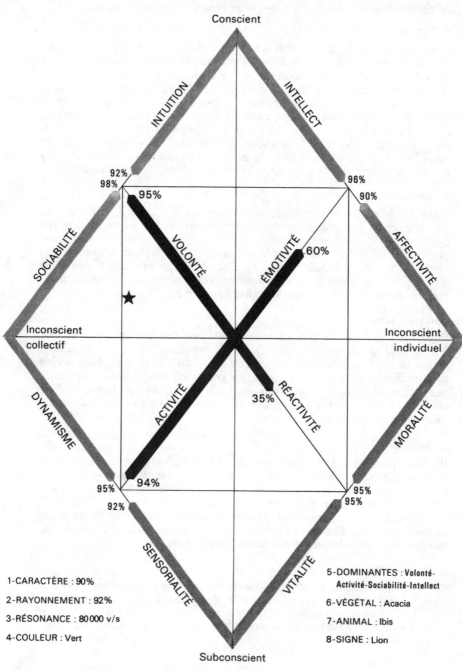

Conscient

INTUITION   INTELLECT

92%
98%   96%
95%   90%

SOCIABILITÉ   VOLONTÉ   ÉMOTIVITÉ   60%   AFFECTIVITÉ

★

Inconscient
collectif

Inconscient
individuel

ACTIVITÉ   RÉACTIVITÉ

DYNAMISME   35%   MORALITÉ

95%   94%
92%

95%
95%

SENSORIALITÉ   VITALITÉ

Subconscient

1-CARACTÈRE : 90%

2-RAYONNEMENT : 92%

3-RÉSONANCE : 80 000 v/s

4-COULEUR : Vert

5-DOMINANTES : Volonté-
Activité-Sociabilité-Intellect

6-VÉGÉTAL : Acacia

7-ANIMAL : Ibis

8-SIGNE : Lion

Philippe

et prénoms aux caractéristiques analogues

Adolphe	Gaston	Philibert	Théophile
Constant	Godefroy	*Philippe*	

□ **Type caractérologique**

Ce sont habituellement des êtres solaires, d'un caractère passionné, c'est-à-dire qu'ils sont très émotifs, très actifs mais avec des réactions quelque peu secondaires. Ce sont des personnalités brillantes, dont le comportement peut paraître mystérieux ; car on a l'impression, parfois, qu'ils viennent d'un autre monde. Leur animal totem est l'*ibis*, oiseau aux étranges pouvoirs. Ils sont d'ailleurs sûrs d'eux-mêmes, et l'on s'apercevra vite qu'ils ont des âmes de chef ; ils ne s'intéressent vraiment à une affaire que s'ils en détiennent les leviers. Ils sont très proches, également, de leur végétal totem, l'*acacia*, qui est le symbole même de l'initiation.

□ **Psychisme**

Ce sont des extravertis, c'est-à-dire que leur action ne s'épanouit que dans le cadre d'une participation totale à la vie sociale, professionnelle ou communautaire. Ils donnent la plupart du temps le sentiment d'être très équilibrés, de savoir où ils vont, et aussi de bien connaître les êtres qui les entourent. Ils sont peu influençables, mais, néanmoins, toujours prêts à recevoir les suggestions des autres.

□ **Volonté**

C'est évidemment la dominante de ce caractère débordant de possibilités. Rien ne les laisse indifférents et, jusqu'à leur plus grand âge, ils seront prêts à se lancer dans des aventures étonnantes. Ce sont des redresseurs de torts qui n'abandonneront jamais leur croisade.

□ **Emotivité**

Ils vibrent à tout ce qui est humain et leur émotivité est constante. Elle débouche sur une belle sensibilité, mettant constamment en valeur la présence de l'autre. Leur amitié est solide, sans être tyrannique. Ils n'ont pas besoin d'être payés de retour pour accorder cette amitié qui est généreuse et efficace. On dirait qu'ils parviennent à valoriser les êtres qui les entourent et les approchent. Les échecs les touchent peu.

□ **Réactivité**

Ils se dominent parfaitement et leurs réactions sont mesurées. Cependant, ne vous y fiez pas trop, car ils ont beau avoir la sagesse dans leur

343

cœur, ils ont aussi de la force dans leurs poings et il ne faut pas abuser de leur patience...

□ **Activité**

Elle est dévorante cette activité et revêt toutes les formes possibles. Pour réussir dans leurs études, il leur est nécessaire de bien choisir car ce ne sont pas des êtres à faire n'importe quoi pour obtenir des diplômes quelconques. Ils ont besoin de voir clair, de savoir où ils vont. Toutes les fonctions dirigeantes, depuis celles de contremaître jusqu'à celles de chef d'Etat, peuvent leur convenir, à condition qu'ils aient des responsabilités et puissent faire preuve d'initiative et d'esprit de décision. Il est difficile d'établir une liste limitative des professions que peuvent embrasser les Philippe et prénoms associés. En réalité, ce sont d'excellents metteurs en scène, de très bons écrivains, des hommes politiques, des chefs militaires, des techniciens et des chercheurs de pointe, des industriels, mais aussi des médecins ou des religieux aux vues prophétiques. Ils s'adaptent facilement et leur grande fécondité mentale fait d'eux des inventeurs de premier plan.

□ **Intuition**

Ils possèdent une vive intuition. A les voir et à les entendre, il semble qu'ils soient guidés, que quelqu'un leur souffle des solutions presque toujours exactes, aux différents problèmes de la vie. Leur séduction est grande, ils inspirent une confiance immédiate. Leur imagination est fertile, mais elle ne se perd jamais en rêveries inutiles.

□ **Intelligence**

Ils possèdent une intelligence d'une grande clarté, admirablement construite pour comprendre vite et bien, car elle est à la fois synthétique et analytique, ce qui leur permet d'avoir un aperçu général des problèmes, et, en même temps, d'en saisir les moindres nuances. Leur mémoire est remarquable et leur curiosité toujours en éveil.

□ **Affectivité**

Ils ont une affectivité large, tout en étant passionnés. Pour eux, s'exprimer sentimentalement, ce n'est pas faire de grandes phrases, c'est surtout agir, rayonner, avoir la foi. Il faudra encourager ces jeunes à se réaliser totalement mais sans les flatter, car ils deviendraient aisément orgueilleux.

□ **Moralité**

Une moralité sans problème ! On pourrait même dire qu'ils possèdent une moralité efficace sans en être tellement conscients ! Alors, ne compliquez pas la vie de ces enfants en leur serinant les articles d'un code de bonne conduite qu'ils ont naturellement en eux !
Habituellement, ils sont croyants avec une tranquille confiance qui s'apparente à la certitude qu'ils ont de voir, demain, le jour se lever une nouvelle fois.

344

□ Vitalité

Ils ont d'ordinaire une vitalité prodigieuse et même s'ils ont une activité irrégulière, même s'ils travaillent par à-coups, ils n'en conservent pas moins un équilibre précieux. Ils ont besoin de grand air, de soleil ; ils aiment beaucoup passer leurs vacances au bord de la mer. Qu'ils surveillent néanmoins leur système endocrinien qui risque de leur causer quelques ennuis.

□ Sensorialité

Elle est tellement bien intégrée dans le schéma caractériel qu'elle ne fait qu'un tout avec l'activité et le dynamisme. Il existe une force de vie qui s'exprime de toutes les manières et l'on comprendra que, généralement, ils aient une sensualité forte. Ces jeunes ont besoin qu'on les traite en adulte dès leur adolescence.

□ Dynamisme

Il est à la hauteur des circonstances et soutient merveilleusement l'activité débordante de ces hommes pleins de ressources. Ils savent être objectifs, et s'ils semblent, par moments, tyranniques, cela ne correspond en réalité qu'au besoin qu'ils ont de bien tenir en main leurs collaborateurs, pour œuvrer au maximum. Très tôt, on s'apercevra que ce sont des chefs dotés d'un magnétisme rare ; ils ont confiance en eux, et savent se dévouer, pour ne pas dire se sacrifier, à une cause en laquelle ils croient.

□ Sociabilité

Leur sociabilité est extrême, et ils la pratiquent avec beaucoup de classe. Ce sont des hommes élégants, sachant ce qu'il faut dire pour mettre les autres à l'aise, possédant une grande maîtrise d'eux-mêmes. Leur volonté et leur moralité sont en général excellentes et leur chance bonne. Leur réussite est souvent rapide et brillante. Ce sont des êtres qui « marquent » et que l'on n'oublie pas.

□ Conclusion

Très riche personnalité ! Pour s'en convaincre, il suffit d'examiner le schéma psycho-structurel qui, en une douzaine de pourcentages, nous indique les grandes tendances de ces types de prénoms. Ici, nous avons affaire à des êtres de grande surface caractérologique. Leur puissance est remarquable et il est rare de trouver une telle intensité dans les divers pourcentages caractériels. De grands bonshommes !

PIERRE

Personnalité : *L'homme de cœur.*

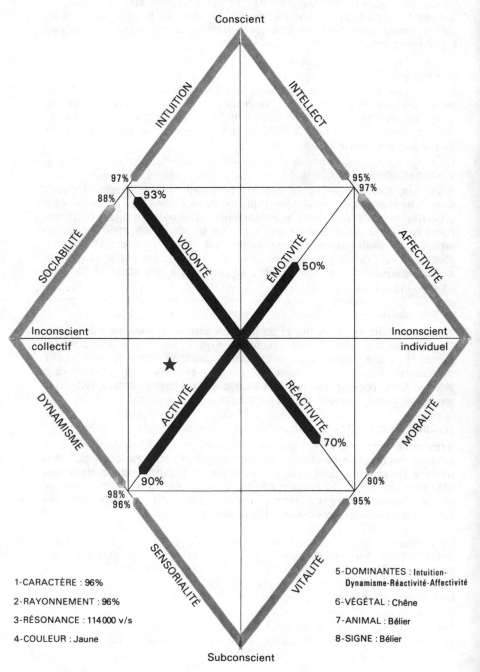

Conscient

INTUITION

INTELLECT

97%
88%
93%

95%
97%

SOCIABILITÉ

VOLONTÉ

ÉMOTIVITÉ 50%

AFFECTIVITÉ

Inconscient
collectif

Inconscient
individuel

DYNAMISME

ACTIVITÉ

RÉACTIVITÉ

MORALITÉ

70%

98%
96%
90%

90%
95%

SENSORIALITÉ

VITALITÉ

Subconscient

1-CARACTÈRE : 96%

2-RAYONNEMENT : 96%

3-RÉSONANCE : 114000 v/s

4-COULEUR : Jaune

5-DOMINANTES : Intuition-
Dynamisme-Réactivité-Affectivité

6-VÉGÉTAL : Chêne

7-ANIMAL : Bélier

8-SIGNE : Bélier

Pierre

et prénoms aux caractéristiques analogues

Bonaventure	Freddy	Irénée	*Pierre*
Cornille	Frédéric	Pablo	Pierrick
Didier	Frédérique (M)	Peter	Raphaël

□ **Type caractérologique**

Leur formule caractérologique nous indique que nous avons affaire à des colériques-nerveux toujours en ébullition, d'une belle émotivité, très actifs, un peu brouillons, parfois, en raison de leur forte réactivité qui les amène à réagir sur-le-champ avec violence. Indépendants, combatifs, n'en faisant qu'à leur tête, ils ne sont pas faciles à manier et s'il fallait leur choisir un animal totem, on les comparerait au *bélier*. Souvent ils ont aussi l'obstination immobile, éternelle, presque, de leur végétal totem : le *chêne*.

□ **Psychisme**

C'est un psychisme en forme de diamant. De loin, il répand un flot de couleurs chatoyantes ; de près, on se trouve en présence d'une multitude de facettes qui déconcerte et qui trouble... Si vous avez des enfants qui se prénomment ainsi, ne vous laissez donc pas séduire par le brillant de ces caractères, par les jeux de mots et les pitreries, et tenez bon la bride. Obligez-les à un travail régulier sous peine d'en faire des « papillons. »

□ **Volonté**

Elle est à éclipses. Tantôt cette volonté est de l'entêtement, tantôt elle est liée à l'imagination, tantôt ils jouent aux volontaires ! Il faut tout faire pour fixer la volonté de ces enfants en les incorporant à des groupes disciplinés, en leur proposant des actions structurées.

□ **Emotivité**

Leur émotivité est belle, nous l'avons vu, mais associée à l'aspect explosif de leur caractère, elle leur joue bien des tours. Ils n'ont alors qu'une idée en tête : s'enfuir et tout recommencer ailleurs. Ce sont des hommes qui voudraient toujours « repartir à zéro ». Ils sont secrètement influençables, toutefois il n'est pas recommandé de chercher à les convaincre sur l'instant. Ne les bousculez pas, laissez-les réfléchir. Ils rumineront les arguments que vous leur avez donnés et finiront par adopter votre point de vue. En réalité, ce sont des lents intérieurs. Ils ne s'adaptent pas très facilement et leur grande confiance en eux est souvent une façade. Ne vous laissez pas prendre à l'aplomb de ces enfants ; ils se font passer pour des « durs » afin d'avoir le temps de réfléchir.

□ **Réactivité**

On est « bélier » ou on ne l'est pas ! Pourquoi voudriez-vous que ces êtres ne soient pas débordants de coups de tête spectaculaires et d'agressions délirantes ! Il faudra bien vous habituer à ce style si vous voulez tenir ! Ce sont des contestataires qui ne se trouvent vraiment à l'aise que dans des situations en apparence inextricables. Ne les laissez pas tout compliquer à plaisir et empêchez-les de prendre la fuite. Ils sont très sensibles à l'échec. Leur découragement ne dure pas très longtemps, mais il est théâtral. Rassurez-vous, un autre projet les envahira bientôt ! Et ils repartiront comme en 14 !

□ **Activité générale**
Il faut souvent leur courir après pour obtenir un travail précis. Ils entreprennent plusieurs choses en même temps et les oublient en cours de route. Leur action manque de continuité. Ils travaillent par à-coups et il faut surveiller de très près ces enfants pour ne pas les laisser gambader comme des chiens fous dans la prairie. Les mots clefs : discipline et rigueur. Disons que leurs études risquent d'être émaillées d'épisodes déroutants. Rêveurs, indisciplinés, curieux, inattentifs, possédant une grande facilité d'étudier, mais paresseux, victimes de cette imagination qui fait d'eux de véritables « extra-terrestres », nous allons connaître avec ces petits « monstres » bien des vicissitudes. Ils sont peu doués pour les travaux manuels. Nous allons plutôt les retrouver comédiens, intellectuels étincelants, écrivains, journalistes incisifs, voire caustiques. Leur conscience professionnelle est grande. Leurs finances sont fluctuantes, ils ont besoin d'argent mais ne savent pas le garder, d'ailleurs, s'ils le gardaient, c'est qu'ils n'en auraient pas besoin !

□ **Intuition**
Quelle intuition ! Ce sont des voyants-nés, des pythonisses, des astrologues ! Leur psychologie spontanée est étonnante et ils s'en servent avec astuce et efficacité. Ecoutez-les ! Ils sont passionnants, mais ne vous laissez pas prendre à tous leurs pièges !

□ **Intelligence**
Habituellement intelligents, ils sont brillants mais instables ; un jour remarquables, le lendemain décevants. L'imagination prend le pas sur le rationnel. Ce sont des conteurs merveilleux mais freinez-les, sinon ils raconteront leur vie au lieu d'exister. Ils sont extravertis, c'est-à-dire qu'il leur faut un public pour vivre. Ils sont bateleurs dans l'âme et lorsqu'ils font leur « numéro » ils ont besoin de beaucoup de monde autour d'eux. Très subjectifs, ils colorent tout événement à leur fantaisie. Il est bon d'obliger les enfants portant ce prénom à se tenir le plus près possible de la vérité car ils n'ont pas une notion très nette de la frontière qui sépare le mensonge de l'affabulation. Hommes de cœur, ils sont prêts à donner leur chemise et ils ne font pas de différence entre la générosité et le gaspillage.

□ **Affectivité**
Leur exubérance a besoin de sympathie. Sous leur aspect « bélier », malgré leur côté fonceur, ils ont soif de tendresse et d'amour. Mais là encore, il faut savoir leur présenter cette tendresse. Si vous la leur imposez, ils fuiront. Si vous la leur refusez, ils fuiront aussi et se bloqueront. Difficiles à « dresser » et même à apprivoiser ! La famille, pour eux, les protège ou les gêne, selon le cas et selon la manière dont ils ont été élevés.

□ Moralité

Elle est bonne mais légèrement versatile et leur respect des engagements, leur fidélité ne sont pas toujours à la hauteur de leurs intentions. Quant à leur véracité, sans être volontairement altérée, elle est parfois sujette à caution. En réalité, il ne faut pas se laisser prendre à leurs propos cyniques. Très volontiers, ils démolissent tout ce qui est conformiste. Regardez-les donc vivre ! Ce sont fondamentalement des petits-bourgeois qui s'ignorent... Leurs croyances sont bonnes, mais ils auraient tendance à se fabriquer une religion à eux. Ils sont plus attirés par le mystère que par la foi du charbonnier.

□ Vitalité

La vitalité est excellente et si ce sont des nerveux, ils n'en possèdent pas moins une résistance remarquable. Points faibles : les os et les yeux. Bien surveiller la calcification de ces enfants lors de la puberté. Mais surtout qu'ils se méfient des excitants ou des euphorisants ! Il ne faudrait pas que leur complexe de fuite les conduise à quelque toxicomanie catastrophique...

□ Sensorialité

Ne vous laissez pas prendre — une fois de plus — à leurs airs éthérés ! Ils possèdent une très solide sensorialité et ils cachent sous des mines détachées des trésors de gourmandise inavoués et pas toujours avouables. Leur imagination débridée, ajoutée à une forte sexualité, va bientôt leur compliquer la vie. Ils ne sauront jamais tout à fait s'ils vivent leur amour ou s'ils le rêvent. D'où, des refoulements sentimentaux nombreux ! Ils plaisent beaucoup aux femmes. Leur séduction est grande et ils ont du charme, tout en possédant un sens profond de l'amitié.

□ Dynamisme

D'une efficacité frisant à certains moments la démence ! C'est peu de dire qu'ils en font trop ! C'est, parfois, le « cirque » à l'état pur. Ce sont des bluffeurs-nés. Mais uniquement lorsque cela les amuse ! Pour tenter un coup « marrant » ! Sinon ils tombent dans l'indifférence ou se mettent à jouer les timides et à se cacher dans leur coin.

□ Sociabilité

Ils ont la sociabilité de leur fantaisie. Quand ils ont envie de faire leur numéro, c'est un véritable feu d'artifice de jeux de mots, d'allusions subtiles, de « vacheries » merveilleusement placées ! Si pour une raison ou pour une autre ils se ferment, alors, c'est le sabotage organisé de la soirée ! Ils donnent l'impression de savoir commander et pourtant ce sont rarement des chefs. Ils aiment la société et la méprisent. Ils sont à la fois diplomates et insolents. A certains moments on ne sait plus par quel bout les prendre, à d'autres, ce sont des anges !

□ Conclusion

Ils ont de la chance toute leur vie et particulièrement dans la seconde moitié de leur existence. Cette chance a une grande part dans leur réussite. Toutefois, comme ils ont tendance à être fatalistes, il faut veiller à ce qu'ils ne tombent pas dans le piège de l'attentisme. S'ils sont dotés d'une bonne structure mentale, soumis à une forte discipline et participent à une vie familiale stable, tout leur est possible. S'ils commencent à papillonner, bien malin qui les rattrapera !

RAYMOND

Personnalité : *Celui qui tire, celui qui entr'ouvre.*

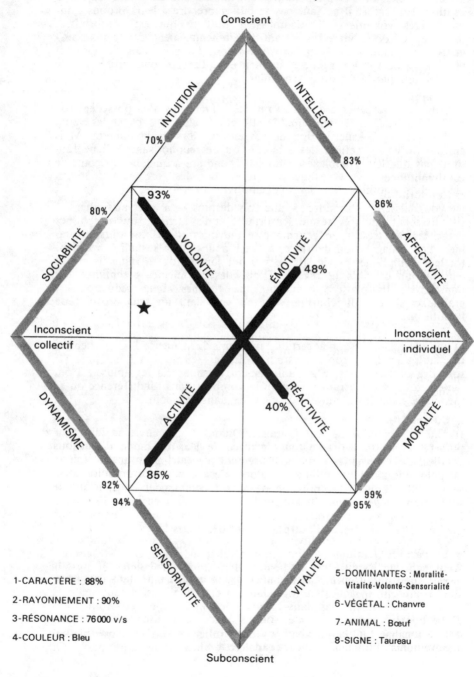

Conscient

INTUITION 70%

INTELLECT 83%

VOLONTÉ 93%

SOCIABILITÉ 80%

AFFECTIVITÉ 86%

ÉMOTIVITÉ 48%

★

Inconscient collectif

Inconscient individuel

ACTIVITÉ 85%

RÉACTIVITÉ 40%

DYNAMISME 92% 94%

MORALITÉ 99% 95%

SENSORIALITÉ

VITALITÉ

Subconscient

1-CARACTÈRE : 88%

2-RAYONNEMENT : 90%

3-RÉSONANCE : 76 000 v/s

4-COULEUR : Bleu

5-DOMINANTES : Moralité-Vitalité-Volonté-Sensorialité

6-VÉGÉTAL : Chanvre

7-ANIMAL : Bœuf

8-SIGNE : Taureau

Raymond

et prénoms aux caractéristiques analogues

Adrian	Hubert	Ramon	Renaud
Adrien	Loïc	Ramuntcho	Thierry
Habib	Oswald	*Raymond*	

□ Type caractérologique

Ordinairement, ces types de caractères sont des forces de la nature. D'un bon équilibre, ils ont une émotivité intéressante, une activité et des réactions moyennes, ce qui fait d'eux des sentimentaux flegmatiques. Ils sont patients, obstinés, économes, souvent discrets dans leurs actions, mais ils vont jusqu'au bout et c'est cela le plus important. Leur animal totem est le *bœuf*. C'est donc bien le symbole de la « traction » et cela veut dire qu'ils entraînent les autres parfois malgré eux. Ils ne font pas de détail ! Ils foncent et ils entrouvrent, ce qui implique une diplomatie efficace mais ferme.

□ Psychisme

Ce sont des extravertis, c'est-à-dire qu'ils participent effectivement à la vie du monde. Ils mettent la main à la charrue, et n'hésitent pas à payer de leur personne. Ils sont peu influençables, très objectifs, et s'ils ont naturellement une âme de propriétaire, ils ne sont pas captatifs, ils ne cherchent pas à tout s'approprier à n'importe quel prix ! Leur confiance en eux est raisonnable, et il leur arrive même d'être un peu timides.

□ Volonté

Elle est explosive et déborde largement sur l'activité. D'ailleurs l'examen de notre schéma psycho-structurel montre à quel point cette volonté s'étend sur les autres indices. Et c'est aussi une volonté « volontaire » qui cherche à se prouver qu'elle existe. D'où ces coups de tête qui ne font pas toujours avancer les choses.

□ Emotivité

Ils se méfient de leur émotivité. Ils se méfient, d'ailleurs, de tout ce qui peut paraître féminin et l'intuition n'échappe pas à cet ostracisme... Leur sens de l'amitié est immense, leurs amis sont sacrés et ils leur manifestent une dévotion de chien de garde. Ne vous avisez pas de dire, devant eux, du mal de ceux qu'ils aiment !

□ Réactivité

Elle est calme ! Cela ne veut pas dire qu'ils ne sont pas capables de mouvements d'humeur, voire de colère ! Mais ça ne dure pas... On

351

revient vite à la patiente obstination qui, dans l'absolu, devrait renverser tous les obstacles... Les échecs ne les touchent guère, ils reprennent le manche de la charrue et refont le sillon plus profond, plus droit. Ils ont une tendance au refoulement sentimental par manque de psychologie féminine.

□ Activité

Bizarrement, elle est assez moyenne alors que, nous l'avons vu, la volonté la dépasse nettement. Une explication à cela : cette activité est lente et discrète, et parfois, il arrive que ces hommes n'aient pas le temps de conduire leurs expériences jusqu'à leur terme. Ils ne sont pas assez rapides pour ce monde trop pressé ! Ce sont ordinairement des « bûcheurs » qui ne cherchent pas à rivaliser avec les autres élèves mais qui les ont à l'usure. Dans ces conditions, il est bien évident que le choix d'une profession sera précoce et, très tôt, ces enfants sauront ce qui les intéresse. Parfois ils reprendront la situation des parents ou bien une profession annexe. D'une manière générale, ils sont attirés par tout ce qui demande un effort continu et dont les résultats sont visibles : agriculteurs, artisans, architectes, ingénieurs des travaux publics, ce sont des gestionnaires de grande classe. Ils peuvent devenir également des militaires disciplinés, fidèles, et leur conscience professionnelle est vraiment remarquable. Certes ils ne s'adaptent pas très facilement, mais quand la machine est en marche, il est difficile de l'arrêter.

□ Intuition

C'est un mot qui ne veut pas dire grand-chose pour eux, car ils pèsent trop le pour et le contre pour se laisser influencer par une vague notion « visionnaire ». Leur séduction est un peu lente mais efficace et leur imagination entièrement mise au service de leur action.

□ Intelligence

Ils sont doués d'une bonne intelligence dont ils se servent avec beaucoup d'efficacité, sans chercher à briller. Leur intelligence est analytique, c'est-à-dire qu'ils savent très bien décomposer une situation en tous ses éléments. Ils pèsent tout ce qu'ils font, tout ce qu'on leur dit, tout ce qu'ils imaginent. Ils n'avancent un pied que lorsque l'autre est bien assuré et n'entreprennent une opération que lorsqu'ils en ont étudié toutes les modalités. Il ne faudra pas bousculer ces enfants, tout en essayant, malgré tout, de développer chez eux une notion plus immédiate de l'action. Il faudra surtout leur expliquer clairement ce qu'on attend d'eux, sans hâte ni nervosité.

□ Affectivité

Ils ont un certain mal à exprimer leurs sentiments les plus intimes, les formules éblouissantes ou toutes faites les gênent. Toutefois, quand ils aiment, cela se traduit par un attachement et un sens du dévouement difficiles à briser. Les parents doivent savoir que ces enfants ont besoin de beaucoup de compréhension et que leur amour, quoique flegmatique, n'en est pas moins de l'amour.

□ Moralité

Elle est remarquable. Ce sont des hommes à principes. Le blanc est blanc, le noir est noir et ceux qui ne veulent pas accepter ce manichéisme de base ne sont pas des gens « sérieux ». C'est d'ailleurs un mot qui revient souvent dans leurs propos, et c'est ainsi que leur morale est « sérieuse », sans concession, sans faiblesse. Et leurs croyances ? Eh bien, ils suivent le sillon de la religion des parents, ou alors, ils sont franchement irréligieux ! Ces questions ne semblent d'ailleurs pas les inquiéter outre mesure. Ils possèdent cette dualité qui appartient à leur végétal totem, le *chanvre,* plante mi-aquatique, mi-terrestre.

□ **Vitalité**

Une vitalité de bœuf. Tous leurs parents, amis, collaborateurs tombent comme des mouches, sans parler de leurs épouses ! Quant à eux, ils avancent de cette démarche un peu lourde et inimitable... Leur santé est habituellement solide et, chez eux, le physique arrive à dominer tout le reste. Ils vivent selon leur instinct qui est excellent. Très jeunes, ils auront besoin de grand air, d'exercice, il serait idéal que, parallèlement à leurs études, ils fassent de la compétition sportive. Attention à l'alcool ! Il ne faut pas qu'ils surestiment leur force. Les épaules, chez eux, sont un point sensible, ainsi que les reins et le foie. Se méfier de l'embonpoint.

□ **Sensorialité**

La sensorialité est du même niveau que la vitalité ; elles sont liées l'une à l'autre au point que l'on ne sait plus très bien où commence l'une et où finit l'autre. Cette sensualité ne se distingue pas par sa finesse ! Elle sera si l'on peut dire, plus quantitative que qualitative. Leur sexualité, qui est forte et souvent en avance sur leur âge, est presque toujours dépendante de leur sentimentalité. Elle ne pose pas, d'ordinaire, de problèmes trop importants.

□ **Dynamisme**

Il est curieux de constater que leur dynamisme est plus important que leur activité. Cela est étrange car on voit mal comment ces types de caractères pourraient en dire plus qu'ils n'en font ! Et pourtant le fait est là ! Très souvent, les Raymond et les prénoms apparentés, se laissent entraîner dans des entreprises qu'ils ont du mal à dominer car, justement, leurs actions ne sont pas toujours à la hauteur de leurs conceptions. Il faudra donc inciter ces jeunes gens à ne pas promettre plus qu'ils ne peuvent tenir ! Cela est aussi valable pour les adultes...

□ **Sociabilité**

On ne peut pas dire que leur sociabilité soit exceptionnelle, mais ils reçoivent simplement, avec beaucoup de cœur. Quant à leur chance, ils la portent sur leurs épaules et, s'ils réussissent, c'est grâce à leurs efforts continus et obstinés. Raison de plus pour ne pas trébucher !

□ **Conclusion**

Des hommes d'une grande fidélité, d'une grande rigueur. Malheureusement, parfois, ils manquent de psychologie spontanée, d'intuition et c'est à ce niveau-là qu'ils sont le plus vulnérables. De toute manière, ce sont des caractères remarquables et qui laissent une « trace »... Donc, un bon conseil, suivez le « bœuf »... il a le mérite de marcher droit !

353

ROBERT

Personnalité : *L'homme au bâton, celui qui frappe.*

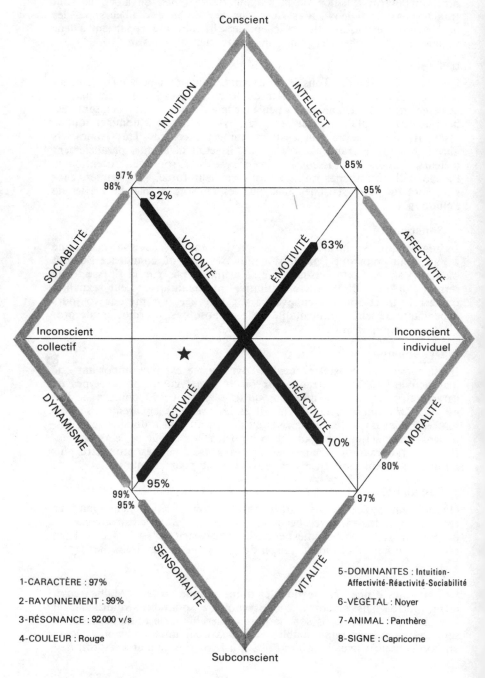

Conscient

INTUITION — INTELLECT

85%
97%
98%   95%
92%

SOCIABILITÉ   AFFECTIVITÉ

VOLONTÉ   ÉMOTIVITÉ   63%

Inconscient   Inconscient
collectif   individuel

★

DYNAMISME   ACTIVITÉ   RÉACTIVITÉ   MORALITÉ

70%

80%
99%   95%
95%   97%

SENSORIALITÉ   VITALITÉ

Subconscient

1-CARACTÈRE : 97%

2-RAYONNEMENT : 99%

3-RÉSONANCE : 92 000 v/s

4-COULEUR : Rouge

5-DOMINANTES : Intuition-
   Affectivité-Réactivité-Sociabilité

6-VÉGÉTAL : Noyer

7-ANIMAL : Panthère

8-SIGNE : Capricorne

Robert

et prénoms aux caractéristiques analogues

Barnard	Erich	Géry	*Robert*
Eric	Erick	Landry	Romuald

□ Type caractérologique

La formule caractérologique de ces « prénoms-caractères » indique qu'il s'agit de colériques à la très forte émotivité et à la non moins forte activité, qui se trouvent, en quelque sorte, à la frontière des passionnés. Ils réfléchissent avant de s'emballer et certaines de leurs « explosions » sont parfois feintes, ce qui leur permet de se ménager une porte de sortie. S'il fallait les assimiler à un animal totem, nous choisirions la *panthère*. Leur végétal totem étant le *noyer,* à l'ombre parfois « traîtresse »...

□ Psychisme

Contrairement à ce que l'on pourrait croire, leur psychisme est relativement délicat. Et l'on en vient à se demander si, malgré tout, il ne se cache pas une certaine faiblesse de caractère derrière cette façade impressionnante. Cela ne diminue en rien leur mérite, bien au contraire, et donne à ces êtres une « aura » de courage méritée. Enfin, ils sont plus rancuniers qu'ils ne veulent l'avouer...

□ Volonté

Une volonté qui se voudrait d'acier et qui est fort efficace à ce détail près qu'elle aurait tendance à devenir de l'entêtement, ou même de l'agressivité, quand le partenaire se rebiffe et refuse de jouer les victimes consentantes... On est « panthère » ou on ne l'est pas... Disons aussi que cette volonté, bien souvent, se tranforme en un « sacré culot » ! Mais souvent, la réussite est à ce prix !

□ Emotivité

Elle est grande mais contrôlée. Ils foncent, mais leur intuition, qui est vive, les conduit par la main au milieu des pires embûches. Ils sont relativement influençables et sont troublés lorsqu'on les attaque sur leur propre terrain, il arrive alors qu'ils rompent le combat. Ils s'adaptent merveilleusement à tous les modes de vie et retombent toujours sur leurs pieds. Quant à leur confiance en soi, elle est stupéfiante ! Elle confine à l'agression lorsqu'ils se mettent en tête de réussir.

□ Réactivité

Les Robert — et bien sûr les prénoms assimilés, mais à des niveaux un peu décalés — possèdent incontestablement la palme de la réactivité. Avec eux, on ne saurait se demander s'ils vont réagir ou non mais bien si ce sera le drame ou non ! Irritables, susceptibles, bondissants, agressifs, comédiens, il leur arrive de faire un « cirque » incroyable qui impressionne leur entourage pendant quelque temps. Ne pas laisser à ces enfants le loisir de faire leur numéro...

355

□ Activité

Ils saisissent la chance par les cheveux, ce sont des accrocheurs, toujours sur la brèche, qu'il ne faut jamais laisser sans occupation. Que ces enfants mettent la table, jardinent, fassent les courses, qu'importe ! L'essentiel est qu'ils ne soient jamais oisifs sous peine de développer des complexes ou, ce qui est plus grave, de les amener à s'occuper eux-mêmes de leurs loisirs, et cela de la manière la moins orthodoxe en piétinant les plates-bandes du voisin, au propre comme au figuré. Ils ont tendance à penser : « A quoi bon les études ? Je me débrouillerai toujours... » C'est souvent vrai, mais il ne faut pas laisser ces enfants s'engager dans cette voie dangereuse. Très jeunes, ils sont habiles de leurs mains et se rendent compte de leur valeur professionnelle. S'ils arrivent au bout de leurs études, ils feront des ingénieurs de premier plan, de remarquables vendeurs, surtout dans l'immobilier. Excellents financiers, ils savent gagner de l'argent et bien le placer. L'imagination est avant tout pratique, l'attention très grande. Ils sont capables de se soumettre à une discipline sévère lorsqu'ils veulent réussir. Vive curiosité et grande conscience professionnelle.

□ Intuition

Ce sont les champions de l'intuition — catégorie homme — et, comme ils ont un sens des affaires des plus intéressants, ils vont se servir de ce véritable don de prophétie pour se construire une réputation d'hommes infaillibles... ou tout simplement fonder une religion !

□ Intelligence

Ils sont d'une intelligence plus pratique que spéculative. Nous verrons plus loin que ce sont des commerçants remarquables et qu'ils savent convaincre avec une force de persuasion peu commune. En même temps, ils peuvent être d'une patience, d'une diplomatie, d'une ruse des plus payantes. Ils n'oublient rien et ne font guère de cadeaux, sauf si leur intérêt le commande. Leurs opinions sont définitives ; ils vous assènent des affirmations sans appel avec une précision redoutable, mais toujours dans un but bien déterminé. Autrement dit, quand ils agissent, c'est presque toujours avec une idée derrière la tête, tout cela étant mis au service d'une cause supérieure qu'ils défendent avec passion... et qui correspond souvent à leurs intérêts !

□ Affectivité

Ils ont besoin qu'on les aime, qu'on le leur dise, qu'on les accable de déclarations permanentes de tendresse et d'amour. Ils sont sensibles à la flatterie affective ou sociale et, pour eux, l'approbation est indispensable. A leur yeux, la famille est sacrée, même si, en dehors d'elle, ils font ce qu'ils veulent. Il faut en effet bien comprendre qu'ils évoluent sur deux plans distincts, le sacré et le profane. La famille est sacrée, le profane permet bien des fantaisies...

□ Moralité

Là aussi, cette moralité a tendance à être double. Dans son principe, elle est impeccable. Dans son application viennent jouer des raisons d'État qui, pour ne pas être personnelles, n'en conduisent pas moins à des situations inquiétantes ! Ils ont une foi profonde mais elle a des limites fluctuantes qui leur donnent la possibilité de dissocier la métaphysique des affaires, et donc du monde matériel. Ils ne sont donc jamais totalement en opposition avec qui que ce soit, car il existe toujours pour eux un terrain d'entente, surtout si cette entente a lieu après l'une de ces grosses colères dont ils ont le secret. Vous comprendrez, après cela, que l'échec les touche peu. C'est la balance : un plateau baisse, l'autre monte et ils ont plein de « trucs » pour faire monter le plateau !

□ Vitalité

Leur vitalité est prodigieuse. Grande résistance à la fatigue. Points faibles : violents maux de tête, digestions difficiles. Ils ont besoin de beaucoup dormir. Ils sont naturellement prudents et leur habileté les fait échapper à de nombreux dangers. A condition, toutefois, qu'ils ne cèdent pas à leur nervosité qui, parfois, envahit le psychisme et le submerge. Il leur arrive aussi de se « fabriquer » des maladies ! Cela s'appelle le « psycho-somatisme »...

□ Sensorialité

On peut dire qu'ils mordent dans la vie à pleines dents ! Vivre c'est conquérir, c'est posséder, — même au nom de principes élevés — c'est entraîner les autres dans des aventures souvent fantastiques et sans trop se préoccuper de la « casse ». Mais, après tout, on ne fait pas d'omelette... Leur possessivité apparaîtra très tôt sur le plan des relations féminines. Extrêmement masculins, ils affirmeront de bonne heure leur caractère de séducteur « à la hussarde », tout en jouant d'un charme fort efficace qu'ils auront essayé, enfants, sur toutes les personnes de leur entourage. L'amitié représente pour eux une valeur essentielle ; elle devient d'ailleurs vite tyrannique. Dire qu'ils sont possessifs est peu, puisque, dans leur esprit, seul ce qui leur appartient existe... ou presque !

□ Dynamisme

C'est bien « l'homme au bâton », « celui qui frappe » ! Ce dynamisme soutient, en effet, l'activité considérable de ces types de prénoms. Notre schéma, à ce propos, est particulièrement explicite. Oui, mais voilà ! Ce dynamisme plafonne au plus haut niveau et les amène à en faire, parfois, un peu trop ! On n'a pas peur du bluff et l'argumentation, souvent véhémente, dépasse la qualité du produit ! Mais, ça marche ! C'est le principal...

□ Sociabilité

En fonction de ce qui précède, il est facile de deviner que ces types de caractère nagent comme des poissons dans l'eau au sein de la foule et au milieu des réunions. Leur volonté est forte et les conduit à se « cramponner » à tout ce qui leur résiste. Leur moralité est bonne, même si leurs procédés de persuasion sont parfois déconcertants. Ils sont très attirés par l'argent et il faut apprendre à ces enfants à en faire bon usage. Pour ce qui est de le gagner, ils se débrouilleront toujours !

□ Conclusion

Nous avons là des êtres qui se « défendront » bien dans la vie et qui ne se laisseront pas abattre. Leur chance est moyenne, mais ils arrivent par leur travail et leur obstination. Il faut leur faire confiance et leur donner très tôt des responsabilités importantes. Ils réussissent en se fiant à leur flair. Evitez de les bloquer par une méfiance injurieuse, mais ne les ratez pas s'ils essayent de trop tirer sur la corde qui les lie à votre autorité de parents. Vous le savez bien ! Il faut une bonne chaîne pour tenir une « panthère » en laisse !

THÉRÈSE

Personnalité : *Celle qui porte la bonne étoile.*

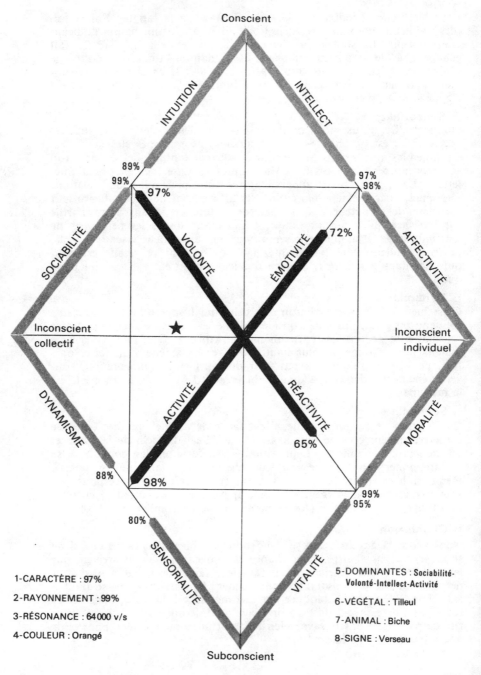

Conscient

INTUITION

INTELLECT

89%
99%
97%

97%
98%

72%

VOLONTÉ

ÉMOTIVITÉ

SOCIABILITÉ

AFFECTIVITÉ

Inconscient
collectif

★

Inconscient
individuel

ACTIVITÉ

RÉACTIVITÉ

DYNAMISME

MORALITÉ

88%

98%

65%

99%
95%

80%

SENSORIALITÉ

VITALITÉ

Subconscient

1-CARACTÈRE : 97%

2-RAYONNEMENT : 99%

3-RÉSONANCE : 64000 v/s

4-COULEUR : Orangé

5-DOMINANTES : Sociabilité-
Volonté-Intellect-Activité

6-VÉGÉTAL : Tilleul

7-ANIMAL : Biche

8-SIGNE : Verseau

Thérèse

et prénoms aux caractéristiques analogues

Adnette	Delphine	Larissa	Pascale
Aurore	Eléonore	Léa	Pascaline
Benoîte	Emeline	Lila	Rachel
Bienvenue (F)	Emma	Lucia	Rachilde
Claude (F)	Emmanuelle	Lucie	Ségolène
Claudette	Emmeline	Lucienne	Séverine
Claudia	Florence	Marcelle	Thérésa
Claudie	Gaétane	Marcellia	*Thérèse*
Claudy	Gilberte	Maximilienne	
Daisy	Honorine	Nancy	

□ **Type caractérologique**

Ce sont des êtres très attachants, dont toute la vie est conditionnée par le désir d'établir un équilibre valable entre les deux tendances qui se partagent leur caractère : une disposition légèrement colérique, et un sens profond du dévouement. Leur animal totem est la *biche,* ce qui explique bien leur émotivité et l'anxiété qui parfois s'empare d'elles. Cela étant compensé par le rassurant et lénifiant *tilleul,* qui est leur végétal totem.

□ **Psychisme**

Ce sont des extraverties qui ont toujours un œil sur le monde. Elles seraient très malheureuses si elles laissaient passer une occasion de rendre service, de se dévouer ; elles sont peu influençables, et ont un grand sens de l'honneur. Tout manquement à une certaine rigueur de conduite déclenche habituellement chez elles des réactions violentes. Elles ont horreur d'être trompées, dupées. Elles sont très objectives et capables de se donner à fond et de sacrifier tout ce qu'elles possèdent, y compris leur vie. Elles ont confiance en elles lorsqu'elles ont une mission précise à accomplir, sinon elles retournent à la timidité nerveuse de la biche.

□ **Volonté**

C'est une volonté étonnante, non pas tellement en raison de son intensité, mais bien de sa qualité. Si nous osions employer le terme, nous dirions que nous sommes en présence d'une volonté « alchimique », c'est-à-dire capable de transmuer la matière même du caractère pour lui donner une nature nouvelle, plus humaine, plus responsable, plus consciente !

□ **Emotivité**

C'est une des plus fortes émotivités qu'il nous soit donné de rencontrer ! On comprend donc que la nervosité de ces femmes soit importante et cependant elles ne versent jamais dans des troubles gênants. Elles réussissent à sublimer cette émotivité en la tournant vers une activité dévorante et passionnante.

□ Réactivité

A considérer les pourcentages de réactivité et d'émotivité que nous propose notre schéma psycho-structurel, on pourrait s'attendre au pire ! Bien des caractères voleraient en éclats pour moins que cela. Eh bien, pas du tout ! Elles restent, en principe, parfaitement maîtresses d'elles-mêmes...
Il est facile de deviner, d'après ce qui précède, qu'elles ont un sens vrai de l'amitié. Elles sentent cruellement, au fond de leur cœur, que ce monde d'égoïsme dans lequel nous vivons est faux et rien ne leur est plus agréable que de rendre un peu de chaleur à une âme dans la tristesse ou dans la solitude.

□ Activité

Nous avons vu que cette activité faisait contrepied à l'émotivité très importante de ce type de personnalité. Une activité multiforme, large, qui leur donne ce rayonnement dont nous ne cesserons de parler. Il y a souvent chez elles une certaine humilité qui leur fait accepter les études comme étant un cadeau précieux de leurs parents et dont il faut user avec respect. Généralement mûres avant l'âge, disciplinées, ayant une grande conscience professionnelle, elles considéreront volontiers leur future profession comme l'apprentissage de leur vie tout entière ! Ce sont, avant tout, des gardiennes de foyer et, par conséquent, d'admirables mères de famille. Elles deviendront également infirmières, pédiatres, hôtesses, restauratrices, etc.

□ Intuition

Elles ont de l'intuition, mais elles s'en méfient. On a l'impression qu'elles ne veulent avoir, pour agir, que les raisons qu'elles tirent de leur philosophie personnelle. Elles ont un code d'action, et elles s'y tiennent et, bien souvent, il s'agit d'un véritable code d'honneur...

□ Intelligence

Elles possèdent une intelligence synthétique ; c'est-à-dire qu'elles prennent conscience rapidement de l'ensemble des donnés d'un problème, ce qui leur permet de faire face à des situations souvent inextricables. Elles ont une très belle mémoire, surtout affective ; leur curiosité est forte, mais saine.

□ Affectivité

Bien qu'elles ne soient heureuses que lorsqu'elles partagent, il ne faut pas en déduire que toutes ces femmes sont des saintes, mais la « fourchette » de leur disponibilité personnelle est très large ; cela va de la propriétaire de restaurant qui accueille sa clientèle avec un charmant sourire, à la religieuse qui, en souriant elle aussi, se consacre aux lépreux. Elles ont, habituellement, horreur du flirt et de tous les « jeux » qui touchent de près, ou de loin, à l'affectivité. Vous voilà prévenus...

□ Moralité

Comment, sachant cela, ne trouverions-nous pas chez elle une moralité d'une force exceptionnelle ? Et pourtant, elle n'a rien d'agressif... En effet, ce type de caractère — infiniment ouvert à la vie communautaire — cherche des excuses aux erreurs des autres tout en ne se pardonnant rien à soi-même... Comportement trop rare pour qu'il ne soit pas souligné ! D'une manière générale, elles sont animées d'une foi profonde et secrète, sans chercher à trouver des explications à leurs croyances : pour elles, la plus belle des prières, c'est l'action.

□ Vitalité

Leur vitalité est, la plupart du temps, excellente et résiste à la fatigue et même au surmenage. Sans « s'écouter » elles savent apporter aux autres cette joie de vivre qui est le commencement de toute guérison. Il faut toutefois qu'elles surveillent leur système sympathique, dont le déséquilibre, même léger, pourrait provoquer des troubles. Attention aux reins et à l'appareil génital !

□ Sensorialité

Elle est raisonnable et raisonnée. Il n'existe sans doute pas de caractères féminins où les pulsions de la sensualité soient aussi contrôlées. Elles appliquent constamment ce « non nobis », — rien pour nous — qui fait d'elles des épouses aimantes et fidèles et des mères admirables. Là encore, nous retrouvons cette absence d'égoïsme qui les caractérise. Leur séduction est puissante, mais elles ne cherchent pas à charmer avec les mêmes armes que beaucoup d'autres femmes. On les sent attentives, prêtes à servir ; en réalité, elles ont une âme de mère que rien ne pourra jamais leur faire perdre.

□ Dynamisme

Il ne joue pas un rôle essentiel dans la mesure où ces êtres n'ont pas besoin d'obéir à une motivation précise. Toute leur vie est un élan vers le prochain et elles ne sauraient s'encombrer de tout un système complexe d'intérêts... Elles vivent, elles éclairent, elles réchauffent... La « lumière » de ce monde, solitaire et glacé...

□ Sociabilité

Que dire de leur sociabilité, si ce n'est que nous retrouvons chez elles un reflet de la ferveur des « mères » qui accueillaient jadis les Compagnons du Tour de France ? Au milieu des mondanités, comme au chevet des malades, elles ont ce sourire qui réconforte et qui guérit. Elles ne s'occupent pas de leur chance, elles la font. La réussite, pour elles, c'est de recevoir une réponse affirmative de la part de ceux à qui elles demandent : « Es-tu heureux ? »

□ Conclusion

Quelle richesse de caractère chez ces Thérèse et prénoms assimilés ! Certes, ce prénom n'est peut-être pas à la mode, et c'est regrettable, mais il porte en lui une telle puissance, un tel amour, une telle potentialité, que l'on devrait bien se souvenir dans ce monde en folie, en armes, qu'il existe des femmes charmantes et rayonnantes « qui portent la bonne étoile »... Mais, heureusement, il y a les prénoms « associés ».

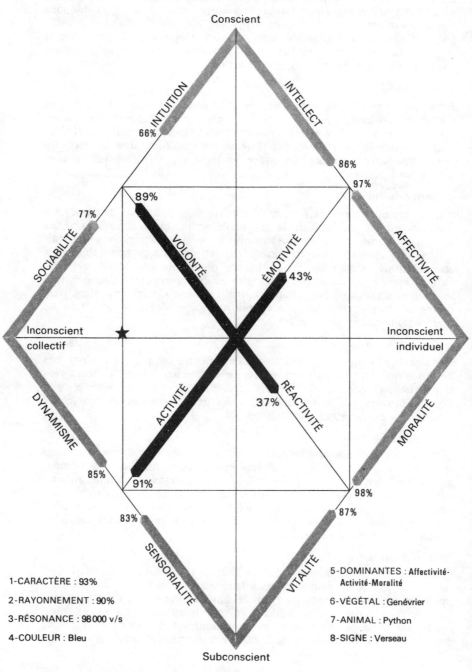

THOMAS

Personnalité : *Celui qui récolte.*

Conscient

INTUITION 66%

INTELLECT 86%

97%

89%

VOLONTÉ

77%

SOCIABILITÉ

AFFECTIVITÉ

ÉMOTIVITÉ 43%

Inconscient collectif

Inconscient individuel

DYNAMISME

ACTIVITÉ

RÉACTIVITÉ 37%

MORALITÉ

85%

91%

98%

83%

87%

SENSORIALITÉ

VITALITÉ

Subconscient

1-CARACTÈRE : 93%

2-RAYONNEMENT : 90%

3-RÉSONANCE : 98000 v/s

4-COULEUR : Bleu

5-DOMINANTES : Affectivité-Activité-Moralité

6-VÉGÉTAL : Genévrier

7-ANIMAL : Python

8-SIGNE : Verseau

Thomas

et prénoms aux caractéristiques analogues

Alain	Dirk	Pamphile	Rudy
Aubin	Imré	René	*Thomas*
Boniface	Josse	Robin	Wenceslas
Caste	Josselin	Rodolphe	
Corentin	Léandre	Rudolf	

□ Type caractérologique

Il y a chez ces « prénoms-caractères », deux personnages qui s'affrontent. Ils sont ceux qui sèment et en même temps ceux qui récoltent, mais, fait étrange, entre le moment où ils ont lancé une graine et le moment où ils font la moisson, il arrive souvent que leur personnalité évolue. Au point que leur scepticisme initial se tranforme en ardente conviction par le jeu d'une mutation remarquable. Comme tout un chacun, ils peuvent se tromper, mais c'est toujours de bonne foi, car ils sont profondément sincères.

□ Psychisme

Ils sont assez proches, au point de vue caractère, de leur animal totem, le *python*. Comme lui, ils essaient d'insérer les êtres et les événements dans les anneaux de leur logique. Car ce sont des logiciens dont l'intelligence structurée s'appuie sur des réalités profondes. Très peu influençables, objectifs, capables de se donner à fond lorsqu'ils sont convaincus, ils ne trouvent la parfaite confiance en soi que dans la certitude. Ils sont un peu rugueux de caractère et il faudra que les parents s'astreignent à arracher ces enfants à un matérialisme qui pourrait, plus tard, les dessécher. D'ailleurs, ils ne croient guère aux contes de fées... Ils ressemblent à l'arbuste épineux qui est leur végétal totem : le *genévrier*.

□ Volonté

C'est une volonté à « saccades ». Pendant un temps, elle se manifestera avec une puissance remarquable et puis elle se mettra en sommeil comme si elle avait employé toute son énergie et que, les batteries à plat, il fallait qu'elle se recharge.

□ Emotivité

Une émotivité qui reste à sa place et qui ne vient pas « ruer dans les brancards » à propos de tout et de rien. Lorsque le psychisme de ces jeunes est en période de « basses eaux », il convient de ne pas insister et, tout en les maintenant à un niveau d'activité honorable, de ne pas les harceler inutilement... ces temps morts ne sont pas inutiles.

363

□ Réactivité

Elle semble assez faible et l'on retrouve un mode de réaction correspondant bien à la volonté et à l'émotivité. Ils sont du type « secondaire » c'est-à-dire que ces êtres ont des réactions légèrement décalées. Ils possèdent « l'esprit d'escalier » et ne pensent qu'après coup à ce qu'ils auraient dû faire au moment de l'événement.

□ Activité

Notre schéma psycho-structurel nous indique que l'activité est un peu plus forte que la volonté. Cela démontre qu'en cas de légères difficultés, ces hommes se replieront sur une action continue et sécurisante. Il s'agit de bien choisir la direction à imprimer aux études de ces enfants. S'ils sont dans la bonne voie, le succès est spectaculaire, sinon ils « décrochent » rapidement. Donc, bien les suivre dès le début de leur scolarité, si besoin est avec le concours d'un psychologue, pour déterminer la meilleure option possible. Il en est de même pour l'orientation professionnelle. Ils font de bons agriculteurs, des militaires, des chimistes, des explorateurs, etc. mais, dans tous les cas, ils ont besoin de résultats visibles, tangibles, ils ont besoin de récolter.

□ Intuition

Trop passionnés et trop entiers pour écouter leur voix intérieure, ils confondent intuition et impulsion. Leur séduction est faite d'une certaine rigueur, mais elle plaît, car, sous leur aspect rude, ils apparaissent aux femmes comme des êtres rassurants et solides.

□ Intelligence

Une intelligence pratique, qui cherche la vérité manifestée, qui se méfie des abstractions. Ils désirent avancer, pas à pas mais avec efficacité. Le travail ne leur fait pas peur et, dès leur plus jeune âge, il ne faudra pas hésiter à mettre ces enfants en face de tâches ardues, sur le plan intellectuel comme sur le plan physique. Ils sont plus appliqués que brillants et constamment à la recherche de cette vérité dont ils tenteront toujours de prouver l'existence !

□ Affectivité

Ils sont entiers : ou ils aiment, ou ils n'aiment pas et s'il existe en eux le moindre doute, ils préfèrent s'en aller plutôt que de composer ! Fidèles, attachés, croyants jusqu'à l'extrême limite, ils ne vous pardonneront jamais une trahison. Il ne faut pas raconter d'histoires à dormir debout à ces jeunes qui ont besoin d'être en contact avec le réel.

□ Moralité

On ne peut pas dire qu'ils possèdent une moralité facile ! Cela veut dire quoi ? Tout simplement que leur désir d'être droits, d'être justes, les conduit à prendre des initiatives autoritaires qui ne sont pas toujours appréciées. Il est bien évident que ce sont d'ordinaire des excessifs, aussi bien dans leur foi que dans leurs amitiés. Quelquefois, ils atteignent au dévouement fanatique et sont prêts à se faire couper en quatre pour ceux qu'ils aiment. Mais si l'amitié les trahit, leurs réactions peuvent être terribles et inattendues ! Quant aux échecs, ils les ignorent purement et simplement.

□ Vitalité

Une vitalité qui pourrait être meilleure ! Et pourtant, elle possède un pourcentage intéressant, mais il se trouve que ces hommes en arrivent à douter d'eux-mêmes et à se priver d'énergies précieuses. Quant à leur santé, elle est normale bien que soumise aux aléas de leur vie psychique, elle paraît d'ailleurs plus robuste, vue de l'extérieur, qu'elle ne l'est en réalité. Dès leur enfance, il faut habituer ces enfants à une discipline de vie rigoureuse car ils supportent très mal les excès. Surveiller le foie qui est particulièrement fragile, et les poumons. Ne pas abuser du sport.

□ Sensorialité

Nous nous trouvons en présence d'une sensorialité à éclipses. Il arrive souvent qu'en présence de ce type de caractères, personne ne soit d'accord sur leurs qualités profondes tant ils possèdent de facettes à leur personnalité. Tour à tour, ils surprennent ou déçoivent selon leurs cycles propres, surtout en matière de sensualité. Leur sexualité est étroitement dépendante de leur psychisme et de leurs croyances. Capables des plus hautes ascèses, ils manifesteront l'instant d'après une passion difficile à contenir. Il ne faut pas, au nom de principes mal appliqués, laisser se créer chez eux des refoulements qui pourraient les bloquer dangereusement.

□ Dynamisme

C'est un dynamisme en retrait qui attend l'action pour se manifester alors qu'on serait en droit d'attendre de lui qu'il la précède ! C'est donc un dynamisme qui prend sa source moins en lui-même que dans les circonstances, que dans les événements. Cela posera des problèmes à ces hommes qui se cherchent plus au travers de l'action qu'au travers de la réflexion !

□ Sociabilité

Comme ils sont d'une sociabilité capricieuse, leur travail est souvent pour eux un excellent prétexte pour ne pas participer aux réunions familiales ou mondaines. A d'autres moments, ils ont besoin d'une cour qui les écoute et les approuve. Leur volonté est forte, un peu brouillonne. Moralité sans concession, grand sens de la famille. Chance moyenne, réussite assurée par le courage et la foi. En un mot, des êtres de participation et de combat et qui, au-delà de leur propre aventure, tiennent essentiellement à donner un sens à la vie des hommes !

□ Conclusion

Pourquoi ce doute chez les Thomas et les prénoms qui leur sont associés ? Il existerait donc une prédestination qui, au travers de la Bible, les inclinerait à être ceux qui remettent en question toute révélation ? Ils auraient donc besoin de toucher pour croire ? Curieux !

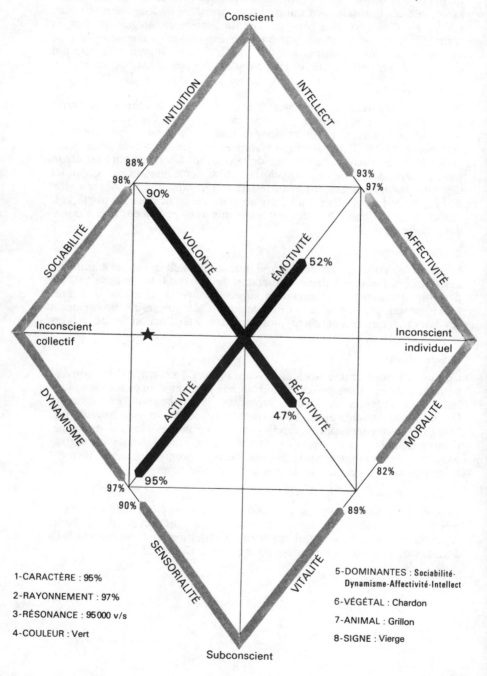

VICTOR

Personnalité : *L'homme qui s'attache, l'homme du foyer.*

Conscient

INTUITION

INTELLECT

88%
98%
93%
97%
90%

VOLONTÉ

ÉMOTIVITÉ 52%

SOCIABILITÉ

AFFECTIVITÉ

Inconscient
collectif

Inconscient
individuel

DYNAMISME

ACTIVITÉ

RÉACTIVITÉ

47%

MORALITÉ

82%

97%
90%
95%

89%

SENSORIALITÉ

VITALITÉ

Subconscient

1-CARACTÈRE : 95%

2-RAYONNEMENT : 97%

3-RÉSONANCE : 95 000 v/s

4-COULEUR : Vert

5-DOMINANTES : Sociabilité-
Dynamisme-Affectivité-Intellect

6-VÉGÉTAL : Chardon

7-ANIMAL : Grillon

8-SIGNE : Vierge

Victor

et prénoms aux caractéristiques analogues

Aimé	Dieudonné	Léopold	*Victor*
Aymé	Ephrem	Rodrigue	Victorien
Christian	Harry	Roland	Victorin
Constantin	Hippolyte	Servan	
Diétrich	Isidore	Ulrich	

□ Type caractérologique

Ce sont avant tout des êtres d'une grande activité accompagnée de bonnes réactions et d'une émotivité intéressante. Ils donnent l'impression d'hommes équilibrés. Ils sont bien dans leur peau et, en principe, les petits Victor et prénoms apparentés ne sont pas des enfants à histoires. Simplement, il faudra être très clair avec eux et ne leur donner que des ordres dont ils comprennent bien la motivation. Ils ont besoin de savoir ce qu'ils font. Ils sont d'autant plus attachés à leur foyer que leur animal totem est le *grillon...*

□ Psychisme

Ce sont des extravertis. Ils possèdent une grande ouverture sur le monde. Ils sont assez influençables et sensibles à tout ce qui est humain. En réalité, ils ont plus confiance en leur mission qu'en leur propre personne, et il faut que ces enfants soient parfaitement sûrs de la solidité des structures familiales pour se sécuriser vraiment. Il en est de même pour leurs études. Ne leur posez jamais de questions du genre : « Es-tu sûr d'avoir bien choisi ? » C'est le moyen infaillible de les « paniquer » ! Assez objectifs, ils savent se dévouer corps et âme pour une cause ; d'autres jours, ils iraient volontiers se cacher au fond d'un bois.

□ Volonté

C'est une volonté « naturelle » qu'il faut laisser se déployer largement sans en discuter à chaque instant les applications. Avec ces jeunes, soyez « synthétiques », exigez un résultat mais ne vous perdez pas dans les détails en les accablant de conseils du genre : « Moi, si j'étais à ta place... »

□ Emotivité

Replacée dans le contexte de ce psychisme assez nerveux, elle apparaît comme un peu trop présente. Tout le caractère sera donc teinté d'une fébrilité qui donnera à leurs gestes, comme à leurs propos, une précipitation regrettable. Savoir se dominer — précepte essentiel.

367

□ Réactivité

Ils sont susceptibles et donc sensibles. Leur épiderme étant assez chatouilleux, il est prudent de mettre en garde parents et conjoints contre leurs réactions souvent déconcertantes et parfois irritantes. Mais cela ne dure pas et n'est que de faible intensité. Les arrêter avec une phrase souriante leur prouvant que l'on n'est pas dupe de leur fausse agressivité et qu'il ne leur faut pas jouer à chaque instant les *chardons*, leur végétal totem.

□ Activité

On se demande où ils vont chercher cette activité de haut niveau qui, apparemment, ne semble pas correspondre tout à fait à ce type de caractère en apparence un peu léger. Eh bien, pas du tout, c'est leur drogue à eux ! Ils ont besoin d'action même si celle-ci n'est pas aussi structurée et efficace qu'on le souhaiterait ! Ils sont très entreprenants. Ordinairement les études sont excellentes. Ils sont appliqués, soigneux, très proches des enseignants. En un mot, coopératifs. Ils aiment les études classiques, les langues étrangères. Ils feront de très bons professeurs, de hauts fonctionnaires, des experts-comptables, des commerçants d'autant plus efficaces qu'ils n'auront qu'un contact superficiel avec la clientèle ! Ils ont une remarquable conscience professionnelle, une merveilleuse adaptativité et une imagination fertile. Leur rêve ? Etre gentleman-farmer !

□ Intuition

Certes, elle est belle cette intuition qui est assez féminine par certains côtés mais ce qui est le plus intéressant, c'est de voir ce qu'ils en font ! Ils ne l'admettent vraiment que dans le cadre du jeu et, dans ce cas, ils l'appellent : « Ma chance... » Attention, ils sont « flambeurs » dans l'âme ! Mais lorsqu'il s'agit d'appliquer cette intuition à la direction de leur vie... il n'y a plus personne !

□ Intelligence

Leur intelligence est synthétique. Ils dominent les problèmes, les survolent et ne se perdent pas dans les détails. Ils auraient même tendance à laisser un peu trop ces détails aux autres ! Ils sont intelligents, brillants, incisifs parfois, mais sans cruauté. D'une curiosité insatiable, ils ont une propension à se disperser. Il faudra donc empêcher ces enfants de vagabonder mentalement.

□ Affectivité

S'ils sont possessifs, c'est plus par désir de rendre service que par besoin de posséder. Ils sont très affectueux, trop affectueux dans certains cas et les parents doivent éviter de se laisser prendre au chantage qui consiste à jouer la tendresse pour avoir le bonbon. Attentifs, séduisants, aimant à charmer, ils ont une légère féminité dans leur comportement caractériel.

□ Moralité

Elle n'est pas aussi efficace qu'on pourrait l'espérer. Il semble qu'à vouloir plaire à tout coup, ce type de caractère en arrive à faire bon marché d'une certaine rigueur de comportement ! Pour faire un « mot », on se lancera dans n'importe quel vantardise ! De plus, les promesses ne coûtent pas cher, mais entre ce que l'on dit à la fin d'un repas et les réalisations du lendemain...

□ **Vitalité**

Là non plus, cet indice n'est pas tout à fait à la hauteur de ce caractère dont le dynamisme est important. A surveiller. Tendance à l'embonpoint. Ils sont gourmets, gourmands, et le mot « régime » les fait frémir. Chez les enfants, tendance à la décalcification. Les côtes sont fragiles en particulier. Il ne faut donc pas leur proposer des sports brutaux, d'ailleurs ils se fatiguent vite. Il leur faut du grand air et beaucoup de soleil. Bien surveiller le sytème endocrinien.

□ **Sensorialité**

Nous l'avons vu, c'est la gourmandise qui domine cette sensorialité. Attention, non seulement aux abus de nourriture mais aussi de boissons. Ces types de caractère auraient une nette tendance à noyer leur chagrin dans l'alcool même s'ils ont le chagrin de ne pas avoir de chagrins ! Et leur sexualité ? Là aussi, ils sont étroitement dépendants de leurs sentiments, et chez eux, la sensualité n'est jamais à l'état pur. Ils sont fidèles à leur foyer, à leur famille. Peut-être seraient-ils prédisposés à faire un léger refoulement sexuel. A surveiller très tôt. Ils sont sensibles à l'échec sentimental dans la mesure même où ils se prennent facilement d'amitié pour les autres aux dépens, parfois, de leurs amours.

□ **Dynamisme**

C'est la dominante de ce type de caractère avec la sociabilité qui, nous le verrons, est particulièrement forte. C'est ce dynamisme, un peu envahissant, qui les amènera à bluffer joyeusement. Ces hommes sont avant tout des joueurs de poker nés, et cela dans tous les domaines. Bébés, ils joueraient leur biberon, s'ils le pouvaient !

□ **Sociabilité**

Très sociables, ce sont des hôtes charmants, aimant la vie communautaire et ce sont en outre de fins cuisiniers. Leur volonté n'est pas toujours égale, mais ils savent néanmoins ce qu'ils veulent. Habituellement ils ont beaucoup de chance et une très belle réussite. En résumé, ce sont des hommes tranquilles, efficaces, bons pères de famille. Les parents qui ont la chance d'avoir un de ces enfants devraient en retirer beaucoup de satisfactions à la condition, naturellement, de lui donner une bonne éducation car ils pratiquent fort bien, les chers petits, l'art du dérapage incontrôlé !

□ **Conclusion**

De cette étude caractérologique, il ressort clairement que ce sont des « joueurs » au sens le plus large du terme. Il ne faut pas trop les prendre au sérieux lorsqu'ils dramatisent et, au contraire, les suivre avec vigilance lorsqu'ils parlent de jouer et qu'ils prennent la direction du casino le plus proche ! Vous les retrouverez toujours au coin de leur foyer, auquel ils sont tant attachés, mais dans quel état financier...

369

VINCENT

Personnalité : *Celui qui tient les eaux de la terre.*

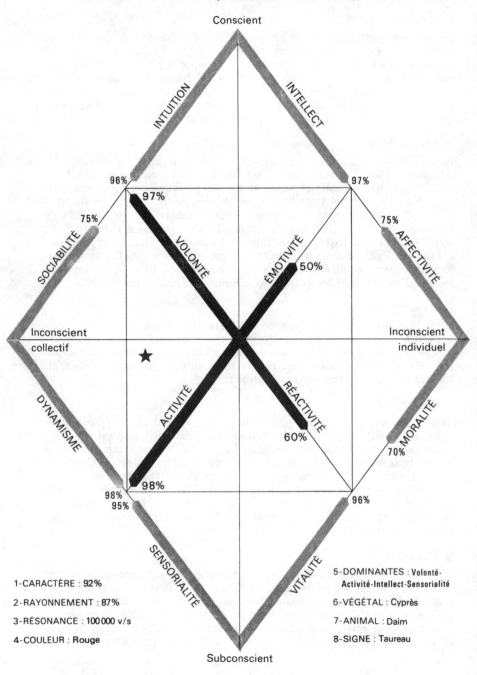

Conscient

INTUITION   INTELLECT

96%   97%

97%

75%   75%

SOCIABILITÉ   VOLONTÉ   ÉMOTIVITÉ   AFFECTIVITÉ

50%

Inconscient collectif   Inconscient individuel

★

DYNAMISME   ACTIVITÉ   RÉACTIVITÉ   MORALITÉ

60%

70%

98%   96%

98%

95%

SENSORIALITÉ   VITALITÉ

1-CARACTÈRE : 92%

2-RAYONNEMENT : 87%

3-RÉSONANCE : 100 000 v/s

4-COULEUR : **Rouge**

5-DOMINANTES : Volonté-Activité-Intellect-Sensorialité

6-VÉGÉTAL : Cyprès

7-ANIMAL : Daim

8-SIGNE : Taureau

Subconscient

Vincent

et prénoms aux caractéristiques analogues

Diégo	Jérémie	Romain	Walter
Faust	Nello	Simon	William
Jack	Rainier	Vincent	Willy
Jacky	Ralph		

□ **Type caractérologique**

Ce sont des passionnés, aux réactions relativement lentes. Ils sont à la fois émotifs et actifs, mais avec une attitude psychologique qui mérite d'être examinée. Ce sont des êtres secrets qui détiennent l'étonnant pouvoir de « changer l'eau en vin » — ce qui d'ailleurs fait de saint Vincent le patron des vignerons — c'est-à-dire de faire changer les autres d'opinion, avec facilité. Très jeunes, ils manifestent une grande obstination, forment de petits clans et mènent déjà une vie souterraine. Ils sont sérieux jusqu'à devenir quelquefois ennuyeux, mais c'est le cadet de leurs soucis. En revanche, ils sont organisés, patients et, pourrait-on dire, redoutables. Leur végétal totem est le *cyprès,* arbre mélancolique s'il en fut...

□ **Psychisme**

Ils savent fort bien se servir d'eux-mêmes, de leur royaume intérieur, et aussi des autres. Ils n'oublient jamais un affront, sont très machiavéliques, nullement influençables, possèdent une grande capacité de persuasion, envoûtante presque. Ils savent être objectifs et tout sacrifier à une cause, dans les cas extrêmes. Grande confiance en eux, allant parfois jusqu'au fanatisme. Chez les enfants, il y a lieu, très tôt, de tempérer cette « excessivité », ce côté « sauvage », qui apparente ces prénoms à leur animal totem : le *daim.*

□ **Volonté**

Et cette volonté jette parfois des éclats inquiétants, comme un poignard dans l'ombre ! Des calmes, en apparence, et puis, tout à coup, ces types de caractères laissent percer dans le regard une lueur de violence à peine voilée...

□ **Emotivité**

Une émotivité un peu « sadique », si l'on ose employer ce terme. Cela veut dire qu'en certaines circonstances, cette émotivité est moins le sentiment du sujet se préoccupant de lui-même que du sujet découvrant, avec une passion secrète, la douleur ou l'infériorité de l'autre ! A surveiller de très près !

□ Réactivité

Elle est redoutable ! Mais nous ne voudrions pas faire un portrait sinistre de ces hommes qui, habituellement, sont des êtres d'une grande efficacité et d'une grande valeur intellectuelle. Simplement, nous tenons à insister sur certains indices caractérologiques particulièrement significatifs. Or, leurs réactions sont d'une intensité parfois gênante, avec des arrière-pensées qui ne manquent pas, souvent, de troubler leur entourage.

□ Activité

Une activité qui est la dominante de ce caractère. Tout est mis à son service ! C'est le fer de lance d'une personnalité qui ne se réalise pleinement que dans l'action — et l'action à tout prix ! Ils veulent étudier quelque chose que les autres ne connaissent pas. Ils s'imposeront un travail énorme pour se lancer dans des sciences mystérieuses ou maudites. A côté de cela, ils se justifieront par des études classiques fort bien menées. Ils feraient de merveilleux espions, des agitateurs de grande classe, des hommes d'affaires à plusieurs registres, des policiers, des fanatiques politiques, mais ne les jugeons pas trop vite avant de les bien connaître et, croyez-nous, ce n'est pas chose aisée !

□ Intuition

Une intuition, une sensibilité, un flair de limier. Qu'ils soient inspecteurs des contributions, policiers, industriels ou « barbouzes », il faut voir ce plissement d'œil, ce sourire « en coin », lorsqu'ils sentent une proie à leur portée... Cela vaut un long poème !

□ Intelligence

Leur intelligence est synthétique. Elle en fait des meneurs d'hommes, mais qui agissent dans la coulisse. En réalité, ils sont beaucoup plus intelligents qu'ils ne le laissent paraître et passent leur vie à donner d'eux une image que l'on pourrait dire « sous-exposée ». Ne bousculez donc pas trop ces enfants, ne les forcez pas à se mettre en vedette alors que généralement ils sont destinés à tirer les ficelles des vedettes... de la politique, en particulier !

□ Affectivité

Il est difficile de dire qui ils aiment et comment ils aiment. Il y a en eux des élans profonds et mêmes passionnés qui ne se traduisent en surface que par des remous à peine visibles. Ils sont toujours déconcertants. Il faut les surveiller avec discrétion, ces jeunes, pour ne pas les laisser sombrer dans un monde tissé de complots imaginaires. Très forte masculinité.

□ Moralité

Ce n'est pas une moralité « étouffante », loin de là ! Ils entendent, habituellement, garder les mains libres et ne veulent à aucun prix être « ligotés » par des principes ou des interdits. Ils auront toujours une attitude de méfiance à l'égard de tout ce qui peut limiter leur envie d'action. Cela ne veut pas dire qu'ils abusent de ce laxisme, mais bien qu'ils ont besoin d'être *totalement* libres...

Et leurs croyances ? Elles sont un peu troubles. Il y a en eux, à la fois du sorcier et de l'inquisiteur. Il faut essayer de rendre leurs croyances claires, ce qui n'est pas facile. Ils sont presque insensibles à l'échec et risquent d'avoir des problèmes sentimentaux.

□ Vitalité

Pour eux la vitalité, c'est l'intendance ! Elle doit suivre et l'on peut faire appel à elle à tout moment... Ils cravachent volontiers les autres, mais ils savent aussi se bousculer eux-mêmes ! La santé est bonne malgré des habitudes diététiques anarchiques. Le système digestif est à surveiller. Ils ont besoin de sommeil et de grand air, mais n'est-ce pas trop leur demander ? Ils aiment les sports violents : lutte, karaté, rugby, et sont sujets aux accidents. Attention aux maladies tropicales !

□ Sensorialité

La conquête d'un monde s'opère sur tous les plans aussi bien sur celui des choses que sur celui des êtres et les Vincent — ainsi que les prénoms apparentés — étendent leur besoin de possessivité à tout ce qui les entoure. Leur sensorialité dépasse nettement la moyenne, et, au niveau de la sexualité, bien des problèmes se poseront car ils ne savent, ils ne veulent pas attendre et leurs désirs appartiennent plus à l'instinct qu'à l'amour !

□ Dynamisme

Comment, après cela, parler de dynamisme ? Il conviendrait plutôt d'évoquer une force « tellurique » qui les parcourt et en fait souvent des êtres aux décisions à long terme. Ils sont capables de mettre au point des plans compliqués qui ne produisent leurs fruits que des mois, voire des années, plus tard. Dire qu'ils ne s'emmêlent pas quelque peu les pieds dans l'écheveau de leurs intrigues serait osé, mais les résultats sont néanmoins impressionnants...

□ Sociabilité

On ne peut pas dire qu'ils soient très sociables. Leur moralité est liée à des attitudes discutables qui risquent souvent de les conduire à des abus. Leur chance est littéralement submergée par un désir violent d'autorité occulte, assurant très souvent une réussite cachée. Dans leur jeunesse, ce sont des êtres secrets qu'il faut essayer d'amener à s'ouvrir, à s'épanouir, en les guidant avec délicatesse et fermeté. Ce tableau étant brossé, vous comprendrez que les réunions mondaines et les « baise-mains » ne les empêchent pas de dormir !

□ Conclusion

Il ne faudrait tout de même pas les prendre pour des Raspoutine en puissance ! Ce sont, toutefois, des êtres qui aiment le clair-obscur, qui parlent souvent par « sous-entendus » dont personne ne réclame l'explication, par crainte de passer pour un « minus » ! En réalité, il ne faut pas se laisser prendre à cette façade et, sans méconnaître leurs qualités réelles, il faut savoir leur résister... à tous les âges. C'est à cette condition qu'ils vous respecteront !

VIRGINIE

Personnalité : *Celle sur qui s'appuie le monde.*

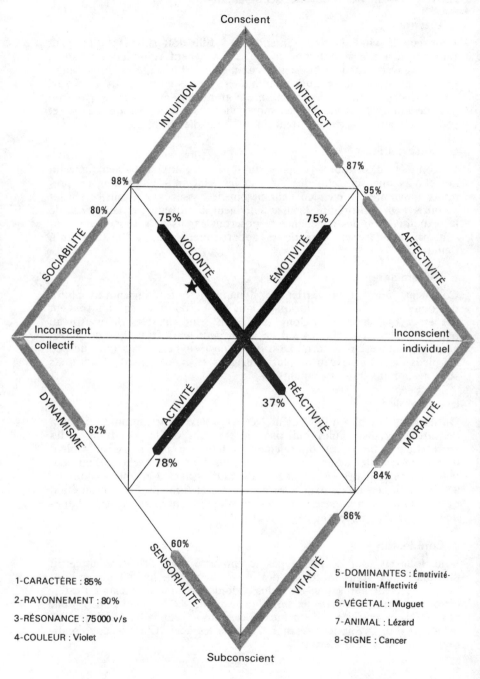

1-CARACTÈRE : 85%

2-RAYONNEMENT : 80%

3-RÉSONANCE : 75000 v/s

4-COULEUR : Violet

5-DOMINANTES : Émotivité-Intuition-Affectivité

6-VÉGÉTAL : Muguet

7-ANIMAL : Lézard

8-SIGNE : Cancer

Virginie

et prénoms aux caractéristiques analogues

Angèle	**Bibiane**	**Mauricette**	**Suetlana**
Angélina	**Edmonde**	**May**	**Thècle**
Angéline	**Elfi**	**Pénélope**	*Virginie*
Angélique	**Elfried**	**Sidonie**	

□ Type caractérologique

On peut dire que le caractère de la plupart de ces types de prénoms est à l'image de ce monde qui est le nôtre, nerveux, instable et bouleversé. Elles sont susceptibles. Leur activité assez faible et leurs réactions légèrement retardées font d'elles des indolentes psychiques, leur animal totem étant le *lézard*. Comme lui, elles aiment se dorer, immobiles au soleil, pour prendre tout à coup la fuite à la première ombre qui passe. Il ne faut pas les brusquer, car tout en étant intelligentes, elles mettent un certain temps à s'adapter et à comprendre ce que l'on attend d'elles. Leur mémoire affective est très développée et leur esprit curieux les pousse à des recherches parfois un peu décousues. Ce sont des « poètes » qui rêvent leur vie, et plus rarement, vivent leur rêves. Elles ont la fragilité précieuse du *muguet,* leur végétal totem, avec ce sens discret de la joie d'un jour qu'on ne peut oublier...

□ Psychisme

Ce sont des introverties, c'est-à-dire qu'elles ne voient l'univers qu'au travers de leurs propres émotions. Elles sont influençables et ces enfants demandent à être surveillées de près pour éviter tout choc émotionnel grave qui risquerait de les perturber durablement. Très imaginatives, elles semblent superficielles parce qu'elles refusent la réalité.

□ Volonté

Il est rare, sinon unique, de constater que la volonté de ce type de caractère est de même intensité que son émotivité. Il est donc possible — et ce, à chaque instant — que l'une prenne la place de l'autre sans raison véritable et vérifiable ! C'est donc la porte ouverte à toutes les indécisions !

□ Emotivité

C'est une émotivité préoccupante car le schéma psycho-structurel qui accompagne cette étude nous montre qu'elle est le double de celle de la réactivité ! Cela laisse place à tous les nervosismes et à certains déséquilibres !

□ Réactivité

Cette réactivité est donc prise en « sandwich » entre la volonté et l'émotivité. Ces êtres risquent parfois de se trouver sans force et sans

375

réaction devant des situations qu'elles jugent tellement complexes que toute décision leur paraît impossible... Alors, il arrive qu'au lieu de faire appel aux parents, aux éducateurs, aux conjoints, on se réfugie dans une certaine forme de toxicomanie, voire d'anorexie mentale.

□ **Activité**

Comment pourrait-on attendre de ces types de caractères autre chose qu'un repliement, qu'une fuite au niveau de cette activité qui les préoccupe, les obsède au point de déclencher, chez elles, des paniques de protection... Les paresseux, souvent, sont plus obsédés par le travail que les bûcheurs ! Seulement, ils y pensent tellement, qu'ils n'ont plus de temps pour travailler !

Les études sont irrégulières, capricieuses. Elles sont fortement attirées par le mystérieux, l'occulte. Elles préféreront toujours Cagliostro à Robespierre ! L'histoire les intéresse, mais les sciences les rebutent définitivement. Elles manquent de discipline et leur conscience professionnelle ne se manifeste pas toujours avec une rigueur suffisante. Ce sont de remarquables écrivains, des journalistes passionnantes. Elles réussissent bien dans la mode et sont des actrices d'une grande sensibilité. Romantiques et ayant conscience de l'être, elles en joueront et si leur conjoint n'y prend garde — et les parents aussi — leur chère Virginie passera son temps à chercher un Paul qu'elle ne trouvera jamais !

□ **Intuition**

Imaginatives comme elles le sont, ces douces créatures possèdent une intuition remarquable, irradiante même. Leur séduction est un peu lunaire. C'est tout le charme des clairs de lune dans un jardin délicatement désuet, baigné par la brume du soir où l'on rêve d'amours impossibles entre un soupir et une larme.

□ **Intelligence**

Nous venons de le voir, elles ont tendance à se couper du monde, mais sur le plan des réalités objectives elles sont capricieuses. A quelques heures de distance, leurs opinions, leurs envies, leurs désirs, changent : il ne faudrait pas laisser ces enfants dans une instabilité qui risquerait de devenir chronique. Il faut les maintenir au contact de la vie avec souplesse et détermination. Parfois, elles se bloquent et, par timidité, deviennent agressives. Il y a là un manque de confiance en soi contre lequel il faut réagir très tôt.

□ **Affectivité**

Assez jalouses, possessives sur le plan de l'affectivité, elles doivent apprendre à sortir d'elles-mêmes et à donner. La famille ne doit pas non plus devenir un cercle trop protecteur qui leur ferait craindre de participer à la vie sociale, comme il ne faudrait pas que le couple vive à une heure qui n'est pas la sienne, entre un mari qui anticipe les fantaisies de la femme qu'il aime et une épouse qui retarde les décisions vitales par crainte de briser l'instant qui passe...

□ **Moralité**

Elles sont un peu le jouet des circonstances et on ne peut pas dire que leur moralité réponde à des règles très strictes. Elles sont ce que les êtres qui les entourent, les événements qu'elles traversent, les font. Elles aiment l'atmosphère ouatée de leur famille et ont parfois du mal à s'adapter aux nécessités de la vie commune lorsqu'elles se marient et ont des enfants. Leurs croyances ne peuvent être qu'excessives et instables. Aux élans mystiques succèdent le doute, puis la longue série des contritions pouvant aboutir à des autopunitions qui méritent toute l'attention des parents et des éducateurs.

□ **Vitalité**

Leur vitalité est variable et parfois elles auraient tendance à se réfugier dans la maladie mineure, ou le petit accident, pour justifier leur propension à la fuite. Elles sont accoutumées à employer des excitants, des remontants. Leur appétit est irrégulier, elles ont besoin de beaucoup de sommeil, de grand air, de sports légers comme le tennis ou la natation. Le yoga pour elles est une excellente méthode de discipline personnelle. Elles se fatiguent vite. Elles doivent éviter le surmenage. L'isolement est à la fois leur tentation et leur chute. Attention aux vertèbres. Qu'elles se méfient de la psychanalyse !

□ **Sensorialité**

C'est un des plus faibles pourcentages de sensorialité que nous ayons constaté dans ces études caractérologiques. Ces êtres refusent souvent de s'intégrer à un système psycho-biologique qui les ferait semblables aux autres. L'éducation sexuelle de ces enfants doit se faire avec beaucoup de discrétion, d'intelligence et de compréhension pour éviter tout heurt qui pourrait paralyser leur comportement sentimental. Il ne faut pas que ce grave problème devienne pour elles une occasion supplémentaire de fuite, de refus, voire de dégoût.

□ **Dynamisme**

Que dire de ce prétendu dynamisme que vient compromettre une activité déjà obérée, entamée par une volonté évanescente ? Rien, si ce n'est que tout cela n'est pas brillant ! Cela va même plus loin ! Il semble, en effet, que par désir d'autodestruction, plus apparent que réel, elles se discréditent elles-mêmes ! Peut-être pour se sentir mieux appréciées par les autres ! Un peu « maso » !

□ **Sociabilité**

Leur sociabilité est fantasque et lorsqu'elles sont en compagnie, elles peuvent aussi bien être parmi les plus brillantes que parmi les plus lointaines. Ce sont des lunatiques. Elles sont réticentes sur le plan de l'amitié. Elles se méfient des hommes, craignent les femmes, puis, tout à coup, sans trop savoir pourquoi, elles sont la proie d'élans insensés et sans lendemain. L'échec est vivement ressenti, qu'il soit sentimental ou professionnel. Il débouche rapidement sur des refoulements. Il faudra libérer ces enfants sans tarder, leur apprendre la vie, les « incarner ».

□ **Conclusion**

Elles ont de la chance, mais ne s'en servent pas toujours. Leur réussite est hasardeuse et, répétons-le, il faut les convaincre de l'importance de l'effort continu. Des êtres déconcertants et captivants, des sentimentales au charme mélancolique, aux yeux de rêve et au cœur de colombe.

YVES

Personnalité : *L'homme du choix.*

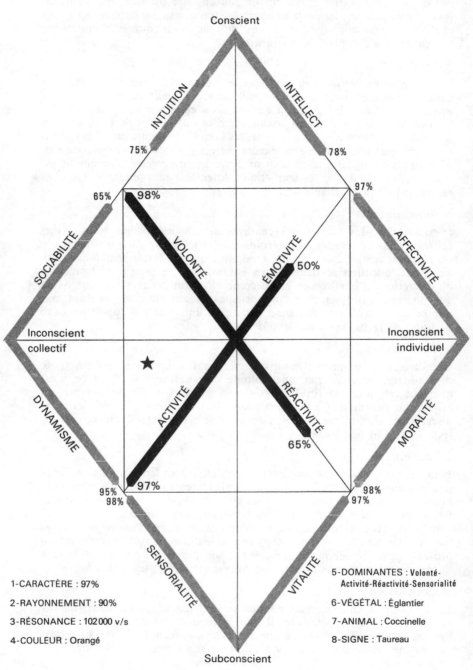

Conscient

INTUITION

INTELLECT

75%

78%

65% 98%

97%

VOLONTÉ

ÉMOTIVITÉ

50%

SOCIABILITÉ

AFFECTIVITÉ

Inconscient
collectif

Inconscient
individuel

★

ACTIVITÉ

RÉACTIVITÉ

DYNAMISME

MORALITÉ

65%

95% 97%
98%

98%
97%

SENSORIALITÉ

VITALITÉ

Subconscient

1-CARACTÈRE : 97%

2-RAYONNEMENT : 90%

3-RÉSONANCE : 102 000 v/s

4-COULEUR : Orangé

5-DOMINANTES : Volonté-
    Activité-Réactivité-Sensorialité

6-VÉGÉTAL : Églantier

7-ANIMAL : Coccinelle

8-SIGNE : Taureau

Yves

et prénoms aux caractéristiques analogues

Emmanuel	Patrice	Roméo	Yvan	Yvon
Isaïe	Patrick	Yvain	*Yves*	

▢ Type caractérologique

Ils seraient plutôt du genre forte tête. Ce sont des colériques, relativement émotifs, terriblement actifs, aux réactions soudaines et parfois brutales. Ils ressemblent assez à leur végétal totem, l'*églantier,* dont les épines sont redoutables. Ce sont incontestablement des tempéraments explosifs.

▢ Psychisme

La nature de tout psychisme est à base de choix entre toutes les possibilités proposées à nous-mêmes ; devant ce catalogue des solutions qui nous sont offertes, il semble que ce type de caractère se comporte comme un client à la fois exigeant et indécis qui voudrait essayer plusieurs vêtements psychologiques avant de se décider à vivre sa vie ! Mais n'est-ce pas notre drame, à nous tous ? Peut-être, mais cette situation inconfortable et irritante est plus perceptible chez les Yves et prénoms associés, qui ont une démarche psychique rappelant celle de la *coccinelle,* leur animal totem. Ils ne savent pas très bien s'ils doivent marcher ou voler.

▢ Volonté

C'est leur carte de visite ! Cette volonté, ils la portent gravée sur le visage ! Ils se cramponnent même à elle car si jamais ils se sentaient lâches, si jamais ils perdaient confiance en eux, alors, toute leur vie serait décolorée... Soyez donc pleins de tact avec ces enfants et ne tournez pas en dérision leurs hésitations, mais aidez-les avec gentillesse et sans ironie.

▢ Emotivité

Elle est présente, cette émotivité ! Ils sont émus, non pas tellement par une nervosité psychique qui leur ferait perdre contact avec eux-mêmes, mais par cette attention qu'ils portent à l'opinion de l'autre et qui les bouleverse... « Que va-t-on penser de moi ? » « De quoi ai-je l'air ? »

▢ Réactivité

Il est bien évident qu'à ce degré d'interrogation les réactions ne peuvent être que très intenses et immédiates. C'est ce côté « explosif », violent parfois, qui constitue l'aspect le plus « frappant » de ce type de caractère. On les accusera d'être agressifs alors qu'en réalité ils n'auront fait qu'obéir à un sens profond de la justice qui les guide et parfois les dépasse...

□ **Activité**

C'est leur pierre de touche ! Ils se jugent et jugent les autres à l'importance de leur activité. Ne l'oubliez jamais et sachez les aider ! Ils sont sérieux en classe, il est indispensable de les encourager. Ils sont moins brillants que d'autres et développent vite des complexes d'infériorité en cette matière. Eviter aussi que ces enfants ne fassent un complexe de compensation en cherchant à devenir des champions sur le plan sportif, négligeant du même coup leurs études.
Ce sont d'excellents techniciens, doués d'une grande conscience professionnelle. Il leur faut des métiers actifs, où ils puissent faire quelque chose de leurs mains. Ce sont de bons agriculteurs, des marins, des commerçants en gros, mais ils n'aiment pas tellement le contact avec la foule et la clientèle. Ils sont assez lents à s'adapter.

□ **Intuition**

Ils ne se fient pas tellement à leur intuition : ils ont tort, car elle est bonne. Leur forte masculinité entraîne souvent un manque de psychologie à l'égard des femmes.

□ **Intelligence**

Leur intelligence n'est pas très rapide, mais elle est profonde. Ils ont tendance à ruminer et ils éprouvent de la difficulté à choisir, à se décider. La mémoire est bonne, la curiosité médiocre. Ce sont des introvertis qui se replient volontiers sur eux-mêmes. En revanche, ils sont raisonneurs et même bagarreurs quand ils ne peuvent plus discuter. Ils possèdent une grande honnêteté intellectuelle et sont capables de se donner à fond quand ils croient en un être ou en une chose. Peut-être manquent-ils de confiance en soi, car ils sont timides et ne se livrent pas facilement. Ils sont scrupuleux.

□ **Affectivité**

Il ne faut pas négliger ces enfants sous le prétexte qu'ils se débrouillent parfaitement tout seuls. Il leur faut de l'amour, non pas de l'amour envahissant, mais une tendresse raisonnée. Ils ressentent la nécessité d'être bien intégrés dans le cadre familial et veulent connaître les frontières de leur petit royaume. Ils ont besoin d'être aimés pour comprendre...

□ **Moralité**

C'est sans doute le « prénom-caractère » qui cherche le plus à croire en une justice immanente. Ils ont, habituellement, horreur des « combines » et de toutes les « concessions » qui font la trame de nos affaires... Ils sont très croyants, fanatiques même dans certains cas, et il ne faut pas décourager ces enfants. Ils ont un sens très sûr de l'amitié, pouvant aller jusqu'au sacrifice. Ils sont également très sensibles à l'échec. Ils sont aussi entêtés. Tendance au refoulement affectif.

380

□ **Vitalité**

Très grande vitalité ; ils tendent toutefois à abuser de leurs forces en se nourrissant n'importe comment et à n'importe quelle heure. Attention à la colonne vertébrale et aux déchirements musculaires.

□ **Sensorialité**

Ils sont enracinés dans la vie. Ils ont choisi de vivre. Leur sensualité ne sera jamais un but pour eux, mais il faudra que leur tempérament s'exprime. D'ailleurs, il peut très bien s'exprimer dans l'unicité car ils ne sont pas volontiers « polygames » bien qu'ils soient sexuellement précoces et exigeants, ce qui les rend encore plus exclusifs à l'égard de la femme qu'ils auront choisie... Ne les décevez pas ! Ce pourrait être dangereux !

□ **Dynamisme**

C'est un dynamisme honnête. Il accepte, avec beaucoup d'humilité, d'accompagner et de soutenir cette belle activité qui est une des dominantes de ce type de caractère. Ah ! mon frère Yves ! Sous ton regard un peu méfiant, un peu timide parfois, comme il se cache un grand amour des hommes !

□ **Sociabilité**

Une volonté de fer, souvent tyrannique, une honnêteté farouche, une grande moralité en font des êtres plutôt difficiles. Ils ne pardonnent que rarement une trahison et il ne faut jamais mentir à ces enfants, sous peine de perdre tout prestige à leurs yeux et de les décevoir définitivement. Leur sociabilité est versatile, ils n'aiment pas qu'on les envahisse et, parfois, sans raison apparente, alors que vous les connaissez depuis longtemps, ils pourront très bien vous « battre froid » d'une manière inexplicable ! Ne vous formalisez pas ! Cherchez plutôt de quelle manière vous avez pu les froisser et vous découvrirez que, sans le savoir, vous avez touché au petit monde secret de ces hommes susceptibles, écorchés...

□ **Conclusion**

Ils ont une chance moyenne, la réussite est bonne mais tardive. Dès que ces enfants ont choisi leur métier, il faut les suivre avec attention pour s'assurer du bien-fondé de leur choix. En résumé, ce sont des êtres de qualité, riches, solides, fidèles, un peu rudes, mais dont le cœur est plein d'amour.
Faciles à vivre ? Peut-être pas, mais ils apportent à leur entourage — donc à ceux qu'ils aiment — une sécurité qui est bien rare en ce monde...

YVETTE

Personnalité : *Celle qui chante.*

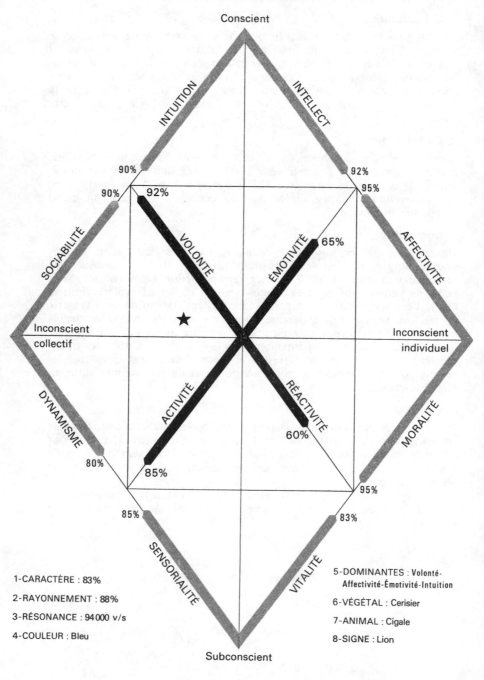

Conscient

INTUITION   INTELLECT

90%   92%

90%   92%   95%

SOCIABILITÉ   VOLONTÉ   ÉMOTIVITÉ   65%   AFFECTIVITÉ

Inconscient collectif ★   Inconscient individuel

DYNAMISME   ACTIVITÉ   RÉACTIVITÉ   MORALITÉ

80%   60%

85%   95%

85%   83%

SENSORIALITÉ   VITALITÉ

1-CARACTÈRE : 83%

2-RAYONNEMENT : 88%

3-RÉSONANCE : 94 000 v/s

4-COULEUR : Bleu

5-DOMINANTES : Volonté-Affectivité-Émotivité-Intuition

6-VÉGÉTAL : Cerisier

7-ANIMAL : Cigale

8-SIGNE : Lion

Subconscient

Yvette

et prénoms aux caractéristiques analogues

Adèle	Dolorès	Prudence	Rosine
Adeline	Léïla	Rosa	Valérie
Albine	Lina	Rosalie	Vanessa
Blandine	Line	Rose	Vanina
Céline	Natacha	Roseline	*Yvette*

□ **Type caractérologique**

Ce sont de véritables petites bombes et elles nous réservent bien des surprises : on ne sait jamais avec elles, si elles vont exploser ou se mettre à chanter ! Elles possèdent une forte émotivité qui les rend très sensibles. Une activité intéressante, mais surtout une étonnante rapidité de réactions. Elles ont le sang à fleur de peau, sont assez tyranniques et plutôt du genre bouillant. Il faut les prendre bien en main dès leur jeunesse si l'on ne veut pas être débordé.

□ **Psychisme**

Elles ont du mal à tenir en place, il faut qu'elles bougent, qu'elles dansent, qu'elles chantent. Il y a en elles une certaine insouciance qui les apparente assez bien à la *cigale*, leur animal totem. Elles ont du mal à trouver leur stabilité, leur équilibre et, très souvent, elles exagèrent leurs colères pour se donner une contenance et pour impressionner leur public ! Elles sont extraverties, c'est-à-dire qu'elles veulent participer intensément à la vie du monde. Elles sont peu influençables et ont une grande confiance en elles.

□ **Volonté**

Elle est forte au point de devenir parfois capricieuse, voire tyrannique. Dès leur plus jeune âge il ne faut pas les laisser faire, et il conviendra de les maintenir dans un milieu où règnent la stabilité et la justice.

□ **Emotivité**

Elle est intense, au point de rendre le sujet susceptible et terriblement nerveux. D'où des accès de joie subite, même non motivés, puis des abattements aussi soudains qu'imprévus.

□ **Réactivité**

Très présente. On la retrouve aussi bien à propos de leur famille qu'elles sont prêtes à défendre de bec et d'ongles, que dans leur métier où il ne s'agit pas de leur monter sur les pieds... Il n'est pas impossible, lors d'une discussion avec les Yvette et les prénoms-associés, qu'il se produise quelques heurts, mais cela se passe en général sportivement et il n'y a pas chez elles d'opposition systématique. Elles savent être objectives et sont capables de se dévouer avec un grand courage à une cause valable. Peu sensibles aux échecs.

□ Activité

Elle est bonne, mais sans plus, et manifeste souvent une hésitation d'orientation qu'il conviendra de rectifier très tôt. D'une manière générale, elles sont plus intéressées par leur intérieur que par leur profession. Pour elles, le plus beau métier du monde, c'est de s'occuper d'une maison et elles montreront, dès leur enfance, cet attachement au foyer. Aidez donc ces petites à devenir des ménagères accomplies ; confiez-leur très tôt des tâches importantes ; laissez-les faire la cuisine, vous ne le regretterez pas. Leurs études sont assez bonnes et les conduisent vers des emplois marqués par un large contact avec le public : restauration, commerce en général, jardins d'enfants, etc. Mais attention, elles ont tendance à changer souvent de métier, donc bien organiser leur vie et soigner tout particulièrement leur orientation professionnelle !

□ Intuition

Leur intuition se confond avec leur sensibilité, elles ont un flair extraordinaire, un charme peu commun et on se rend compte très tôt à quel point elles peuvent en abuser !

□ Intelligence

Très vive intelligence, pleine de fantaisie, de reparties drôles. Intelligence synthétique qui leur permet de réunir en un seul faisceau toutes les lignes de force d'une situation donnée et de tout embrasser d'un seul coup d'œil. Belle mémoire affective, c'est-à-dire qu'elles se rappellent tout ce qui les touche, les émeut, les révolte. Elles sont extrêmement curieuses et imaginatives.

□ Affectivité

Sous des dehors parfois un peu distants, elles sont très affectueuses et il ne faut pas se laisser prendre à leurs airs faussement sauvages. En réalité, elles sont émotives et très « fleur bleue » par certains côtés. Il ne serait pas bon que ces jeunes filles, par pudeur ou par crainte de paraître puériles, étouffent l'expression de l'affection qu'elles portent à leurs parents. Il pourrait en résulter chez elles une froideur qu'il ne faut pas cultiver. Elles sont immodérément possessives.

□ Moralité

Elle est exigeante en ce sens que ces caractères se sentent concernés à la fois par leur propre comportement et par celui des autres. On pourrait presque dire qu'elles ont de la moralité pour les autres ou plutôt que les défaillances des autres les blessent et les irritent. Une foi large et équilibrée, sans mysticisme délirant, mais aussi sans doute véritable.

□ Vitalité

Elle est satisfaisante, mais, si le régime est mal équilibré, elles risquent de prendre de l'embonpoint. Bonne vitalité, forte résistance. Problème possible avec les glandes sudoripares et l'appareil urinaire, donc attention aux reins et aussi, à tout ce qui touche à l'appareil génital. Pour les enfants, une hygiène de vie étudiée, du grand air et des sports, surtout nautiques. Attention à l'abus des médicaments en général et de calmants ou euphorisants en particulier.

□ Sensorialité

Elle est puissante et précoce ; ce sont des enfants qui doivent être informées dès que possible. Elles sont habituellement fidèles et plus sentimentales qu'elles ne veulent le laisser croire. Mais leur sexualité n'est pas aussi simple que cela et bien des tabous familiaux et sociaux viendront s'entremêler pour compliquer, voire pour inhiber le sujet. Bref, une sensualité à problèmes !

□ Dynamisme

Il est bien évident que ce dynamisme ne peut être qu'en forme de montagnes russes. Quand tout va bien, c'est King-Kong ! Quand tout va mal, c'est une petit bernard-l'ermite qui se cache au fond de la première coquille venue. Leur amitié est très touchante. Une amitié à la fois solide et possessive, un sens presque religieux de l'amitié. On rejoint ici la notion très forte de foyer qui, chez elles, représente le véritable centre de gravité de leur vie affective.

□ Sociabilité

Sociables, sachant recevoir, aimant recevoir, ce sont des hôtesses idéales. Elles possèdent une exceptionnelle faculté d'adaptation et se sentent à l'aise à peu près partout. Elles ont beaucoup de chance. Très entourées par des êtres qu'elles aiment et qui les aiment, elles rayonneront. Cette joie de vivre les conduira à une réussite complète, beaucoup plus sur le plan de leur personnalité propre que sur le plan professionnel pur. Des femmes très attachantes, aussi séduisantes que leur végétal totem, le *cerisier,* au printemps ; arbre de la sagesse et du bonheur selon les Extrêmes-Orientaux...

□ Conclusion

Les voilà donc ces petites « cigales » mais elles ne ressemblent pas tout à fait au gentil animal de la fable, car il existe en elles un côté fourmi qui se développera lentement au fil des ans et qui les fera, un jour, chanter pour de bons cachets... Car, en plus, c'est vraiment leur rêve : chanter...

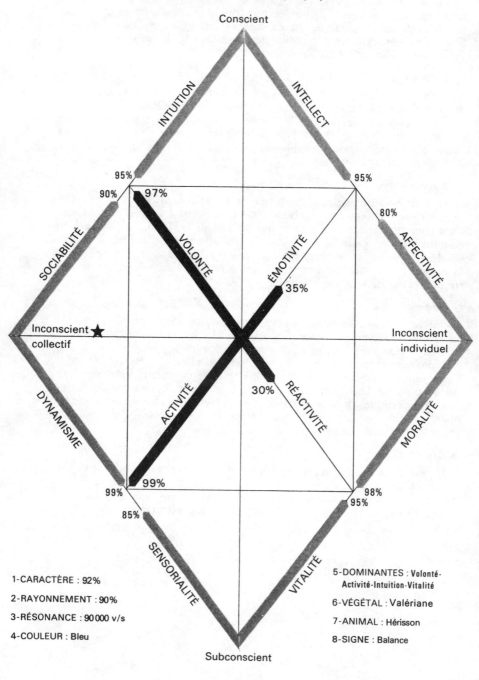

YVONNE

Personnalité : *Celle qui pique.*

Conscient

INTUITION

INTELLECT

95%

95%

90%

97%

80%

SOCIABILITÉ

VOLONTÉ

ÉMOTIVITÉ

AFFECTIVITÉ

35%

Inconscient collectif ★

Inconscient individuel

DYNAMISME

30%

RÉACTIVITÉ

ACTIVITÉ

MORALITÉ

99%

99%

98%

95%

85%

SENSORIALITÉ

VITALITÉ

1-CARACTÈRE : 92%

2-RAYONNEMENT : 90%

3-RÉSONANCE : 90 000 v/s

4-COULEUR : Bleu

5-DOMINANTES : Volonté-Activité-Intuition-Vitalité

6-VÉGÉTAL : Valériane

7-ANIMAL : Hérisson

8-SIGNE : Balance

Subconscient

Yvonne

et prénoms aux caractéristiques analogues

Adrienne	Frida	Myrtille	Sabine
Alda	Huberte	Nathalie	Sébastienne
Corentine	Jasmine	Ombeline	*Yvonne*
Eglantine	Leslie	Pâquerette	
Ella	Mildred	Sabina	

□ Type caractérologique

Leur caractère n'est pas des plus souples, ce qui n'est pas surprenant lorsqu'on sait que leur animal totem est le *hérisson* !

Elles sont du genre colérique sanguin, dotées d'une grande émotivité, d'une activité très valable, mais de réactions un peu amorties. Lorsque les choses ne se passent pas comme elles le veulent, elles se replient sur elles-mêmes et se mettent en boule, au propre et au figuré. Elles sont assez matérialistes, intéressées, et ont besoin de réussir dans la vie pour avoir la preuve de leur efficacité. Elles aiment donc l'argent et les honneurs et vont jusqu'à manifester un goût assez prononcé pour l'intrigue !

□ Psychisme

Elles sont peu influençables, et lorsqu'elles ont décidé une chose, il est non seulement difficile, mais dangereux, de vouloir leur faire changer d'avis trop rapidement. Elles auraient été merveilleusement à l'aise dans l'une de ces petites principautés italiennes de la Renaissance, où les conspirations succédaient aux complots. Nous ne voulons pas dire que ce sont des Lucrèce Borgia, mais simplement qu'elles ne se sentiraient pas embarrassées dans une atmosphère plutôt machiavélique. Très captatrices, elles ont besoin de posséder. Ayant une inébranlable confiance en soi, elles ne font que rarement confiance à autrui. Très subjectives, elles voient midi à leur clocher.

□ Volonté

De là à supposer qu'elles sont douées d'une forte volonté, il n'y a qu'un pas. Cette volonté farouche sera mise au service d'une ambition souvent redoutable avec toujours, de temps à autre, des reculs surprenants !

□ Emotivité

Il est bien évident que ces « femmes-hérissons » ne peuvent disposer que d'une émotivité assez discrète qui leur laisse un esprit clair et logique, un sang-froid qui, parfois, les fait paraître insensibles.

□ Réactivité

Un sens très poussé de l'opposition : elles ont beaucoup de mal à accepter toute idée qui ne vient pas d'elles. Elles sont très sensibles à l'échec qu'elles considèrent comme une offense personnelle et il n'est pas rare qu'elles refoulent leurs sentiments. Méfiez-vous des règlements de comptes de ces enfants qui n'oublient rien et se vengent de toute injustice !

□ Activité

Elle est exceptionnelle ! Elles font habituellement des études honnêtes, mais comme elles sont ambitieuses, elles cèdent assez vite au désir de la compétition et se lancent alors dans la course au « parchemin ». Le problème du choix d'une carrière les préoccupe très tôt, car d'une manière générale, leur vie est fortement axée sur la notion de métier. Leur caractère peut les mener à embrasser la profession de tragédienne, elles peuvent s'occuper aussi de recherches archéologiques ou historiques, tenir un magasin d'antiquités ou devenir conservateur de musée. Mais leur sens inné du jeu des influences pourrait les conduire vers des métiers inhabituels, comme celui d'agent de renseignements où, sans être Mata-Hari, elles se rendraient particulièrement utiles. Plus simplement, elles font de remarquables secrétaires de direction, vouant un culte exclusif à leur directeur, et parfaitement discrètes. D'une manière générale, elles feront merveille partout où on a besoin d'une femme capable de prendre en main une affaire exigeant tact, prudence et décision.

□ Intuition

Elles ont beaucoup d'intuition, et on en arrive à se demander si ce n'est pas de la divination ; il ne leur manque plus que la boule de cristal ! Leur séduction, nous l'avons dit, est réelle, légèrement inquiétante à la limite. Leur imagination est d'une puissance remarquable, et elles sont capables de bâtir des plans d'action d'une exceptionnelle complexité.

□ Intelligence

Elles sont intelligentes, d'une intelligence pratique, mais introverties, c'est-à-dire qu'elles ont tendance à s'isoler du monde extérieur, tel le hérisson, en attendant que le danger passe, pour reprendre ensuite leur petit bonhomme de chemin ; mais malheur à ceux qui les auront effrayées s'ils n'ont ni la force ni le courage de résister ensuite à la vindicte ouverte ou secrète de ces caractères entiers.

□ Affectivité

Elles se servent de leur affectivité pour dominer ; elles sont d'ailleurs très séduisantes, mais on a souvent l'impression que, derrière ces sourires engageants, se cache l'idée bien arrêtée d'obtenir quelque chose de précis. Elles peuvent néanmoins éprouver une affection sincère et désintéressée, mais ce sera d'une façon réservée, et pour celui-là seul qui aura su les conquérir totalement. Il faut éviter que ces êtres, étant enfants, ne se livrent au chantage à la tendresse en circonvenant leurs parents par des manœuvres adroites. Il faudra surveiller très tôt leur comportement social, surtout avec leurs petites camarades qu'elles auraient tendance à traiter en esclaves.

388

□ Moralité

Un remarquable sens moral les conduit à la limite d'un puritanisme agressif. Mais attention, le problème n'est pas si simple et, tout en étant parfaitement orthodoxes en matière de comportement, elles se servent de leur rigueur inflexible comme d'une arme redoutable ! Généralement, elles sont profondément croyantes et conservent de leur enfance l'image d'une religion quelque peu inflexible dans ses commandements, mais fascinante par ses cérémonies grandioses.

□ Vitalité

Elles sont résistantes et normalement dotées d'une excellente vitalité. Elles savent se protéger psychiquement et physiquement et arrivent parfaitement à se créer un équilibre de vie. Leur point faible : l'appareil respiratoire. Il faut à tout prix qu'elles évitent de fumer...

□ Sensorialité

Elles sont dotées d'une belle sensualité, souvent liée à un sens aigu des réalités. Elles savent être extrêmement délicates en cette matière. Elles sont très exclusives lorsqu'elles ont trouvé l'homme de leur vie, mais à cela deux conditions évidentes : la première, c'est de le découvrir, la seconde, de le garder car leur possessivité est parfois pesante !

□ Dynamisme

Leur dynamisme est à la hauteur de leur activité mais avec elles, il ne faut pas confondre dynamisme et agressivité. Ce ne sont pas des « brisantes » mais des « insinuantes » qui prennent leur temps, et qui arrivent toujours à obtenir ce qu'elles veulent... On peut dire qu'elles ont l'amitié rare, d'abord parce qu'elles ne tiennent pas à ce qu'on connaisse leur vie intime, ensuite du fait qu'à leurs yeux, très peu d'êtres valent la peine qu'on leur donne le nom d'ami. Leur foyer n'accueillera donc qu'une élite de familiers.

□ Sociabilité

Leur sociabilité est de grande classe, elles savent tenir une maison, recevoir des invités, animer une conversation. La volonté est forte, la moralité rigoureuse, et elles ne s'occupent pas de leur chance, car la plupart du temps elles savent où elles vont, et ce qu'elles veulent ; en résumé, des femmes dont le caractère n'est pas toujours très facile, mais qui sont intéressantes et efficaces.

□ Conclusion

Voilà des personnalités passionnantes à regarder vivre, des femmes dignes d'être admirées mais il faut à leurs compagnons une dimension et une résistance exceptionnelles pour les tenir en main... sans trop se piquer ! Et puis, il convient de rappeler que leur végétal totem est la *valériane,* la fameuse « herbe aux chats », chez lesquels elle provoque une sorte d'ivresse... Alors, les « minets », prenez garde à vous !

3

index des prénoms

Les dates de célébration des fêtes ne sont données qu'à titre indicatif, car, à l'heure actuelle, il règne une certaine confusion dans les calendriers, dits « nouveaux » ! Aussi ne livrons-nous cette liste des fêtes qu'avec les plus expresses réserves. D'autre part, elle n'a rien de limitatif et nous vous serions reconnaissants de bien vouloir nous signaler les omissions ou erreurs que vous auriez pu constater ainsi que les prénoms peu connus que vous aimeriez voir figurer dans la prochaine édition de cet ouvrage.

Enfin, s'il nous est arrivé de canoniser, avant l'Eglise, quelques porteurs de prénoms historiques, nous espérons que le bon saint Pierre nous pardonnera cette anticipation ! Mais, après tout, pourquoi Dante, par exemple, ne serait-il pas aussi un bienheureux, lui qui a si bien chanté les joies du Ciel dans sa Divine Comédie ! Un mot encore pour regretter la disparition de tous les vieux saints que l'on a jetés à la porte du calendrier comme des serviteurs inutiles. Tout cela ne nous semble pas très chrétien, et, à force de faire le ménage dans les églises, on finira bien par en sortir un Bon Dieu trop vieux lui aussi !

Abréviations : Emotiv. = Emotivité — Sensor. = Sensorialité — Dynam. = Dynamisme — Sociab. = Sociabilité.

Prénom	Sexe	Prénom pilote	Fête	Dominantes	Couleur	Page
Aaron	M	Paul	1er juil.	Volonté-Intellect-Activité-Moralité	Rouge	339
Abel	M	Antoine	5 août	Intuition-Activité-Emotivité-Moralité	Jaune	103
Abella	F	Hélène	5 août	Intuition-Sociabilité-Affectivité-Emotiv.	Jaune	259
Abraham	M	Dominique	20 déc.	Sociabilité-Affectivité-Moralité-Emotiv.	Vert	191
Achille	M	Paul	12 mai	Volonté-Intellect-Activité-Moralité	Rouge	339
Ada	F	Dominique	4 déc.	Volonté-Sociabilité-Dynamisme-Intellect	Jaune	195
Adalbert	M	Alphonse	23 avril	Volonté-Dynamisme-Vitalité	Violet	87
Adam	M	Michel	1er nov.	Volonté-Activité-Sensor.-Vitalité	Rouge	335
Adélaïde	F	Colette	16 déc.	Affectivité-Sensor.-Sociabilité-Intuition	Bleu	171
Adèle	F	Yvette	24 déc.	Volonté-Affectivité-Emotivité-Intuition	Bleu	383
Adelin	M	Etienne	20 oct.	Affectivité-Moralité-Vitalité-Volonté	Vert	215
Adeline	F	Yvette	20 oct.	Volonté-Affectivité-Emotivité-Intuition	Bleu	383
Adelphe	M	François	11 sept.	Volonté-Activité-Intellect-Affectivité	Bleu	227
Adnette	F	Thérèse	4 déc.	Sociabilité-Volonté-Intellect-Activité	Orangé	359
Adolphe	M	Philippe	30 juin	Volonté-Activité-Sociabilité-Intellect	Vert	343
Adolphine	F	Marguerite	30 juin	Emotivité-Affectivité-Sociabilité-Intuition	Vert	319
Adrian	M	Raymond	8 sept.	Moralité-Vitalité-Volonté-Sensorialité	Bleu	351
Adrien	M	Raymond	8 sept.	Moralité-Vitalité-Volonté-Sensorialité	Bleu	351
Adrienne	F	Yvonne	8 sept.	Volonté-Activité-Intuition-Vitalité	Bleu	387
Agathe	F	Madeleine	5 fév.	Affectivité-Sociabilité-Dynam.-Sensor.	Violet	311
Aglaée	F	Elisabeth	1er nov.	Volonté-Intellect-Intuition-Sociabilité	Orangé	207
Agnès	F	Agnès	21 janv.	Volonté-Emotivité-Réactivité	Vert	75
Ahmed	M	Michel	21 août	Volonté-Activité-Sensorialité-Vitalité	Rouge	335
Aimable	M	Barthélemy	18 oct.	Volonté-Sociabilité-Dynamisme-Sensor.	Bleu	115
Aimé	M	Victor	13 sept.	Sociabilité-Dynam.-Affectivité-Intellect	Vert	367
Aimée	F	Agnès	20 fév.	Volonté-Emotivité-Réactivité	Vert	75
Alain	M	Thomas	9 sept.	Affectivité-Activité-Moralité	Bleu	363
Alba	F	Berthe	22 juin	Affectivité-Intellect-Sociab.-Moralité	Orangé	127
Alban	M	Félix	22 juin	Sociabilité-Intuition-Sensor.-Moralité	Orangé	223
Albane	F	Berthe	22 juin	Affectivité-Intellect-Sociab.-Moralité	Orangé	127
Albe	M	Berthe	22 juin	Affectivité-Intellect-Sociab.-Moralité	Orangé	127
Albéric	M	André	15 nov.	Affectivité-Sociabilité-Intuition-Dynam.	Rouge	91
Albert	M	Albert	15 nov.	Emotivité-Affectivité-Intuition	Bleu	79
Alberta	F	Anne	15 nov.	Volonté-Intuition-Dynamisme-Sensorialité	Bleu	99
Alberte	F	Anne	15 nov.	Volonté-Intuition-Dynamisme-Sensorialité	Bleu	99
Albertina	F	Anne	15 nov.	Volonté-Intuition-Dynamisme-Sensorialité	Bleu	99
Albertine	F	Anne	15 nov.	Volonté-Intuition-Dynamisme-Sensorialité	Bleu	99
Albin	M	Albert	1er mars	Emotivité-Affectivité-Intuition	Bleu	79
Albine	F	Yvette	1er mars	Volonté-Affectivité-Emotivité-Intuition	Bleu	383
Alda	F	Yvonne	26 avril	Volonté-Activité-Intuition-Vitalité	Bleu	387
Alèthe	F	Claudine	4 avril	Emotivité-Sociab.-Affectivité-Moralité	Rouge	163
Alette	F	Claudine	4 avril	Emotivité-Sociab.-Affectivité-Moralité	Rouge	163
Alex	M	Emile	22 avril	Intuition-Volonté-Activité	Bleu	211
Alexandra	F	Eugénie	22 avril	Volonté-Activité-Sociabilité-Sensorialité	Bleu	219
Alexandre	M	Emile	22 avril	Intuition-Volonté-Activité	Bleu	211
Alexandrine	F	Eugénie	22 avril	Volonté-Activité-Sociabilité-Sensorialité	Bleu	219

Prénom	Sexe	Prénom pilote	Fête	Dominantes	Couleur	Page
Alexia	F	Eugénie	9 janv.	Volonté-Activité-Sociabilité-Sensorialité	Bleu	219
Alexis	M	Emile	17 fév.	Intuition-Volonté-Activité	Bleu	211
Aleyde	M	Bernard	11 juin	Volonté-Dynamisme-Activité-Vitalité	Violet	123
Alfred	M	Alfred	15 août	Sociabilité-Sensorialité-Intuition	Violet	83
Alfréda	F	Danièle	15 août	Sociabilité-Intellect-Dynamisme-Vitalité	Violet	179
Alice	F	Dominique	16 déc.	Volonté-Sociabilité-Dynamisme-Intellect	Jaune	195
Alida	F	Geneviève	26 avril	Volonté-Activité-Dynamisme-Intellect	Rouge	239
Aliette	F	Claudine	4 avril	Emotivité-Sociab.-Affectivité-Moralité	Rouge	163
Alin	M	Daniel	20 oct.	Intellect-Intuition-Moralité-Sociab.	Jaune	175
Aline	F	Jeanne	20 oct.	Volonté-Activité-Intellect-Affectivité	Jaune	287
Alix	M	Barthélemy	9 janv.	Volonté-Sociabilité-Dynamisme-Sensor.	Bleu	115
Alix	F	Cécile	9 janv.	Affectivité-Moralité-Intellect-Activité	Bleu	139
Aloïs	M	Gérard	21 juin	Affectivité-Moralité-Vitalité-Volonté	Orangé	247
Aloysius	M	Gérard	21 juin	Affectivité-Moralité-Vitalité-Volonté	Orangé	247
Alphonse	M	Alphonse	1er août	Volonté-Dynamisme-Vitalité	Violet	87
Alphonsin	M	Alphonse	1er août	Volonté-Dynamisme-Vitalité	Violet	87
Alphonsine	F	Madeleine	1er août	Affectivité-Sociabilité-Dynamisme-Sensor.	Violet	311
Amable	M	Barthélemy	18 oct.	Volonté-Sociabilité-Dynamisme-Sensor.	Bleu	115
Amaël	M	Michel	24 mai	Volonté-Activité-Sensorialité-Vitalité	Rouge	335
Amance	M	Denis	4 nov.	Réactivité-Emotivité-Vitalité-Moralité	Orangé	183
Amand	M	Gérard	6 fév.	Affectivité-Moralité-Vitalité-Volonté	Orangé	247
Amandine	F	André	9 juil.	Volonté-Sociabilité-Dynamisme	Orangé	95
Amaury	M	Camille	15 janv.	Moralité-Intellect-Sensorialité-Intuition	Jaune	131
Ambroise	M	Edmond	7 déc.	Emotivité-Affectivité-Sensor.-Moralité	Violet	199
Amé	M	Guy	13 sept.	Affectivité-Dynamisme-Intellect	Violet	255
Amédée	M	Antoine	30 mars	Intuition-Activité-Emotivité-Moralité	Jaune	103
Amédée	F	Hélène	27 août	Intuition-Sociab.-Affectivité-Emotivité	Jaune	259
Amélie	F	Danièle	19 sept.	Sociabilité-Intellect-Dynamisme-Vitalité	Violet	179
Amos	M	Charles	31 mars	Volonté-Activité-Moralité-Dynamisme	Rouge	143
Anaël	M	Joseph	1er nov.	Volonté-Activité-Affectivité-Moralité	Rouge	291
Anaïs	F	Cécile	26 juil.	Volonté-Sensorialité-Vitalité-Affectivité	Bleu	151
Anastase	M	Dominique	22 janv.	Sociab.-Affectivité-Moralité-Emotivité	Vert	191
Anastasie	F	Agnès	10 mars	Volonté-Emotivité-Réactivité	Vert	75
Anatole	M	Baptiste	3 fév.	Sociabilité-Affectivité-Sensor.-Vitalité	Jaune	111
Anatolie	F	Dominique	3 fév.	Volonté-Sociabilité-Dynamisme-Intellect	Jaune	195
Andéol	M	Alphonse	1er mai	Volonté-Dynamisme-Vitalité	Violet	87
Andoche	M	Félix	24 sept.	Sociabilité-Intuition-Sensor.-Moralité	Orangé	223
André	M	André	30 nov.	Affectivité-Sociabilité-Intuition-Dynam.	Rouge	91
Andréa	F	Andrée	30 nov.	Volonté-Sociabilité-Dynamisme	Orangé	95
Andrée	F	Andrée	30 nov.	Volonté-Sociabilité-Dynamisme	Orangé	95
Ange	M	Edmond	5 mai	Emotivité-Affectivité-Sensor.-Moralité	Violet	199
Angèle	F	Virginie	27 janv.	Emotivité-Intuition-Affectivité	Violet	375
Angélina	F	Virginie	27 janv.	Emotivité-Intuition-Affectivité	Violet	375
Angéline	F	Virginie	27 janv.	Emotivité-Intuition-Affectivité	Violet	375
Angélique	F	Virginie	27 janv.	Emotivité-Intuition-Affectivité	Violet	375
Anicet	M	Christophe	17 avril	Volonté-Sensor.-Vitalité-Affectivité	Bleu	151

394

396

397

Prénom	Sexe	Prénom pilote	Fête	Dominantes	Couleur	Page
Christine	F	Christiane	24 juil.	Intellect-Activité	Vert	147
Christophe	M	Christophe	21 août	Volonté-Sensorialité-Vitalité-Affectivité	Bleu	151
Clair	M	Dominique	2 janv.	Sociab.-Affectivité-Moralité-Emotivité	Vert	191
Claire	F	Claire	11 août	Sensor.-Affectivité-Sociabilité-Dynamisme	Vert	155
Clairette	F	Claire	11 août	Sensor.-Affectivité-Sociabilité-Dynamisme	Vert	155
Clara	F	Claire	11 août	Sensor.-Affectivité-Sociabilité-Dynamisme	Vert	155
Clarence	F	Claire	12 août	Sensor.-Affectivité-Sociabilité-Dynamisme	Vert	155
Clarisse	F	Claire	12 août	Sensor.-Affectivité-Sociabilité-Dynamisme	Vert	155
Claude	M	Claude	15 fév.	Emotivité-Réactivité-Sociab.-Intuition	Orangé	159
Claude	F	Thérèse	6 juin	Sociabilité-Volonté-Intellect-Activité	Orangé	359
Claudette	F	Thérèse	6 juin	Sociabilité-Volonté-Intellect-Activité	Orangé	359
Claudia	F	Thérèse	6 juin	Sociabilité-Volonté-Intellect-Activité	Orangé	359
Claudie	F	Thérèse	6 juin	Sociabilité-Volonté-Intellect-Activité	Orangé	359
Claudine	F	Claudine	6 juin	Emotivité-Sociab.-Affectivité-Moralité	Orangé	163
Claudius	M	Claude	15 fév.	Emotivité-Réactivité-Sociab.-Intuition	Orangé	159
Claudy	F	Thérèse	6 juin	Sociabilité-Volonté-Intellect-Activité	Orangé	359
Clélia	F	Dominique	13 juil.	Volonté-Sociabilité-Dynamisme-Intellect	Jaune	195
Clémence	F	Jacqueline	21 mars	Sensor.-Sociabilité-Dynamisme-Affectivité	Bleu	275
Clément	M	Clément	23 nov.	Activité-Volonté-Dynamisme-Affectivité	Rouge	167
Clémentine	F	Colette	23 nov.	Affectivité-Sensor.-Sociabilité-Intuition	Bleu	171
Clet	M	Henri	26 avril	Affectivité-Sensor.-Sociabilité-Intellect	Violet	263
Clodomir	M	Barnabé	1er nov.	Intellect-Sensorialité-Réactivité	Vert	115
Clotilde	F	Berthe	4 juin	Affectivité-Intellect-Sociab.-Moralité	Orangé	127
Clovis	M	Claude	25 août	Emotivité-Réactivité-Sociab.-Intuition	Orangé	159
Colas	M	Barthélemy	1er nov.	Volonté-Sociabilité-Dynamisme-Sensor.	Bleu	115
Coletta	F	Colette	6 mars	Affectivité-Sensor.-Sociabilité-Intuition	Bleu	171
Colette	F	Colette	6 mars	Affectivité-Sensor.-Sociabilité-Intuition	Bleu	171
Colin	M	Camille	6 déc.	Moralité-Intellect-Sensor.-Intuition	Jaune	131
Coline	F	Dominique	6 déc.	Volonté-Sociabilité-Dynamisme-Intellect	Jaune	195
Colinette	F	Dominique	6 déc.	Volonté-Sociabilité-Dynamisme-Intellect	Jaune	195
Colomba	F	Berthe	31 déc.	Affectivité-Intellect-Sociab.-Moralité	Orangé	127
Colomban	M	Félix	23 nov.	Sociabilité-Intuition-Sensor.-Moralité	Orangé	223
Colombe	F	Berthe	31 déc.	Affectivité-Intellect-Sociab.-Moralité	Orangé	127
Côme	M	Guy	26 sept.	Affectivité-Dynamisme-Intellect	Violet	255
Conrad	M	Claude	26 nov.	Emotivité-Réactivité-Sociab.-Intuition	Orangé	159
Constance	F	Agnès	8 avril	Volonté-Emotivité-Réactivité	Vert	75
Constant	M	Philippe	23 sept.	Volonté-Activité-Sociabilité-Intellect	Vert	343
Constantin	M	Victor	21 mai	Sociabilité-Dynam.-Affectivité-Intellect	Vert	367
Cora	F	Catherine	18 mai	Intellect-Réactivité-Emotivité-Dynamisme	Rouge	135
Coralie	F	Catherine	18 mai	Intellect-Réactivité-Emotivité-Dynamisme	Rouge	135
Coraline	F	Catherine	18 mai	Intellect-Réactivité-Emotivité-Dynamisme	Rouge	135
Corentin	M	Thomas	12 déc.	Affectivité-Activité-Moralité	Bleu	363
Corentine	F	Yvonne	12 déc.	Volonté-Activité-Intuition-Vitalité	Bleu	387
Corinne	F	Anne	18 mai	Volonté-Intuition-Dynamisme-Sensorialité	Bleu	99
Corneille	M	Baptiste	16 sept.	Sociabilité-Affectivité-Sensor.-Vitalité	Jaune	111
Cornille	M	Pierre	16 sept.	Intuition-Dynam.-Réactivité-Affectivité	Jaune	347

399

400

Prénom	Sexe	Prénom pilote	Fête	Dominantes	Couleur	Page
Elsa	F	Françoise	*17 nov.*	Volonté-Activité-Emotivité-Moralité	Rouge	231
Elsy	F	Françoise	*17 nov.*	Volonté-Activité-Emotivité-Moralité	Rouge	231
Elvire	F	Jeanne	*16 juil.*	Volonté-Activité-Intellect-Affectivité	Jaune	287
Elyette	F	Cécile	*20 juil.*	Affectivité-Moralité-Intellect.-Activité	Bleu	139
Emeline	F	Thérèse	*27 oct.*	Sociabilité-Volonté-Intellect-Activité	Orangé	359
Emeric	M	Bernard	*4 nov.*	Volonté-Dynamisme-Activité-Vitalité	Violet	123
Emile	M	Emile	*22 mai*	Intuition-Volonté-Activité	Bleu	211
Emilie	F	Anne	*19 sept.*	Volonté-Intuition-Dynamisme-Sensorialité	Bleu	99
Emilien	M	Emile	*12 nov.*	Intuition-Volonté-Activité	Bleu	211
Emilienne	F	Anne	*5 janv.*	Volonté-Intuition-Dynamisme-Sensorialité	Bleu	99
Emma	F	Thérèse	*19 avril*	Sociabilité-Volonté-Intellect-Activité	Orangé	359
Emmanuel	M	Yves	*25 déc.*	Volonté-Activité-Réactivité-Sensorialité	Orangé	379
Emmanuelle	F	Thérèse	*25 déc.*	Sociabilité-Volonté-Intellect-Activité	Orangé	359
Emmeline	F	Thérèse	*18 août*	Sociabilité-Volonté-Intellect-Activité	Orangé	359
Enguerran	M	Guy	*25 oct.*	Affectivité-Dynamisme-Intellect	Violet	255
Enrique	M	Henri	*13 juil.*	Affectivité-Sensor.-Sociabilité-Intellect	Violet	263
Ephrem	M	Victor	*9 juin*	Sociabilité-Dynam.-Affectivité-Intellect	Vert	367
Epiphane	M	Barthélemy	*11 mai*	Volonté-Sociabilité-Dynamisme-Sensor.	Bleu	115
Erasme	M	Etienne	*2 juin*	Affectivité-Moralité-Vitalité-Volonté	Vert	215
Eric	M	Robert	*18 mai*	Intuition-Affectivité-Réactivité-Sociab.	Rouge	355
Erich	M	Robert	*18 mai*	Intuition-Affectivité-Réactivité-Sociab.	Rouge	355
Erick	M	Robert	*18 mai*	Intuition-Affectivité-Réactivité-Sociab.	Rouge	355
Ericka	F	Catherine	*18 mai*	Intellect-Réactivité-Emotivité-Dynamisme	Rouge	135
Ernest	M	Baptiste	*7 nov.*	Sociabilité-Affectivité-Sensor.-Vitalité	Jaune	111
Ernestine	F	Berthe	*7 nov.*	Affectivité-Intellect-Sociab.-Moralité	Jaune	127
Erwan	M	Anne	*19 mai*	Volonté-Intuition-Dynamisme-Sensorialité	Bleu	99
Esteban	M	Jacques	*26 déc.*	Volonté-Dynamisme-Sensorialité-Vitalité	Rouge	279
Estelle	F	Anne	*11 mai*	Volonté-Intuition-Dynamisme-Sensorialité	Bleu	99
Esther	F	Geneviève	*1er juil.*	Volonté-Activité-Dynamisme-Intellect	Rouge	239
Etienne	M	Etienne	*26 déc.*	Affectivité-Moralité-Vitalité-Volonté	Vert	215
Etiennette	F	Claire	*26 déc.*	Sensorialité-Affectivité-Sociab.-Dynam.	Vert	155
Etoile	F	Marie	*11 mai*	Volonté-Affectivité-Moralité-Activité	Bleu	323
Eudes	M	Gérard	*19 août*	Affectivité-Moralité-Volonté	Orangé	247
Eugène	M	Albert	*13 juil.*	Emotivité-Affectivité-Intuition	Bleu	79
Eugénie	F	Eugénie	*7 fév.*	Volonté-Activité-Sociabilité-Sensorialité	Bleu	219
Eusèbe	M	Camille	*2 août*	Moralité-Intellect-Sensorialité-Intuition	Jaune	131
Eusébie	F	Denise	*16 mars*	Volonté-Activité	Jaune	187
Eustache	M	Edmond	*20 sept.*	Emotivité-Affectivité-Sensor.-Moralité	Violet	199
Eva	F	Marie	*6 sept.*	Volonté-Affectivité-Moralité-Activité	Bleu	323
Evariste	M	Daniel	*26 oct.*	Intellect-Intuition-Moralité-Sociabilité	Jaune	175
Eve	F	Marie	*6 sept.*	Volonté-Affectivité-Moralité-Activité	Bleu	323
Evelyne	F	Marie	*27 déc.*	Volonté-Affectivité-Moralité-Activité	Bleu	323
Evrard	M	Maurice	*14 août*	Intellect-Affectivité-Sociab.-Emotivité	Violet	331

Prénom	Sexe	Prénom pilote	Fête	Dominantes	Couleur	Page
François	M	François	4 oct.	Volonté-Activité-Intellect-Affectivité	Bleu	227
Françoise	F	Françoise	9 mars	Volonté-Activité-Emotivité-Moralité	Rouge	227
Frankie	M	François	4 oct.	Volonté-Activité-Intellect-Affectivité	Bleu	227
Franklin	M	François	4 oct.	Volonté-Activité-Intellect-Affectivité	Bleu	227
Frantz	M	François	4 oct.	Volonté-Activité-Intellect-Affectivité	Bleu	227
Freddy	M	Pierre	18 juil.	Intuition-Dynam.-Réactivité-Affectivité	Jaune	347
Frédéric	M	Pierre	18 juil.	Intuition-Dynam.-Réactivité-Affectivité	Jaune	347
Frédérique	M	Pierre	18 juil.	Intuition-Dynam.-Réactivité-Affectivité	Jaune	347
Frédérique	F	Dominique	18 juil.	Volonté-Sociabilité-Dynamisme-Intellect	Jaune	195
Frida	F	Yvonne	18 juil.	Volonté-Activité-Intuition-Vitalité	Bleu	387
Fulbert	M	Antoine	10 avril	Intuition-Activité-Emotivité-Moralité	Jaune	103
Fulgence	M	Camille	1er janv.	Moralité-Intellect-Sensorialité-Intuition	Jaune	131
Gabin	M	Gabriel	19 fév.	Intuition-Intellect-Sociab.-Affectivité	Bleu	235
Gabriel	M	Gabriel	29 sept.	Intuition-Intellect-Sociab.-Affectivité	Bleu	235
Gabrielle	F	Colette	29 sept.	Affectivité-Sensor.-Sociabilité-Intuition	Bleu	171
Gaby	M	Gabriel	29 sept.	Intuition-Intellect-Sociabilité-Affectivité	Bleu	235
Gaby	F	Colette	29 sept.	Affectivité-Sensor.-Sociabilité-Intuition	Bleu	171
Gaël	M	Jean	17 déc.	Emotivité-Intellect-Sociabilité-Affectivité	Jaune	283
Gaëla	F	Hélène	17 déc.	Intuition-Sociabilité-Affectivité-Emotivité	Jaune	259
Gaëlle	F	Hélène	17 déc.	Intuition-Sociab.-Affectivité-Emotivité	Jaune	259
Gaëtan	M	Gérard	7 août	Affectivité-Moralité-Vitalité-Volonté	Orangé	247
Gaétane	F	Thérèse	7 août	Sociabilité-Volonté-Intellect-Activité	Orangé	359
Gall	M	Alfred	16 oct.	Sociabilité-Sensorialité-Intuition	Violet	83
Galmier	M	Barnabé	27 fév.	Intellect-Sensorialité-Réactivité	Vert	115
Gaspard	M	Clément	28 déc.	Activité-Volonté-Dynamisme-Affectivité	Rouge	167
Gaston	M	Philippe	6 fév.	Volonté-Activité-Sociabilité-Intellect	Vert	343
Gatien	M	Edmond	18 déc.	Emotivité-Affectivité-Sensor.-Moralité	Violet	199
Gaud	M	Baptiste	20 juil.	Sociabilité-Affectivité-Sensor.-Vitalité	Jaune	111
Gaudeline	F	Dominique	20 juil.	Volonté-Sociabilité-Dynamisme-Intellect	Jaune	195
Gautier	M	Lucien	9 avril	Activité-Volonté-Sensorialité	Orangé	307
Genest	M	Michel	3 janv.	Volonté-Activité-Sensorialité-Vitalité	Rouge	335
Geneviève	F	Geneviève	3 janv.	Volonté-Activité-Dynamisme-Intellect	Rouge	239
Geoffrey	M	Georges	8 nov.	Intuition-Intellect-Emotivité-Sensor.	Jaune	243
Geoffroy	M	Georges	8 nov.	Intuition-Intellect-Emotivité-Sensor.	Jaune	243
Georges	M	Georges	23 avril	Intuition-Intellect-Emotivité-Sensor.	Jaune	243
Georgetta	F	Hélène	15 fév.	Intuition-Sociab.-Affectivité-Emotivité	Jaune	259
Georgette	F	Hélène	15 fév.	Intuition-Sociab.-Affectivité-Emotivité	Jaune	259
Georgia	F	Hélène	15 fév.	Intuition-Sociab.-Affectivité-Emotivité	Jaune	259
Georgina	F	Hélène	15 fév.	Intuition-Sociab.-Affectivité-Emotivité	Jaune	259
Georgine	F	Hélène	15 fév.	Intuition-Sociab.-Affectivité-Emotivité	Jaune	259
Gérald	M	François	5 déc.	Volonté-Activité-Intellect-Affectivité	Bleu	227
Géraldine	F	Jacqueline	5 déc.	Sensorialité-Sociab.-Dynam.-Affectivité	Bleu	127
Gérard	M	Gérard	3 oct.	Affectivité-Moralité-Vitalité-Volonté	Orangé	247
Gérardin	M	Gérard	3 oct.	Affectivité-Moralité-Vitalité-Volonté	Orangé	247

Prénom	Sexe	Prénom pilote	Fête	Dominantes	Couleur	Page
Gérardine	F	Berthe	3 oct.	Affectivité-Intellect-Sociab.-Moralité	Orangé	127
Géraud	M	Edouard	13 oct.	Volonté-Sensorialité-Intellect-Vitalité	Rouge	203
Germain	M	Jean	31 juil.	Emotivité-Intellect-Sociabilité-Activité	Jaune	283
Germaine	F	Dominique	15 juin	Volonté-Sociabilité-Dynamisme-Intellect	Jaune	195
Gérôme	M	Jacques	30 sept.	Volonté-Dynamisme-Sensorialité-Vitalité	Rouge	279
Géromina	F	Claudine	30 sept.	Emotivité-Sociabilité-Affectivité-Moralité	Rouge	163
Gertrude	F	Marthe	16 nov.	Volonté-Activité-Dynamisme-Vitalité	Bleu	327
Gervais	M	Jacques	19 juin	Volonté-Dynamisme-Sensorialité-Vitalité	Rouge	279
Gervaise	F	Catherine	19 juin	Intellect-Réactivité-Emotivité-Dynamisme	Rouge	135
Géry	M	Robert	11 août	Intuition-Affectivité-Réactivité-Sociab.	Rouge	355
Ghislain	M	Christophe	10 oct.	Volonté-Sensorialité-Vitalité-Affectivité	Bleu	151
Ghislaine	F	Colette	10 oct.	Affectivité-Sensor.-Sociab.-Intuition	Bleu	171
Gilbert	M	Gérard	4 fév.	Affectivité-Moralité-Vitalité-Volonté	Orangé	247
Gilberte	F	Thérèse	11 août	Sociabilité-Volonté-Intellect-Activité	Orangé	359
Gildas	M	Dominique	29 janv.	Sociabilité-Affectivité-Moralité-Emotivité	Vert	191
Gilles	M	Guillaume	1er sept.	Activité-Intellect-Volonté-Sensorialité	Vert	251
Gillette	F	Agnès	1er sept.	Volonté-Emotivité-Réactivité	Vert	75
Gina	F	Denise	21 juin	Volonté-Activité	Jaune	187
Ginette	F	Denise	3 janv.	Volonté-Activité	Jaune	187
Gino	M	Jean	21 juin	Emotivité-Intellect-Sociabilité-Activité	Jaune	283
Giraud	M	Edmond	20 avril	Emotivité-Affectivité-Sensor.-Moralité	Violet	199
Gisèle	F	Hélène	7 mai	Intuition-Sociab.-Affectivité-Emotivité	Jaune	259
Godefroy	M	Philippe	8 nov.	Volonté-Activité-Sociabilité-Intellect	Vert	343
Gontran	M	François	28 mars	Volonté-Activité-Intellect-Affectivité	Bleu	227
Gonzague	M	Henri	21 juin	Affectivité-Sensor.-Sociabilité-Intellect	Violet	263
Goulven	M	Emile	1er juil.	Intuition-Volonté-Activité	Bleu	211
Grâce	F	Marie	21 août	Volonté-Affectivité-Moralité-Activité	Bleu	323
Gracieuse	F	Marie	21 août	Volonté-Affectivité-Moralité-Activité	Bleu	323
Gracieux	M	Gabriel	21 août	Intuition-Intellect-Sociab.-Affectivité	Bleu	235
Graziella	F	Marie	21 août	Volonté-Affectivité-Moralité-Activité	Bleu	323
Grégoire	M	Bernard	3 sept.	Volonté-Dynamisme-Activité-Vitalité	Violet	123
Grégory	M	Bernard	3 sept.	Volonté-Dynamisme-Activité-Vitalité	Violet	123
Gudule	F	Marthe	8 janv.	Volonté-Activité-Dynamisme-Vitalité	Bleu	327
Guénolé	M	Jacques	3 mars	Volonté-Dynamisme-Sensorialité-Vitalité	Rouge	279
Guérin	M	Etienne	6 janvier	Affectivité-Moralité-Vitalité-Volonté	Vert	215
Guerric	M	Barnabé	19 août	Intellect-Sensorialité-Réactivité	Vert	115
Guillaume	M	Guillaume	10 janv.	Activité-Intellect-Volonté-Sensorialité	Vert	251
Guillaumette	F	Christiane	10 janv.	Intellect-Activité	Vert	147
Guillemette	F	Christiane	10 janv.	Intellect-Activité	Vert	147
Gustave	M	Guy	7 oct.	Affectivité-Dynamisme-Intellect	Violet	255
Guy	M	Guy	12 juin	Affectivité-Dynamisme-Intellect	Violet	255
Guyonne	F	Danièle	12 juin	Sociabilité-Intellect-Dynamisme-Vitalité	Violet	179
Gwenn	F	Marie	18 oct.	Volonté-Affectivité-Moralité-Activité	Bleu	323
Gwennaël	M	Gabriel	3 nov.	Intuition-Intellect-Sociab.-Affectivité	Bleu	235
Gwennaëlle	F	Marie	3 nov.	Volonté-Affectivité-Moralité-Activité	Bleu	323
Gwendoline	F	Anne	14 oct.	Volonté-Intuition-Dynamisme-Sensorialité	Bleu	99

405

406

Humbert	M	Barnabé	25 mars	Intellect-Sensorialité-Réactivité	Vert	115
Hyacinthe	F	Denise	17 août	Volonté-Activité	Jaune	187
Hyacinthe	M	Baptiste	17 août	Sociabilité-Affectivité-Sensor.-Vitalité	Jaune	111
Ida	F	Colette	13 avril	Affectivité-Sensorialité-Sociab.-Intuition	Bleu	171
Ignace	M	Daniel	17 oct.	Intellect-Intuition-Moralité-Sociabilité	Jaune	175
Igor	M	Charles	5 juin	Volonté-Activité-Moralité-Dynamisme	Rouge	143
Imré	M	Thomas	4 nov.	Affectivité-Activité-Moralité	Bleu	363
Inès	F	Geneviève	10 sept.	Volonté-Activité-Dynamisme-Intellect	Rouge	239
Ingrid	F	Louise	2 sept.	Volonté-Activité-Réactivité-Moralité	Vert	303
Innocent	M	Claude	28 juil.	Emotivité-Réactivité-Sociab.-Intuition	Orangé	159
Irène	F	Jeanne	5 avril	Volonté-Activité-Intellect-Affectivité	Jaune	287
Irénée	M	Pierre	28 juin	Intuition-Dynam.-Réactivité-Affectivité	Jaune	347
Iris	F	Agnès	4 sept.	Volonté-Emotivité-Réactivité	Vert	75
Irma	F	Jacqueline	9 juil.	Sensor.-Sociabilité-Dynamisme-Affectivité	Bleu	275
Isaac	M	Joseph	20 déc.	Volonté-Activité-Affectivité-Moralité	Rouge	291
Isabeau	F	Jeanne	22 fév.	Volonté-Activité-Intellect-Affectivité	Jaune	287
Isabelle	F	Jeanne	22 fév.	Volonté-Activité-Intellect-Affectivité	Jaune	287
Isaïe	M	Yves	9 mai	Volonté-Activité-Réactivité-Sensorialité	Orangé	379
Isidore	M	Victor	4 avril	Sociabilité-Dynam.-Affectivité-Intellect	Vert	367
Ivan	M	Charles	27 déc.	Volonté-Activité-Moralité-Dynamisme	Rouge	143
Ivanne	F	Henriette	30 mai	Sociabilité-Affectivité-Intuition-Vitalité	Rouge	267
Jacinthe	F	Cécile	30 janv.	Affectivité-Moralité-Intellect-Activité	Bleu	139
Jack	M	Vincent	27 déc.	Volonté-Activité-Intellect-Sensorialité	Rouge	371
Jackie	F	Catherine	8 fév.	Intellect-Réactivité-Emotivité-Dynamisme	Rouge	135
Jacky	M	Vincent	25 juil.	Volonté-Activité-Intellect-Sensorialité	Rouge	371
Jacme	M	Jacques	25 juil.	Volonté-Dynamisme-Sensorialité-Vitalité	Rouge	279
Jacob	M	Gabriel	20 déc.	Intuition-Intellect-Sociab.-Affectivité	Bleu	235
Jacqueline	F	Jacqueline	8 fév.	Sensor.-Sociabilité-Dynamisme-Affectivité	Bleu	275
Jacques	M	Jacques	25 juil.	Volonté-Dynamisme-Sensorialité-Vitalité	Rouge	279
Jacquette	F	Claudine	8 fév.	Emotivité-Sociabilité-Affectivité-Moralité	Rouge	163
Jacquine	F	Françoise	8 fév.	Volonté-Activité-Emotivité-Moralité	Rouge	231
Jacquotte	F	Claudine	8 fév.	Emotivité-Sociabilité-Affectivité-Moralité	Rouge	163
James	M	Charles	25 juil.	Volonté-Activité-Moralité-Dynamisme	Rouge	143
Jane	F	Jeanne	30 mai	Volonté-Activité-Intellect-Affectivité	Jaune	287
Janvier	M	Maurice	19 sept.	Intellect-Affectivité-Sociab.-Emotivité	Violet	331
Jaouen	M	Gabriel	2 mars	Intuition-Intellect-Sociab.-Affectivité	Bleu	235
Jasmine	F	Yvonne	5 oct.	Volonté-Activité-Intuition-Vitalité	Bleu	387
Jean	M	Jean	27 déc.	Emotivité-Intellect-Sociabilité-Activité	Jaune	283
Jeanne	F	Jeanne	30 mai	Volonté-Activité-Intellect-Affectivité	Jaune	287
Jeannette	F	Jeanne	30 mai	Volonté-Activité-Intellect-Affectivité	Jaune	287

Prénom	Sexe	Prénom pilote	Fête	Dominantes	Couleur	Page
Jeanine	F	Jeanne	30 mai	Volonté-Activité-Intellect-Affectivité	Jaune	287
Jenny	F	Jeanne	30 mai	Volonté-Activité-Intellect-Affectivité	Jaune	287
Jehan	M	Jean	27 déc.	Emotivité-Intellect-Sociabilité-Activité	Jaune	283
Jehanne	F	Jeanne	30 mai	Volonté-Activité-Intellect-Affectivité	Jaune	287
Jérémie	M	Vincent	1er mai	Volonté-Activité-Intellect-Sensorialité	Rouge	371
Jérôme	M	Jacques	30 sept.	Volonté-Dynamisme-Sensorialité-Vitalité	Rouge	279
Jessica	F	Marthe	4 nov.	Volonté-Activité-Dynamisme-Vitalité	Bleu	327
Jessy	F	Marthe	4 nov.	Volonté-Activité-Dynamisme-Vitalité	Bleu	327
Jim	M	Paul	25 juil.	Volonté-Intellect-Activité-Moralité	Rouge	339
Joachim	M	Gabriel	26 juil.	Intuition-Intellect-Sociab.-Affectivité	Bleu	235
Joël	M	Barthélemy	13 juil.	Volonté-Sociabilité-Dynamisme-Sensor.	Bleu	115
Joëlle	F	Anne	13 juil.	Volonté-Intuition-Dynamisme-Sensorialité	Bleu	99
John	M	Jean	27 déc.	Emotivité-Intellect-Sociabilité-Activité	Jaune	283
Johnny	M	Jean	27 déc.	Emotivité-Intellect-Sociabilité-Activité	Jaune	283
Jonas	M	Etienne	29 mars	Affectivité-Moralité-Vitalité-Volonté	Vert	215
Jordane	M	Emile	13 fév.	Intuition-Volonté-Activité	Bleu	211
Joris	M	Edmond	26 juil.	Volonté-Sensorialité-Intellect-Vitalité	Violet	203
José	M	Joseph	19 mars	Volonté-Activité-Affectivité-Moralité	Rouge	291
Joseph	M	Joseph	19 mars	Volonté-Activité-Affectivité-Moralité	Rouge	291
Josèphe	F	Claudine	19 mars	Emotivité-Sociabilité-Affectivité-Moralité	Rouge	163
Joséphin	M	Charles	19 mars	Volonté-Activité-Moralité-Dynamisme	Rouge	143
Joséphine	F	Henriette	19 mars	Sociab.-Affectivité-Intuition-Vitalité	Rouge	267
Josette	F	Antoinette	19 mars	Emotivité-Moralité-Affectivité-Intuition	Rouge	107
Josiane	F	Catherine	19 mars	Intellect-Réactivité-Emotivité-Dynamisme	Rouge	135
Josse	M	Thomas	13 déc.	Affectivité-Activité-Moralité	Bleu	363
Josselin	M	Thomas	13 déc.	Affectivité-Activité-Moralité	Bleu	363
Josseline	F	Cécile	13 déc.	Affectivité-Moralité-Intellect-Activité	Bleu	139
Josué	M	Bernard	1er sept.	Volonté-Dynamisme-Activité-Vitalité	Violet	123
Juanita	F	Jeanne	30 mai	Volonté-Acitivité-Intellect-Affectivité	Jaune	287
Jude	M	Claude	28 oct.	Emotivité-Réactivité-Sociab.-Intuition	Orangé	159
Judicaël	M	Gérard	17 déc.	Affectivité-Moralité-Vitalité-Volonté	Orangé	247
Judith	F	Marthe	5 mai	Volonté-Activité-Dynamisme-Vitalité	Bleu	327
Jules	M	Clément	12 avril	Activité-Volonté-Dynamisme-Affectivité	Rouge	167
Julia	F	Henriette	8 avril	Sociabilité-Affectivité-Intuition-Vitalité	Rouge	267
Julian	M	Edouard	2 août	Volonté-Sensorialité-Intellect-Vitalité	Rouge	203
Julie	F	Henriette	8 avril	Sociabilité-Affectivité-Intuition-Vitalité	Rouge	267
Julien	M	Clément	2 août	Activité-Volonté-Dynamisme-Affectivité	Rouge	167
Julienne	F	Henriette	16 fév.	Sociabilité-Affectivité-Intuition-Vitalité	Rouge	267
Juliette	F	Henriette	18 mai	Sociabilité-Affectivité-Intuition-Vitalité	Rouge	267
Juste	M	Etienne	14 oct.	Affectivité-Moralité-Vitalité-Volonté	Vert	215
Justin	M	Etienne	1er juin	Affectivité-Moralité-Vitalité-Volonté	Vert	215
Justine	F	Claire	12 mars	Sensor.-Affectivité-Sociabilité-Dynamisme	Vert	155
Justinien	M	Etienne	12 mars	Affectivité-Moralité-Vitalité-Volonté	Vert	215
Juvénal	M	Guy	3 mai	Affectivité-Dynamisme-Intellect	Violet	255

408

Prénom	Sexe	Prénom pilote	Fête	Dominantes	Couleur	Page
Karell	F	Marguerite	7 nov.	Emotivité-Affectivité-Sociabilité-Intuition	Vert	319
Karen	F	Agnès	7 nov.	Volonté-Emotivité-Réactivité	Vert	75
Karina	F	Claire	7 nov.	Sensor.-Affectivité-Sociabilité-Dynamisme	Vert	155
Karine	F	Agnès	7 nov.	Volonté-Emotivité-Réactivité	Vert	75
Katel	F	Catherine	25 nov.	Intellect-Réactivité-Emotivité-Dynamisme	Rouge	135
Katia	F	Catherine	25 nov.	Intellect-Réactivité-Emotivité-Dynamisme	Rouge	135
Katy	F	Catherine	25 nov.	Intellect-Réactivité-Emotivité-Dynamisme	Rouge	135
Katty	F	Catherine	25 nov.	Intellect-Réactivité-Emotivité-Dynamisme	Rouge	135
Ketty	F	Catherine	25 nov.	Intellect-Réactivité-Emotivité-Dynamisme	Rouge	135
Kevin	M	Edouard	3 juin	Volonté-Sensorialité-Intellect-Vitalité	Rouge	203
Kléber	M	François	1er nov.	Volonté-Activité-Intellect-Affectivité	Bleu	227
Kurt	M	Bernard	26 nov.	Volonté-Dynamisme-Activité-Vitalité	Violet	123
Laetitia	F	Marie	18 août	Volonté-Affectivité-Moralité-Activité	Bleu	323
Lambert	M	David	17 sept.	Intellect-Intuition-Moralité-Sociabilité	Jaune	175
Landry	M	Robert	10 juin	Intuition-Affectivité-Réactivité-Sociab.	Rouge	355
Lara	F	Colette	26 mars	Affectivité-Sensor.-Sociab.-Affectivité	Bleu	171
Larissa	F	Thérèse	26 mars	Sociabilité-Volonté-Intuition-Activité	Orangé	359
Laure	F	Claire	10 août	Sensor.-Affectivité-Sociabilité-Dynamisme	Vert	155
Laurence	F	Claire	10 août	Sensor.-Affectivité-Sociabilité-Dynamisme	Vert	155
Laurent	M	Dominique	10 août	Sociab.-Affectivité-Moralité-Emotivité	Vert	191
Laurentine	F	Claire	10 août	Sensor.-Affectivité-Sociabilité-Dynamisme	Vert	155
Laurette	F	Marguerite	10 août	Emotivité-Affectivité-Sociab.-Intuition	Vert	319
Laurie	F	Christiane	10 août	Intellect-Activité	Vert	147
Lazare	M	Guy	23 fév.	Affectivité-Dynamisme-Intellect	Violet	255
Léa	F	Thérèse	22 mars	Sociabilité-Volonté-Intellect-Activité	Orangé	359
Léandre	M	Thomas	28 fév.	Affectivité-Activité-Moralité	Bleu	363
Léger	M	Guillaume	2 oct.	Activité-Intellect-Volonté-Sensorialité	Vert	251
Léïla	F	Yvette	22 mars	Volonté-Affectivité-Emotivité-Intuition	Bleu	383
Léna	F	Hélène	18 août	Intuition-Sociab.-Affectivité-Emotivité	Jaune	259
Lénaïc	M	Baptiste	18 août	Sociabilité-Affectivité-Sensor.-Vitalité	Vert	111
Léo	M	Etienne	6 nov.	Affectivité-Moralité-Vitalité-Volonté	Vert	215
Léocadie	F	Agnès	9 déc.	Volonté-Emotivité-Réactivité	Vert	75
Léon	M	Léon	10 nov.	Sociabilité-Affectivité-Vitalité	Vert	295
Léonard	M	Léon	6 nov.	Sociabilité-Affectivité-Vitalité	Vert	295
Léonce	M	Léon	18 juin	Sociabilité-Affectivité-Vitalité	Vert	295
Léone	F	Claire	10 nov.	Sensor.-Affectivité-Sociabilité-Dynamisme	Vert	155
Léonie	F	Claire	10 nov.	Sensor.-Affectivité-Sociabilité-Dynamisme	Vert	155
Léonilde	M	Etienne	10 nov.	Affectivité-Moralité-Vitalité-Volonté	Vert	215
Léontine	F	Louise	10 nov.	Volonté-Activité-Réactivité-Moralité	Vert	303
Léopold	M	Victor	15 nov.	Sociab.-Dynamisme-Affectivité-Intellect	Vert	367
Léopoldine	F	Marguerite	15 nov.	Emotivité-Affectivité-Sociab.-Intuition	Vert	319
Leslie	F	Yvonne	17 nov.	Volonté-Activité-Intuition-Vitalité	Bleu	387
Lia	F	Cécile	22 mars	Affectivité-Moralité-Intellect-Activité	Bleu	139

409

Prénom	Sexe	Prénom pilote	Fête	Dominantes	Couleur	Page
Liane	F	Cécile	22 mars	Affectivité-Moralité-Intellect-Activité	Bleu	139
Liesse	F	Eugénie	18 août	Volonté-Activité-Sociabilité-Sensorialité	Bleu	219
Lila	F	Thérèse	22 mars	Sociabilité-Volonté-Intellect-Activité	Orangé	359
Lilian	M	Gérard	4 juil.	Affectivité-Moralité-Vitalité-Volonté	Orangé	247
Liliana	F	Elisabeth	4 juil.	Volonté-Intellect-Intuition-Sociabilité	Orangé	207
Liliane	F	Elisabeth	4 juil.	Volonté-Intellect-Intuition-Sociabilité	Orangé	207
Lily	F	Elisabeth	17 nov.	Volonté-Intellect-Intuition-Sociabilité	Orangé	207
Lina	F	Yvette	20 oct.	Volonté-Affectivité-Emotivité-Intuition	Bleu	383
Linda	F	Eugénie	20 oct.	Volonté-Activité-Sociabilité-Sensorialité	Bleu	219
Line	F	Yvette	20 oct.	Volonté-Affectivité-Emotivité-Intuition	Bleu	383
Lionel	M	Daniel	10 nov.	Intellect-Intuition-Moralité-Sociabilité	Jaune	175
Lisbeth	F	Elisabeth	17 nov.	Volonté-Intellect-Intuition-Sociabilité	Orangé	207
Lise	F	Elisabeth	17 nov.	Volonté-Intellect-Intuition-Sociabilité	Orangé	207
Lisette	F	Elisabeth	17 nov.	Volonté-Intellect-Intuition-Sociabilité	Orangé	207
Lizzie	F	Elisabeth	17 nov.	Volonté-Intellect-Intuition-Sociabilité	Orangé	207
Loïc	M	Raymond	25 août	Moralité-Vitalité-Volonté-Sensorialité	Bleu	351
Loïs	M	Gabriel	21 juin	Intuition-Intellect-Sociab.-Affectivité	Bleu	235
Lola	F	Henriette	15 sept.	Sociab.-Affectivité-Intuition-Vitalité	Rouge	267
Lolita	F	Henriette	15 sept.	Sociab.-Affectivité-Intuition-Vitalité	Rouge	267
Longin	M	Henri	15 mars	Affectivité-Sensor.-Sociabilité-Intellect	Violet	263
Lore	F	Jeanne	25 juin	Volonté-Activité-Intellect-Affectivité	Jaune	287
Lorraine	F	Jeanne	30 mai	Volonté-Activité-Intellect-Affectivité	Jaune	287
Louis	M	Louis	25 août	Emotivité-Intuition-Intellect-Sociabilité	Rouge	299
Louise	F	Louise	15 mars	Volonté-Activité-Réactivité-Moralité	Vert	303
Louisette	F	Louise	15 mars	Volonté-Activité-Réactivité-Moralité	Vert	303
Louison	M	Louis	25 août	Emotivité-Intuition-Intellect-Sociabilité	Rouge	299
Loup	M	Camille	29 juil.	Moralité-Intellect-Sensorialité-Intuition	Jaune	131
Luc	M	Félix	18 oct.	Sociabilité-Intuition-Sensor.-Moralité	Orangé	223
Lucas	M	Gérard	18 oct.	Affectivité-Moralité-Vitalité-Volonté	Orangé	247
Luce	F	Andrée	13 déc.	Volonté-Sociabilité-Dynamisme	Orangé	95
Lucette	F	Andrée	13 déc.	Volonté-Sociabilité-Dynamisme	Orangé	95
Lucia	F	Thérèse	13 déc.	Sociabilité-Volonté-Intellect-Activité	Orangé	359
Lucie	F	Thérèse	13 déc.	Sociabilité-Volonté-Intellect-Activité	Orangé	359
Lucien	M	Lucien	8 janv.	Activité-Volonté-Sensorialité	Orangé	307
Lucienne	F	Thérèse	8 janv.	Sociabilité-Volonté-Intellect-Activité	Orangé	359
Lucile	F	Berthe	16 fév.	Affectivité-Intellect-Sociab.-Moralité	Orangé	127
Lucrèce	F	Marthe	15 mars	Volonté-Activité-Dynamisme-Vitalité	Bleu	327
Ludmilla	F	Madeleine	16 sept.	Affectivité-Sociabilité-Dynamisme-Sensor.	Violet	311
Ludovic	M	Etienne	25 août	Affectivité-Moralité-Vitalité-Volonté	Vert	215
Ludwig	M	Clément	25 août	Activité-Volonté-Dynamisme-Affectivité	Rouge	167
Lydiane	F	Colette	3 août	Affectivité-Sensor.-Sociabilité-Intuition	Bleu	171
Lydie	F	Colette	3 août	Affectivité-Sensor.-Sociabilité-Intuition	Bleu	171

410

411

Prénom	Sexe	Prénom pilote	Fête	Dominantes	Couleur	Page
Morvan	M	Léon	22 sept.	Sociabilité-Affectivité-Vitalité	Vert	295
Muguet	M	Denis	1er mai	Réactivité-Emotivité-Vitalité-Moralité	Orangé	185
Muguette	F	Berthe	1er mai	Affectivité-Intellect-Sociab.-Moralité	Orangé	127
Muriel	F	Christiane	15 août	Intellect-Activité	Vert	147
Murielle	F	Christiane	15 août	Intellect-Activité	Vert	147
Mylène	F	Hélène	15 août	Intuition-Sociab.-Affectivité-Emotivité	Jaune	259
Myriam	F	Marie	15 août	Volonté-Affectivité-Moralité-Activité	Bleu	323
Myrtille	F	Yvonne	5 oct.	Volonté-Activité-Intuition-Vitalité	Bleu	387
Nadège	F	Henriette	18 sept.	Sociab.-Affectivité-Intuition-Vitalité	Rouge	267
Nadette	F	Antoinette	18 fév.	Emotivité-Moralité-Affectivité-Intuition	Rouge	107
Nadia	F	Catherine	18 sept.	Intellect-Réactivité-Emotivité-Dynamisme	Rouge	135
Nadine	F	Catherine	18 fév.	Intellect-Réactivité-Emotivité-Dynamisme	Rouge	135
Nancy	F	Thérèse	26 juil.	Sociabilité-Volonté-Intellect-Activité	Orangé	359
Napoléon	M	Michel	15 août	Volonté-Activité-Sensorialité-Vitalité	Rouge	335
Narcisse	M	Barnabé	29 oct.	Intellect-Sensorialité-Réactivité	Vert	115
Natacha	F	Yvette	26 août	Volonté-Affectivité-Emotivité-Intuition	Bleu	383
Nathalie	F	Yvonne	27 juil.	Volonté-Activité-Intuition-Vitalité	Bleu	387
Nathanaël	M	François	24 août	Volonté-Activité-Intellect-Affectivité	Bleu	227
Nathanaëlle	F	Marthe	24 août	Volonté-Activité-Dynamisme-Vitalité	Bleu	327
Nella	F	Claudine	18 août	Emotivité-Sociab.-Affectivité-Moralité	Rouge	163
Nello	M	Vincent	25 déc.	Volonté-Activité-Intellect-Sensorialité	Rouge	371
Nelly	F	Claudine	18 août	Emotivité-Sociab.-Affectivité-Moralité	Rouge	163
Nérée	M	Charles	12 mai	Volonté-Activité-Moralité-Dynamisme	Rouge	143
Nestor	M	Christophe	26 fév.	Volonté-Sensor.-Vitalité-Affectivité	Bleu	151
Nicolas	M	Charles	6 déc.	Volonté-Activité-Moralité-Dynamisme	Rouge	143
Nicole	F	Geneviève	6 mars	Volonté-Activité-Dynamisme-Intellect	Rouge	239
Nicoletta	F	Geneviève	6 mars	Volonté-Activité-Dynamisme-Intellect	Rouge	239
Nikita	M	Denis	31 janv.	Réactivité-Emotivité-Vitalité-Moralité	Orangé	185
Nina	F	Henriette	14 janv.	Sociab.-Affectivité-Intuition-Vitalité	Rouge	267
Ninon	F	Henriette	15 déc.	Sociab.-Affectivité-Intuition-Vitalité	Rouge	267
Noé	M	Hugues	10 nov.	Sociabilité-Sensorialité-Vitalité	Violet	271
Noël	M	Paul	25 déc.	Volonté-Intellect-Activité-Moralité	Rouge	339
Noëlie	F	Françoise	25 déc.	Volonté-Activité-Emotivité-Moralité	Rouge	231
Noëlla	F	Françoise	25 déc.	Volonté-Activité-Emotivité-Moralité	Rouge	231
Noëlle	F	Françoise	25 déc.	Volonté-Activité-Emotivité-Moralité	Rouge	231
Noémie	F	Cécile	21 août	Affectivité-Moralité-Intellect-Activité	Bleu	139
Nolwenn	F	Marie	6 juil.	Volonté-Affectivité-Moralité-Activité	Bleu	95
Nora	F	Andrée	25 juin	Volonté-Sociabilité-Dynamisme	Orangé	83
Norbert	M	Alfred	6 juin	Sociabilité-Sensorialité-Intuition	Violet	115
Octave	M	Barthélemy	20 nov.	Volonté-Sociabilité-Dynamisme-Sensor.	Bleu	115
Octavie	F	Eugénie	20 nov.	Volonté-Activité-Sociabilité-Sensorialité	Bleu	219

Prénom	Sexe	Prénom pilote	Fête	Dominantes	Couleur	Page
Raymond	M	Raymond	7 janv.	Moralité-Vitalité-Volonté-Sensorialité	Bleu	351
Raymonde	F	Colette	7 janv.	Affectivité-Sensor.-Sociabilité-Intuition	Bleu	171
Rébecca	F	Andrée	23 mars	Volonté-Sociabilité-Dynamisme	Orangé	95
Régina	F	Catherine	7 sept.	Intellect-Réactivité-Emotivité-Dynamisme	Rouge	135
Réginald	M	Jacques	17 sept.	Volonté-Dynamisme-Sensorialité-Vitalité	Rouge	279
Régine	F	Catherine	7 sept.	Intellect-Réactivité-Emotivité-Dynamisme	Rouge	135
Régis	M	Jacques	16 juin	Volonté-Dynamisme-Sensorialité-Vitalité	Rouge	279
Reine	F	Catherine	7 sept.	Intellect-Réactivité-Emotivité-Dynamisme	Rouge	135
Réjane	F	Henriette	7 sept.	Sociab.-Affectivité-Intuition-Vitalité	Rouge	267
Rémi	M	Félix	15 janv.	Sociabilité-Intuition-Sensor.-Moralité	Orangé	223
Renald	M	Emile	17 sept.	Intuition-Volonté-Activité	Bleu	211
Renan	M	Christophe	1er juin	Volonté-Sensorialité-Vitalité-Affectivité	Bleu	151
Rénata	F	Colette	19 oct.	Affectivité-Sensor.-Sociabilité-Intuition	Bleu	171
Renaud	M	Raymond	17 sept.	Moralité-Vitalité-Volonté-Sensorialité	Bleu	351
René	M	Thomas	19 oct.	Affectivité-Activité-Moralité	Bleu	363
Renée	F	Marthe	19 oct.	Volonté-Activité-Dynamisme-Vitalité	Bleu	327
Richard	M	Michel	3 avril	Volonté-Activité-Sensorialité-Vitalité	Rouge	335
Rita	F	Marie	22 mai	Volonté-Affectivité-Moralité-Activité	Bleu	323
Robert	M	Robert	30 avril	Intuition-Affectivité-Réactivité-Sociab.	Rouge	355
Roberte	F	Claudine	30 avril	Emotivité-Sociab.-Affectivité-Moralité	Rouge	163
Robertine	F	Claudine	30 avril	Emotivité-Sociab.-Affectivité-Moralité	Rouge	163
Robin	M	Thomas	30 avril	Affectivité-Activité-Moralité	Bleu	363
Roch	M	Charles	16 août	Volonté-Activité-Moralité-Dynamisme	Rouge	143
Rodolphe	M	Thomas	21 juin	Affectivité-Activité-Moralité	Bleu	363
Rodrigue	M	Victor	13 mars	Sociabilité-Dynam.-Affectivité-Intellect	Vert	367
Rogatien	M	Alfred	24 mai	Sociabilité-Sensorialité-Intuition	Violet	83
Roger	M	Louis	30 déc.	Emotivité-Intuition-Intellect-Sociabilité	Rouge	299
Roland	M	Victor	15 sept.	Sociabilité-Dynam.-Affectivité-Intellect	Vert	367
Rolande	F	Marguerite	13 mai	Emotivité-Affectivité-Sociab.-Intuition	Vert	319
Romain	M	Vincent	28 fév.	Volonté-Activité-Intellect-Sensorialité	Rouge	371
Romaric	M	Edmond	10 déc.	Emotivité-Affectivité-Sensor.-Moralité	Violet	199
Roméo	M	Yves	25 fév.	Volonté-Activité-Réactivité-Sensorialité	Orangé	379
Romuald	M	Robert	19 juin	Intuition-Affectivité-Réactivité-Sociab.	Rouge	355
Ronald	M	Emile	17 sept.	Intuition-Volonté-Activité	Bleu	211
Ronan	M	Christophe	1er juin	Volonté-Sensorialité-Vitalité-Affectivité	Bleu	151
Roparz	M	Louis	30 avril	Emotivité-Intuition-Intellect-Sociabilité	Rouge	299
Rosa	F	Yvette	23 août	Volonté-Affectivité-Emotivité-Intuition	Bleu	383
Rosalie	F	Yvette	4 sept.	Volonté-Affectivité-Emotivité-Intuition	Bleu	383
Rose	F	Yvette	23 août	Volonté-Affectivité-Emotivité-Intuition	Bleu	383
Roseline	F	Yvette	17 janv.	Volonté-Affectivité-Emotivité-Intuition	Bleu	383
Rosemonde	F	Jacqueline	30 avril	Sensor.-Sociabilité-Dynamisme-Affectivité	Bleu	275
Rosette	F	Cécile	23 août	Affectivité-Moralité-Intellect-Activité	Bleu	139
Rosine	F	Yvette	11 mars	Volonté-Affectivité-Emotivité-Intuition	Bleu	383
Rosita	F	Cécile	23 août	Affectivité-Moralité-Intellect-Activité	Bleu	139
Rosy	F	Anne	23 août	Volonté-Intuition-Dynamisme-Sensorialité	Bleu	99
Rozenn	F	Marie	23 août	Volonté-Affectivité-Moralité-Activité	Bleu	323

Prénom	Sexe	Prénom pilote	Fête	Dominantes	Couleur	Page
Rudolf	M	Thomas	21 juin	Affectivité-Activité-Moralité	Bleu	363
Rudy	M	Thomas	21 juin	Affectivité-Activité-Moralité	Bleu	363
Rufin	M	Lucien	14 juin	Activité-Volonté-Sensorialité	Orangé	307
Sabina	F	Yvonne	29 août	Volonté-Activité-Intuition-Vitalité	Bleu	387
Sabine	F	Yvonne	29 août	Volonté-Activité-Intuition-Vitalité	Bleu	387
Sabrina	F	Claudine	29 août	Emotivité-Sociab.-Affectivité-Moralité	Rouge	163
Sacha	M	Edouard	30 août	Volonté-Sensorialité-Intellect-Vitalité	Rouge	203
Salomé	F	Cécile	22 oct.	Affectivité-Moralité-Intellect-Activité	Bleu	139
Salomon	M	Christophe	25 juin	Volonté-Sensorialité-Vitalité-Affectivité	Bleu	151
Salvador	M	Gabriel	18 mars	Intuition-Intellect-Sociab.-Affectivité	Bleu	235
Salvatore	M	Gabriel	18 mars	Intuition-Intellect-Sociab.-Affectivité	Bleu	235
Samson	M	Edouard	28 juil.	Volonté-Sensorialité-Intellect-Vitalité	Rouge	203
Samuel	M	Joseph	20 août	Volonté-Activité-Affectivité-Moralité	Rouge	291
Samy	M	Joseph	20 août	Volonté-Activité-Affectivité-Moralité	Rouge	291
Sandie	F	Cécile	2 avril	Affectivité-Moralité-Intellect-Activité	Bleu	139
Sandra	F	Colette	2 avril	Affectivité-Sensor.-Sociabilité-Intuition	Bleu	171
Sandrine	F	Colette	2 avril	Affectivité-Sensor.-Sociabilité-Intuition	Bleu	171
Sandy	F	Cécile	2 avril	Affectivité-Moralité-Intellect-Activité	Bleu	139
Sara	F	Henriette	9 oct.	Sociabilité-Affectivité-Intuition-Vitalité	Rouge	267
Saturnin	M	Maurice	29 nov.	Intellect-Affectivité-Sociab.-Emotivité	Violet	331
Sébastien	M	Christophe	20 janv.	Volonté-Sensorialité-Vitalité-Affectivité	Bleu	151
Sébastienne	F	Yvonne	20 janv.	Volonté-Activité-Intuition-Vitalité	Bleu	387
Ségolène	F	Thérèse	24 juil.	Sociabilité-Volonté-Intellect-Activité	Orangé	359
Selma	M	Edmond	21 avril	Emotivité-Affectivité-Sensor.-Moralité	Violet	199
Séraphin	M	Dominique	12 oct.	Sociabilité-Affectivité-Emotivité-Moralité	Vert	191
Séraphine	F	Marguerite	12 oct.	Emotivité-Affectivité-Sociab.-Intuition	Vert	319
Serge	M	Louis	7 oct.	Emotivité-Intuition-Intellect-Sociabilité	Rouge	299
Sergine	F	Catherine	7 oct.	Intellect-Réactivité-Emotivité-Dynamisme	Rouge	135
Servan	M	Victor	1er juil.	Sociabilité-Dynam.-Affectivité-Intellect	Vert	367
Servane	F	Agnès	1er juil.	Volonté-Emotivité-Réactivité	Vert	75
Séverin	M	Denis	27 nov.	Réactivité-Emotivité-Vitalité-Moralité	Orangé	185
Séverine	F	Thérèse	27 nov.	Sociabilité-Volonté-Intellect-Activité	Orangé	359
Sheila	F	Geneviève	22 nov.	Volonté-Activité-Dynamisme-Intellect	Rouge	239
Sibille	F	Henriette	9 oct.	Sociab.-Affectivité-Intuition-Vitalité	Rouge	267
Sidoine	M	Guy	14 nov.	Affectivité-Dynamisme-Intellect	Violet	255
Sidonie	F	Virginie	14 nov.	Volonté-Intuition-Affectivité	Violet	375
Siegfried	M	Emile	22 août	Intuition-Volonté-Activité	Bleu	211
Silvère	M	Dominique	20 juin	Sociab.-Affectivité-Moralité-Emotivité	Vert	191
Silvestre	M	Dominique	31 déc.	Sociab.-Affectivité-Moralité-Emotivité	Vert	191
Siméon	M	Jacques	18 fév.	Volonté-Dynamisme-Sensorialité-Vitalité	Rouge	279
Simon	M	Vincent	28 oct.	Volonté-Activité-Intellect-Sensorialité	Rouge	371
Simone	F	Catherine	28 oct.	Intellect-Réactivité-Emotivité-Dynamisme	Rouge	135
Soizic	M	Hugues	4 oct.	Sociabilité-Sensorialité-Vitalité	Violet	271

Solange	F	Anne	10 mai	Volonté-Intuition-Dynamisme-Sensorialité	Bleu	99
Soledad	F	Françoise	11 oct.	Volonté-Activité-Emotivité-Moralité	Rouge	231
Solenne	F	Hélène	17 oct.	Intuition-Sociab.-Affectivité-Emotivité	Jaune	259
Soline	F	Hélène	17 oct.	Intuition-Sociab.-Affectivité-Emotivité	Jaune	259
Sonia	F	Jeanne	18 sept.	Volonté-Activité-Intellect-Affectivité	Jaune	287
Sophie	F	Claire	25 mai	Sensor.-Affectivité-Sociabilité-Dynamisme	Vert	155
Stanislas	M	Henri	11 avril	Affectivité-Sensor.-Sociabilité-Intellect	Violet	263
Stella	F	Marie	11 mai	Volonté-Affectivité-Moralité-Activité	Bleu	323
Stéphane	M	Denis	26 déc.	Réactivité-Emotivité-Vitalité-Moralité	Orangé	185
Stéphane	F	Berthe	26 déc.	Affectivité-Intellect-Sociab.-Moralité	Orangé	127
Stéphanette	F	Elisabeth	26 déc.	Volonté-Intellect-Intuition-Sociabilité	Orangé	207
Stéphanie	F	Andrée	26 déc.	Volonté-Sociabilité-Dynamisme	Orangé	95
Stéphen	M	Denis	26 déc.	Réactivité-Emotivité-Vitalité-Moralité	Orangé	185
Stève	M	Gérard	26 déc.	Affectivité-Moralité-Vitalité-Volonté	Orangé	247
Suzanna	F	Madeleine	11 août	Affectivité-Sociabilité-Dynamisme-Sensor.	Violet	311
Suzanne	F	Madeleine	11 août	Affectivité-Sociabilité-Dynamisme-Sensor.	Violet	311
Suzel	F	Madeleine	11 août	Affectivité-Sociabilité-Dynamisme-Sensor.	Violet	311
Suzette	F	Madeleine	11 août	Affectivité-Sociabilité-Dynamisme-Sensor.	Violet	311
Suzon	F	Madeleine	11 août	Affectivité-Sociabilité-Dynamisme-Sensor.	Violet	311
Suzy	F	Madeleine	11 août	Affectivité-Sociabilité-Dynamisme-Sensor.	Violet	311
Svetlana	F	Virginie	20 mars	Volonté-Intuition-Affectivité	Violet	375
Sylvain	M	Barnabé	4 mai	Intellect-Sensorialité-Réactivité	Vert	115
Sylvaine	F	Louise	4 mai	Volonté-Activité-Réactivité-Moralité	Vert	303
Sylvère	M	Dominique	20 juin	Sociab.-Affectivité-Moralité-Emotivité	Vert	191
Sylvestre	M	Dominique	31 déc.	Sociab.-Affectivité-Moralité-Emotivité	Vert	191
Sylvette	F	Marguerite	5 nov.	Emotivité-Affectivité-Sociab.-Intuition	Vert	319
Sylviane	F	Marguerite	5 nov.	Emotivité-Affectivité-Sociab.-Intuition	Vert	319
Sylvie	F	Agnès	5 nov.	Volonté-Emotivité-Réactivité	Vert	75
Symphorien	M	Henri	22 août	Affectivité-Sensor.-Sociabilité-Intellect	Violet	263
Tamara	F	Marguerite	1er mai	Emotivité-Affectivité-Sociab.-Intuition	Vert	319
Tanguy	M	Guy	19 nov.	Affectivité-Dynamisme-Intellect	Violet	255
Tania	F	Anne	12 janv.	Volonté-Intuition-Dynamisme-Sensorialité	Bleu	99
Tatiana	F	Anne	12 janv.	Volonté-Intuition-Dynamisme-Sensorialité	Bleu	99
Tatienne	F	Anne	12 janv.	Volonté-Intuition-Dynamisme-Sensorialité	Bleu	99
Teddy	M	Barnabé	5 janv.	Intellect-Sensorialité-Réactivité	Vert	115
Térésa	F	Thérèse	15 oct.	Sociabilité-Volonté-Intellect-Réactivité	Orangé	359
Tessa	F	Marthe	17 déc.	Volonté-Activité-Dynamisme-Vitalité	Bleu	327
Thaddée	M	Barnabé	28 oct.	Intellect-Sensorialité-Réactivité	Vert	115
Thècle	F	Virginie	24 sept.	Volonté-Intuition-Affectivité	Violet	375
Théodora	F	Françoise	9 nov.	Volonté-Activité-Emotivité-Moralité	Rouge	231
Théodore	M	André	9 nov.	Affectivité-Sociab.-Intuition-Dynamisme	Rouge	91
Théophane	M	Léon	2 fév.	Sociabilité-Affectivité-Vitalité	Vert	295
Théophile	M	Philippe	20 déc.	Volonté-Activité-Sociabilité-Intellect	Vert	343

table

*La composition
et l'impression de ce livre ont été effectuées
par l'imprimerie Aubin à Ligugé
pour les Éditions Albin Michel*

AM

*Achevé d'imprimer en avril 1986
No d'édition 9300. No d'impression L 21468
Dépôt légal, avril 1986*

Imprimé en France